わかりやすい

薬事関係法規・制度

[第5版]

福岡大学薬学部教授
福岡大学病院薬剤部長
神 村 英 利

愛知学院大学薬学部非常勤講師
名古屋市立大学薬学部非常勤講師
田 中 大 三

編 集

東京 廣川書店 発行

執筆者一覧（五十音順）

石津　　隆	福山大学薬学部教授
大上哲也	日本薬科大学薬学部教授
神村英利	福岡大学薬学部教授・福岡大学病院薬剤部長
木方　　正	前岐阜薬科大学教授
久保儀忠	北海道医療大学薬学部講師
小竹　　武	近畿大学薬学部教授
佐藤拓夫	前国際医療福祉大学教授
白畑孝明	徳島文理大学香川薬学部准教授
鈴木勝宏	日本薬科大学薬学部教授
髙橋　　裕	愛知県化粧品工業協同組合事務局長／岐阜薬科大学薬学部非常勤講師
多田　　均	北海道科学大学薬学部教授
田中大三	愛知学院大学薬学部非常勤講師／名古屋市立大学薬学部非常勤講師
多根井重晴	日本薬科大学薬学部教授
中村武夫	近畿大学薬学部教授
仁藤慎一	千葉科学大学薬学部准教授
濵口常男	神戸薬科大学特任教授
早瀬幸俊	北海道薬科大学名誉教授
堀内　　正	ファイン総合薬局薬局長
松尾宏一	福岡大学薬学部准教授
丸山徳見	前徳島文理大学香川薬学部教授
八木直美	前北海道医療大学教授
安田一郎	前東京薬科大学教授
山﨑勝弘	前医療創生大学教授

わかりやすい薬事関係法規・制度［第5版］

編者　神村英利（かみむら ひでとし）　田中大三（たなか たいぞう）

平成21年11月25日　初　版発行©
平成24年1月10日　第2版発行
平成27年3月31日　第3版発行
平成30年3月31日　第4版発行
令和3年3月31日　第5版発行

発行所　株式会社　**廣川書店**

〒113-0033　東京都文京区本郷3丁目27番14号
電話　03(3815)3651　FAX　03(3815)3650

第５版まえがき

本書第４版が出版された翌年（令和元年），医療の高度化，少子高齢化に対応するため，国民のニーズに応える医薬品，医療機器等をより安全，迅速，効率的に提供するとともに，住み慣れた地域で患者が安心して医薬品を使うことができる環境を整えることを目的に，医薬品，医療機器等の品質，有効性及び安全性の確保に関する法律（略称：医薬品医療機器等法・薬機法）が改正された．また，薬機法の改正に伴い，覚醒剤取締法等の関連法令も改正された．そして，改正薬機法のうち，既に薬剤師が必要に応じて継続的に患者の薬剤の使用状況を把握して，服薬指導を行う義務等が施行されている．今後も改正薬機法で謳われた患者自身が自分に適した薬局を選択できるようにするための機能別薬局（地域連携薬局，専門医療機関連携薬局）の知事認定制度，医薬品添付文書の電子的方法による医療現場への提供，トレーサビリティ向上のための医薬品等の包装等へのバーコード等の表示の義務化等が順次実施される．

このように薬剤師を取り巻く環境は大きく変化している．薬学部（薬科大学）卒業生の多くが，病院，薬局，企業，行政機関等に就職し，薬事関連業務に従事することを考えると，薬学生は現時点の薬事関係法規と制度を理解し，将来的に法や制度が改正されても，これらを運用できる素地を作っておかなければならない．しかしながら，法律用語は馴染みが薄く，条文は難解なものが多い．また，診療報酬制度等は定期的に改定される．これらのことから，薬事に関する法と制度は学習しづらい分野である．そこで，現時点の薬事関係法規と制度，医療環境ならびに薬業経済の動向等を踏まえて，本書のさらなる改訂を行い第５版として出版した．

これまで，本書はわかりやすいことを最優先の方針として，薬学教育モデル・コアカリキュラムの「薬学と社会」を中心とした法規・制度・倫理の分野を薬剤師国家試験出題基準に照らして系統立てて学べるように編集してきた．この編集方針は第５版においても受け継がれている．すなわち，条文は薬学生が最低限知っておくべきものだけを挙げ，執筆時点で最新の法令と統計資料を各分野の専門家が解説している．また，本文に挿入する図表，単元ごとのチェックポイントと演習問題も全面的に見直した．さらには，薬剤師国家試験に出題された実践問題を抜粋して，その解答と解説を示すことで，薬学生が実務遂行能力を高められるように配慮した．そして，薬学教育モデル・コアカリキュラムの到達目標（SBO）を一覧表にして記載するとともに，特に重要な事項・項目・図中の文言は朱筆した．

執筆者と編者は，本書が法規・制度・倫理を学ぶ薬学生にとって有用なものであると確信している．そして，本書で学んだ薬学生が卒業後は激動の薬事関連業界で薬剤師法第１条にある職責（調剤，医薬品の供給，その他薬事衛生をつかさどることによって，公衆衛生の向上及び増進に寄与し，もって国民の健康な生活を確保する）を果たしていくことを願っている．

最後に，本書を刊行するにあたり，種々ご高配を賜った廣川書店編集部の荻原弘子氏に厚く御礼申し上げる．

令和３年３月

編　　者

ま え が き

薬剤師の任務は調剤，医薬品の供給，その他薬事衛生と薬剤師法で規定されており，ほとんどの薬学生は病院，薬局，企業，行政機関などに就職し，薬事関連の仕事に携わることになる．これらの職務を遂行するには，「薬事関係法規・制度」を理解していることが必須である．このため，「薬事関係法規・制度」の領域は薬剤師国家試験科目となっており，薬剤師を目指す学生は，要求される基準を習得しなければならない．

しかし，薬学生にとって「薬事関係法規・制度」は在学中に学ぶ他の科目と異なり，法律用語など，なじみの薄い事項が多く，かつ複雑で難解である．さらに，時代の要請，規制緩和に伴い，医療制度の急速な改革および薬事法などの法規の大きな改正がなされており，これらを学ぶのには抵抗感のある学生も多いと思われる．これらのことを踏まえて，最近の改正点を含めた要点について，系統的にまとめて学習する必要がある．

そこで，本書は，薬学6年制に対応した「薬事関係法規・制度」の内容をわかりやすく学べることを第一の方針として編集執筆した．

以上のことを念頭に，薬剤師国家試験出題基準の各項目を参考にし，薬学教育モデル･コアカリキュラムにも対応した内容（C18 薬学と社会を中心に C17 医薬品の開発と生産の一部を加えた範囲）を各専門分野の著者が執筆し，理解しやすいよう解説を施した．

また，薬学教育モデル・コアカリキュラムの到達目標（SBO）をそれぞれ該当する箇所に記入した(SBO 1—39)．すべての法律，政令，省令，告示などを網羅して掲載することは困難であり本書の目的としないので，薬学生にとって学習に必要な関連する条文のみ記載した．それぞれの条文および関連事項についてわかりやすく解説するよう心がけた．そのうち重要な事項・用語などについては赤字で表記し，また理解しやすいように図表を適宜挿入し，図も必要なところは色付けをしてわかりやすく表した．

節の最後に，その要点をチェクポイントの表として示した．次に薬剤師国家試験問題の過去問を中心とした演習問題を掲載し，次頁に対応する解答・解説を記載した．

本書ではできる限り最新の法令，統計資料などを取り入れて記載したが，執筆以降の法令改正などについては当然対応できないことはご理解いただきたい．本書の内容についてはまだ至らぬところがあると思われ，読者のご意見，ご指摘をいただければ幸いです．

医療法において医療の担い手として薬剤師が明記され，医薬分業が進んできた今日，医療における薬剤師の果たす役割・責任は益々大きくなってきており，本書「わかりやすい薬事関係法規・制度」がこの分野を勉強する多くの薬学生に役立つことを期待する．

本書を刊行するにあたり，種々ご高配を賜った廣川書店社長廣川節男氏，ならびに編集部の野呂嘉昭氏，荻原弘子氏に厚く御礼申し上げる．

平成 21 年 10 月

編　　者

目 次

新旧 SBO 対応表

本書	旧 SBO		新 SBO	
1 章	C18	(1)-2-1	B	(2)-①-1
2 章	C18	(1)-1-1	B	(2)-①-8
	C18	(1)-1-2	B	(2)-①-8
3 章	C18	(1)-2-7	-	-
	-	-	B	(2)-①-7・8
4 章	C18	(2)-1-1	B	(3)-①-1
	C18	(2)-1-2	B	(3)-①-1
	C18	(2)-1-3	B	(3)-①-5・7
	C18	(2)-1-4	-	-
	C18	(2)-2-1	B	(3)-①-2
	C18	(2)-2-2	B	(3)-①-2・4
	C18	(2)-2-3	B	(3)-①-2
	C18	(2)-2-4	B	(3)-①-2
	C18	(3)-2-1	B	(4)-①-2
	C18	(3)-2-2	B	(4)-①-2
5 章	C17	(1)-2-1	-	-
	C17	(1)-2-3	B	(3)-②-3
	C18	(2)-3-1	B	(3)-②-2
	C18	(2)-3-3	B	(3)-①-6
	C18	(2)-3-4	-	-
	C18	(2)-3-5	B	(3)-②-4
	C18	(3)-3-3	B	(3)-②-1
6 章	C17	(1)-3-1	B	(2)-②-2
	C17	(1)-4-1	B	(2)-②-2
	C17	(1)-4-2	B	(2)-②-2
	C17	(2)-1-1	B	(2)-②-3
	C17	(4)-1-1	B	(2)-②-3
	C17	(4)-1-2	B	(2)-②-3
	C17	(4)-1-3	B	(2)-②-3
	C17	(4)-1-4	B	(2)-②-3
	C17	(4)-1-6	B	(2)-②-3
	C17	(4)-2-1	B	(2)-②-3
	C17	(4)-2-3	B	(2)-②-3
7 章	C18	(1)-2-3	B	(2)-①-2・3
8 章	C17	(1)-2-4	-	-
	C17	(1)-4-3	B	(2)-②-5
	C17	(1)-5-2	B	(2)-②-4
	C17	(1)-6-1	B	(2)-②-4
	C17	(1)-7-1	B	(2)-②-4
	C18	(1)-2-2	B	(2)-②-1・6・7・8・9、(2)-③-2
	C18	(3)-1-1	B	(4)-①-1
	C18	(3)-1-3	B	(4)-②-3
	C18	(3)-3-2	B	(4)-①-4
	C18	(3)-4-2	-	-
	-	-	B	(4)-①-5
9 章	C17	(1)-8-1	-	-
	C18	(1)-2-6	B	(2)-②-10
10 章	C18	(1)-3-1	B	(2)-③-1
	C18	(1)-3-2	B	(2)-③-1・2
	C18	(1)-3-3	B	(2)-③-2
11 章	C18	(1)-3-4	B	(2)-③-3

12章	C18	(1)-2-4	B	(2)-①-5・6
13章	C18	(1)-2-5	B	(2)-①-4
14章 15章	C17	(1)-2-2	B	(3)-①-6
	C18	(2)-3-2	B	(3)-①-6
	C18	(2)-3-3	B	(3)-①-6
	C18	(3)-2-3	B	(4)-①-3
	C18	(3)-3-1	B	(3)-①-3
	C18	(3)-3-4	B	(3)-①-7
	–	–	B	(4)-①-6
16章	C18	(2)-1-4	B	(3)-①-2
17章	C18	(2)-1-3	B	(3)-①-5・7
	C18	(3)-1-2	B	(4)-②-2

Ⅰ編

法・倫理・責任

1章 法 規

a 憲法と薬事関係法規との関連

1) 基本的人権

> 憲法第 11 条　国民は，すべての基本的人権の享有を妨げられない．この憲法が国民に保障する基本的人権は，侵すことのできない永久の権利として，現在及び将来の国民に与えられる．

国民の基本的人権がすべてのものから侵されることなく，恒久的なものであることが示されており，この条文を基盤として，憲法第 13 条に人権保障の基本原則を定めている．

2) 個人の尊重

> 憲法第 13 条　すべて国民は，個人として尊重される．生命，自由及び幸福追求に対する国民の権利については，公共の福祉に反しない限り，立法その他の国政の上で最大の尊重を必要とする．

憲法第 13 条を基盤として，医療法第 1 条（12 章）で医療における個人の尊重が定められ，患者の自己決定権を保証し，医療の担い手は医療を受ける者に適切な説明を行い，理解を求めること（インフォームド・コンセント）の重要性が述べられている．

3) 生存権

> 憲法第 25 条　すべて国民は，健康で文化的な最低限度の生活を営む権利を有する．国は，すべての生活部面について，社会福祉，社会保障及び公衆衛生の向上及び増進に努めなければならない．

人として生活を営む権利を一律に有することを定めており，社会的弱者の生活ならびに公衆衛生及び社会福祉の向上を保証する目的として，社会保障制度が確立した．

b 法令の構成

法は「憲法」を頂点として「法律」,「政令」,「省令」,「条例」のようにピラミッド型（法の段階構造：図1.1）の体系を構成している．下位の法令は上位の法令の範囲内で制定されなければならないため，下位の法令が上位の法令に違反している場合，その法令は無効である．

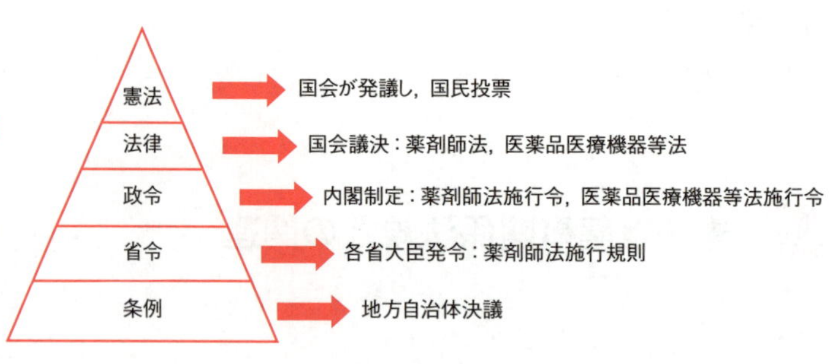

図 1.1

なお，薬事法等の改正が平成26年11月25日から施行され，薬事法の名称が「医薬品，医療機器等の品質，有効性及び安全性の確保等に関する法律」(「医薬品医療機器等法」と略する）に変更となった．

●法令等の解説

憲法	国の最高法規ですべての法令が憲法に違反することはできない． 国会が発議し，国民投票により決定，変更される．
法律	国会議決によって制定される憲法の具体策や行政の根拠のような一般的・抽象的な規範である．(薬剤師法，医薬品医療機器等法等)
政令	法律を実施するための実体面を補う規定で内閣が制定する．（薬剤師法施行令，医薬品医療機器等法施行令等）
省令	法律の具体的な手続き等を補う規定で各省大臣が発令する．（薬剤師法施行規則，医薬品医療機器等法施行規則等）
条例	地方公共団体が行政事務に関する事項を規定で制定し，その効力は都道府県のような地域限定で効力を有する．
告示	公の機関が決定した事項等を広く一般に知らせることであり，各省大臣が制定する．
通達	上部機関（行政官庁等）が法令の解釈や行政事務に関する事項を下部機関や職員に知らせること．
条約	国際法の規律に従って合意のもとで制定される国家間の取り決め． 国会が承認し，内閣が締結する．

Checkpoint

憲　　法	個人の尊重	生命，自由及び幸福追求に対する権利
		公共の福祉に反しない限り，立法その他の国政の上で尊重
	生存権	健康で文化的な最低限度の生活を営む権利
		社会福祉，社会保障及び公衆衛生の向上及び増進
法令の構成	法の段階構造	下位法令は上位法令を遵守しなければ無効
	憲　法	国の最高法規，国会発議，国民投票
	法　律	国会の議決制定
	政　令	内閣制定
	省　令	各省大臣発令
	条　例	地方公共団体制定
	告　示	公の機関の伝達，各省大臣制定
	通　達	上部機関が下部機関に対して行う行政官庁事務の伝達
	条　約	国会承認，内閣締結

2章 倫 理

a 倫理と法律との違い

社会における人としての行動規範を広く「倫理」と呼んでいる．倫理は人としての道徳意識等の秩序として捉えられ，遵守の強制力（反した場合の罰則等）は規定されていないことが多い．倫理の中で社会秩序を維持するために重要な規範として強制力を行使したものを法律とし，右図のように，反した場合の罰則規定を設ける等（立法手続）を行った倫理の規範が法律と定義できる．法律を遵守することは当然であるが，医療従事者は罰則がないからといって倫理に反する行為を行ってはならない．

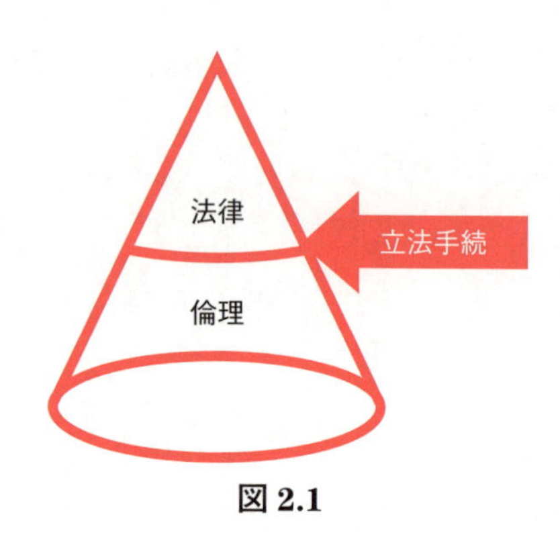

図 2.1

b 薬剤師の倫理

薬剤師は，特別の資格を有しており，薬剤師法第1条（7章），医療法第1条（12章）で社会的使命として定義されているように一般人よりもさらに生命の尊厳等に基づく高い倫理が求められる．絶対的な法的規定ではないが，日本薬剤師会では「薬剤師行動規範」，行政指導に「薬局業務運営ガイドライン」(8章）のような狭義的な倫理規範が存在する．

●「薬剤師行動規範」 薬剤師は，国民の信託により，憲法及び法令に基づき，医療の担い手として，人権の中で最も基本的な生命及び生存に関する権利を守る責務を担っている．この責務の根底には生命への畏敬に基づく倫理が存在し，さらに，医薬品の創製から，供給，適正な使用及びその使用状況の経過観察に至るまでの業務に関わる，確固たる薬（やく）の倫理が求められる．薬剤師が人々の信頼に応え，保健・医療の向上及び福祉の増進を通じて社会に対する責任を全うするために，薬剤師と国民，医療・介護関係者及び社会との関係を明示し，ここに薬剤師行動規範を制定する．

1. 任務　薬剤師は，個人の生命，尊厳及び権利を尊重し，医薬品の供給その他薬事衛生業務を適切につかさどることによって，公衆衛生の向上及び増進に寄与し，もって人々の健康な生活を確保するものとする．
2. 最善努力義務　薬剤師は，常に自らを律し，良心と他者及び社会への愛情をもって保健・医療の向上及び福祉の増進に努め，人々の利益のため職能の最善を尽くす．
3. 法令等の遵守　薬剤師は，薬剤師法その他関連法令等を正しく理解するとともに，これらを遵守して職務を遂行する．
4. 品位及び信用の維持と向上　薬剤師は，常に品位と信用を維持し，更に高めるように努め，その職務遂行にあたって，これを損なう行為及び信義にもとる行為をしない．

5. 守秘義務 薬剤師は，職務上知り得た患者等の情報を適正に管理し，正当な理由なく漏洩し，又は利用してはならない．
6. 患者の自己決定権の尊重 薬剤師は，患者の尊厳と自主性に敬意を払うことによって，その知る権利及び自己決定の権利を尊重して，これを支援する．
7. 差別の排除 薬剤師は，人種，ジェンダー，職業，地位，思想・信条及び宗教等によって個人を差別せず，職能倫理と科学的根拠に基づき公正に対応する．
8. 生涯研鑽 薬剤師は，生涯にわたり知識と技能の水準を維持及び向上するよう研鑽するとともに，先人の業績に敬意を払い，また後進の育成に努める．
9. 学術発展への寄与 薬剤師は，研究や職能の実践を通じて，専門的知識，技術及び社会知の創生と進歩に尽くし，薬学の発展に寄与する．
10. 職能の基準の継続的な実践と向上 薬剤師は，薬剤師が果たすべき業務の職能基準を科学的原則や社会制度に基づいて定め，実践，管理，教育及び研究等を通じてその向上を図る．
11. 多職種間の連携と協働 薬剤師は，広範にわたる業務を担う薬剤師間の相互協調に努めるとともに，他の医療・介護関係者等と連携，協働して社会に貢献する．
12. 医薬品の品質，有効性及び安全性等の確保 薬剤師は，医薬品の創製から，供給，適正な使用及びその使用状況の経過観察に至るまで常に医薬品の品質，有効性及び安全性の確保に努め，また医薬品が適正に使用されるよう，患者等に正確かつ十分な情報提供及び指導を行う．
13. 医療及び介護提供体制への貢献 薬剤師は，予防，医療及び介護の各局面において，薬剤師の職能を十分に発揮し，地域や社会が求める医療及び介護提供体制の適正な推進に貢献する．
14. 国民の主体的な健康管理への支援 薬剤師は，国民が自分自身の健康に責任を持ち，個人の意思又は判断のもとに健康を維持，管理するセルフケアを積極的に支援する．
15. 医療資源の公正な配分 薬剤師は，利用可能な医療資源に限りがあることや公正性の原則を常に考慮し，個人及び社会に最良の医療を提供する．

c 生涯教育

医療水準は日々高度化し，新たなEBM（Evidence-based medicine）が生じ，医療従事者は常に新たな知識・技能・態度が要求される．一方，患者や国民の医療に対するニーズが多様化しつつある中で，信頼される薬剤師となるためには目標を定めて研鑽を積むことが必要である．薬剤師の学習支援・推進を目的として，「**財団法人日本薬剤師研修センター**」が1989年に設立され，全国的に各種研修会の開催や**研修認定薬剤師制度**等の事業を行っている．また，病院薬剤師会，薬剤師会や薬学関連学会等も生涯認定薬剤師制度を有しており，各分野における様々な研修会等が開催されている．2009年4月には，ジェネラリストとしての薬剤師が生涯に亘って習得すべき知識・技能・態度について，「**薬剤師に求められるプロフェッショナルスタンダード（PS）**」として公表・活用されている．さらに2012年4月より，ポートフォリオ（学習記録システム）とe-ラーニングシステムから成る「**日本薬剤師会生涯学習支援システム（JPALS）**」が構築され活用されている．

d インフォームド・コンセント（Informed Consent）

医療法第1条の4第1項 医師，歯科医師，薬剤師，看護師その他の医療の担い手は，第1条の2に規定する理念に基づき，医療を受ける者に対し，**良質かつ適切な医療**を行うよう努めなければならない．
医療法第1条の4第2項 医師，歯科医師，薬剤師，看護師その他の医療の担い手は，**医療を提供するに当たり，適切な説明を行い，医療を受ける者の理解を得る**よう努めなければならない．

医療法第1条の4第1項に規定されているように医療を受ける前提として，良質かつ適切な医療を提供するよう努めなければならないと規定されているが，この倫理的規範として「**ヒポクラテスの誓い**」またこれを基に作成されたといわれている「**ジュネーブ宣言**」がある．さらに医療法第1条の4

第２項において，提供される医療の目的や危険性等について十分説明され，患者の自己決定権に基づく同意が得られなければならないと規定されており，第２次世界大戦中の非人道的な人体実験に対する裁判綱領（ニュールンベルグ綱領）をもとに出された1964年の**ヒトに行う臨床研究に伴う倫理規定「ヘルシンキ宣言」**がその根底となっている．医療従事者からの十分な説明がなされ，患者が理解，同意をし，選択をすることを**インフォームド・コンセント**というが，医療を提供する上において，医療の担い手の最善の努力義務として規定されている．

◇ジュネーブ宣言の倫理的真意
①全生涯を人道のために捧げる
②人道的立場にのっとり，医を実践する．（道徳的・良識的配慮）
③人命を最大限に尊重する．（人命の尊重）
④患者の健康を第一に考慮する．
⑤患者の秘密を厳守する．（守秘義務）
⑥国籍，人種，宗教，社会的地位による差別・偏見をしない．（患者の平等）

◇ヘルシンキ宣言の基本的原則（ヒト臨床研究倫理規定：動物は入らない．）
①研究同意を拒む自由
②研究同意をいつでも取り消せる自由
③圧力や強制による同意の禁止，自由意思による同意
④文書による同意
⑤同意能力のない場合は法的な代理人
⑥科学上の利益，社会の利益より対象者の利益が優先される

Checkpoint

倫理と法律	倫　理	強制力が曖昧な人としての行動規範
	法　律	倫理のうち立法手続による強制力を有した規範
薬剤師の倫理	薬剤師倫理規範	医療の向上及び公共の福祉の増進に貢献し，薬剤師職能を全うするために，日本薬剤師会が制定
生涯教育	財団法人日本薬剤師研修センター	全国的な薬剤師生涯研修や認定薬剤師制度を行う専門団体
	プロフェッショナルスタンダード	薬剤師が生涯に亘って学習すべき，知識・技能・態度を指標とした目標
インフォームド・コンセント	ヒポクラテスの誓い	良質かつ適切な医療提供の倫理的規範の基
	ジュネーブ宣言	ヒポクラテスの誓いの趣旨から作成された倫理的規範
	ヘルシンキ宣言	ニュールンベルグ綱領を基に出されたヒト臨床研究倫理規定

3章 責 任

a 倫理的責任

薬剤師の責任は法的に強制されるものだけでなく，休日や夜間の調剤応需，地域医療貢献のための医薬品備蓄，過剰な医薬品販売の抑制，薬物乱用防止対策等に積極的に関わる倫理的責任が存在する．

b 法的責任

薬剤師は医療の担い手として，医療法あるいは薬剤師法や医薬品医療機器等法等，薬事に関する法律を遵守する責務を有している．これらの法律に違反した場合，刑事，民事，行政上の責任に問われることがある．

1）民事的責任

民事的責任は，人の財産に損害を与えた場合に問われる責任であり，被害者が加害者に損害の賠償を請求することによってその責任を追及することとなる．話し合い等で当事者同士の合意（和解）が成立しない場合，その責任の有無あるいは賠償責任の程度を裁判により争うこととなる．加害者の責任を判断する法的根拠には**債務不履行責任**（民法第 415 条）と**不法行為責任**（民法第 709 条）がある．

i）債務不履行責任

> 民法第 415 条　債務者がその債務の本旨に従った履行をしないときは，債権者は，これによって生じた損害の賠償を請求することができる．債務者の責めに帰すべき事由によって履行をすることができなくなったときも，同様とする．

債務不履行責任が生じる要件としては，加害者（債務者）の行為と債務不履行の成立との因果関係（**帰責事由：債務者に責任が帰属する事由**）がなければならない．その上において，債務不履行の状態は次の 3 つの場合が考えられる．加害者が損害を発生させた債務を履行期に履行なされなかった**履行遅滞**，債務履行自体は債務者が行ったが債務内容に適合していなかったという**不完全**

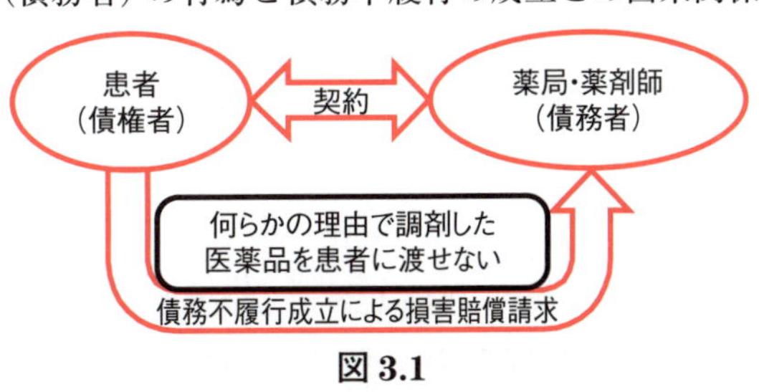

図 3.1

履行，債務履行そのものが行われない**履行不能**である．

患者が保険薬局に処方箋を持参し，薬局が調剤応需した時点で，患者と薬局に契約が生じ，薬局は患者に処方箋に基づいて調剤した医薬品を適切に提供するという債務が発生する．この債務を何らかの理由（故意・過失・不誠実）により履行しなければ，患者である債権者が薬局である債務者へ債務不履行による損害賠償請求をできることとなる．

ii）不法行為責任

民法第709条　故意又は過失によって他人の権利又は法律上保護される利益を侵害した者は，これによって生じた損害を賠償する責任を負う．

民法第715条　1. ある事業のために他人を使用する者は，被用者がその事業の執行について第三者に加えた損害を賠償する責任を負う．ただし，使用者が被用者の選任及びその事業の監督について相当の注意をしたとき，又は相当の注意をしても損害が生ずべきであったときは，この限りでない．

2. 使用者に代わって事業を監督する者も，前項の責任を負う．

3. 前2項の規定は，使用者又は監督者から被用者に対する求償権の行使を妨げない．

民法第719条　1. 数人が共同の不法行為によって他人に損害を加えたときは，各自が連帯してその損害を賠償する責任を負う．共同行為者のうちいずれの者がその損害を加えたかを知ることができないときも，同様とする．

2. 行為者を教唆した者及び幇助した者は，共同行為者とみなして，前項の規定を適用する．

不法行為責任が生じる要件は，債務不履行と同じであるが，**故意あるいは過失による加害者の行為と被害者の損害成立との因果関係**があり，加害者に責任能力がある場合，その損害を賠償しなければならない．さらに民法第715条においては，**雇用契約している使用者にその責任が及ぶ**場合のあることを定めている．

薬剤師が調剤及び鑑査ミスにより，処方箋と異なる薬剤を患者に交付し（調剤過誤），有害作用により損害を与えた場合，不法行為成立により，被害者である患者は加害者である薬剤師に損害賠償を請求できる．また，薬剤師Aと薬剤師Bによる調剤と鑑査ミスによる共同不法行為によって損害を与えた場合，民法第719条が適用され，連帯責任となる．また，法的責任を負う者は原則として行為者本人であるが，薬局で業務を遂行するにあたり，適切な管理を行っていない場合は薬局開設者にも責任が帰属することもある．

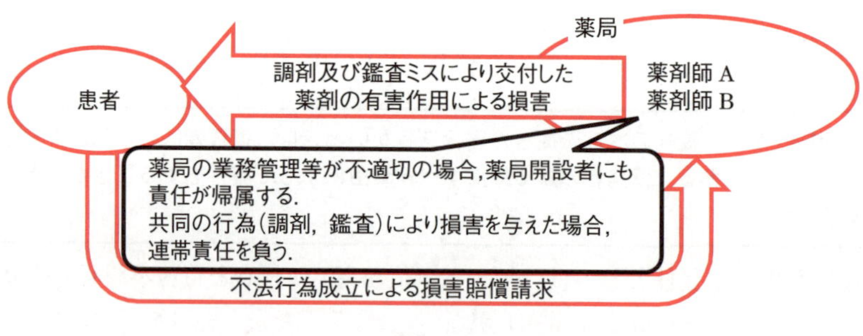

図 3.2

2）刑事的責任

人の生命・身体・財産に対する侵害は，刑法又は特別刑法に違反した犯罪として，国家が処罰する．刑事責任は民事責任のように被害者の訴えがなくても科せられるものである．

i）業務上過失致死傷等

薬剤師の行為が前述したように**調剤ミス等で患者の生命，身体に危害**が及んだ場合，刑法で罰せられることがある．刑法は，加害者の行為が故意である場合の処罰が原則であるが，医師の誤診，自動車事故，薬剤師の調剤過誤による致死傷は，故意でなくても業務上過失致死傷罪に問われる（刑法第211条　業務上過失致死傷罪）．

ii）守秘義務

> 刑法第134条　1．医師，薬剤師，医薬品販売業者，助産師，弁護士，弁護人，公証人又はこれらの職にあった者が，**正当な理由がないのに**，その業務上取り扱ったことについて知り得た人の秘密を漏らしたときは，6月以下の懲役又は10万円以下の罰金に処する．
> 2．宗教，祈祷若しくは祭祀の職にある者又はこれらの職にあった者が，正当な理由がないのに，その業務上取り扱ったことについて知り得た人の秘密を漏らしたときも，前項と同様とする．

医師，薬剤師等が守るべき業務上の秘密を漏らす罪として**秘密漏示罪**が適用される．ただし，守秘義務は**親告罪**であるため，刑法で定められていても，被害者の訴えがなければ，加害者として成立しないため刑法による刑事罰は与えられない．しかし，薬剤師は薬剤師法等の薬事関連の法による刑事罰は科せられることがある．

3）行政的責任

> 薬剤師法第8条　2．薬剤師が，第5条各号（欠格条項）のいずれかに該当し，又は薬剤師としての品位を損するような行為のあったときは，厚生労働大臣は，次に掲げる処分をすることができる．
> ① 戒告　② 3年以内の業務の停止　③ 免許の取消し
> 医薬品医療機器等法第75条　都道府県知事は，薬局開設者，医薬品の販売業者，医療機器の販売業者若しくは貸与業者又は再生医療等製品の販売業者について，この法律その他薬事に関する法令で政令で定めるもの若しくはこれに基づく処分に違反する行為があったとき，その許可を取り消し，又は期間を定めてその業務の全部若しくは一部の停止を命ずることができる．
> 健康保険法第81条　厚生労働大臣は，次の各号のいずれかに該当する場合においては，当該保険医又は保険薬剤師に係る第64条の登録を取り消すことができる．

薬剤師は一般人として適用される民法や刑法以外に薬事関連の法の遵守が義務化されており，薬事に関する不正行為を行った場合，薬剤師の免許取り消し，業務停止，保険薬剤師の取り消し，業務改善命令等の行政処分が行われることがある．**免許や許可が取り消されるような当事者にとって不利益な行政処分**を行う際には関係機関等から該当者に**聴聞や弁明の機会**が設けられる．

Checkpoint

倫理的責任	法的強制力のない責任	
薬剤師の法的責任	民事的責任（賠償責任）	債務不履行責任
		不法行為責任
	刑事的責任	業務上過失致死傷罪（故意でなくても過失で刑事罰を科する）
		秘密漏示罪（親告罪）
	行政的責任	免許取消，業務停止，保険登録取り消し（弁明，聴聞の機会有）

c　製造物責任法

1) 法の目的

> 第1条　製造物の欠陥により人の生命，身体又は財産に係る被害が生じた場合における製造業者等の損害賠償の責任について定めることにより，被害者の保護を図り，もって国民生活の安定向上と国民経済の健全な発展に寄与することを目的とする．

民法の不法行為責任による損害賠償請求は加害者の過失を立証する必要があるが，立証することが困難な場合がある．製造物責任 Product Liability（PL）法は製造物の欠陥によって人の生命，身体又は財産に被害が生じた場合，過失立証することなしに製造物の欠陥を立証することで与えた損害責任を明らかにできるという消費者側の被害を補償するために配慮された法律である．

2) 定義（製造物，欠陥，製造業者等）

> 第2条　1.「製造物」とは，製造又は加工された動産をいう．
> 2.「欠陥」とは，当該製造物の特性，その通常予見される使用形態，その製造業者等が当該製造物を引き渡した時期その他の当該製造物に係る事情を考慮して，当該製造物が通常有すべき安全性を欠いていることをいう．
> 3.「製造業者等」とは，次のいずれかに該当する者
> ① 当該製造物を業として製造，加工又は輸入した者（以下単に「製造業者」という．）
> ② 自ら当該製造物の製造業者として当該製造物にその氏名，商号，商標その他の表示（以下「氏名等の表示」という．）をした者又は当該製造物にその製造業者と誤認させるような氏名等の表示をした者
> ③ 前号に掲げる者のほか，当該製造物の製造，加工，輸入又は販売に係る形態その他の事情からみて，当該製造物にその実質的な製造業者と認めることができる氏名等の表示をした者

i）製造物

原材料から（設計・加工・検査・表示）作り出した製品（商品）のことを製造物と定義づけている．製造物は動産に該当する必要があるため，有体物（空間の一部を占める形ある物：生きている人間は除く）のうち，不動産（原則として土地及びその定着物で建物を含む）以外の物でなければならない．したがって，無体物であるエネルギー，電気，情報，ソフトウェア，サービス等は製造物から除かれることから薬剤師の調剤行為，医師の処方行為はサービス行為であるため，製造物責任法に該当しない．

ii）欠　陥

欠陥の有無の判断は，個々の製品や事案によって異なるが3つの基本的な判断要素について安全性を総合的に考慮して決定される．例えば，医薬品の欠陥基準は医薬品の特性（有用性，適切な指示警告表示，有効期限），通常予見される使用形態，製造企業等が当該医薬品を引き渡した時期を考慮する．

医薬品の特性	有用性	有害性があっても，現段階の医療水準で認容される治療薬であれば欠陥に該当しない．
	適切な指示警告表示	被包や添付文書等の記載不備がなければ欠陥に該当しない．
	有効期限	有効期限を過ぎた品質の変化は製造物責任に該当しない．
通常予見される使用形態	使用注意が適切になされていれば，ヒートシールをそのまま服用しても欠陥に該当しない．	
製造企業等が当該医薬品を引き渡した時期	医薬品が引き渡された時点での科学・技術水準で判断されるが，その時点で重篤な副作用等が発症することを知り得ており，適切な対応を取らなかった場合は欠陥に該当する．	

1970年代後半から1980年代にかけて，主に血友病患者に対し，加熱等でウイルスを不活性化しなかった血液凝固因子製剤（非加熱製剤）によるHIV感染の薬害被害を拡大させた薬害エイズ事件や一部の患者のC型肝炎がフィブリノゲン製剤によって引き起こされた薬害肝炎訴訟は，製薬企業が当該医薬品を引き渡した時期においてその危険性を認識していたことが問題となった．

iii）製造物責任

> 第3条　製造業者等は，その製造，加工，輸入又は氏名等の表示をした製造物であって，その引き渡したものの欠陥により他人の**生命，身体又は財産を侵害**したときは，これによって生じた**損害を賠償する責め**に任ずる．ただし，その損害が当該製造物についてのみ生じたときは，この限りでない．

製造物責任が生じる要件は引き渡した製品に欠陥が存在し，そのために損害を与えた場合である．**製造物の欠陥**と与えられた**損害の因果関係**が立証される必要がある．

●医療業界で該当する製造物責任法

製造業者によって製造された**医薬品**（**血液製剤，薬局製造販売医薬品は含まれる．**人から採血した**生血は該当しない**），**医薬部外品，化粧品，医療機器**等が対象物として該当する．

iv）免責事由

> 第4条　前条の場合において，製造業者等は，次の各号に掲げる事項を証明したときは，同条に規定する賠償の責めに任じない．
> ①当該製造物をその製造業者等が引き渡した時における科学又は技術に関する知見によっては，当該製造物にその欠陥があることを認識することができなかったこと．
> ②当該製造物が他の製造物の部品又は原材料として使用された場合において，その欠陥が専ら当該他の製造物の製造業者が行った設計に関する指示に従ったことにより生じ，かつ，その欠陥が生じたことにつき過失がないこと．

●開発危険の抗弁

製品を流通させた時点の**科学・技術水準**において**予測されないその製品に内在する危険性**を有する**欠陥**を**開発危険**と定義している．客観的に社会に存在する知識であり，製造物の引き渡し時期の最高水準の知識・情報に照らした上で当該製造物にその欠陥があることを認識することができなかったと判断された場合，製造物責任を免責される．

●部品・原材料製造業者の抗弁

製造物に欠陥が発生した場合，その部品・原材料であってもその製造業者は損害賠償責任を負う．しかし，その部品・原材料製造業者については，製造物の**製造業者による設計**に関する指示に従うことが原因で製造物に欠陥が発生し，過失がないことが明らかである場合，その責任を免責される.

v）期間の制限

第5条　1. 第3条に規定する損害賠償の請求権は，被害者又はその法定代理人が損害及び賠償義務者を知った時から3年間行わないときは，時効によって消滅する．その製造業者等が当該製造物を引き渡した時から10年を経過したときも，同様とする.

2. 前項後段の期間は，身体に蓄積した場合に人の健康を害することとなる物質による損害又は一定の潜伏期間が経過した後に症状が現れる損害については，その損害が生じた時から起算する.

製造物責任法による損害賠償の請求権には時効が認められている．被害者又はその法定代理人が**損害及び賠償義務者を知った時から3年間**と規定しているが，責任の所在が明確化された時点での速やかな権利行使を促している．また，状況と蓄積損害を考慮して民事消滅時効の一般原則（10年）より短い時効期間が規定されている.

製造業者が製造物を引き渡してから10年の経過を責任期間として規定している．しかし，製造物が起因して，有害作用が蓄積して生ずる場合や長期の潜伏期間が存在する場合については**責任期間の起点を「損害が生じた時」**と規定している.

Checkpoint

<table>
<tr><td rowspan="11">製造物責任法</td><td>製造物</td><td colspan="2">医薬品（血液製剤，薬局製造販売医薬品は含まれる．人から採血した生血は該当しない），医薬部外品，化粧品，医療機器等が対象物として該当し，薬剤師の調剤行為，医師の処方行為はサービス行為で製造物責任法の適用とならない.</td></tr>
<tr><td rowspan="5">欠陥の判断</td><td rowspan="3">特　性</td><td>現段階の医療水準で認容されない有害性（副作用）</td></tr>
<tr><td>被包や添付文書等の記載不備</td></tr>
<tr><td>有効期限内の品質の変化</td></tr>
<tr><td>通常予見される使用形態</td><td>適切な使用注意がなされていない場合</td></tr>
<tr><td>医薬品を引き渡した時期</td><td>医薬品が引き渡された時点での科学・技術水準の知見</td></tr>
<tr><td rowspan="2">免責事由</td><td colspan="2">開発危険の抗弁：引き渡した時における科学又は技術に関する知見によって当該製造物にその欠陥があることを認識することができなかった場合</td></tr>
<tr><td colspan="2">部品・原材料製造業者の抗弁：組み立て等の設計に欠陥が起因し，過失のない場合</td></tr>
<tr><td rowspan="3">期間の制限（損害賠償の請求権の時効）</td><td colspan="2">損害及び賠償義務者を知った時から3年間</td></tr>
<tr><td colspan="2">製造物を引き渡してから10年間</td></tr>
<tr><td colspan="2">製造物が起因して，有害作用が蓄積，長期の潜伏期間により生じる場合を勘案し，損害発生時を起点</td></tr>
</table>

d 個人情報の保護に関する法律

第1条（目的）この法律は，高度情報通信社会の進展に伴い個人情報の利用が著しく拡大していることに鑑み，個人情報の適正な取扱いに関し，基本理念及び政府による基本方針の作成その他の個人情報の保護に関する施策の基本となる事項を定め，国及び地方公共団体の責務等を明らかにするとともに，個人情報を取り扱う事業者の遵守すべき義務等を定めることにより，個人情報の適正かつ効果的な活用が新たな産業の創出並びに活力ある経済社会及び豊かな国民生活の実現に資するものであることその他の個人情報の有用性に配慮しつつ，個人の権利利益を保護することを目的とする．

第3条（基本理念）個人情報は，個人の**人格尊重の理念の下**に慎重に取り扱われるべきものであることにかんがみ，その適正な取扱いが図られなければならない．

第2条（定義） 1．この法律において「個人情報」とは，生存する個人に関する情報であって，次の各号のいずれかに該当するものをいう．

① 当該情報に含まれる氏名，生年月日その他の記述等（文書，図画若しくは電磁的記録に記載され，若しくは記録され，又は音声，動作その他の方法を用いて表された一切の事項（個人識別符号を除く．）をいう．以下同じ．）により特定の個人を識別することができるもの（他の情報と容易に照合することができ，それにより特定の個人を識別することができることとなるものを含む．）

② 個人識別符号が含まれるもの

2．この法律において「個人識別符号」とは，次の各号のいずれかに該当する文字，番号，記号その他の符号のうち，政令で定めるものをいう．

① 特定の個人の身体の一部の特徴を電子計算機の用に供するために変換した文字，番号，記号その他の符号であって，当該特定の個人を識別することができるもの

② 個人に提供される役務の利用若しくは個人に販売される商品の購入に関し割り当てられ，又は個人に発行されるカードその他の書類に記載され，若しくは電磁的方式により記録された文字，番号，記号その他の符号であって，その利用者若しくは購入者又は発行を受ける者ごとに異なるものとなるように割り当てられ，又は記載され，若しくは記録されることにより，特定の利用者若しくは購入者又は発行を受ける者を識別することができるもの

3．この法律において「要配慮個人情報」とは，本人の人種，信条，社会的身分，病歴，犯罪の経歴，犯罪により害を被った事実その他本人に対する不当な差別，偏見その他の不利益が生じないようにその取扱いに特に配慮を要するものとして政令で定める記述等が含まれる個人情報をいう．

4．この法律において「個人情報データベース等」とは，個人情報を含む情報の集合物であって，次に掲げるもの（利用方法からみて個人の権利利益を害するおそれが少ないものとして政令で定めるものを除く．）をいう．

① 特定の個人情報を電子計算機を用いて検索することができるように体系的に構成したもの

② 前号に掲げるもののほか，特定の個人情報を容易に検索することができるように体系的に構成したものとして政令で定めるもの

5．この法律において「個人情報取扱事業者」とは，個人情報データベース等を事業の用に供している者をいう．ただし，次に掲げる者を除く．

① 国の機関

② 地方公共団体

③ 独立行政法人等（独立行政法人等の保有する個人情報の保護に関する法律（平成15年法律第59号）第2条第1項に規定する独立行政法人等をいう．以下同じ．）

④ 地方独立行政法人（地方独立行政法人法（平成15年法律第118号）第2条第1項に規定する地方独立行政法人をいう．以下同じ．）

6．この法律において「個人データ」とは，個人情報データベース等を構成する個人情報をいう．

7. この法律において「保有個人データ」とは，個人情報取扱事業者が，開示，内容の訂正，追加又は削除，利用の停止，消去及び第三者への提供の停止を行うことのできる権限を有する個人データであって，その存否が明らかになることにより公益その他の利益が害されるものとして政令で定めるもの又は1年以内の政令で定める期間以内に消去することとなるもの以外のものをいう．
8. この法律において個人情報について「本人」とは，個人情報によって識別される特定の個人をいう．
9. この法律において「匿名加工情報」とは，次の各号に掲げる個人情報の区分に応じて当該各号に定める措置を講じて特定の個人を識別することができないように個人情報を加工して得られる個人に関する情報であって，当該個人情報を復元することができないようにしたものをいう．
　① 第1項第1号に該当する個人情報　当該個人情報に含まれる記述等の一部を削除すること（当該一部の記述等を復元することのできる規則性を有しない方法により他の記述等に置き換えることを含む．）．
　② 第1項第2号に該当する個人情報　当該個人情報に含まれる個人識別符号の全部を削除すること（当該個人識別符号を復元することのできる規則性を有しない方法により他の記述等に置き換えることを含む．）．
10. この法律において「匿名加工情報取扱事業者」とは，匿名加工情報を含む情報の集合物であって，特定の匿名加工情報を電子計算機を用いて検索することができるように体系的に構成したものその他特定の匿名加工情報を容易に検索することができるように体系的に構成したものとして政令で定めるもの（第36条第1項において「匿名加工情報データベース等」という．）を事業の用に供している者をいう．ただし，第5項各号に掲げる者を除く．

個人情報の取り扱いによっては**個人の人格的・財産的な権利**が損なわれる可能性があり，個人情報の保護を法律で規定している．個人情報の定義では**生存する個人の情報**であり，死者は含まない．また取り扱い情報数によっては個人情報取扱事業者とならない場合がある．

個人情報取扱事業者が開示，内容の訂正，追加，削除等できる権限を有し，**6か月以内に消去しない個人データ**を**保有個人データ**と規定している．

医療関係の個人情報としては電子化データあるいは直筆データにかかわらず，電子カルテ，電子レセプト（診療報酬明細書），処方箋（データ），診療録，看護記録，エックス線写真，紹介状，調剤録，検査データ，同意書等が該当し，本人の同意を得ず，個人情報を利用することを禁止する等の**個人情報取扱事業者の義務**がさまざま規定されている．

○利用目的の特定，制限，第3者提供の制限，保有個人データに関する事項の公表等（第15，16，18，23，24条）
・利用目的を可能な限り**特定**し，変更の場合，変更前との関連性の逸脱禁止
・**本人の同意なし**に特定の**利用目的以外の取り扱い禁止**
・**本人の同意なし**に**第3者への提供禁止**（生命，身体又は財産保護等の例外有）
・**個人情報取扱事業者の名称，利用目的，手続き等の公表**等
○個人情報の適正な取得，個人データ内容の正確性の確保（第17，19条）
・不正手段による個人情報取得の禁止
・利用目的の範囲内で，個人データの正確性・最新性を確保することが必要
・個人データ入力時の照合・確認手続の整備・記録事項の更新
・保存期間の設定等
○**安全管理措置，従業者，委託先の監督**（第20～22条）
個人データ漏えい，改ざん，滅失の危険にさらされることのないよう技術的保護措置，組織的保護措置ならびに個人データの安全管理が図られるよう，従業者及び委託先に対して監督を行うことが必要．
・セキュリティ確保のためのシステム・機器等の整備
・事業者内部の責任体制の確保（個人情報保護管理者の設置，内部関係者のアクセス管理等）等
・個人情報保護意識の徹底のための教育研修等の実施
・個人情報保護措置の委託契約内容への明記
・再委託の際の監督責任の明確化等

個人情報取扱事業者は，あらかじめ本人の同意を得ずに，個人データを第３者に提供してはならない．本人の同意を得るに当たっては，当該本人に当該個人情報の利用目的を通知し，又は公表した上で，当該本人から口頭，書面等により当該個人情報の取扱いについて承諾する旨の意思表示を受ける．ただし，**例外規定として，法令**（警察捜査，転学による生徒情報提供など）に基づく場合，**人（法人を含む.）の生命，身体又は財産の保護**（医療機関，家族へ必要な該当患者情報提供など）の場合，**公衆衛生の向上又は子ども・若者の健やかな育成等の推進**（感染症の予防調査，児童虐待防止による情報共有など）の場合，**国の機関若しくは地方公共団体又はその委託を受けた者が法令の定める事務遂行**（国勢調査など）の場合は，本人の同意なくとも，個人データを第３者に提供可能としている．

オプトアウト方式

個人情報取扱事業者は，前述するようにあらかじめ本人の同意を得ずに，個人データを第３者に提供してはならないとされているが，あらかじめ，以下の項目について，本人に通知し，又は本人が容易に知り得る状態に置いた上で，本人が反対をしない限り，本人の同意を得ることなく第３者に提供することをオプトアウト方式という．

・個人データを第３者に提供する旨
・提供する個人データの項目
・提供方法
・本人の求めに応じて提供を停止する旨
・本人の求めを受け付ける方法

• 対象となる個人情報，事業者と義務のまとめ

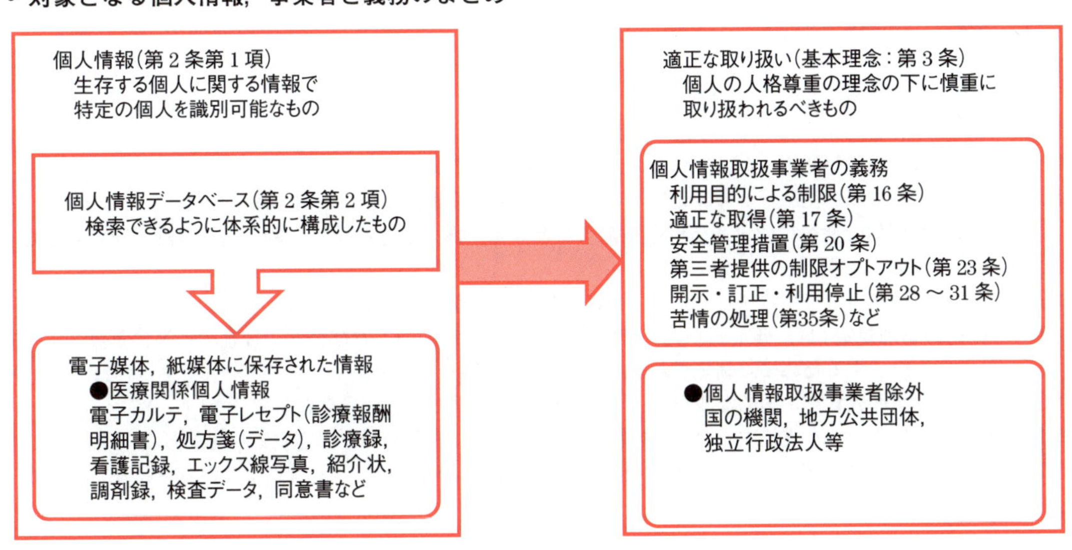

Checkpoint

個人情報保護法	個人情報	生存する個人に関する情報：氏名，住所等個人特定可能な情報
		電子及び手書きデータを問わず，電子カルテ，電子レセプト（診療報酬明細書），処方箋（データ），診療録等
	個人情報取扱事業者	国の機関，地方公共団体，独立行政法人
	個人情報取扱事業者の義務	利用目的の特定，制限（本人同意）
		第３者提供の制限（本人同意：生命，身体又は財産保護等の例外有）
		保有個人データに関する事項の公表
		個人情報の適正な取得
		個人データ内容の正確性の確保
		安全管理措置，従業者，委託先の監督

問　題

問 1　憲法において，「すべて国民は，健康で衛生的な最低限度の生活を営む権利を有する．」と規定されている．(91)

問 2　法律は，国会の議決を経て制定される．(90)

問 3　政令は，内閣が制定する．(88，90)

問 4　省令は，閣議決定を経て，各省大臣が発する．(90)

問 5　条約は，内閣が承認する．(90)

問 6　告示は，各省局長が発する．(88)

問 7　医薬品医療機器等法施行令は，省令である．(88)

問 8　医薬品医療機器等法施行令の改正については，内閣が閣議において決定する．(95)

問 9　地方公共団体が薬事に関する条例を制定するときは，あらかじめ厚生労働大臣と協議しなければならない．(95)

問 10　薬剤師の職能を全うするには，法律に定める事項を遵守することで足りる．(86)

問 11　「薬剤師倫理規定」は，薬剤師が人々の信頼に応え，医療の向上及び公共の福祉の増進に貢献し，薬剤師職能を全うするために，制定されたものである．(91)

問 12　薬剤師の生涯教育を全国的な規模で，企画調整する研修センターは存在していない．(87)

問 13　薬剤師の生涯学習を支援するため，生涯学習に努めている薬剤師を認定する制度がある．(94)

問 14　薬剤師など医療の担い手は，医療を受ける者に適切な説明を行い，文書による同意を得なければならない．(87，96)

問 15　ヘルシンキ宣言は動物実験の倫理原則についても定めている．(94)

問 16　ヘルシンキ宣言とは，ヒトを対象とする医学研究の倫理的原則を定めたものである．(91)

問 17　医学研究に参加することを拒否することは，医療を受ける患者の権利として認めるべきものである．(98)

問 18　医薬品の添付文書の記載不備は，製品の欠陥には当たらない．(90，96，99)

問 19　製造物を引き渡した時点での科学・技術によっては欠陥があることを認識することができなかった健康被害については，免責の規定がある．(90，99)

問 20　暗号化により特定の個人を識別できないデータだったので，個人情報に該当しないと考えた．(99)

問 21　薬局において，処方箋の記載内容について疑義照会を行うために，発行元の医療機関に当該処方箋を

解答・解説

問 1　×　憲法第25条．衛生的→文化的．

問 2　○　法律は，国会議決で制定．
問 3　○　政令は，内閣制定．
問 4　×　省令は，各省大臣が発するものではあるが，法律及び政令を施行するため，又は委任に基づいて発するものであり，閣議決定は必要ない．
問 5　×　条約は，国会が承認して内閣が締結．
問 6　×　告示は，各省大臣が発する．
問 7　×　医薬品医療機器等法施行令は，政令である．
問 8　○　医薬品医療機器等法施行令は政令である．政令は，閣議決定を経て内閣が制定する．
問 9　×　条例は，地方自治体が法律に従って制定する．厚生労働大臣との協議は必要ない．

問10　×　医療従事者は法律だけでなく倫理規定も遵守する必要がある．
問11　○　日本薬剤師会が昭和43年（平成9年改訂）に制定した「薬剤師倫理規定」．

問12　×　全国的な規模で薬剤師生涯研修における企画を行っている．
問13　○　日本薬剤師研修センター等は薬剤師の生涯学習を支援するため，認定薬剤師制度を設けている．
問14　×　医療法第1条の4において，医療の担い手は医療を提供するに当たり，適切な説明を行い，医療を受ける者の理解を得るよう努めるべきである旨が規定されているが，すべての医療行為に文書による同意を得なければならないとの規定はない．
問15　×　ヘルシンキ宣言はヒトを対象としている．
問16　○　ヒト臨床研究倫理規定．
問17　○　ヘルシンキ宣言の基本的原則に，研究同意を拒む自由，研究同意をいつでも取り消せる自由がある．

問18　×　適切な警告や指示を行わなければならない医薬品の添付文書の記載に不備がある場合は製造物責任法にいう製品の欠陥となりうる．
問19　○　免責事由として製造物を引き渡した時点での科学・技術によっては欠陥があることを認識できない場合がある．
問20　○　特定の個人を識別することができなければ個人情報に該当しない．
問21　○　処方箋の記載内容について疑義照会は人の生命，身体の保護の例外規定に該当する．

FAX送信した.（99）

問22　当院に通院している患者が意識不明で，他院に救急搬送された．本人の同意を得ずに搬送先の担当医に当該患者の処方歴を知らせた.（99）

問23　介護保険施設において，開催した行事で撮影した写真を，利用者の同意を得ずにホームページに掲載した.（99）

問24　現在，患者の看護にあたっている娘に対して，患者本人の同意を得ることなく，調剤している薬剤の情報提供を行った.（99）

問25　製造物責任法の損害賠償の請求権には時効がない.（96，99）

問26　医薬品に副作用が生じれば，直ちに製造物としての欠陥になる.（99）

問27　製造物の欠陥により生じた生命や身体への被害が対象であり，財産への被害は対象ではない.（99）

複合問題

問1　医療の担い手である薬剤師に求められる倫理観として適切なのはどれか.（99改）

a　積極的に自己研鑽に励む

b　患者の利益のために職能の最善を尽くす

c　安全性よりも利便性を優先して医薬品を供給する

d　品位と信用を損なう行為をしない.

e　職務上知り得た患者の秘密を，正当な理由なく漏らさない.

問2　薬剤師が倫理的に配慮すべき事項として，ふさわしいのはどれか.（97改）

a　職務上知り得た患者の秘密を守る.

b　薬剤師職能間の相互協調に努める.

c　医薬品の安全性の確保に努める.

d　地域医療の向上のための施策に協力する.

e　社会全体の医薬品消費量の増加を促す.

問3　薬局で調剤に従事する薬剤師が医師への疑義照会を怠った結果，患者に健康被害が生じた場合，当該薬剤師又は薬局開設者が問われる責任についての記述はどれか.（95，97）

1　刑法の業務上過失致死傷罪による刑罰を受ける.

2　民法に基づく損害賠償を請求される.

3　薬剤師法違反による刑罰を受ける.

4　医薬品副作用被害救済制度に基づく副作用拠出金を割増請求される.

問4　チーム医療への薬剤師の参画に関する記述のうち，適切でないのはどれか．1つ選べ.（97）

1　専門化された医療に対応するため，がん専門薬剤師等の専門薬剤師の養成も重要である.

2　医療事故防止のため，医薬品情報を他職種に提供することは重要である.

3　チーム内の情報共有のため，他職種が用いる専門用語を理解することが重要である.

4　チーム内の情報共有のため，患者に提供する説明文書は専門用語で記述することが重要である.

5　保険薬局の薬剤師もチーム医療の一員として期待される.

問5　最も疑われる原因の連絡の数日後，薬剤師BがAさんに関することで問い合わせを受けた．この問い合わせに対して，Aさんの情報を薬剤師Bから提供することが適切でないものはどれか．2つ選べ．なお，第三者への情報提 供に対するAさんの同意は得ていない.（98改変）

1　Aさんの友人から，入院した理由を聞かれた時

2　Aさんの勤務先の上司から，服用薬剤の名称を聞かれた時

問22　○　担当医に当該患者の処方歴を知らせることは人の生命，身体の保護の例外規定に該当する．

問23　×　人の生命，身体又は財産の保護の例外規定から外れた目的であり，本人の同意が必要．

問24　○　家族に調剤薬の情報提供することは人の生命，身体の保護の例外規定に該当する．

問25　×　製造物責任法の損害賠償の請求権には損害及び賠償義務者を知った時から 3年間の時効が規定されている．

問26　×　現段階の医療水準で認容されない有害性でなければ該当しない．

問27　×　侵害対象は生命，身体又は財産が対象である．

解答・解説

問1　解答　a，b，d，e　○

c　×　薬剤師倫理規程によれば，生涯研鑽（第4条），最善尽力義務（第5条），品位･信用等の維持（第10条），秘密の保持（第9条）が掲げられている．

問2　解答　a，b，c，d　○

e　×　むやみに医薬品の消費量の増加を促すことは，医療費の増大や医薬品の誤用・乱用をもたらす可能性があり，倫理的に配慮すべき事項としてはふさわしくない．

問3　解答　1，2，3　○

4　×　薬剤師法第 24条（薬剤師法の項参照）で薬剤師の医師への疑義照会の義務は規定されており，怠った場合，刑法，民法，薬剤師法（行政処分）に問われる．医薬品副作用被害救済制 度に基づく副作用拠出金は医薬品医療機器総合機構法に基づく公的制度であり，医薬品の副作用 発生による患者の救済の制度である（医薬品医療機器総合機構法の項参照）．

問4　解答　4

患者説明文書は，患者が理解できる平易な言葉で記述することで，副作用の早期発見に繋がる．

問5　解答　3，4，5　○，1，2　×

1　×　Aさんの友人に入院理由を開示することは，Aさんの利益に繋がらないため，薬剤師 Bは同意がない状況で開示してはならない．

2　×　Aさんの上司に服用薬剤の名称を開示することは，Aさんの利益に繋がらないため，薬剤師Bは同意がない状況で開示してはならない．

3　入院先の主治医から，Aさんの服用薬剤の銘柄を聞かれた時
4　同じ薬局の別の薬剤師 Cが Aさんに服薬説明をする際に，薬剤師Cから Aさんの症状を聞かれた時
5　Aさんの服用薬剤の製造販売業者から，副作用症状の情報提供を求められた時

問 6　調剤による医療事故が発生した場合の薬剤師の対応として，適切なものはどれか．2つ選べ．(98)
1　事故を起こした当事者が常に主体となって，事態を把握し，対応する．
2　健康被害の有無を確認する前に，事故の原因を特定する．
3　事故の記録には，客観的な事実のみを経時的に整理して記載する．
4　事故の原因が特定されなくても，医療事故の対象となった患者や家族には誠意を持って対応する．

問 7　医療チームに関する説明について，正しいのはどれか．2つ選べ．(99)
1　チームの治療方針は，チームの構成員が個別に設定した目標に基づいて決定する．
2　プライバシー保護の観点から，職能として知り得た患者情報は，できるだけ共有しない．
3　薬剤が投与されていない患者についても，薬剤師がチームに関わる意義がある．
4　病院の診療科が少ない場合には，機能別の医療チームを構成する必要性が低い．
5　チームの構成員に，患者や家族を含めることも必要である．

問 8　薬剤師の守秘義務(刑法第134条)に関する記述のうち，正しいのはどれか．2つ選べ．(101)
1　親告罪である．
2　正当な理由がある場合には，秘密を漏らしても，守秘義務違反にならない．
3　守秘義務違反によって懲役刑に処されることはない．
4　医師と薬剤師の守秘義務では，規定されている刑罰に差がある．
5　業務上知り得た秘密であっても，その後，薬剤師でなくなった場合には，その秘密を漏らしても，守秘義務違反にならない．

問 9　カペシタビンは添付文書に休薬期間を設けるように記載されているが，休薬期間を設けない処方がなされた．薬剤師が疑義照会をせずに，そのまま調剤をしたため，患者に健康被害が生じた．薬剤師が問 われる可能性のある法的責任として誤っているのはどれか．1つ選べ．(101)
1　民法に基づく不法行為責任
2　刑法に基づく業務上過失傷害罪
3　薬剤師法に基づく薬剤師業務の停止
4　薬剤師法に基づく戒告
5　医療法に基づく罰金刑

問10　男性から，今回質問 した事項について，知り合いの医師にも確認してみたいので，薬歴を開示して欲しいと要望があった．対応として適切でないのはどれか．1つ選べ．なお，この薬局は個人情報の保護に関する法律における個人情報取扱事業者である．(102)
1　患者の権利や利益を害するおそれのある記述があったため，該当する部分を見えないようにして開示した．
2　薬歴の原本は渡すことはできないので，コピーして患者に渡した．
3　開示にかかった実費相当額の費用を患者に請求した．
4　薬局が定める開示手続きの方法にしたがって，開示の請求をするよう指示した．
5　薬歴の開示は薬局の義務ではないことを説明した．

問11　処方監査に基づく疑義照会について正しいのはどれか．2つ選べ．(103)
1　処方に誤りがあり，疑義があったにもかかわらず，薬剤師が疑義照会をせず，そのため患者に健康被

3　○　入院先の主治医に服用薬剤の銘柄を開示することは，Aさんの医療上の利益に繋がるため，薬剤師 Bは情報提供してよい．

4　○　薬剤師 Cが Aさんに服薬説明するには，薬剤師 Bとの情報共有が必要であるため，薬剤師 Bは情報提供してよい．

5　○　医薬関係者は医薬品製造販売業者が行う情報収集に協力する義務があるため，薬剤師 Bは情報 提供しなければならない．

問6　解答　3，4

1　×　事故が起こった時は，開設者や管理者を中心とした組織的に対応する．

2　×　医療事故の際には，原因の特定より，患者の健康被害の把握が優先される．適切な警告や指示を行わなければならない医薬品の添付文書の記載に不備がある場合は製造物責任法にいう製品の欠陥となりうる．

問7　解答　3，5

1　×　チームの治療方針は，そのチームの治療目標に基づいて決定する．

2　×　患者情報は，チーム内で共有する．

3　○　薬剤が投与されていない患者についても，薬剤師が積極的に関与し，生活指導や必要に応じて新たな薬物療法について提案するべきである．

4　×　診療科が少ない病院においても，機能別の医療チームに必要性は高い．

5　○　患者や家族を含めて医療チームである．

問8　解答　1，2

1　○　守秘義務は秘密を漏らされた人が訴えないと罪にならない親告罪にあたる．

2　○　伝えなければならない事由（例えば指定感染症など）である正当な理由があれば，守秘義務違反にはならない．

3　×　刑法134条では，6ヶ月以下の懲役がある．

4　×　刑法134条では，職種間で並列に刑罰が規定されているが，医師と薬剤師に差はない．

5　×　薬剤師でなくなっても，守秘義務は継続する．

問9　解答　5

調剤過誤に伴う法的責任は，大きく分けて民事責任，刑事責任，行政責任の3つである．

1　○　民法に基づく，民事責任である加害者が被害者に損害賠償する不法行為責任などがある．

2　○　刑法に基づく，刑事責任である加害者が刑に処される業務上過失致死傷罪に問われることがある．

3, 4　○　薬剤師法に基づく，行政責任である薬剤師業務の取り消し，免許の取り消しなどの処分がある．

5　×　医療法は医療全体についての法律であり，「調剤過誤を行った場合の法的刑」の規定はない．

問10　解答　5

個人情報保護法28条で，原則，本人からの開示請求に応える義務がある．

1　○　患者の利益等を考慮し，一部又は全部を例外的に，開示しないことができる．

2　○　薬歴の原本は渡すことはできないので，コピーして患者に渡した．

3　○　第33条で手数料を請求できることが規定されている．

4　○　請求本人の同意する方法で開示できる．

5　×　本人からの開示請求に応える義務がある．

問11　解答　3，5

1　×　疑義照会をせず，健康被害が発生した場合，薬剤師にも損害賠償責任が生じる．

害が発生した場合，処方医が損害賠償責任を負うが，薬剤師は負わない．
2 疑義照会は，処方医でなくても医師に行えばよい．
3 処方箋中に法令に定められた事項が記載されていない場合には，疑義照会を行わなければならない．
4 患者がお薬手帳を持参しない場合には，併用薬はないものとして疑義の有無を判断する．
5 疑義照会による医師からの回答の内容は処方箋に記入しなければならない．

問 12 研修のほか，体制省令に定められている調剤の業務に係る医療の安全を確保するために必要な措置に関する記述のうち，誤っているのはどれか．1つ選べ．(103)
1 医薬品の安全使用のための責任者の設置
2 医薬品の安全使用等の業務に関する手順書の作成
3 調剤の業務に係る医療の安全を確保するための指針の策定
4 従事者から薬局開設者への事故報告体制の整備
5 調剤過誤に関する懲罰の設定

問 13 遺伝子診断によって起こりうる倫理的問題又はその対応に関する記述のうち，誤っているのはどれか．1つ選べ．(104)
1 遺伝子診断に当たっては，検査前だけでなく診断後も被検者に対して適切なカウンセリングが必要である．
2 診断結果の開示には，被検者本人の自己情報コントロール権への配慮が必要である．
3 重篤な遺伝病の原因遺伝子保因者と診断された場合は，被検者本人だけでなく血縁者も診断結果を知る必要がある．
4 遺伝病者や保因者は社会的差別や偏見によって不利益を被る可能性がある．
5 出生前診断は，診断結果が生命の選択や優生思想の問題を引き起こす可能性がある．

問 14 製造物責任法の対象にならないのはどれか．1つ選べ．ただし，免責事由はないものとする．(104)
1 一般用医薬品
2 血液製剤
3 要指導医薬品
4 薬局製造販売医薬品
5 調剤された薬剤

問 15 薬剤師が業務上知り得た人の秘密を漏らすと，秘密漏示罪に問われる場合があるが，その根拠となる法律はどれか．1つ選べ．(105)
1 民法
2 薬剤師法
3 刑法
4 医薬品医療機器等法
5 個人情報の保護に関する法律（個人情報保護法）

2　×　処方医でなければ処方意図がわからない.
3　○
4　×　併用薬の有無を確認しなければならない.
5　○

問 12　解答　5　×
調剤過誤に関する懲罰を設定することによって，医療安全の確保につながらない.

問 13　解答　3
遺伝子情報はオプトアウトによる第 3 者提供が認められない情報である「要配慮個人情報」あり，特に 日本遺伝カウンセリング学会の遺伝学的検査に関するガイドラインで「検査結果を開示するにあたっては，開示を希望するか否かについて被検者の意思を尊重しなければならない．得られた個人に関する遺伝学的情報は守秘義務の対象になり，被検者本人の承諾がない限り，基本的に血縁者を含む第 3 者に開示することは許されない.」とされ，3 の選択肢が誤りである.

問 14　解答　5
調剤された薬剤は製造物責任法の対象にならない.

問 15　解答　3
薬剤師の守秘義務は，刑法第 134 条で規定されている.

Ⅱ編　制　度

4章　医療制度

a　医療提供体制

1）医療制度と医療保険制度の違い

昭和36年（1961年）に国民皆保険制度が確立され，すべての国民が何らかの公的医療保険制度（健康保険，国民健康保険，共済組合等）に加入し保険料を支払うことにより，全国どこの保険医療機関においても医療を保険で受けられるようになった．すなわち，**国はすべての国民が公的医療保険制度に加入する国民皆保険制度を実施**している．

すべての国民が安心して生活するためには，適正な「医療制度」と「医療保険制度」が必要である．「医療制度」は「医療に対する供給者側」の制度であり，「医療保険制度」は「医療の需要者側」に立った制度である（図4.1）．

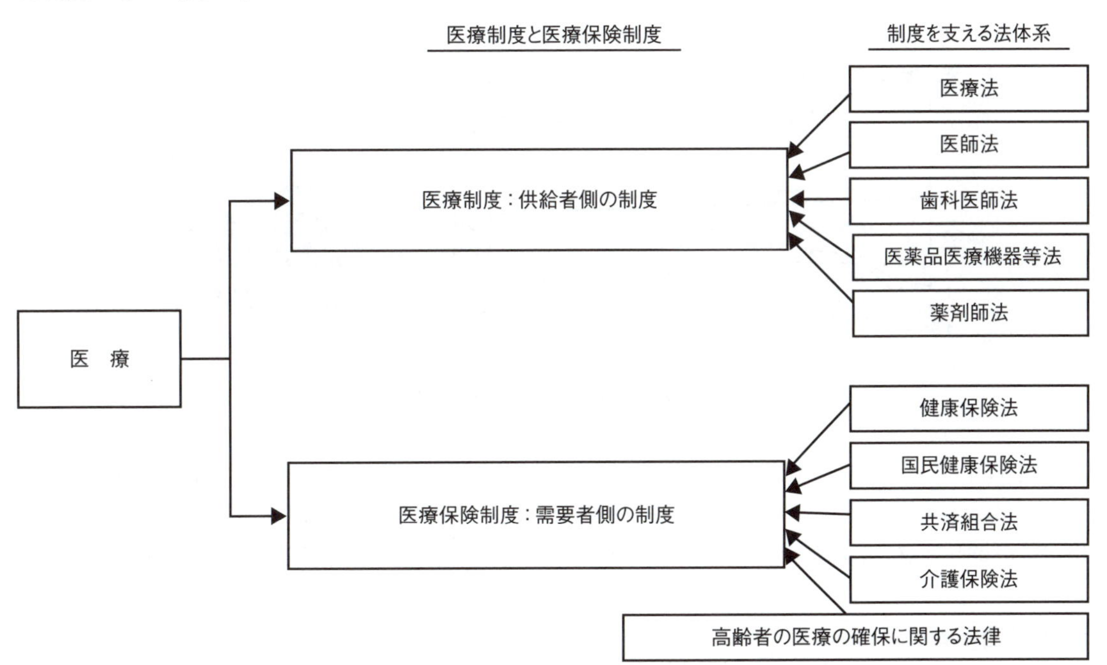

図4.1　医療制度と医療保険制度の違い

2) 医療施設数の現状

平成 30 年 10 月 1 日現在における全国の医療施設総数は 181,408 施設で，そのうち活動中の施設は 179,090 施設（医療施設総数の 98.7%）となっている．「病院」は 8,372 施設で，前年に比べ 40 施設減少している．病院は平成 2 年（10,096 施設）をピークに，それ以降減少しており，平成 4 年からは 1 万施設を下回っている．「一般診療所」は 102,105 施設で 634 施設増加，「歯科診療所」は 68,613 施設で 4 施設増加している．一般診療所は「有床」が 6,934 施設（一般診療所総数の 6.8%）で，前年に比べ 268 施設減少しているが，「無床」は 95,171 施設（同 93.2%）で，前年に比べ 902 施設増加している[1]．（図 4.2）．

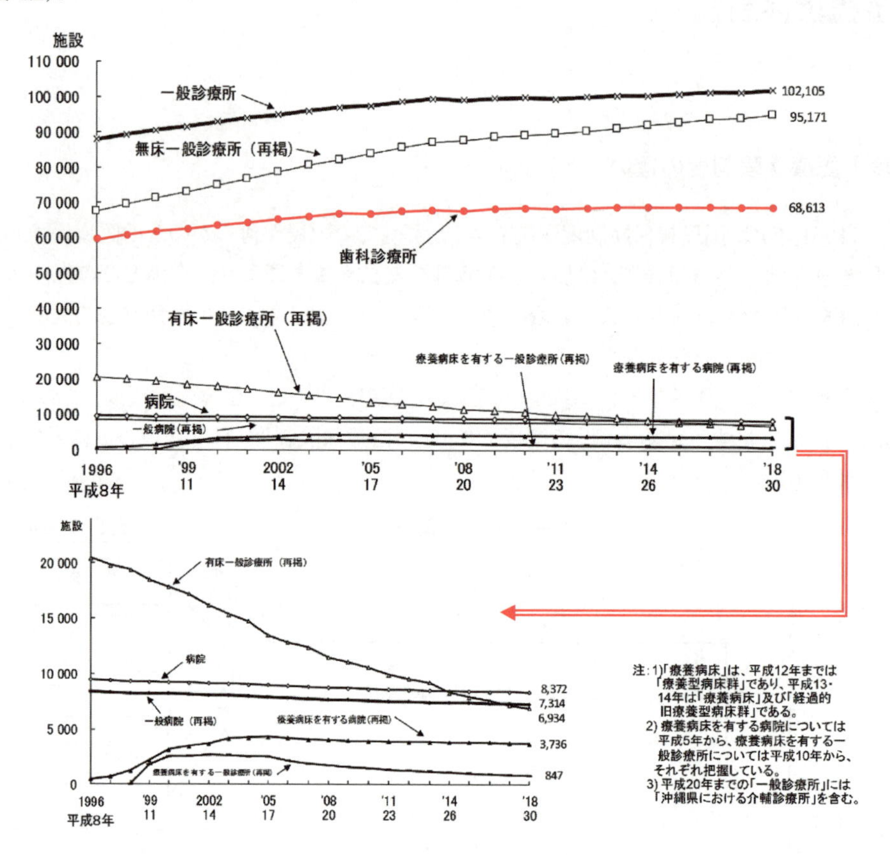

図 4.2　医療施設数の年次推移[1]

平成 30 年度末現在の薬局数は 59,613 施設で，前年度に比べ 475 施設（0.8%）増加している．人口 10 万人あたりの薬局数は 47.1 施設で，都道府県別にみると，佐賀県が 63.4 施設と最も多く，次いで山口県が 58.5 施設，広島県が 57.3 施設の順位多い[2]．

3) 医療関係者の現状

平成 30 年 12 月 31 日現在における全国の届出「医師数」は 327,210 人，届出「薬剤師数」は 311,289 人となっている．医師及び薬剤師ともに前回調査が行われた平成 28 年に比べると増加傾向にある．

薬剤師が主に従事している業務の種別をみると,「薬局の従事者」は180,415人（総数の58.0%),「医療施設の従事者」は59,956人（同19.3%）であり，いずれも増加している.「大学の従事者」は5,263人（同1.7%),「医薬品関係企業の従事者」は41,303人（同13.3%),「衛生行政機関又は保健衛生施設の従事者」は6,661人（同2.1%）となっている[3].

b　医療保障（保険）制度の仕組み

1）保険診療の仕組み

医療保険制度は，医療を受けようとする者（被保険者）があらかじめ医療保険者に保険料を支払い，医療を受けた際に保険者から医療費の支払いを受ける制度である（14章，図14.4).

保険医療機関等（病院，診療所，薬局）は患者（被保険者）の一部負担分を差し引いた額を審査支払機関に対して請求する．**審査支払機関は，社会保険診療報酬支払基金（健康保険の場合)，国民健康保険団体連合会（国民健康保険の場合）である**．保険医療機関等によって請求された診療報酬等は審査支払機関において審査される．その後，被保険者が加入する各保険者に送られ，保険医療機関は請求金額の支払いを受ける.

2）医療保障制度の仕組み

日本の医療保障制度を大別すると，社会保険や国民健康保険などの**医療保険制度，後期高齢者医療制度，公費負担医療制度の3つに分類**される（図4.3).

●医療保険制度

被用者保険（職域保険）と地域保険に分けられる．被用者保険（職域保険）は職場に勤務する者及びその家族を対象とした保険である.

●健康保険の保険者

全国健康保険協会又は健康保険組合である. そのうち, 全国健康保険協会管掌健康保険(協会けんぽ)は主に中小企業に，組合管掌健康保険（組合健保）は主に大企業に，それぞれ勤務する者及びその家族が加入する．**生活保護法による保護を受けている世帯に属する者は，国民健康保険に加入することはできないが，納付内容は「健康保険」と同じ**である.

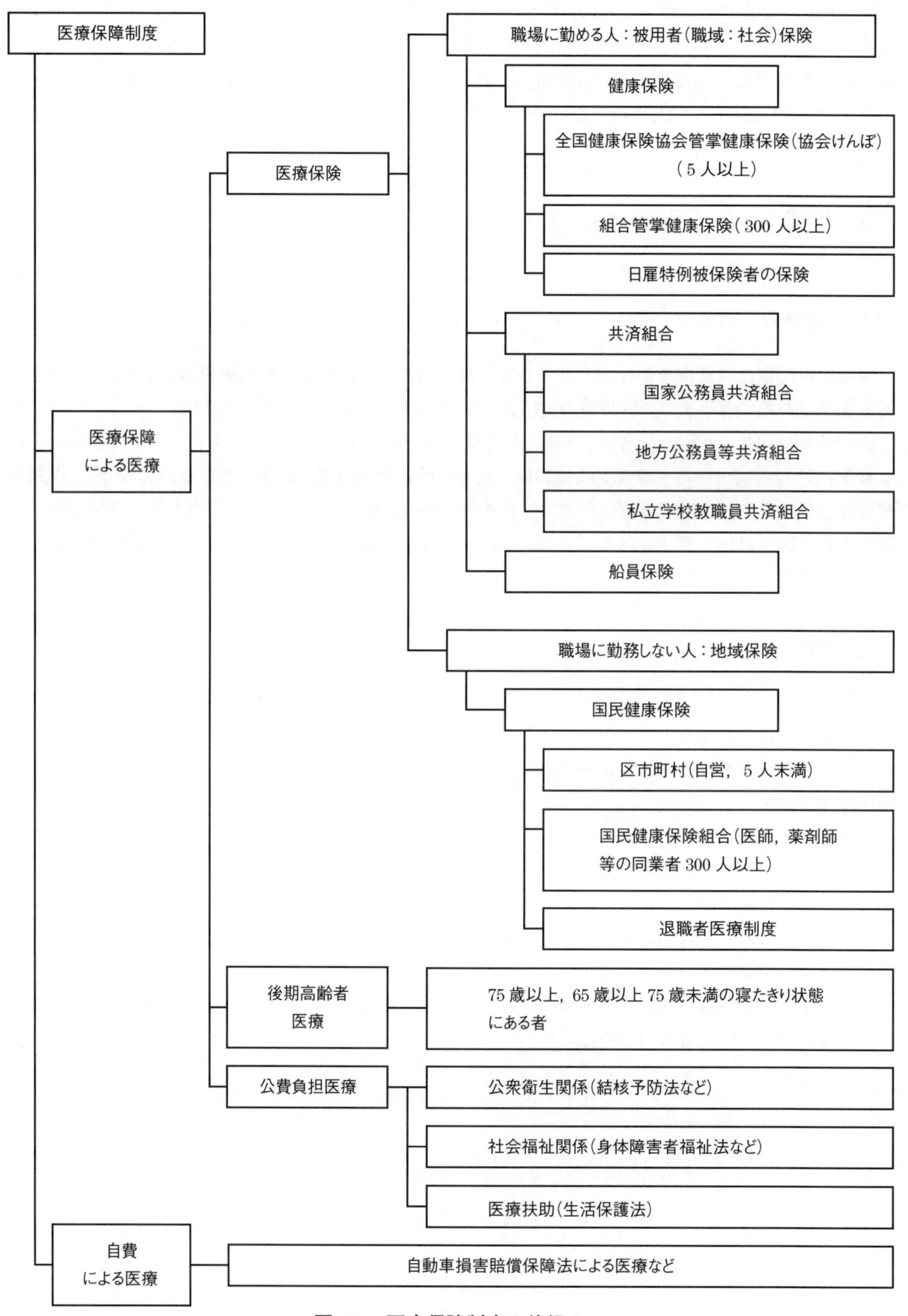

図 4.3　医療保障制度の仕組み

●共済組合

国家公務員，地方公務員，私立学校教職員等がそれぞれ共済組合を形成している.

●国民健康保険

国民健康保険は，自営業者等の勤務先をもたない者を対象とする地域保険である．**地域に住所を有する者はすべて国民健康保険に加入することを原則としている．国民健康保険は都道府県及び市区町村又は国民健康保険組合が保険者となる．国民健康保険組合は同種の職域団体300人以上で組織することができる**.

3）医療保険制度の仕組み

医療保険制度は国民皆保険となっているが，医療保険には種々の種類があり，その保険給付についても医療保険の種類及び被保険者又は被扶養者の別によって給付の割合が異なる（表4.1）．なお，**医療保険による保険給付は，**被保険者の疾病又は負傷については直接その者に対する診療等を行う，いわゆる**現物給付が原則となっている**.

表4.1　医療保険の種類

<table>
<tr><th>制　度</th><th colspan="2">被保険者</th><th>保険者</th><th>給付事由</th></tr>
<tr><td rowspan="2">健康保険</td><td>一般</td><td>健康保険の適用事業所で働くサラリーマン・OL（民間会社の勤労者）</td><td>全国健康保険協会，健康保険組合</td><td rowspan="3">業務外の病気・けが，出産，死亡（船保は職務上の場合を含む.）</td></tr>
<tr><td>法第3条第2項の規定による被保険者</td><td>健康保険の適用事業所に臨時に使用される人や季節的事業に従事する人等（一定期間を超えて使用される人を除く）</td><td>全国健康保険協会</td></tr>
<tr><td>船員保険
（疾病部門）</td><td colspan="2">船員として船舶所有者に使用される人</td><td>全国健康保険協会</td></tr>
<tr><td>共済組合
（短期給付）</td><td colspan="2">国家公務員，地方公務員，私学の教職員</td><td>各種共済組合</td><td rowspan="2">病気･けが，出産，死亡</td></tr>
<tr><td>国民健康保険</td><td colspan="2">健康保険・船員保険・共済組合等に加入している勤労者以外の一般住民</td><td>都道府県及び市（区）町村</td></tr>
<tr><td>国民健康保険</td><td colspan="2">厚生年金保険など被用者年金に一定期間加入し，老齢年金給付を受けている65歳未満等の人</td><td>都道府県及び市（区）町村</td><td>病気・けが</td></tr>
<tr><td>後期高齢者医療制度</td><td colspan="2">75歳以上の人及び65歳～74歳で一定の障害の状態にあることにつき後期高齢者医療広域連合の認定を受けた人</td><td>（実施主体）
後期高齢者医療広域連合</td><td>病気・けが</td></tr>
</table>

●後期高齢者医療制度（長寿医療制度）

75歳以上高齢者を対象に，後期高齢者医療制度（長寿医療制度）が創設された．**75歳以上の者及び一定の障害があると認定された65歳～74歳の者**はこれまで加入していた国民健康保険や会社の健康保険などの医療保険制度を抜けて，独立した医療保険制度となる後期高齢者医療制度において医療を受ける．後期高齢者医療制度は，**都道府県ごとに設置されている後期高齢者医療広域連合が実施主体となり市区町村と協力して運営**される（16章）．

4）介護保険制度の仕組み

●介護保険制度

介護保険は，給付と負担の関係が明確な社会保険方式となっている．**保険者は市区町村**である．**40歳以上の国民すべてから保険料を徴収し，国，地方が負担する公費を加えて財源**とする（図4.4）（17章）．

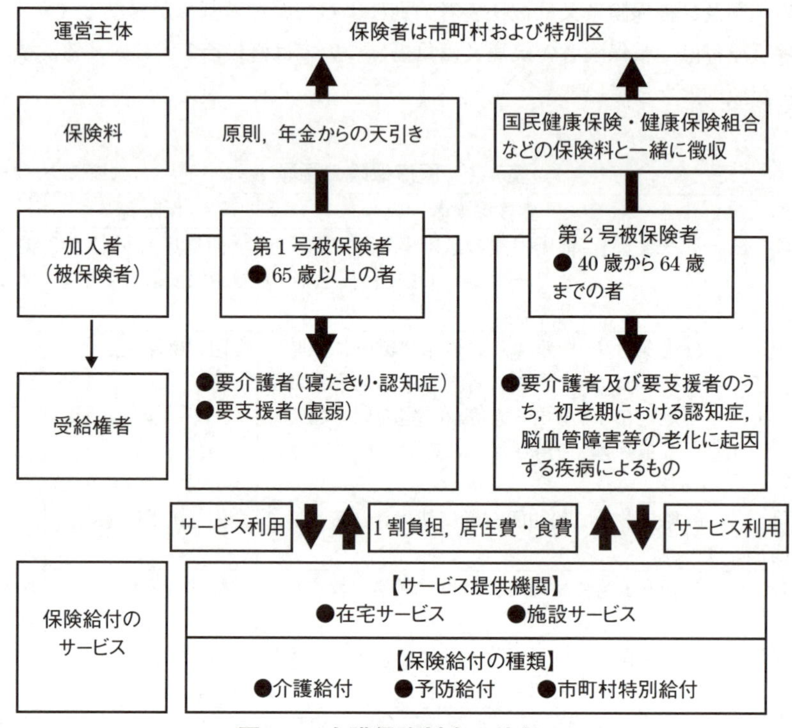

図4.4 介護保険制度の仕組み

C 医療行政体制

医療行政組織は，社会福祉，社会保障，公衆衛生の向上と増進を図るため，法律に規定された事項及び予算に基づいた衛生行政，医療保険行政等の事業を実施する組織である．基本的に，国－都道府県－保健所－市区町村という一貫した組織体系が確立されている．

1) 国の衛生・医療保険行政組織

厚生労働省の行政組織は，本省（大臣官房と11局：医政局，健康局，医薬食品局，労働基準局，職業安定局，職業能力開発局，雇用均等・児童家庭局，社会・援護局，老健局，保険局，年金局）及び外局（社会保険庁）から構成される．付属機関として国立医療機関，国立研究所，社会福祉施設，審議会などがあり，地方支分部局として地方医療局及び地区麻薬取締官事務所がある．

2) 諮問機関

薬事，医療保険に関係する諮問機関として，薬事・食品衛生審議会，社会保険医療協議会（中央・地方），社会保障審議会などある．

ｉ）薬事・食品衛生審議会

薬事・食品衛生審議会は薬事及び食品衛生等に関する重要事項を調査審議する厚生労働大臣の諮問機関であり，厚生労働省に置かれる．

> 厚生労働省設置法
> 第11条　薬事・食品衛生審議会は，医薬品，医療機器等の品質，有効性及び安全性の確保等に関する法律（昭和35年法律第145号），独立行政法人医薬品医療機器総合機構法（平成14年法律第192号），毒物及び劇物取締法（昭和25年法律第303号），安全な血液製剤の安定供給の確保等に関する法律（昭和31年法律第160号），有害物質を含有する家庭用品の規制に関する法律（昭和48年法律第112号）及び食品衛生法の規定によりその権限に属させられた事項を処理する．
> 2　前項に定めるもののほか，薬事・食品衛生審議会の組織，所掌事務及び委員その他の職員その他薬事・食品衛生審議会に関し必要な事項については，政令で定める．

●薬事・食品衛生審議会の意見を聴かなければならない事項

厚生労働大臣が必ず薬事・食品衛生審議会の意見を聴かなければならない事項は次のとおりである．高度管理医療機器等の指定（医薬品，医療機器等の品質，有効性及び安全性の確保等に関する法律（略称　医薬品医療機器等法）第2条），生物由来製品及び特定生物由来製品の指定（医薬品医療機器等法第2条），新医薬品，新医療機器等の承認（医薬品医療機器等法第14条），新医薬品又は新医療機器及び希少疾病用医薬品又は希少疾病用医療機器の再審査の期間及び期間の延長（医薬品医療機器等法第14条），医薬品又は医療機器の再評価（医薬品医療機器等法第14条），日本薬局方の制定及び改定（医薬品医療機器等法第41条），医薬品等の基準の設定（医薬品医療機器等法第42条），毒薬及び劇薬の指定（医薬品医療機器等法第44条），広告制限医薬品を定める政令の制定及び改廃毒薬及び劇薬の指定（医薬品医療機器等法第67条），医薬品，医薬部外品，化粧品又は医療機器の承認の取消し（医薬品医療機器等法第74条），医薬品副作用被害救済の救済給付の医学的薬学的判定（機構法第17条）などである．

ii）社会保険医療協議会

社会保険医療協議会には，中央社会保険医療協議会（中医協）及び地方社会保険医療協議会がある．

① 中央社会保険医療協議会は厚生労働省に置かれ，各医療保険制度における診療報酬に関する部分について審議する．主な審議事項は，診療報酬額・薬価基準の算定方法，療養担当規則の改定などである．

② 地方社会保険医療協議会は各都道府県の地方厚生局（地方厚生支局を含む）に置かれ，主な審議事項は保険医療機関及び保険薬局の指定・取消し，保険医・保険薬剤師の登録拒否・取消しなどである．

社会保険医療協議会法
第1条　厚生労働省に，中央社会保険医療協議会（以下「中央協議会」という．）を置く．
2　各地方厚生局（地方厚生支局を含む．）に，地方社会保険医療協議会（以下「地方協議会」という．）を置く．

iii）社会保障審議会

社会保障審議会は厚生労働省に置かれ，厚生労働大臣の諮問に応じて医療，福祉，保険，年金など社会保障に関する重要事項を調査審議し，厚生労働大臣又は関係行政機関に意見を述べる．

3）保健所，地方衛生研究所

●保健所

保健所は，地方における公衆衛生の向上及び健康増進を図ることを目的として全国495か所（平24年4月1日現在）に設置されている．地域保健法により都道府県又は地域保健法施行令により指定都市（政令で指定する人口50万人以上の市），中核市（人口30万人以上の市），その他の政令で定める市又は特別区（東京都の23特別区）は直轄の保健所を設置し，公衆衛生行政事務の大部分を行う義務と責任を担う．保健所は次の事項について，企画，調整，指導等を行う．地域保健に関する思想の普及及び向上，人口動態統計，食品衛生に関する事項，医事及び薬事に関する事項，精神保健，エイズその他疾病の予防に関する事項，健康の保持増進に関する事項，環境衛生に関する事項などがある．

●地方衛生研究所

地方衛生研究所は，地方衛生行政における科学的かつ技術的中核として，都道府県及び政令指定都市の77か所に置かれている．地方衛生研究所の業務は，関係行政部局，保健所等と緊密な連携を図り，調査研究，試験検査，研修指導及び公衆衛生情報等の収集・解析・提供を行う．

4）年金事務所，福祉事務所

●年金事務所

社会保険庁が廃止されて平成22年に日本年金機構が発足し，国（厚生労働大臣）から委任・委託を受けて公的年金に係る適用，徴収，相談，裁定，給付等の運営業務を行っている．日本年金機構は全国の9ブロックに本部を設け，その下で年金事務所（旧社会保険事務所）は地域住民の窓口として年金業務を担っている.

●福祉事務所

社会福祉関連の法律に定める種々の業務を行う社会福祉行政機関として，都道府県，市及び特別区に設置されている．町村は任意設置とされている.

d　医薬分業制度

1) 医薬分業の意義

医薬分業とは，医師（歯科医師）が患者の診断と治療を行い，医療上患者に薬を用いる必要がある場合に，医師（歯科医師）は医療機関で患者に処方箋を交付し，患者は，薬剤師がその処方箋に基づき薬局で調剤した薬を受け取る制度である（図 4.5).

薬局は，良質な調剤や医薬品等の供給を通じて，地域住民に信頼される「**かかりつけ薬局**」として，地域保健医療の向上と健康づくりに貢献する使命を負っている.

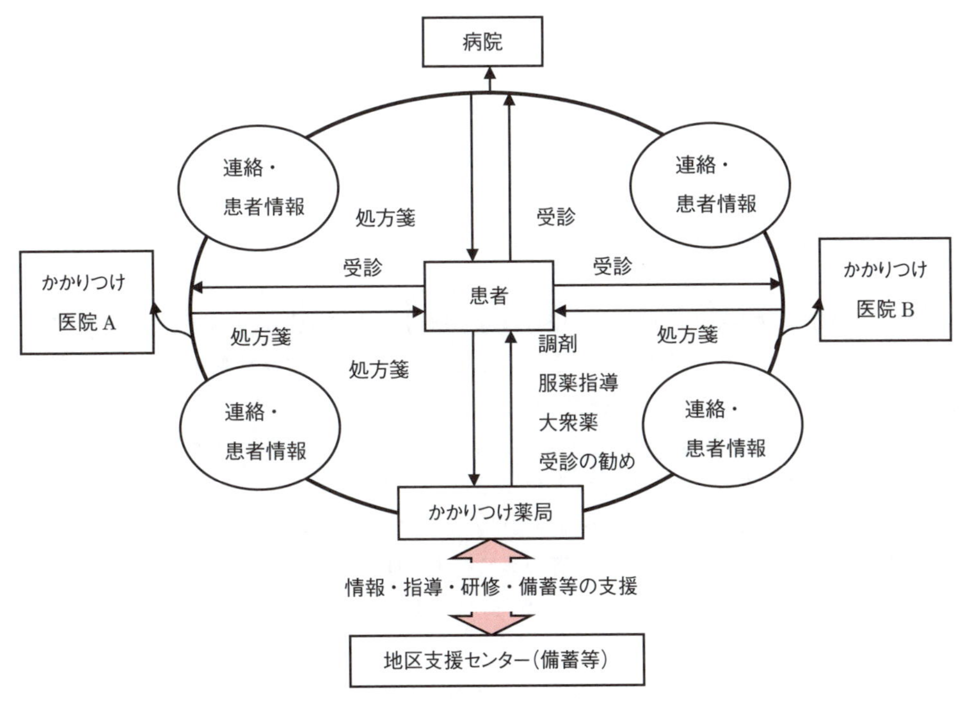

図 4.5　医薬分業の体制 [4)]

●医薬分業の根拠法

「処方箋交付義務」は医師法第 22 条及び歯科医師法第 21 条（13 章）において，「処方箋に基づき調剤すること」に関しては薬剤師法第 19 条（7 章）においてそれぞれ定められている.

2) 医薬分業の起源

医薬分業の起源は，**1240年**に神聖ローマ帝国の**フリードリッヒⅡ世**が制定した5か条の法令の発布にあるといわれており，5か条の法令の中で，医師による調剤を禁止し，薬剤師が調剤することを定めた．

●日本における医薬分業

明治7年（1874年），明治政府はわが国最初の医事法規である「医制」を公布した．この医制において医薬分業が規定されたが，医薬分業は普及しなかった．昭和30年（1955年）に薬事法等の一部を改正する法律（いわゆる医薬分業法）が制定され，**昭和31年（1956年）に施行**された．しかし，医師法では医師が患者に薬剤を調剤することができるという医師法第22条の「但し書き」の規定があり，また日本の患者は医師から直接薬を受け取ることが習慣となっていたために医薬分業はほとんど進展しなかった．昭和49年（1974年）の診療報酬の改定で医師の処方箋発行料が引き上げられたことを契機に医薬分業推進の方向性が明確になり，医薬分業は徐々に進展した．その後，医薬分業推進モデル事業，処方箋応需体制の整備事業等の推進等の医薬分業推進のための施策が行われ，一方で，医療に対する国民意識の高まり等があって，最近に至り，ようやくわが国の医薬分業も全国的に進展してきた[5)]．

3) 医薬分業のメリットとデメリット

●医薬分業のメリット[4)]

① 使用したい医薬品が手元になくても，患者に必要な医薬品を医師・歯科医師が自由に処方できること．

② 処方箋を患者に交付することにより，患者自身が服用している薬について知ることができること．

③「かかりつけ薬局」において薬歴管理を行うことにより，複数診療科受診による重複投薬，相互作用の有無の確認などができ，薬物療法の有効性・安全性が向上すること．

④ 病院薬剤師の外来調剤業務が軽減することにより，本来病院薬剤師が行うべき入院患者に対する病棟活動が可能となること．

⑤ 薬の効果，副作用，用法などについて薬剤師が，処方した医師・歯科医師と連携して，患者に説明（服薬指導）することにより，患者の薬に対する理解が深まり，調剤された薬を用法どおり服用することが期待でき，薬物療法の有効性，安全性が向上すること．

●医薬分業のデメリット

① 患者が医療機関と薬局の両方に行くため，二度手間となり，不便であること．

② 処方箋料の加算により患者の一部負担金が増えるため医療費が増加すること．

4) 医薬分業の現況

昭和49年（1974年）の政策誘導による医薬分業の推進を契機に，処方箋受取率（外来患者に係る院外処方の割合を示すいわゆる医薬分業率）は徐々に上昇し，平成27年度70.0％に達した．令和元年度の1年間に全国で発行された処方箋枚数は約8億1,803万枚で，処方箋受取率は74.9%（前年度比 0.9％増）となった[4]．また，処方箋受取率を道府県別でみると，最上位が秋田県の 88.9%（平成元年度）であるのに対し，最下位は福井県 53.9%（平成元年度）であり，地域格差が認められる．

なお，処方箋受取率は社会保険診療報酬支払基金統計月報及び国保連合会審査支払業務統計を基に日本薬剤師会が集計したものであり，正確には「薬局で受け付けた処方箋枚数÷（医科診療（入院外）日数×医科投薬率＋歯科診療日数×歯科投薬率）」により算出される．

$$\text{分業率（処方箋受取率：\%）} = \frac{\text{薬局への処方箋枚数（院外処方件数）}}{\text{外来処方件数（全体）}} \times 100$$

参考文献

1) 厚生労働省：平成 30 年（2018）医療施設（動態）調査・病院報告の概況，令和元年
2) 厚生労働省：平成 30 年度衛生行政報告例の概況（薬事関係），令和元年
3) 厚生労働省：平成 30 年（2018 年）医師・歯科医師・薬剤師統計，令和元年
4) 日本薬剤師会：処方箋受け取り状況の推計（令和元年度 調剤分），令和元年
5) 医薬情報担当教育センター：9 医薬分業，p.175-181，医薬概論 PMS 添付文書，医薬情報担当者 MR 研修テキスト Ⅲ 2006 年度改訂版，2007 年

Checkpoint

国民皆保険制度	すべての国民が公的医療保険制度に加入し保険料を支払うことにより，全国どこの保険医療機関においても医療を保険で受けられる制度.
医療保障制度	大別すると，医療保険制度，後期高齢者医療制度及び公費負担医療制度の3つに分類.
医療保険制度	被用者保険（職域保険）と地域保険に分けられる.
健康保険	保険者は，全国健康保険協会又は健康保険組合である．全国健康保険協会管掌健康保険（協会けんぽ）は主に中小企業に，組合管掌健康保険（組合健保）は主に大企業に勤務する者及びその家族が加入.
国民健康保険	地域に住所を有する者はすべて国民健康保険に加入することを原則としている．国民健康保険は市区町村又は国民健康保険組合が保険者.
後期高齢者医療制度	75歳以上の者及び一定の障害があると認定された65歳～74歳の者は，独立した医療保険制度となる後期高齢者医療制度において医療を受ける.
介護保険制度	介護保険は，給付と負担の関係が明確な社会保険方式となっている．保険者は市区町村である．40歳以上の国民すべてから保険料を徴収し，国，地方が負担する公費を加えて財源とする.
薬事・食品衛生審議会	薬事・食品衛生審議会は薬事及び食品衛生等に関する重要事項を調査審議する厚生労働大臣の諮問機関であり，厚生労働省に置かれる.
中央社会保険医療協議会	略して，中医協と呼ばれる．厚生労働省に置かれ，各医療保険制度における診療報酬に関する部分について審議.

問　題

問 1　年金制度は，社会保険方式の社会保障である．(97)
問 2　医療保険制度は，社会扶助方式の社会保障である．(97)
問 3　生活保護制度は，社会保険方式の社会保障である．(97)
問 4　基本的にすべての国民が，何らかの医療保険制度に加入する国民皆保険である．(99)
問 5　医療保険の加入者は，全国のすべての医療機関で療養の給付を受けることができる．(99改)

問 6　医療保険の加入者が納めた保険料に応じて，給付される療養の種類に違いがある．(99)
問 7　75歳以上の者は，保険料を負担しない医療保険制度に加入する．(99改)
問 8　国民皆保険制度が成立したのは，昭和30年代である．(101)
問 9　国民健康保険の保険者は，国である．(101)
問10　最も加入者が多いのは，後期高齢者医療制度である．(101)
問11　全国健康保険協会管掌健康保険は，被用者保険である．(101)
問12　生活保護受給者は，国民健康保険に加入する．(101)
問13　自らが将来使用する医療費を予め積み立てておく自助の原則による．(105)
問14　被用者保険と国民健康保険とでは，現物給付される医療の内容は異なる．(105)
問15　医療保険制度による医療の財源に，公費は含まれていない．(105)
問16　後期高齢者医療制度の被保険者には，75歳以上の者及び65歳以上75歳未満の寝たきり状態にある者が含まれる．(105)
問17　介護保険の被保険者が，自己の居宅で受けた介護サービスは，保険給付の対象とならない．(102)

問18　介護給付を受けようとする被保険者は，保険者である都道府県に対し医師の診断書を添えて申請する必要がある．(102)
問19　介護保険の第2号被保険者の保険料は，被保険者が加入する医療保険者が徴収する．(102)

地方社会保険 医療協議会	各都道府県の地方厚生局（地方厚生支局を含む）に置かれ，主な審議事項は保険医療機関及び保険薬局の指定・取消，保険医・保険薬剤師の登録拒否・取消など．
保健所	保健所は，地方における公衆衛生の向上及び健康増進を図ることを目的として，都道府県，指定都市，中核市，その他の政令で定める市又は特別区に設置．
地方衛生研究所	地方衛生行政における科学的かつ技術的中核として，都道府県及び政令指定都市に設置．
年金事務所	健康保険事業などの医療保険事業や年金事業の事務等を担当する．日本年金機構の地域住民の窓口．
福祉事務所	社会福祉関連の法律に定める種々の業務（生活保護，児童福祉，身体障害者福祉，老人福祉など）を行う社会福祉行政機関として，都道府県，市及び特別区に設置．
医薬分業	医薬分業とは，医師（歯科医師）が患者の診断と治療を行い，医療上患者に薬を用いる必要がある場合に，医師（歯科医師）は医療機関で患者に処方箋を交付し，患者は，薬剤師がその処方箋に基づき薬局で調剤した薬を受け取る制度．
医薬分業率	国内の分業率は50％を超え，平成25年度では67.0％となった．ただし，地域差が大きい．

解答・解説

問 1　○　記述どおり．
問 2　×　医療保険制度は，社会保険方式の社会保障である．
問 3　×　生活保護制度は，社会扶助方式の社会保障である．
問 4　○　記述どおり．
問 5　×　医療保険制度による療養の給付を受けられるのは，保険医療機関と保険薬局である．保険指定を受けていない医療機関や薬局では，医療保険制度による療養の給付を行えない．
問 6　×　加入者の所得により納める保険料は異なるが，給付される療養の種類に違いはない．
問 7　×　原則として75歳以上の者は後期高齢者医療制度に加入するが，保険料を負担しなければならない．
問 8　○　記述どおり．国民皆保険制度が成立したのは，昭和36年である．
問 9　×　国民健康保険の保険者は，都道府県及び市区町村である．
問10　×　最も加入者が多いのは，組合管掌健康保険．
問11　○　記述どおり．
問12　×　生活保護受給者は，健康保険を脱退する．
問13　×　積立方式ではなく，集めた保険料を必要な者に給付する方式が採用されている．
問14　×　給付される医療内容が保険の種類によらず同じである．
問15　×　制度維持のため，公費も投入している
問16　○　記述どおり．

問17　×　介護保険給付の対象となるサービスには，居宅サービス，施設サービス，及び地域密着型サービスがある．
問18　×　介護保険法における保険者は，市区町村である．

問19　○　記述どおり．被保険者が加入する医療保険者が国民健康保険・健康保険組合などの保険料と一緒

問 20 要介護状態とは，1年以上継続して常時介護を要すると見込まれる状態をいう．(102)

問 21 要介護状態は5段階に，要支援状態は2段階に区分されている．(102)

問 22 処方箋受取率，いわゆる医薬分業率とは，全患者のうち投薬が必要とされた患者への処方件数に対する院外処方箋枚数の割合である．(97 改)

問 23 医薬分業の機能を活かすためには，処方せんを発行する医療機関と保険調剤を行う薬局の経営が一体となっていることが望まれる．(97)

問 24 わが国の医薬分業は，薬剤師法の施行を契機に，急速に普及した．(105 改)

問 25 処方箋受取率は，都道府県の間でほとんど差がない．(105)

問 26 処方箋を患者に交付する医師が，調剤を受ける薬局を指定することが望ましい．(105)

問 27 複数の医療機関を受診しても，患者が特定の薬局を利用することで，薬剤服用歴を薬局で一元的に管理できる．(105)

問 28 交付された処方箋により，患者自身が服用している薬の名称について知ることができる．(105)

複 合 問 題

問 1 76歳男性．脳梗塞の既往と高血圧，脂質異常症（高脂血症），不眠，便秘のため，以下の処方により治療を継続中である．薬局での服薬指導時に，患者から最近便が黒っぽいとの訴えがあった．薬剤師が主治医に連絡したところ，精密検査により大腸がんが見つかり，3ヶ月後に切除手術を受けることなった．

その後，手術では患部を取りきれず，退院時の見込みでは，日常生活を送る上で介護を要するであろうとのことであった．介護保険制度に照らした当該患者に関する記述のうち，正しいのはどれか．1つ選べ．

1 第2号被保険者である．

2 要介護認定を受けた場合に介護サービスが受けられる．

3 要介護認定は都道府県が行う．

4 要介護認定は疾病の重症度が判定基準とされる．

5 保険料は医療保険者が徴収し社会保険診療報酬支払基金に納付する．

問 2 医薬分業に関わる記述のうち，誤っているのはどれか．2つ選べ．(99)

1 最近の処方箋受取率は，全国平均で約80％である．

2 薬局薬剤師には，地域医療におけるチーム医療の一員としての役割が期待されている．

3 医薬分業の利点には，医師と薬剤師がそれぞれの専門分野で業務を分担し，国民医療の質的向上を図ることがあげられる．

4 「かかりつけ薬局」の意義として，薬歴管理により重複投薬，相互作用の有無の確認などができ，薬物療法の有効性・安全性が向上することがあげられる．

5 業務の責任を明確にするため，病院薬剤師と薬局薬剤師は連携せずに，独立して業務を行うことが求められる．

に徴収する．

問 20　×　要介護状態とは，厚生労働省令で定める期間（原則 6 カ月以上）にわたり継続して，常時介護を要すると見込まれる状態をいう．

問 21　○　記述どおり．

問 22　×　処方箋受取率は，外来患者（入院患者以外の患者）への投薬のための処方件数に対する薬局への処方箋枚数（院外処方箋枚数）の割合である．

処方箋受取率（%）＝（院外処方箋枚数／外来患者への処方箋枚数）× 100

問 23　×　保険薬局は，保険医療機関と経済的，機能的，構造的に独立していなければならない．

問 24　×　わが国の医薬分業は，1974 年の診療報酬改定で処方料が大幅に引き上げられるなどの政策誘導を契機に，急速に普及した．

問 25　×　処方箋受取率は，都道府県の間で差がある（2019 年度の分業率：1 位は秋田県 88.9%，最下位は福井県 59.3%）

問 26　×　医師あるいは医療機関が特定の薬局を指定し誘導することは禁止されている．

問 27　○　記述どおり．

問 28　○　記述どおり．

解答・解説

問 1　解答　2

1　×　本患者は 76 歳であることから，第 1 号被保険者である．

3　×　要介護認定は市町村が行う．

4　×　要介護認定とは「介護の手間」による区分．重症度ではない

5　×　第 1 号被保険者の介護保険料は年金からの天引き，もしくは納付書による納付により市区町村が徴収する．

問 2　解答　1，5

1　×　2019 年度の処方箋受取率は 74.9% で，80 %を超えていない．

5　×　シームレスな薬物療法を行うためには，病院薬剤師と薬局薬剤師が連携し，情報共有する必要がある．

5章　医療と経済

a　国民医療費

国民医療費とは，当該年度内の医療機関等において保険診療の対象となり得る傷病の治療に要する費用を推計したものである．

1）国民医療費の範囲

国民医療費の範囲は傷病に要する治療費に限っており，診療費・薬局調剤医療費・入院時食事・生活医療費・訪問看護医療費のほか，健康保険等で支給される移送費等も含んでいる．

ただし，**以下の費用は含めない**．

① **介護保険から支出される医療サービスに要する費用**
② **正常な**妊娠・**分娩に要する費用**
③ 健康の維持・増進を目的とした健康診断・予防接種等に要する費用
④ 固定した身体障害のために必要とする義眼や義肢等の費用
⑤ **一般用医薬品などの購入に要する費用**
⑥ 美容整形に要する費用
⑦ 患者が負担する入院時室料差額分，歯科差額分等に要する費用
⑧ 評価療養（先進医療（高度医療を含む）等）
⑨ 選定療養（特別の病室への入院，歯科の金属材料等）
⑩ 不妊治療における生殖補助医療等に要した費用

2）国民医療費の推移

平成30年度の国民医療費は，前年度に比べ3,239億円（0.8％）増の**43兆3,949億円**となっており，人口一人当たりの国民医療費は，前年度に比べ3,300円（1.0％）増の34万3,200円となっている．

3）制度区分別国民医療費

平成30年度の国民医療費を制度区分別にみると，以下のようになっている．

① 公費負担医療給付分：3兆1,751億円（構成割合7.3％，前年比0.9％減）
② 医療保険等給付分：19兆7,291億円（構成割合45.5％，前年比0.1％減）

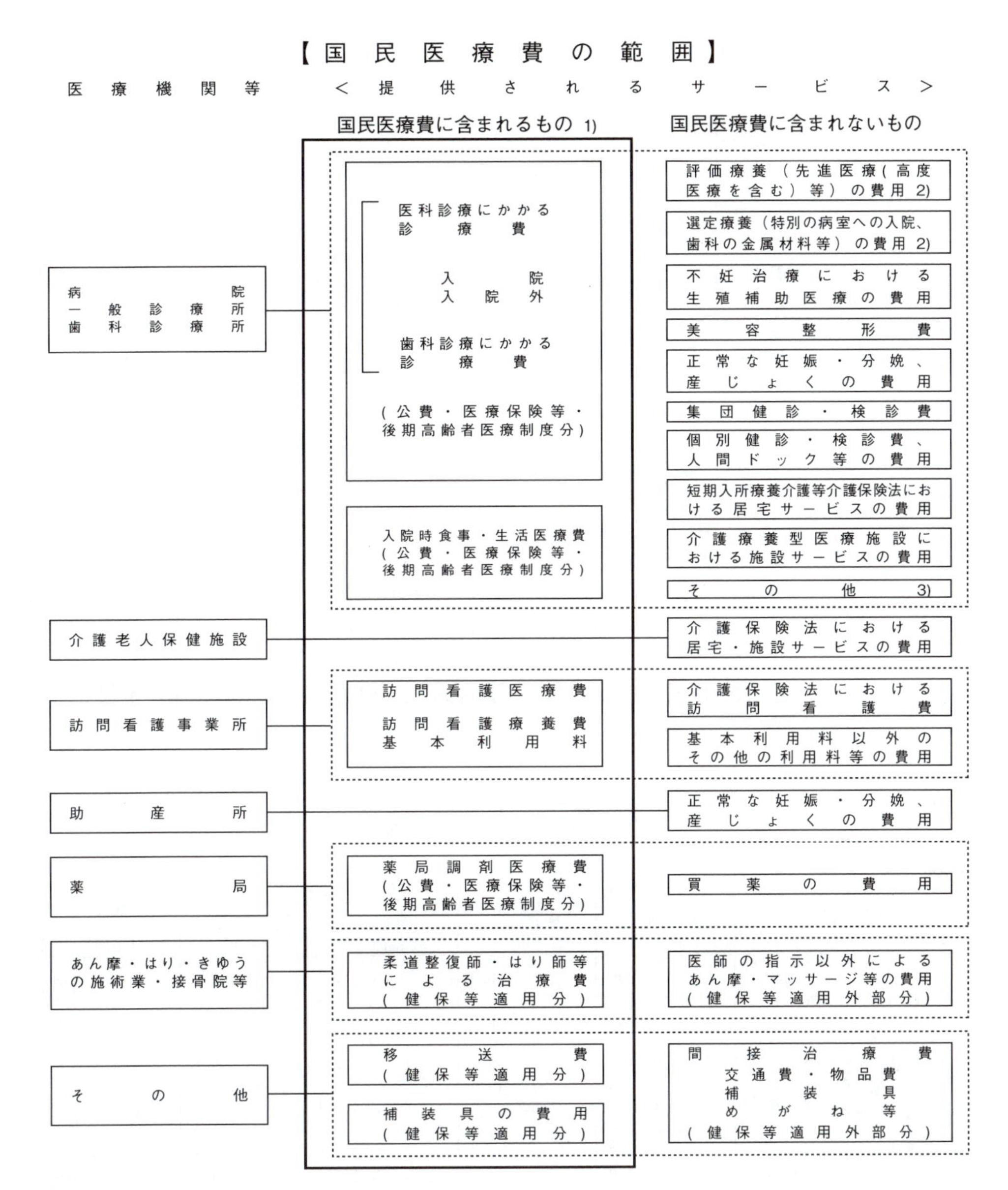

注：1) 患者等負担分を含む。
2) 保険外併用療養費分は国民医療費に含まれる。
3) 上記の評価療養等以外の保険診療の対象となり得ない医療行為（予防接種等）の費用。

図 5.1　国民医療制度の範囲
（厚生労働省より）

③ 後期高齢者医療給付分：15 兆 576 億円（構成割合 34.7 %，前年比 1.9 %増）
④ 患者等負担分：5 兆 4,047 億円（構成割合 12.5 %，前年比 2.5 %増）
⑤ 軽減特例措置：283 億円（構成割合 0.1 %，前年比 60.3 %減）

ここで，**被用者保険の医療費については 10 兆 3,110 億円，国民健康保険は 9 兆 957 億円となっている**．

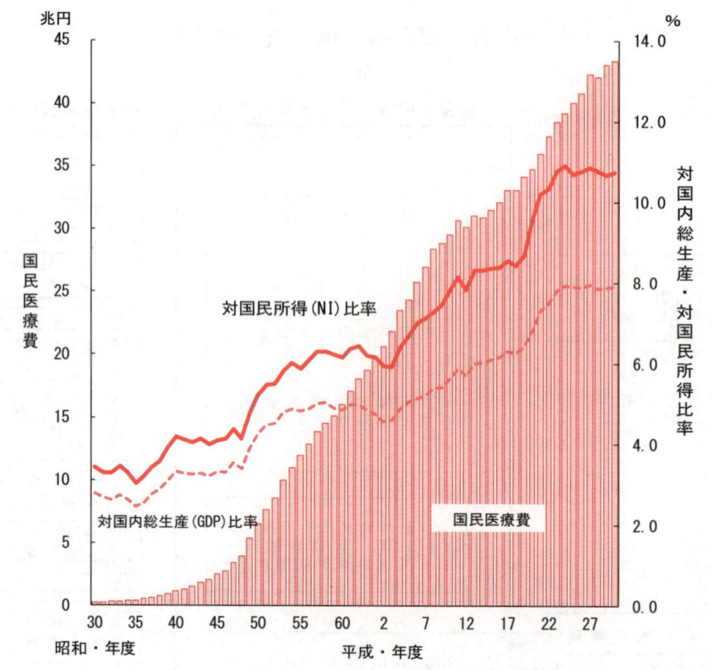

図 5.2 国民医療費・対国内総生産及び対国民所得比率の年次推移

(厚生労働省より)

表 5.1 制度区分別国民医療費

制度区分	平成30年度 国民医療費(億円)	平成30年度 構成割合(%)	平成29年度 国民医療費(億円)	平成29年度 構成割合(%)	対前年度 増減額(億円)	対前年度 増減率(%)
総数	433 949	100.0	430 710	100.0	3 239	0.8
公費負担医療給付分	31 751	7.3	32 040	7.4	△ 289	△ 0.9
医療保険等給付分	197 291	45.5	197 402	45.8	△ 111	△ 0.1
医療保険	194 066	44.7	194 271	45.1	△ 205	△ 0.1
被用者保険	103 110	23.8	100 970	23.4	2 140	2.1
被保険者	55 375	12.8	53 828	12.5	1 547	2.9
被扶養者	41 689	9.6	41 700	9.7	△ 11	△ 0.0
高齢者 1)	6 046	1.4	5 442	1.3	604	11.1
国民健康保険	90 957	21.0	93 301	21.7	△ 2 344	△ 2.5
高齢者以外	59 577	13.7	62 546	14.5	△ 2 969	△ 4.7
高齢者 1)	31 380	7.2	30 755	7.1	625	2.0
その他 2)	3 224	0.7	3 131	0.7	93	3.0
後期高齢者医療給付分	150 576	34.7	147 805	34.3	2 771	1.9
患者等負担分	54 047	12.5	52 750	12.2	1 297	2.5
軽減特例措置 3)	283	0.1	713	0.2	△ 430	△ 60.3

1) 被用者保険及び国民健康保険適用の高齢者は70歳以上である.

2) 労働者災害補償保険，国家公務員災害補償法，地方公務員災害補償法，独立行政法人日本スポーツ振興センター法，防衛省の職員の給与等に関する法律，公害健康被害の補償等に関する法律及び健康被害救済制度による救済給付等の医療費である.

3) 70～74歳の患者の窓口負担の軽減措置に関する国庫負担分である.

(厚生労働省より)

4）財源別国民医療費

国民医療費の財源には，保険料と公費のほかに患者の一部負担金が含まれる．

平成30年度国民医療費概況で税源別にみると，公費分は16兆5,497億円（38.1％），**保険料分は21兆4,279億円（49.4％），患者負担は5兆1,267億円（11.8％）**となっており，**最も大きいものは，保険料分である．**

なお，用語の定義は以下のとおりである．

① 公費：公費負担医療制度，医療保険制度，後期高齢者医療制度等への国庫負担及び地方公共団体の負担金

② 保険料：医療保険制度，後期高齢者医療制度，労働者災害補償保険制度等の給付費のうち，事業者と被保険者が負担すべき額

③ その他：患者負担及び原因者負担（公害健康被害の補償等に関する法律及び医薬品副作用被害救済制度による救済給付等）

表5.2　財源別国民医療費

財源	平成30年度		平成29年度		対前年度	
	国民医療費（億円）	構成割合（%）	国民医療費（億円）	構成割合（%）	増減額（億円）	増減率（%）
総数	433 949	100.0	430 710	100.0	3 239	0.8
公費	165 497	38.1	165 181	38.4	316	0.2
国庫 1)	109 585	25.3	108 972	25.3	613	0.6
地方	55 912	12.9	56 209	13.1	△ 297	△ 0.5
保険料	214 279	49.4	212 650	49.4	1 629	0.8
事業主	92 023	21.2	90 744	21.1	1 279	1.4
被保険者	122 257	28.2	121 906	28.3	351	0.3
その他 2)	54 173	12.5	52 881	12.3	1 292	2.4
患者負担（再掲）	51 267	11.8	49 948	11.6	1 319	2.6

注：1）軽減特例措置は，国庫に含む．
　　2）患者負担及び原因者負担（公害健康被害の補償等に関する法律及び健康被害救済制度による救済給付等）である．
（厚生労働省より）

5）診療種類別国民医療費

社会医療診療行為別調査によれば，医科総点数に占める薬剤料の割合は，ここ数年上昇している．

平成30年度の診療種類別国民医療費では，入院医療費16兆5,535億円（構成割合38.1％），**入院外医療費＋薬局調剤医療費22兆3,403億円（51.4％），歯科2兆9,579億円（6.8％）**となっており，**薬局調剤医療費の額は，歯科診療医療費の額よりも多い．**

対前年度増減率をみると，医科診療医療費は1.6％の増加，歯科診療医療費は2.0％の増加，薬局調剤医療費は3.1%の減少となっている．

なお，用語の定義は以下のとおりである．

① 医科診療医療費：医科診療にかかる診療費

② 歯科診療医療費：歯科診療にかかる診療費

③ 薬局調剤医療費：処方箋により保険薬局を通じて支給される薬剤等の額（調剤基本料等技術料と薬剤料の合計）

④ 入院時食事・生活医療費：入院時食事療養費，**食事療養標準負担額，入院時生活療養費**及び標準負担額の合計額

⑤ 訪問看護医療費：訪問看護療養費及び基本利用料の合計額

⑥ 療養費等：健康保険等の給付対象となる柔道整復師・はり師等による治療費，移送費，補装具等の費用

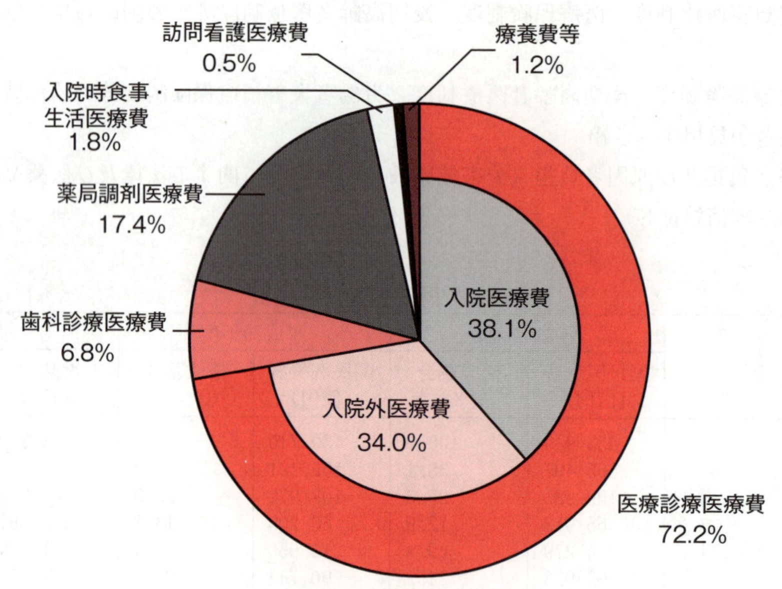

図 5.3　診療種類別国民医療費構成割合（%）
（厚生労働省より）

6）年齢階級別医療費

平成 30 年度の国民 1 人当たりの医療費の額は，**65 歳未満は 18 万 8,300 円，65 歳以上は 73 万 8,700 円であり，約 4 倍**である．

人口一人当たり国民医療費の対前年度増減率をみると，65 歳未満は 0.7% の増加，65 歳以上は 0.1 % の増加となっている．

年齢階級別にみると，0 ～ 14 歳は 2 兆 5,300 億円（構成割合 5.8 %），15 ～ 44 歳は 5 兆 2,403 億円（構成割合 12.1 %），45 ～ 64 歳は 9 兆 3,417 億円（構成割合 21.5%），65 歳以上は 26 兆 2,828 億円（構成割合 60.6 %）となっている．

表 5.3　年齢階級別国民医療費

年齢階級	平成30年度 国民医療費（億円）	平成30年度 構成割合（%）	平成30年度 人口一人当たり国民医療費（千円）	平成29年度 国民医療費（億円）	平成29年度 構成割合（%）	平成29年度 人口一人当たり国民医療費（千円）	対前年度 人口一人当たり国民医療費 増減額（千円）	対前年度 人口一人当たり国民医療費 増減率（%）
				総数				
総数	433 949	100.0	343.2	430 710	100.0	339.9	3.3	1.0
65歳未満	171 121	39.4	188.3	171 173	39.7	187.0	1.3	0.7
0～14歳	25 300	5.8	164.1	25 395	5.9	162.9	1.2	0.7
15～44歳	52 403	12.1	124.2	52 690	12.2	122.7	1.5	1.2
45～64歳	93 417	21.5	280.8	93 088	21.6	282.0	△ 1.2	△ 0.4
65歳以上	262 828	60.6	738.7	259 537	60.3	738.3	0.4	0.1
70歳以上(再掲)	216 708	49.9	826.8	210 475	48.9	834.2	△ 7.4	△ 0.9
75歳以上(再掲)	165 138	38.1	918.7	161 129	37.4	921.7	△ 3.0	△ 0.3
				医科診療医療費（再掲）				
総数	313 251	100.0	247.7	308 335	100.0	243.3	4.4	1.8
65歳未満	116 391	37.2	128.1	115 891	37.6	126.6	1.5	1.2
0～14歳	17 573	5.6	114.0	17 608	5.7	112.9	1.1	1.0
15～44歳	33 992	10.9	80.6	34 069	11.0	79.3	1.3	1.6
45～64歳	64 826	20.7	194.9	64 215	20.8	194.5	0.4	0.2
65歳以上	196 860	62.8	553.3	192 444	62.4	547.5	5.8	1.1
70歳以上(再掲)	163 136	52.1	622.4	156 889	50.9	621.8	0.6	0.1
75歳以上(再掲)	125 183	40.0	696.4	121 023	39.3	692.3	4.1	0.6
				歯科診療医療費（再掲）				
総数	29 579	100.0	23.4	29 003	100.0	22.9	0.5	2.2
65歳未満	17 693	59.8	19.5	17 497	60.3	19.1	0.4	2.1
0～14歳	2 493	8.4	16.2	2 407	8.3	15.4	0.8	5.2
15～44歳	6 977	23.6	16.5	7 016	24.2	16.3	0.2	1.2
45～64歳	8 223	27.8	24.7	8 074	27.8	24.5	0.2	0.8
65歳以上	11 887	40.2	33.4	11 506	39.7	32.7	0.7	2.1
70歳以上(再掲)	8 994	30.4	34.3	8 468	29.2	33.6	0.7	2.1
75歳以上(再掲)	6 113	20.7	34.0	5 746	19.8	32.9	1.1	3.3
				薬局調剤医療費（再掲）				
総数	75 687	100.0	59.9	78 108	100.0	61.6	△ 1.7	△ 2.8
65歳未満	31 861	42.1	35.1	32 585	41.7	35.6	△ 0.5	△ 1.4
0～14歳	4 684	6.2	30.4	4 821	6.2	30.9	△ 0.5	△ 1.6
15～44歳	9 920	13.1	23.5	10 074	12.9	23.5	0.0	0.0
45～64歳	17 256	22.8	51.9	17 690	22.6	53.6	△ 1.7	△ 3.2
65歳以上	43 826	57.9	123.2	45 523	58.3	129.5	△ 6.3	△ 4.9
70歳以上(再掲)	35 872	47.4	136.9	36 690	47.0	145.4	△ 8.5	△ 5.8
75歳以上(再掲)	26 786	35.4	149.0	27 517	35.2	157.4	△ 8.4	△ 5.3

（厚生労働省より）

問　題

問 1　国民医療費の財源には，保険料と公費のほかに患者の一部負担金が含まれる．(97)
問 2　帝王切開による分娩に要する費用は，国民医療費に含まれる．(103)
問 3　国民医療費には，薬局で購入した一般用医薬品の費用は含まれない．(103)
問 4　特定健康診査の受診に要する費用は，国民医療費に含まれない．(103)
問 5　肺炎球菌感染症の予防接種に要する費用は，国民医療費に含まれない．(103)
問 6　介護保険法におけるリハビリテーションに要する費用は，国民医療費に含まれない．(103)
問 7　保険料は，国民医療費の財源の 80 %以上である．(100)
問 8　国民医療費における薬局調剤医療費は，近年横ばい傾向にある．(100)
問 9　国民医療費に占める薬剤料の割合は 50 %を超えている．(100)
問10　国民医療費の国民所得に占める割合は，1 %以下である．(100)

解答・解説

問 1　○　記述のとおりである.
問 2　○　自然分娩ではないため帝王切開に要する費用は含まれない.
問 3　○　OTC 薬や薬局製造販売医薬品など買薬に要する費用は含まれない.
問 4　○　健康の維持・増進を目的とした健康診断等に要する費用は含まれない.
問 5　○　健康の維持・増進を目的とした予防接種等に要する費用は含まれない.
問 6　○　介護サービスに要する費用は含まれない.
問 7　×　保険料は 48.8 %，公費 38.6 %，その他患者負担等は 12.6 %である.
問 8　×　近年増加傾向にあり，平成 24 年度は 6 兆 7,105 億円である.
問 9　×　薬剤料の割合は 35 %である.
問10　×　国民所得に占める割合は 11.17 %である.

b 薬業経済

1）保険医療と薬価制度

① 保険医療機関が保険診療及び保険薬局が保険調剤を行う際，個々の診療行為や調剤行為に要した費用は，厚生労働大臣が定めた**診療報酬点数・調剤報酬点数**（14章，p.396）に従って算定される．
② 使用する薬剤の費用（薬剤費・薬剤料）も厚生労働大臣が定めた**薬価基準**（14章，p.402）に従って算定される．

2）薬剤費（薬剤料）

ｉ）薬剤費（薬剤料）

薬剤費（薬剤料）とは医療費のうち，薬剤にかかった費用のことである．すなわち，投薬，注射及びその他の診療行為（在宅医療，検査，画像診断，リハビリテーション，精神科専門療法，処置，手術，麻酔）に使用した薬剤の費用をいう．

表5.4 入院・入院外別にみた医科・薬局調剤（医科分）の薬剤料の比率の年次推移（単位：%，各年6月審査分）

区分	薬剤比とその内訳	平成27年（2015年）	平成28年（2016年）	平成29年（2017年）	平成30年（2018年）	令和元年（2019年）
入院	薬剤料	9.6	9.1	9.2	8.9	9.7
	投薬・注射	8.7	8.3	8.4	8.2	9.0
	投薬	3.0	2.9	2.9	2.6	2.7
	注射	5.7	5.4	5.5	5.5	6.3
	その他	0.8	0.8	0.8	0.7	0.7
入院外	薬剤料	41.1	40.7	40.9	40	40.5
	投薬・注射	39.4	39.1	39.3	38.3	38.9
	投薬	33.2	32.3	32.0	30.3	30.0
	注射	6.3	6.8	7.3	8.0	8.8
	その他	1.7	1.6	1.6	1.7	1.7

厚生労働省資料「令和元年社会医療診療行為別統計の概況」を改変
注：1）医科分（診療報酬明細書分）のうち「投薬」「注射」を包括した診療行為が出現する明細書及びＤＰＣ／ＰＤＰＳに係る明細書は除外している．
2）「薬剤料の比率」とは，総点数（入院時食事療養等（円）÷10を含む）に占める，「投薬」「注射」及び「その他」（「在宅医療」「検査」「画像診断」「リハビリテーション」「精神科専門療法」「処置」「手術」及び「麻酔」）の薬剤点数の割合である．
3）薬局調剤分（調剤報酬明細書分）は，内服薬及び外用薬を「投薬」に，注射薬を「注射」に合算している．

ⅱ）全薬剤比率

① **全薬剤比率とは，**一般診療医療費（医科）の総点数に占める**投薬，注射，その他の診療行為に使用した薬剤点数の割合**のことである．このうち，**投薬と注射に使用した薬剤点数の割合を薬剤比率**という．
② 令和元年度の全薬剤比率は，入院は9.7％で前年に比べ0.8ポイント増加，入院外は40.5％で前年に比べ0.6ポイント増加している（表5.4）．

③ 令和元年度の薬剤比率は，入院では「投薬」よりも「注射」の比率が高く，入院外では「注射」よりも「投薬」の比率が高くなっている（表 5.4）．

iii）薬局調剤医療費

① **薬局調剤医療費**とは，保険医療機関から発行された処方箋（保険処方箋）に基づいて**調剤した保険薬局に支払われる医療費（調剤報酬）**のことである．
② 令和元年度の薬局調剤医療費は 77,464 億円（前年度に比べ 3.6 %増加）（図 5.4）で，処方箋 1 枚当たり薬局調剤医療費は 9,191 円（前年度に比べ 3.7 %増加）であった．
③ 令和元年 6 月の薬剤調剤医療費のうち，**薬剤料が 73.7 %**を占め，以下，調剤技術料（20.7 %），薬学管理料（5.4 %），特定保健医療材料料（0.2 %）の順であった．

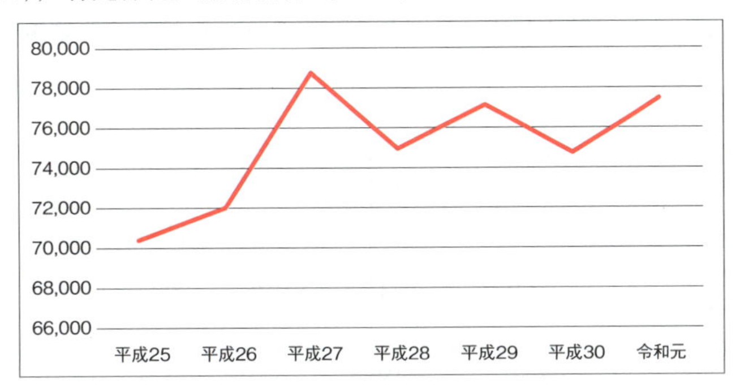

図 5.4　薬局調剤医療費の推移

iv）薬剤種類数

① 薬剤種類数は院内処方，院外処方ともに 1，2 種類が最も多い（図 5.3）．

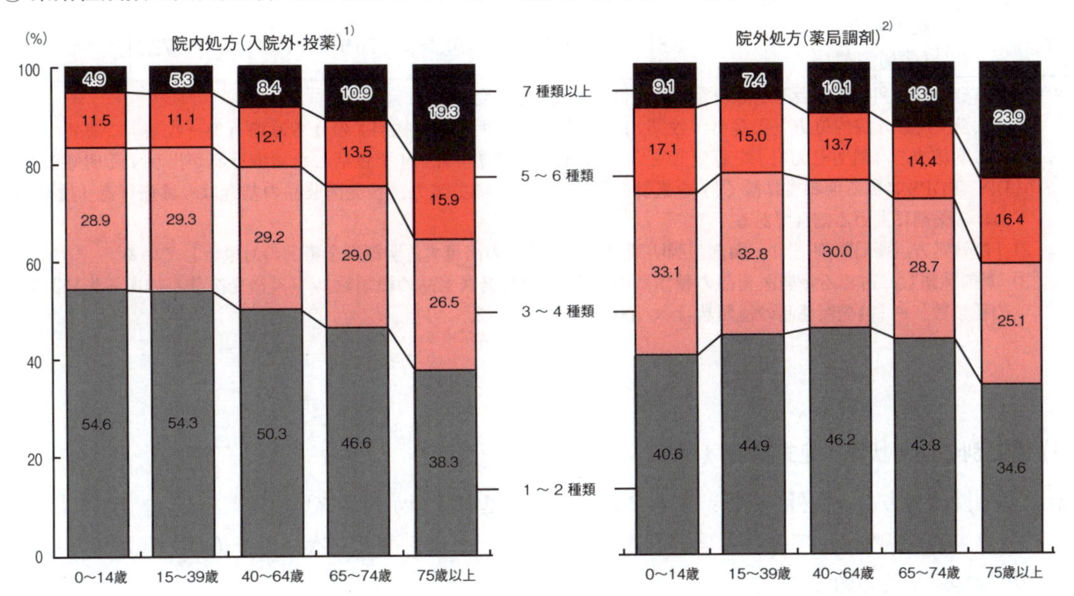

図 5.5　院内処方 - 院外処方別にみた年齢階級・薬剤種類数階級別の件数の構成割合（令和元年 6 月審査分）

注：1)「院内処方（入院外・投薬）」は，診療報酬明細書（医科入院外）のうち診療行為「投薬」に薬剤の出現する明細書（「処方箋料」を算定している明細書及び「投薬」「注射」を包括した診療行為が出現する明細書は除く）を集計の対象としている．また，診療行為「投薬」における薬剤の種類数階級で区分している．
2)「院外処方（薬局調剤）」は，調剤報酬明細書のうち薬剤の出現する明細書を集計の対象としている．

② 平成 28 年 6 月の 1 件当たりの薬剤種類数は院内処方が 3.41 種類，院外処方が 3.76 種類．

③ 院内処方，院外処方ともに，**高齢者ほど，薬剤種類数が多くなる傾向**にある（図 5.5）．

v）後発医薬品の使用状況

① 令和元年 6 月の**後発医薬品***が薬剤点数に占める割合は総数で 19.1 %となり，**上昇傾向**にある．薬剤種類数に占める割合は総数で 73.1 %となり，過半数を超えている．使用割合は後期医療のほうが一般医療よりやや高い（表 5.5）．

② 後発医薬品の薬効分類別薬剤点数割合は，入院では抗生物質製剤（22.6 %），院内処方と院外処方では循環器官用薬（それぞれ 27.8 %，28.9 %）が最も高い．

表 5.5　入院・院内処方・院外処方別にみた後発医薬品の使用状況

（単位：%　各年 6 月審査分）

		令和元年（2019）	一般医療	後期医療	病院	診療所	平成 30 年（2018）	対前年増減（ポイント）
薬剤点数に占める後発医薬品の点数の割合	総数	19.1	19.0	19.4	14.7	23.3	17.5	1.6
	入院 [1)]	14.4	13.8	15.2	14.3	15.5	13.6	0.8
	院内処方（入院外・投薬）[1)]	16.9	16.4	17.9	9.7	23.9	15.5	1.4
	院外処方（薬局調剤）[2)]	19.7	19.6	19.8	15.9	23.2	18.1	1.6
薬剤種類数[3)]に占める後発医薬品の種類数の割合	総数	73.1	73.8	72.0	74.3	72.7	69.5	3.6
	入院 [1)]	69.3	68.6	70.0	70.9	56.8	65.8	3.5
	院内処方（入院外・投薬）[1)]	63.1	62.7	63.8	63.4	63.0	60.4	2.7
	院外処方（薬局調剤）[2)]	75.8	76.7	74.2	76.9	75.4	72.1	3.7

厚生労働省資料「令和元年社会医療診療行為別統計の概況」を改変

注：1）「入院」及び「院内処方（入院外・投薬）」は，診療報酬明細書（医科）のうち診療行為「投薬」に薬剤の出現する明細書（「処方せん料」を算定している明細書，「投薬」「注射」を包括した診療行為が出現する明細書及び DPC/PDPS に係る明細書は除く．）を集計の対象としている．また，後発医薬品の割合は，診療行為「投薬」における薬剤に占める割合である．

2）「院外処方（薬局調剤）」は，調剤報酬明細書のうち薬剤の出現する明細書を集計の対象としている．

3）薬剤種類数に占める後発医薬品の種類数の割合は，[後発医薬品の種類数] / ([後発医薬品のある先発医薬品の種類数] + [後発医薬品の種類数]) × 100 で算出している．

vi）薬効別の使用状況・処方割合（表 5.6）

① 入院と院内処方（入院外）では，ともに腫瘍用薬の処方割合が最も高い．

② **院外処方（薬局調剤）では，循環器官用薬の処方割合が最も高く**，次いでその他の代謝性医薬品，中枢神経系用薬の順で高い．

---

*後発医薬品：新医薬品の再審査終了後又は特許期間満了後に製造販売承認された医薬品で，当該新医薬品と同一有効成分，同一効能・効果等を有する．ジェネリック医薬品とも称される．

表 5.6　入院処方・院内処方（入院外）・院外処方別にみた主な薬効分類別薬剤点数の割合（令和元年 6 月審査分）

順　位	入院処方[1)]		院内処方（入院外）[1)]		院外処方（薬局調剤）[2)]	
1	腫瘍用薬	24.8	腫瘍用薬	19.9	循環器官用薬	15.6
2	中枢神経系用薬	14.4	その他の代謝性医薬品	14.5	その他の代謝性医薬品	14.9
3	生物学的製剤	10.6	循環器官用薬	10.9	中枢神経系用薬	14.4
4	抗生物質製剤	8.8	中枢神経系用薬	7.8	腫瘍用薬	7.6
5	その他の代謝性医薬品（以下，省略）	7.6	ホルモン剤（抗ホルモン剤を含む）（以下，省略）	7.3	血液・体液用薬（以下，省略）	7.5

厚生労働省資料「令和元年社会医療診療行為別調査結果の概況」を改変

注：1)「入院」及び「院内処方（入院外)」は，診療報酬明細書（医科）のうち薬剤の出現する明細書（「処方箋料」を算定している明細書,「投薬」「注射」を包括した診療行為が出現する明細書及びＤＰＣ／ＰＤＰＳに係る明細書は除く）を集計の対象としている..

2)「院外処方（薬局調剤)」は，調剤報酬明細書のうち薬剤の出現する明細書を集計の対象としている.

3) 生産金額

i) 医薬品

① 平成 30 年度の医薬品総生産金額は 6 兆 9,077 億円で，対前年度比で 2.8 %の増加となっている.

② **医療用医薬品とその他の医薬品**（一般用医薬品，配置用家庭薬）の生産金額構成比は，**ほぼ 9：1**.

③ 平成 30 年度の内訳は医療用医薬品が 89.4 %，一般用医薬品が 10.4 %，配置用家庭薬が 0.2 %である.

④ 薬効分類別の生産金額 1 位はその他の代謝性医薬品（糖尿病治療薬，膵炎治療薬，肝臓用薬など)，これに次いで，循環器官用薬（降圧剤，血管拡張剤，高脂血症治療薬など)，中枢神経系用薬（脳代謝改善薬，抗不安薬，鎮痛剤など）といった生活習慣病治療薬が上位を占めている（表 5.8).

表 5.7　医薬品生産金額の推移

年　度	生　産			医療用医薬品			その他の医薬品		
	金　額	伸び率	構成比	金　額	伸び率	構成比	金　額	伸び率	構成比
	百万円	%	%	百万円	%	%	百万円	%	%
平成 21 年度	6,819,589	3.0	100	6,174,202	3.0	90.5	645,387	2.9	9.5
平成 22 年度	6,779,099	− 0.6	100.0	6,148,876	− 0.4	90.7	630,223	− 2.3	9.3
平成 23 年度	6,987,367	3.1	100.0	6,344,512	3.2	90.8	642,855	2.0	9.2
平成 24 年度	6,976,712	− 0.2	100.0	6,263,010	− 1.3	89.8	713,702	11.0	10.2
平成 25 年度	6,894,014	− 1.2	100.0	6,193,983	− 1.1	89.8	700,031	− 1.9	10.2
平成 26 年度	6,589,762	− 4.4	100.0	5,868,927	− 5.2	89.1	720,835	3.0	10.9
平成 27 年度	6,820,413	3.5	100.0	5,996,390	2.2	87.9	823,523	14.2	12.1
平成 28 年度	6,623,860	− 1.8	100.0	5,871,373	− 2.1	88.6	752,487	0.2	11.4
平成 29 年度	6,721,317	1.5	100.0	6,007,419	2.3	89.4	713,898	-5.1	10.6
平成 30 年度	6,907,722	2.8	100.0	6,172,570	2.7	89.4	735,152	3.0	10.6

厚生労働省「平成 30 年度薬事工業生産動態統計年報」を改変

表 5.8 医薬品薬効分類別生産金額

順 位	薬効大分類	総合計	
		生産金額（百万円）	生産割合（%）
—	総 数	6,907,722	100.0
1	その他の代謝性医薬品	858,451	12.4
2	循環器官用薬	802,634	11.6
3	中枢神経系用薬	784,755	11.4
4	腫瘍用薬	611,355	8.9
5	血液・体液用薬 （以下，省略）	469,262	6.8

厚生労働省「平成 30 年度薬事工業生産動態統計年報」を改変

ii）医薬部外品

① 平成 30 年度の生産金額は約 9,997 億円で，前年度より約 5.1 %の減.

② 医薬部外品別の生産金額 1 位は薬用化粧品.

iii）医療機器

① 平成 30 年度の生産金額は約 1 兆 9,498 億円で，前年より約 2.0 %の減.

② 医療機器大分類別の生産金額 1 位は処理用機器.

iv）衛生材料

平成 30 年度の生産金額は約 636 億円で，前年度より約 16.5 %の増.

4）流 通

i）流通のしくみ（図 5.6）

① 製造又は輸入された医薬品の約 9 割は医薬品卸売販売業者を通じて，病院，診療所，医薬品販売業者（薬局，店舗販売業者，配置販売業者）に供給される.

② 残りの約 1 割の医薬品は医薬品製造販売業者から病院等に直接販売されている.

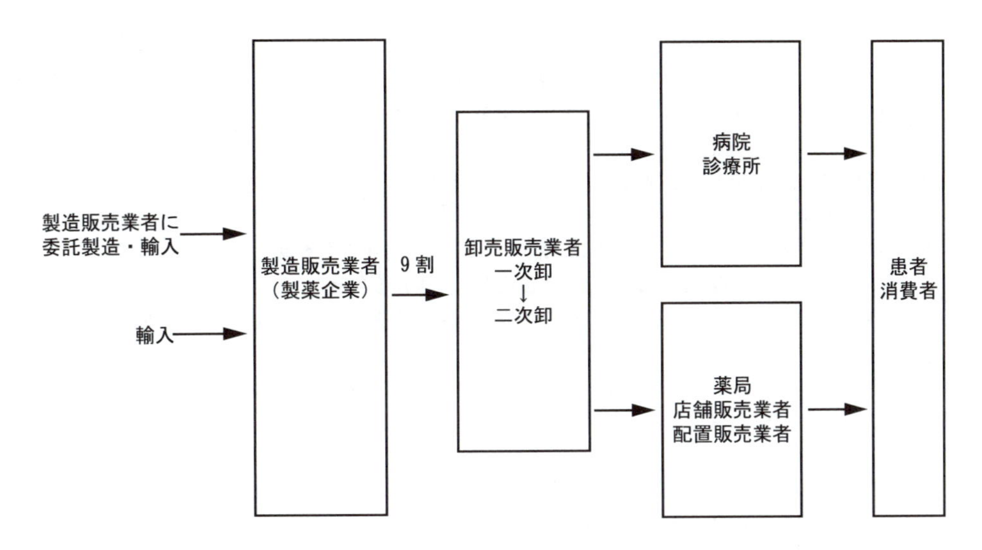

図 5.6　医薬品の流通ルート

ii）不公正取引の禁止（私的独占の禁止及び公正取引の確保に関する法律：独占禁止法）

法の目的

> 第1条　この法律は，私的独占，不当な取引制限及び不公正な取引方法を禁止し，事業支配力の過度の集中を防止して，結合，協定等の方法による生産，販売，価格，技術等の不当な制限その他一切の事業活動の不当な拘束を排除することにより，公正且つ自由な競争を促進し，事業者の創意を発揮させ，事業活動を盛んにし，雇傭及び国民実所得の水準を高め，以て，一般消費者の利益を確保するとともに，国民経済の民主的で健全な発達を促進することを目的とする．

目的：事業者の公正かつ自由な競争秩序を維持・促進して，一般消費者の利益を確保すること．

「不公正な取引」の定義

> 第2条第9項　この法律において「不公正な取引方法」とは，次の各号のいずれかに該当する行為をいう．
> 1．正当な理由がないのに，競争者と共同して，次のいずれかに該当する行為をすること．
> 　イ　ある事業者に対し，供給を拒絶し，又は供給に係る商品若しくは役務の数量若しくは内容を制限すること．
> 　ロ　他の事業者に，ある事業者に対する供給を拒絶させ，又は供給に係る商品若しくは役務の数量若しくは内容を制限させること．
> 2．不当に，地域又は相手方により差別的な対価をもって，商品又は役務を継続して供給することであって，他の事業者の事業活動を困難にさせるおそれがあるもの
> 3．正当な理由がないのに，商品又は役務をその供給に要する費用を著しく下回る対価で継続して供給することであって，他の事業者の事業活動を困難にさせるおそれがあるもの
> 4．自己の供給する商品を購入する相手方に，正当な理由がないのに，次のいずれかに掲げる拘束の条件を付けて，当該商品を供給すること．
> 　イ　相手方に対しその販売する当該商品の販売価格を定めてこれを維持させることその他相手方の当該商品の販売価格の自由な決定を拘束すること．

ロ 相手方の販売する当該商品を購入する事業者の当該商品の販売価格を定めて相手方をして当該事業者にこれを維持させることその他相手方をして当該事業者の当該商品の販売価格の自由な決定を拘束させること.

5. 自己の取引上の地位が相手方に優越していることを利用して，正常な商慣習に照らして不当に，次のいずれかに該当する行為をすること.

イ 継続して取引する相手方(新たに継続して取引しようとする相手方を含む．ロにおいて同じ.)に対して，当該取引に係る商品又は役務以外の商品又は役務を購入させること.

ロ 継続して取引する相手方に対して，自己のために金銭，役務その他の経済上の利益を提供させること.

ハ 取引の相手方からの取引に係る商品の受領を拒み，取引の相手方から取引に係る商品を受領した後当該商品を当該取引の相手方に引き取らせ，取引の相手方に対して取引の対価の支払を遅らせ，若しくはその額を減じ，その他取引の相手方に不利益となるように取引の条件を設定し，若しくは変更し，又は取引を実施すること.

6. 前各号に掲げるもののほか，次のいずれかに該当する行為であって，公正な競争を阻害するおそれがあるもののうち，公正取引委員会が指定するもの

イ 不当に他の事業者を差別的に取り扱うこと.

ロ 不当な対価をもって取引すること.

ハ 不当に競争者の顧客を自己と取引するように誘引し，又は強制すること.

ニ 相手方の事業活動を不当に拘束する条件をもって取引すること.

ホ 自己の取引上の地位を不当に利用して相手方と取引すること.

へ 自己又は自己が株主若しくは役員である会社と国内において競争関係にある他の事業者とその取引の相手方との取引を不当に妨害し，又は当該事業者が会社である場合において，その会社の株主若しくは役員をその会社の不利益となる行為をするように，不当に誘引し，唆し，若しくは強制すること.

主な規制対象：公正取引委員会*が指定する私的独占，不当な取引制限，不公正な取引方法.

不公正な取引方法の禁止

第19条 事業者は，不公正な取引方法を用いてはならない.

① 第19条の禁止規定は，すべての事業分野に適用する**一般指定**と特定の事業分野に適用する**特殊指定**に分けて適応される.

② 一般指定にリストアップされている違法行為を表5.9に示す.

③ 特殊指定は，一般指定では対応できない特異な取引実態がある特定の業界（大規模小売業者，特定荷主，新聞業）で適用される.

*__公正取引委員会__：内閣府の外局に位置づけられる行政委員会で，**独占禁止法を運用するために設置**された機関である．独占禁止法の特別法である下請法と景品表示法の運用も行う.

表 5.9　一般指定されている不公正な取引方法

（昭和 57 年 6 月 18 日　公正取引委員会告示 15 号）

1. 差別的取り扱い
   共同の取引拒絶・その他の取引拒絶
   取引条件等の差別的取り扱い・事業者団体における差別的取り扱い等
2. 不当対価
   差別対価・不当廉売・不当高価購入
3. 不当誘引・不当強制
   ぎまん的顧客誘引・不当な利益による顧客誘引・抱き合わせ販売等
4. 拘束条件付き取引
   排他条件付き取引・再販売価格の拘束・拘束条件付き取引
5. 取引上の地位の不当利用
   優越的地位の濫用
6. 競争者に対する妨害・内部干渉
   競争者に対する取引妨害・競争会社に対する内部干渉

iii）公正競争の確保（不当景品類及び不当表示防止法：景品表示法）

法の目的

> 第 1 条　この法律は，商品及び役務の取引に関連する不当な景品類及び表示による顧客の誘引を防止するため，一般消費者による自主的かつ合理的な選択を阻害するおそれのある行為の制限及び禁止について定めることにより，一般消費者の利益を保護することを目的とする．

目的：不当な顧客の誘引を防止し，公正な競争を確保することである．

措置命令

> 第 6 条第 1 項　内閣総理大臣は，第三条の規定による制限若しくは禁止又は第四条第一項の規定に違反する行為があるときは，当該事業者に対し，その行為の差止め若しくはその行為が再び行われることを防止するために必要な事項又はこれらの実施に関連する公示その他必要な事項を命ずることができる．その命令は，当該違反行為が既になくなっている場合においても，次に掲げる者に対し，することができる．

第 6 条の規定により，違反行為（不当な景品類や表示による顧客誘引）があれば，措置命令を出すことができる．

公正競争の協定又は規約

> 第 11 条第 1 項　事業者又は事業者団体は，内閣府令で定めるところにより，景品類又は表示に関する事項について，内閣総理大臣及び公正取引委員会の認定を受けて，不当な顧客の誘引を防止し，一般消費者による自主的かつ合理的な選択及び事業者間の公正な競争を確保するための協定又は規約を締結し，又は設定することができる．これを変更しようとするときも，同様とする．

公正競争規約は，景品類又は表示について，業界ごとに自主規制させるために設けられたものである．各業界が定めた規制内容を内閣総理大臣と公正取引委員会が認定し，自主組織である**公正取引協議会**が規制の実務を担当している．

c 薬物治療の経済評価

諸外国では，新しい医薬品や医療技術を既存のものと費用対効果を比較し，公的医療保険の対象とするか否かの検討や単価の設定に利用している．

1) 薬物治療の経済評価手法

医薬品を対象とした経済評価を薬剤経済学研究といい，下記に示す分析手法がある．なお，諸外国では，公的医療保険制度への適用可否の検討には費用効果分析及び費用効用分析が用いられることが多い．

i) 費用最小化分析

アウトカム（治療効果等）がほぼ同じである医療の中で，発生する費用が最小となる医療を見出す分析手法．アウトカムに注目せず，費用のみで分析するため，簡便であるが，対象はアウトカムがほぼ同じ医療に限られる．

ii) 費用効果分析

代替案と既存の方法を共通の臨床的アウトカム（生存年数の延長，救命率等）と費用から分析する手法．

iii) 費用便益分析

治療に要する費用に対し，得られた治療効果を金銭に換算して評価する分析手法．治療効果を金銭で表すため，これから費用を差し引けば，その治療が経済的に黒字か否かがわかる．

iv) 費用効用分析

アウトカムの指標に質調整生存年（Quality Adjusted Life Year；QALY）を用いる分析手法．QALYとは，身体・精神ともに完全に健康状態で過ごす1年間を1，死亡を0とし，健康状態を治療の効用値として，0～1の数値で示し，これに生存年数を掛け合わせたものである．例えば，効用値1の状態で3年間生存したとすれば，$1 \times 3 = 3$QALYとなる．

2) 薬剤経済の研究手法

前向き調査と後ろ向き調査は疫学研究の手法として一般的であり，薬剤経済学研究でも汎用される．

i) 後ろ向き調査

ある集団（試験群）と非該当の集団（対照群）の間で，イベント発生に影響を及ぼしたと思われる要因を過去にさかのぼって調査する研究手法である．例えば，後発医薬品が投与された患者群と先発医薬品投与患者群の有効性・安全性データを過去にさかのぼって調査すれば，後発医薬品と先発医薬品の治療学的同等性を検証することができる．発生率を求めることはできないが，両群の違いは**オッズ比**で示される．既存のデータを解析するため，効率は良いが，バイアスが発生しやすい．

ii）前向き調査

ある集団（試験群）と非該当の集団（対照群）で発生するイベントを将来に向かって追跡する研究手法である．例えば，患者を後発医薬品投与群と先発医薬品投与群に**無作為に割り付け**，その後に発生するイベントを調査すれば，後発医薬品と先発医薬品の治療学的同等性を検証することができる．両群の違いは発生率，**相対リスク**で示される．将来に向けて計画的にデータを収集でき，バイアスは発生しにくいが，信憑性の高い結果を得るには多数の症例と長期の調査期間が必要となることが難点である．

参考資料

1) 厚生労働省「平成 28 年社会医療診療行為別調査結果の概況」
2) 厚生労働省「平成 27 年度薬事工業生産動態統計年報」

Checkpoint

国民医療費の範囲	含まれるもの	診療費，調剤費，入院時食事療養費，老人訪問看護療養費，訪問看護療養費，健康保険等で支給される移送費等
	含まれないもの	医療サービス費用（介護保険），正常妊娠・分娩費用，健診診断・予防接種費用，義眼・義肢費用，一般用医薬品購入費用，美容整形費用，入院時室料差額分，歯科差額費用
国民医療費の構成	制度別	医療保険等給付分（47.4 %）＞後期高齢者医療給付分（32.2 %）＞患者等負担分（12.6 %）＞公費負担医療給付分（7.4 %）＞軽減特例措置（0.5 %）
	財源別	保険料（48.6 %）＞公費（38.4 %）＞患者負担（12.3 %）
	診療種類別	医科診療医療費（72.2 %）＞入院医療費（37.6 %）＞入院外医療費（34.6 %）＞薬局調剤医療費（17.1 %）＞歯科診療医療費（6.9 %）＞入院時食事・生活医療費（2.1 %）＞療養費（1.4 %）＞訪問看護医療費（0.2 %）
薬剤費（薬剤料）		医療費のうち，投薬，注射及びその他の診療行為に使用した薬剤の費用のこと
全薬剤比率		一般診療医療費（医科）の総点数に占める投薬，注射，その他の診療行為に使用した薬剤点数の割合のこと 平成 28 年度は入院が約 9.1 %，入院外が 40.7 % で，いずれも漸減傾向（表 5.4）
薬剤比率		医科総点数に占める投薬と注射に使用した薬剤点数の割合のこと 平成 28 年度は入院が約 8.3 %，入院外が約 39.1 %（表 5.4）
後発医薬品		新薬の再審査終了後又は特許期間満了後に製造販売承認された医薬品 当該新薬と同一有効成分，同一効能・効果等を有し，ジェネリック医薬品とも称される

薬局調剤医療費		保険薬局が保険調剤を行った場合に支払われる医療費（調剤報酬）のこと 医薬分業の進展により，医科及び歯科に比べて，薬局調剤医療費の伸びが顕著 平成 27 年は約 7 兆 9,831 億円（図 5.2）で，国民医療費の約 18.8 %を占め，対前年比 9.6 %の伸び 内訳は薬剤料が約 7 割を占め，以下，調剤技術料，薬学管理料，特定保険医療材料料の順
医薬品の使用状況	薬剤種類数	院内・院外処方ともに 1 ～ 2 種類の患者が最も多い 平成 28 年 6 月の平均値は院内処方が 1 件当たり 3.48 種類，院外処方が 3.78 種類 院内･院外処方ともに，高齢者ほど，薬剤種類数が多くなる傾向（図 5.3）
医薬品の使用状況	後発医薬品	平成 28 年 6 月の薬剤点数に占める割合は約 14.5 %，薬剤種類数に占める割合は約 60.4 %で，上昇傾向（表 5.5） 使用割合は後期医療の方が一般医療より高い（表 5.5）
	薬効別	入院の処方割合はは腫瘍用薬，中枢神経系用薬，抗生物質製剤の順に高い 院内・院外処方では循環器官用薬の処方割合が 1 位のほか，生活習慣病治療薬の処方割合が高い（表 5.6）
生産金額	医薬品	平成 27 年度は約 6 兆 8,200 億円で，対前年度比で約 3.5 %の伸び（表 5.7） 医療用医薬品とその他の医薬品の構成比は，ほぼ 9：1（表 5.7） 薬効分類別では循環器用薬が第 1 位のほか，生活習慣病治療薬が上位を占めている（表 5.8）
	医薬部外品	平成 27 年度は約 9,218 億円で，前年度より約 0.2 %の減 薬効分類別では薬用化粧品が第 1 位
	医療機器	平成 27 年度は約 1 兆 9,456 億円で，前年度より約 2.2 %の増 分類別では処理用機器が第 1 位
	衛生材料	平成 27 年度は約 568 億円で，対前年度比で約 4.0 %の伸び

問 題

問 1　国民医療費とは，国民が医療に支払うすべての費用のことである．(88)

問 2　国民医療費には，統計上，介護保険から支出される医療サービスの費用は含まれない．(89)

問 3　平成 24 年度における国民医療費の国民所得に占める割合は 15 %を超えている．(練習)

問 4　平成 24 年度の診療種類別国民医療費において，薬局調剤医療費の額は，歯科診療医療費の額よりも多い．

問 5　平成 24 年度の国民 1 人当たりの医療費の額は，65 歳未満は 17 万 7100 円，65 歳以上は 71 万 7200 円であり，約 4 倍である．(89)

問 6　平成 24 年度の一般診療医療費のうち，入院医療費は入院外医療費より多い．

問 7　平成 25 年度の医療費に占める薬剤比率は 4 割台を維持している．(85 改)

問 8　社会医療診療行為別調査によれば，医科総点数に占める薬剤料の割合は，ここ数年上昇している．(89)

問 9　診療種類別国民医療費のうち，薬局調剤医療費の額は，近年横ばい傾向にある．(86)

流　通	しくみ		医薬品の約9割は医薬品卸売販売業者を通じて，病院，診療所，医薬品販売業者（薬局，店舗販売業者，配置販売業者）に供給される（図5.4）
	公正取引委員会		独占禁止法を運用するために設置されている行政機関 独占禁止法の特別法である下請法と景品表示法の運用も行っている
	法的規制	独占禁止法	（目的）企業の自由で公正な市場競争秩序を維持し，経済の発展と消費者の保護を図ること （禁止事項）公正な競争を阻害するおそれがあるとして，公正取引委員会が指定した不公正な取引方法の禁止
		景品表示法	（目的）不当な顧客の誘引を防止し，公正な競争を確保すること （公正競争規約）景品類の提供又は表示に関して，各業界は公正取引委員会を介して自主規制
薬剤経済	評価手法	費用最小化分析	アウトカム（治療効果等）がほぼ同じである医療の中で，発生する費用が最小となる医療を見出す分析手法
		費用効果分析	代替案と既存の方法を共通の臨床的アウトカム（生存年の延長，救命率，血糖値等）と費用から分析する手法
		費用便益分析	治療に要する費用に対し，得られた治療効果を金銭に換算して評価する分析手法
		費用効用分析	アウトカムの指標に質調整生存年（Quality Adjusted Life Year；QALY）を用いる分析手法
	研究手法	後ろ向き調査	ある集団（試験群）と非該当の集団（対照群）の間で，イベント発生に影響を及ぼしたと思われる要因を過去にさかのぼって調査する研究手法 両群の違いはオッズ比で示される
		前向き調査	ある集団（試験群）と非該当の集団（対照群）で発生するイベントを将来に向かって追跡する研究手法 両群の違いは相対リスクで示される

解答・解説

問 1　×　国民医療費の範囲は傷病の治療費に限る．

問 2　○　記述のとおりである．

問 3　×　平成24年度における国民医療費の国民所得に占める割合は11％を超えている．

問 4　○　記述のとおり．

問 5　○　記述のとおり．

問 6　○　平成24年度の一般診療医療費のうち，入院医療費（37.6％）は，入院外医療費（34.6％）よりわずかに多い．

問 7　×　近年の薬剤比率は医療費の3割程度（平成25年度の薬剤比率33.5％，全薬剤比率35.0％）で推移している．

問 8　○　平成21～25年度の薬剤比率は漸増傾向である．

問 9　×　医薬分業の進展により，薬局調剤医療費は増加傾向．

問 10 平成 24 年度の薬局調剤医療費は，国民医療費総額の 5 %を超えている．(87 改)

問 11 保険薬局の調剤報酬額（平成 24 年度）は，年間 1 兆円を超えている．(83 改)
問 12 薬局調剤医療費に占める薬剤費の割合は，50 %を超えている．(91)
問 13 国民医療費のうち，薬局調剤医療費は医薬分業の進展に伴い増加している．(94)
問 14 平成 24 年度の診療種類別国民医療費において，薬局調剤医療費の額は歯科診療医療費の額よりも多い．(89 改)
問 15 平成 25 年度の後発医薬品の使用種類数は先発医薬品より多い．(93 改)

問 16 医薬品生産金額（平成 24 年度）は，年間 6 兆円を超えている．(83 改)

問 17 平成 24 年度薬事工業生産動態統計年報によれば，医療用医薬品の生産金額は，一般用医薬品の生産金額の約 2 倍である．(89 改)
問 18 医療用医薬品の取引において，製造販売（輸入販売）業者が卸売販売業者による医療機関・薬局への販売価格の決定に関与し，価格の下落を阻止する行為は私的独占の禁止及び公正取引の確保に関する法律（独占禁止法）により規制される．(90)
問 19 医薬品生産金額の約 50% は，一般用医薬品が占めている．(97)
問 20 国民医療費の財源には，保険料と公費のほかに患者の一部負担金が含まれる．(97)
問 21 新医薬品の薬価は，通常，後発医薬品が薬価基準に収載されるまでの間は変動しない．(97)

問 22 薬剤経済分析は，薬物治療を効果と費用の両者から評価するために行われる．(97)
問 23 わが国の医薬品薬効大分類別生産金額の順位が平成 15 年度以降のいずれの年度においても 1 位なのは，循環器官用薬である．(98 改)

複 合 問 題

問 1 30 歳女性．片頭痛のためリザトリプタン安息香酸塩錠（以下「薬剤 1」とする）が処方され，保険薬局を訪れた．この女性の姉（32 歳）も昨年より片頭痛のため，当薬局からクリアミン配合錠 A1.0（以下「薬剤 2」とする）の投薬を受けている．今日は付き添いで一緒に来局した

注）薬剤 2：エルゴタミン酒石酸塩・無水カフェイン・イソプロピルアンチピリン配合錠

これらの 2 つの薬剤（薬剤 1 と薬剤 2）の効果と費用はいずれも異なっている．薬剤師は，エルゴタミンを含む配合剤に対するリザトリプタン安息香酸塩錠の費用対効果を評価した資料を調べた．この資料では，質調整生存年（QALY）を用いた効果の期待値と費用の期待値から増分費用効果比が算出されていた．この薬剤経済分析の手法として最も適切なのはどれか．1 つ選べ．(100 改)

1 費用最小化分析
2 費用効果分析
3 費用効用分析
4 費用便益分析
5 費用感度分析

問 2 下図は，ある疾患に対して使用可能な 2 つの薬剤による治療の費用対効果を比較するために作成した決定樹（判断樹）モデルである．治療プログラム（薬物治療）の経済評価において，このようなモデルを用いた分析の特徴として正しいのはどれか．2つ選べ．(102)

1 目的や状況に応じて条件設定ができる．
2 臨床研究と一体化してデータを収集する．
3 モデルの構築やデータ収集においてバイアスは発生しない．
4 仮定に基づくシミュレーションを行う．
5 臨床試験と同程度の時間と費用を要する．

問10　○　平成24年度の薬局調剤医療費は6兆7105億円で，国民医療費（39兆2117億円）の約17.1％を占めた.
問11　○　問10の解説参照.
問12　○　薬局調剤医療費の7割以上を薬剤費が占めている.
問13　○　記述のとおり.
問14　○　平成24年度の薬局調剤医療費は6兆7105億円で，歯科診療医療費（2兆7132億円）より多い.

問15　×　平成25年6月の後発医薬品の使用種類数は，全医薬品の44.8％であった.

問16　○　平成24年度の総生産金額は約6兆9767億円.

問17　×　医療用医薬品の生産金額は，一般用医薬品の生産金額の約9倍である.

問18　○　製造販売業者や総発売元が，自己の提供する商品を購入する相手方に，正当な理由なしに販売価格を定めて，これを維持させ，販売価格の自由な決定を拘束することは，「再販売価格の拘束」に当たるとして，原則として禁止されている.
問19　×　医療用医薬品と一般用医薬品の生産金額比率は約9：1である.
問20　○　国民医療費の財源は多い順に保険料，公費，患者一部負担金である.
問21　×　薬価は実勢価格調査に基づき，中央社会保険医療協議会において，おおむね2年ごとに改定されている.
問22　○　薬剤経済分析は，薬物治療の費用対効果を評価するために行う.
問23　○　平成15年以降の医薬品生産金額1位は，循環器官用薬である.
上記（③）のように各々計算される.

解答・解説

問 1　解答　3

増分費用効果比は，「質調整生存年（QALY）」を用いた効果の期待値と費用の期待値から算出されていることから，この薬剤経済分析の手法として最も適切なのは，費用効用分析（選択肢3）である.

問 2　解答　1，4

1　○　本モデルのような決定樹（判断樹）モデルにおいては，過去の文献（データ）を基に，目的や状況に応じて条件の設定を行い，その条件に応じて治療を行なった場合のシュミレーションすることにより費用対効果の比較を行うことができる.

2　×　本モデルのような決定樹（判断樹）モデルでは，過去の文献（データ）を基にシュミレーションすることから，臨床研究と一体化してデータを収集する必要がない.

3　×　患者背景が異なるため，モデル構築，文献調査並びにデータ収集等をする際にバイアスが発生

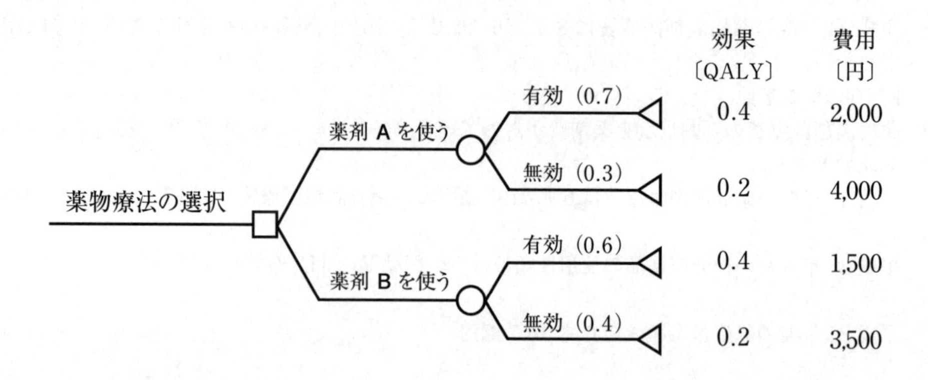
効果
〔QALY〕
費用
〔円〕
薬物療法の選択
薬剤 A を使う
薬剤 B を使う
有効（0.7）
無効（0.3）
有効（0.6）
無効（0.4）
0.4
2,000
0.2
4,000
0.4
1,500
0.2
3,500

することがある.

4　○　過去の文献（データ）を基に，目的や状況に応じて条件の設定を行い，この仮定（設定）に基づいてシュミレーションする.

5　×　本モデルのような決定樹（判断樹）モデルでは，過去の文献（データ）を基にシュミレーションすることから，分析時間が短縮化され，費用も軽減する.

【補足】 薬剤Aを使う効果及び費用の期待値は以下のように計算される.

効果：0.4QALY × 0.7　＋　0.2QALY × 0.3　= 0.28 + 0.06 = 0.34 QALY ①

費用：2,000円 × 0.7　＋　4,000円× 0.3　= 1,400 + 1,200 = 2,600円　②

平均費用対効果比の期待値（②／①）は，7,647（円/QALY）③

薬剤Bを使う場合も，同様に以下のように計算される.

効果：0.4QALY × 0.6　＋　0.2QALY × 0.4　= 0.24+0.08 =0.32 QALY　①

費用：1,500円 × 0.6　＋　3,500円× 0.4　= 900 + 1,400 = 2,300円　②

平均費用対効果比の期待値（②／①）は，7,188（円/QALY）③

※1QALY改善する費用は，有効率70％の薬剤Aを使う場合並びに有効率60％の薬剤Bを使う場合,

6章 医薬品開発・血液供給体制

a 総 論

1) 医薬品開発の歴史

わが国の医薬品産業の発展の基盤は第二次世界大戦後に構築され，今日まで知識集約型産業の典型として成長してきた．戦後間もなく登場した画期的な新薬のペニシリン及びストレプトマイシンの輸入や技術導入によって，感染症や結核などの病気による死亡率は著しく減少した．

医療用医薬品の開発と生産は，1961年（昭和36年）に確立された国民皆保険制度の導入に伴い，飛躍的に拡大した．医薬品の市場構造が変わり，医療用医薬品の需要が増大したことによって，国内製薬企業による欧米からの製品・技術の導入，販売活動の活発化，設備の増設が積極的に行われるようになった．1970年（昭和45年）には，日本の医薬品生産額は1兆円を超え，米国に次ぐ世界第2位の医薬品市場となった．

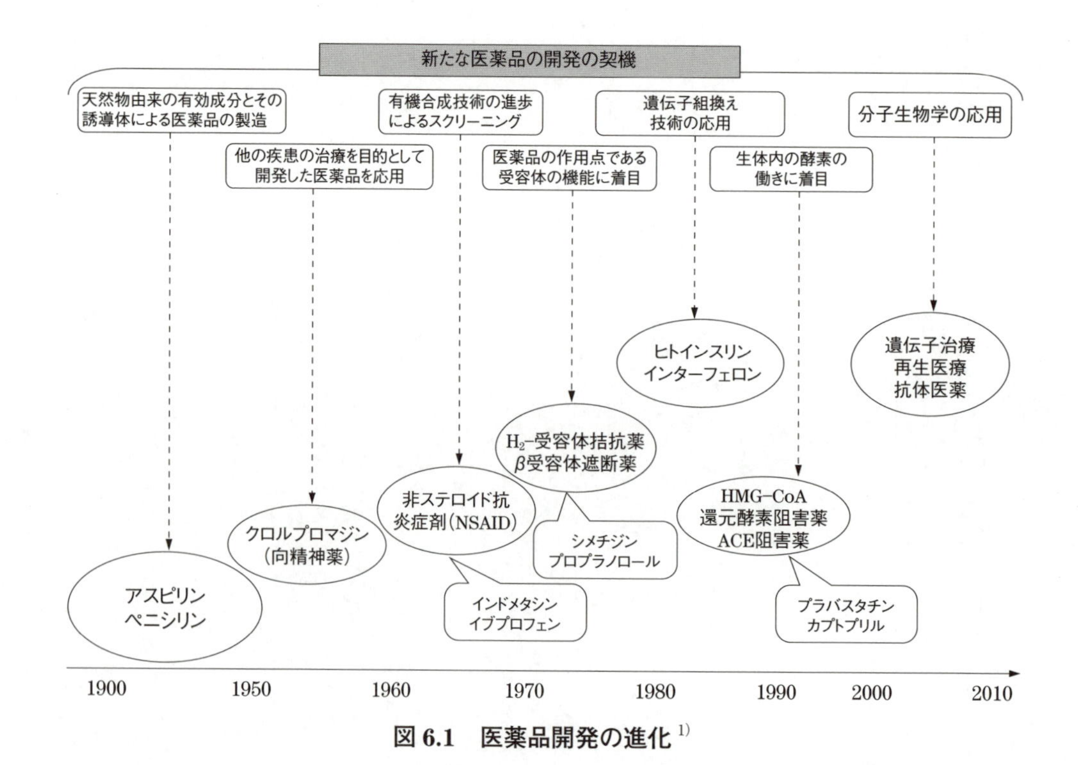

図 6.1 医薬品開発の進化 [1)]

また，H_2受容体拮抗薬，カルシウム拮抗薬，ACE阻害薬，HMG-CoA還元酵素阻害薬など，生活習慣病に対する治療薬が次々と開発された．しかしながら，日本の疾病構造の中心をなす悪性新生物，心疾患，脳血管疾患などでは，現在の治療法では満足できない医療の実態があり，新薬の開発は不可欠となっている．近年のバイオテクノロジーを駆使したゲノム技術及びポストゲノム技術の進歩は，創薬には欠かせない基盤技術として進展している．バイオ医薬品，分子標的薬等の開発により，新しい薬効を有する医薬品が医療の現場に提供されている（図6.1）．

b　研究・開発

1）新薬開発の期間と研究開発費

一つの新薬の開発には9～17年の歳月と，約500～1000億円の研究開発費を要するといわれている．また，医薬品の候補物質のうち，承認取得まで至る確率は約3万分の1といわれている．図6.2は医薬品開発の過程と期間を示したものである．

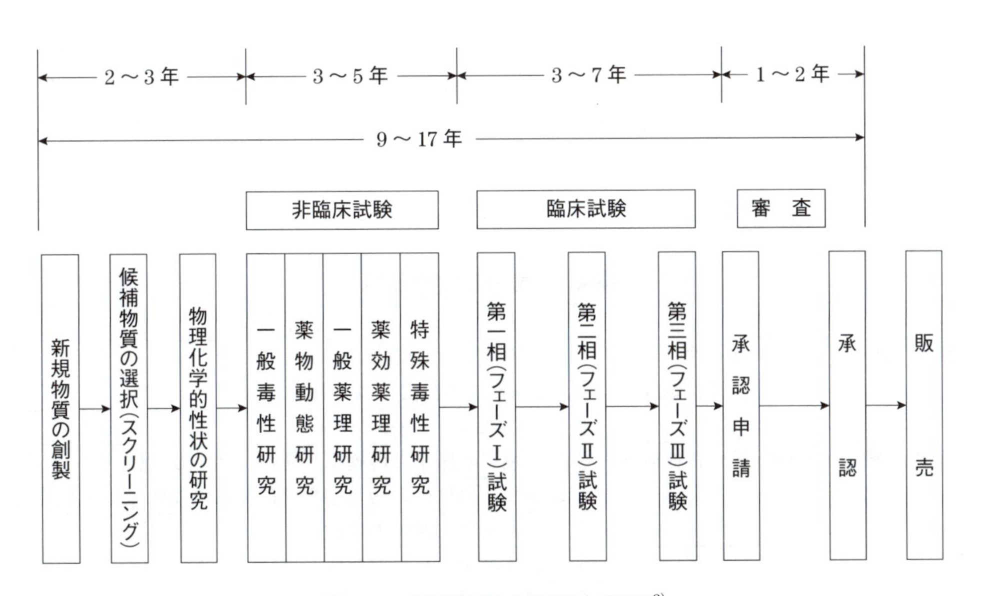

図6.2　新薬開発の過程と期間[2)]

2）基礎研究

●化合物ライブラリーの作成

化合物を合成，培養，抽出などにより広範に収集し，数十万から数百万の化合物群からなるライブラリーを作成する[3)]．また，近年ではバイオテクノロジーを駆使したゲノム技術が新薬開発に応用されている．

●スクリーニング

スクリーニングテスト（ふるい分け）を実施して，化合物ライブラリーの中からリード化合物の探索を行う．最近では，High Throughput Screening（HTS）と呼ばれる，ロボットを用いた*in vitro*試験により，数千～数十万のサンプルを数週間から2，3か月で評価できる大量高速スクリーニング法が登場している．スクリーニングテストをパスする化合物はごくわずかである．

3）非臨床試験

新薬の候補化合物を対象に，実験動物や培養細胞を用いて，有効性（薬効薬理試験）及び安全性（一般毒性試験，特殊毒性試験，安全性薬理試験）を研究する．また，その物質の生体内での動態（薬物動態試験）や，品質，安定性に関する試験も行われる．以下に，毒性試験，薬理試験及び薬物動態試験について述べる．

●毒性試験

毒性試験は，ヒトで行う臨床試験（治験）に先立ち実施し，治験において発生する副作用等をあらかじめ予測する上で重要である．毒性試験に用いられるげっ歯類，イヌ，サルなどの動物において，急性，亜急性，慢性毒性試験を実施する．また，医薬品の特性に応じて，生殖・発生毒性試験，がん原性試験などの実施が求められる（表6.1）．

毒性試験については，「医薬品の安全性に関する非臨床試験の実施の基準」（GLP：Good Laboratory Practice）が適用される（8章）．**GLPでは，ソフト面（職員，組織に関する規定，信頼性保証，試験計画等）とハード面（試験施設の構造・設備，機器等）に関する遵守事項を定めている．**また，GLPによる規制に加え，毒性試験のガイドラインが試験項目ごとに公表されており，これらガイドラインに従って試験を実施する必要がある．

表6.1　毒性試験の種類

試験項目		内　容
一般毒性試験	単回投与毒性試験	急性毒性試験（1回投与）
	反復投与毒性試験	亜急性毒性試験（2～4週間）
		慢性毒性試験（6～9か月）
特殊毒性試験	生殖・発生毒性試験	受胎能及び着床までの初期胚発生に関する試験
		出生前及び出生後の発生ならびに母体の機能に関する試験
		胚・胎児発生に関する試験
	遺伝毒性試験	変異原性試験（復帰突然変異試験，染色体異常試験など）
	がん原性試験	臨床での使用が少なくとも6か月以上継続されるような医薬品はがん原性試験を実施：ラットでは24か月以上30か月以内
	局所刺激性試験	経皮製剤，点眼剤など局所に投与される医薬品の開発では，動物を用いた局所刺激性試験において，投与部位である皮膚や粘膜の局所刺激性プロファイルを検討
	その他の毒性試験	抗原性試験
		薬物依存性試験

●薬効薬理試験

新薬の候補化合物の効力を裏づける試験（薬効薬理試験）を実施し，主作用（薬効），薬効量，投与経路などを検討する．また，薬効を発現する作用機序の解明についても行う．

●安全性薬理試験

大量投与されたときなどにおける主作用以外の作用の発現を調べるために，安全性薬理試験（中枢神経系，心血管系，呼吸器系等に及ぼす影響試験等）を実施する．**GLP が適用される**．

●薬物動態試験

新薬の候補化合物の投与後に，どのように吸収，分布，代謝，排泄されるのかに関する検討を行う．

4) 臨床試験（治験）

非臨床試験を通過した新薬の候補化合物について，ヒトにおける有効性及び安全性を調べる．新薬の承認申請に必要なデータを収集するためにヒトを対象に実施する臨床試験（治験）である．**治験は3段階（第Ⅰ相試験：フェーズ Ⅰ，第Ⅱ相試験：フェーズ Ⅱ，第Ⅲ相試験：フェーズ Ⅲ）に分かれる**（図6.2 及び 6.3）．治験実施に際しては，**あらかじめ被験者となる健康な人や患者を対象に，治験の目的や内容を説明し理解を得た後，文書による同意を得る**．

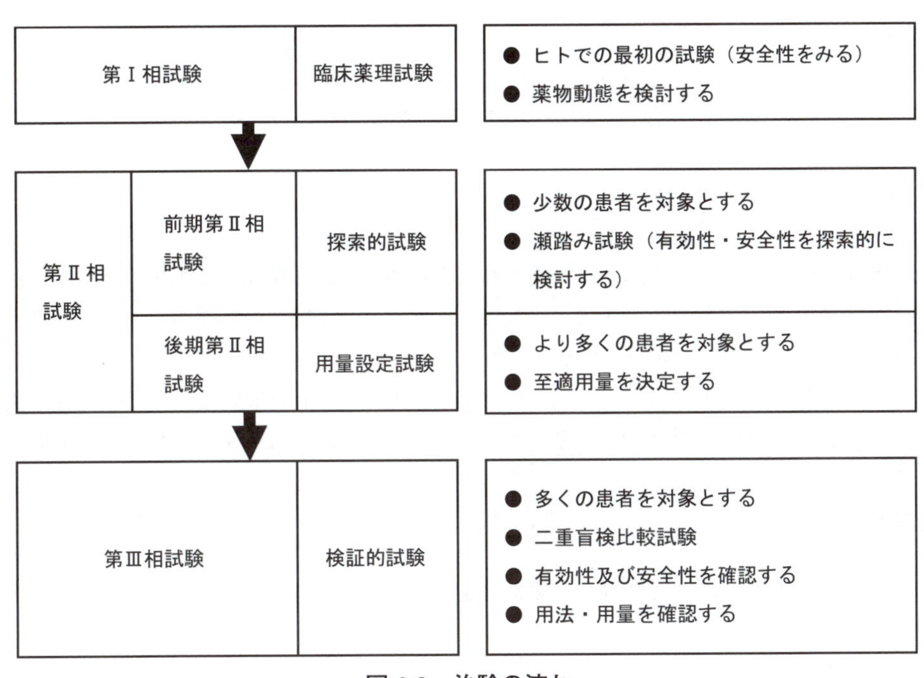

図 6.3　治験の流れ

C 治験の取扱い

1) 治験の定義

(定義) 第2条第17項
この法律で「治験」とは，第14条第3項 (同条第13項及び第19条の2第5項において準用する場合を含む.)，第23条の2の5第3項 (同条第15項及び第23条の2の17第5項において準用する場合を含む.) 又は第23条の25第3項 (同条第9項及び第23条の37第5項において準用する場合を含む.) の規定により提出すべき資料のうち臨床試験の試験成績に関する資料の収集を目的とする試験の実施をいう.

●臨床試験と治験

ヒトにおける試験を一般に「臨床試験」というが，医薬品の候補 (治験薬) を用いて**国 (厚生労働省) の承認 (製造販売承認) を得るための成績を収集する臨床試験を，特に「治験」と呼ぶ. 治験では，実際に治験薬を健康なヒトや患者に投与して，次のことを確認**する.

① **治験薬の有効性** (効果，最適な用法・用量＝至適用法・用量)
② **治験薬の安全性** (副作用の発現の有無，副作用の種類，程度，処置，転帰等)

●治験と生命倫理

治験は臨床研究の1つの形態であり，新薬の承認を目的とする臨床試験である. **治験は被験者の人権，安全及び福祉の保護を確保するため，「ヘルシンキ宣言」に基づく倫理的な治験の原則及び「医薬品の臨床試験の実施の基準」(GCP：Good Clinical Practice) を遵守して実施されなければならない** (8章).「ヘルシンキ宣言」では，インフォームド・コンセントの重要性と自己決定権が明確化されている. また，**GCPは治験の科学性，倫理性，被験者の人権・安全・福祉の保護を目的**としている.

2) 治験届出

治験の依頼をしようとする者又は自ら治験を実施しようとする者は，**あらかじめ，厚生労働大臣に治験の計画を届け出なければならない. 届出をした者は，当該届出をした日から起算して30日を経過した後でなければ，治験を依頼し，又は自ら治験を実施してはならない**.

(治験の取扱い) 第80条の2
2 **治験** (薬物，機械器具等又は人若しくは動物の細胞に培養その他の加工を施したもの若しくは人若しくは動物の細胞に導入され，これらの体内で発現する遺伝子を含有するもの (以下この条から第80条の4まで及び第83条第1項において「薬物等」という.) であって，厚生労働省令で定めるものを対象とするものに限る. 以下この項において同じ.) の依頼をしようとする者又は自ら治験を実施しようとする者は，あらかじめ，厚生労働省令で定めるところにより，厚生労働大臣に治験の計画を届け出なければならない. ただし，当該治験の対象とされる薬物等を使用することが緊急やむを得ない場合として厚生労働省令で定める場合には，当該治験を開始した日から30日以内に，厚生労働省令で定めるところにより，厚生労働大臣に治験の計画を届け出たときは，この限りでない.

3　前項本文の規定による届出をした者（当該届出に係る治験の対象とされる薬物等につき初めて同項の規定による届出をした者に限る.）は，当該届出をした日から起算して30日を経過した後でなければ，治験を依頼し，又は自ら治験を実施してはならない．この場合において，厚生労働大臣は，当該届出に係る治験の計画に関し保健衛生上の危害の発生を防止するため必要な調査を行うものとする.

●治験届の対象と種類

治験の計画の届出を必要とする対象と種類は次のとおりである.

（薬物に係る治験の届出を要する場合）医薬品，医療機器等の品質，有効性及び安全性の確保等に関する法律施行規則第268条

法第80条の2第2項の厚生労働省令で定める薬物は，次に掲げるものとする．ただし，第二号から第六号までに掲げる薬物にあっては，生物学的な同等性を確認する試験を行うものを除く.

一　日本薬局方に収められている医薬品及び既に製造販売の承認を与えられている医薬品と有効成分が異なる薬物

二　日本薬局方に収められている医薬品及び既に製造販売の承認を与えられている医薬品と有効成分が同一の薬物であって投与経路が異なるもの

三　日本薬局方に収められている医薬品及び既に製造販売の承認を与えられている医薬品と有効成分が同一の薬物であってその有効成分の配合割合又はその効能，効果，用法若しくは用量が異なるもの（前二号に掲げるもの及び医師若しくは歯科医師によって使用され又はこれらの者の処方箋によって使用されることを目的としないものを除く.）

四　日本薬局方に収められている医薬品及び既に製造販売の承認を与えられている医薬品と有効成分が異なる医薬品として製造販売の承認を与えられた医薬品であってその製造販売の承認のあった日後法第14条の4第1項第一号に規定する調査期間（同条第2項の規定による延長が行われたときは，その延長後の期間）を経過していないものと有効成分が同一の薬物

五　生物由来製品となることが見込まれる薬物（前各号に掲げるものを除く.）

六　遺伝子組換え技術を応用して製造される薬物（前各号に掲げるものを除く.）

3）治験薬の副作用・感染症報告

治験の依頼をした者又は自ら治験を実施した者は，治験における副作用及び感染症の発生等，被験薬の有効性及び安全性に関する事項で保健衛生上重要な知見を入手した場合には，その内容を厚生労働大臣に速やかに報告しなければならない.

（治験の取扱い）第80条の2

6　治験の依頼をした者又は自ら治験を実施した者は，当該治験の対象とされる薬物等その他の当該治験において用いる薬物等（以下「治験使用薬物等」という.）について，当該治験使用薬物等の副作用によるものと疑われる疾病，傷害又は死亡の発生，当該治験使用薬物等の使用によるものと疑われる感染症の発生その他の治験使用薬物等の有効性及び安全性に関する事項で厚生労働省令で定めるものを知ったときは，その旨を厚生労働省令で定めるところにより厚生労働大臣に報告しなければならない．この場合において，厚生労働大臣は，当該報告に係る情報の整理又は当該報告に関する調査を行うものとする.

●治験における副作用・感染症報告の報告期限と予測性の判断基準

治験の依頼をした者又は自ら治験を実施した者は，**治験薬によると疑われる副作用・感染症等を知っ**

たときは，定められたものについて7日以内又は15日以内に報告しなければならない（医薬品，医療機器等の品質，有効性及び安全性の確保等に関する法律施行規則第273条）．

治験における副作用・感染症症例の未知・既知に関する予測性判断及び報告期限は次のとおりである（表6.2）．

表6.2 治験における副作用・感染症報告の報告期限

報告期限	副作用・感染症等の事項	予測性判断等
7日以内	イ 死亡 ロ 死亡につながるおそれのある症例	治験薬概要書から予測できない
15日以内	イ 治療のために病院又は診療所への入院又は入院期間の延長が必要とされる症例 ロ 障害 ハ 障害につながるおそれのある症例 ニ 死亡又は死亡につながるおそれのある症例に準じて重篤 ホ 後世代における先天性の疾病又は異常	治験薬概要書から予測できない
15日以内	イ 死亡 ロ 死亡につながるおそれのある症例	治験薬概要書から予測できる

（医薬品，医療機器等の品質，有効性及び安全性の確保等に関する法律施行規則273条より引用し，改変）

4）厚生労働大臣の監督権限

（治験の取扱い）第80条の2

7 厚生労働大臣は，治験が第4項又は第5項の基準に適合するかどうかを調査するため必要があると認めるときは，治験の依頼をし，自ら治験を実施し，若しくは依頼を受けた者その他治験使用薬物等を業務上取り扱う者に対して，必要な報告をさせ，又は当該職員に，病院，診療所，飼育動物診療施設，工場，事務所その他治験使用薬物等を業務上取り扱う場所に立ち入り，その構造設備若しくは帳簿書類その他の物件を検査させ，若しくは従業員その他の関係者に質問させることができる．

9 厚生労働大臣は，治験使用薬物等の使用による保健衛生上の危害の発生又は拡大を防止するため必要があると認めるときは，治験の依頼をしようとし，若しくは依頼をした者，自ら治験を実施しようとし，若しくは実施した者又は治験の依頼を受けた者に対し，治験の依頼の取消し又はその変更，治験の中止又はその変更その他必要な指示を行うことができる．

5）秘密保護

（治験の取扱い）第80条の2

10 治験の依頼をした者若しくは自ら治験を実施した者又はその役員若しくは職員は，正当な理由なく，治験に関しその職務上知り得た人の秘密を漏らしてはならない．これらの者であった者についても，同様とする．

d　医薬品の臨床試験の実施の基準（GCP）

1）治験実施の流れ

治験は，医薬品，医療機器等の品質，有効性及び安全性の確保等に関する法律に基づいて厚生労働省が定めた「医薬品の臨床試験の実施の基準（GCP）」に従って，次のような手続きと仕組みの下で行われる[4]．治験の依頼者が製薬会社の場合について述べる．

●治験の内容を国に届け出ること

治験の依頼をしようとする者（製薬会社）は，治験を担当する医師が合意した「治験実施計画書」を厚生労働省（実際の業務を行うのは，独立行政法人医薬品医療機器総合機構）に届け出る．これを「治験計画届」という．厚生労働省（独立行政法人医薬品医療機器総合機構）がこの内容を調査し，問題があれば変更などの指示を出す．

●治験審査委員会においてあらかじめ治験実施計画の内容を審査すること

治験審査委員会（5名以上）では「治験実施計画書」が，治験に参加する被験者（健康人又は患者）の人権と福祉を保護して治験薬の有効性及び安全性を科学的に調査する計画になっているか，治験を行う医師は適切か，参加する被験者に治験の内容を正しく説明するようになっているかなどを審査する．治験審査委員会には，医療を専門としない者と，医療機関と利害関係がない者が必ず参加しなければならない．製薬会社から治験を依頼された医療機関は，この委員会の審査を受けて，その指示に従わなければならない．

●同意が得られた被験者を治験に参加させること

治験の目的，方法，期待される効果，予測される副作用などの不利益，治験に参加しない場合の治療法などを文書で説明し，理解を得た上で文書による被験者の同意を得なければならない．

●重大な副作用は国に報告すること

治験中に発生した重大な副作用は，治験を依頼した製薬会社から厚生労働省（独立行政法人医薬品医療機器総合機構）に報告され，参加している被験者の安全を確保するため必要に応じて治験計画の見直しなどを行う．

●製薬会社は，治験が適正に行われていることを確認すること

治験を依頼した製薬会社の臨床開発担当者（モニター）は，治験の進行を調査し，治験が「治験実施計画書」やGCPを遵守して適正に行われていることを確認する．

2) 治験実施と GCP 遵守

治験の依頼をしようとする者，治験の依頼を受けた者又は自ら治験を実施しようとする者は，それぞれ治験の依頼と実施に当たって，厚生労働省令で定める基準（GCP）を遵守しなければならない．

（治験の取扱い）第 80 条の 2（抜粋）
治験の依頼をしようとする者は，治験を依頼するに当たっては，厚生労働省令で定める基準に従ってこれを行わなければならない．
4 治験の依頼を受けた者又は自ら治験を実施しようとする者は，厚生労働省令で定める基準に従って，治験をしなければならない．
5 治験の依頼をした者は，厚生労働省令で定める基準に従って，治験を管理しなければならない．

3) 医薬品の臨床試験の実施の基準に関する省令（GCP 省令）の主な内容

GCP は，治験が「倫理的」な配慮の下に，「科学的」に実施されることを目的としており，次のような観点より構成されている．

① 被験者の人権保護と安全性の確保
② 治験の質の確保
③ データの信頼性の確保
④ 責任と役割分担の明確化
⑤ 記録の保存

●趣旨

第 1 条 この省令は，被験者の人権の保護，安全の保持及び福祉の向上を図り，治験の科学的な質及び成績の信頼性を確保するため，医薬品，医療機器等の品質，有効性及び安全性の確保等に関する法律（以下「法」という．）第 14 条第 3 項（同条第 9 項 及び法第 19 条の 2 第 5 項において準用する場合を含む．以下同じ．）並びに法第 14 条の 4 第 4 項及び第 14 条の 6 第 4 項（これらの規定を法第 19 条の 4 において準用する場合を含む．以下同じ．）に規定する厚生労働省令で定める基準のうち医薬品の臨床試験の実施に係るもの並びに第 80 条の 2 第 1 項，第 4 項及び第 5 項に規定する厚生労働省令で定める基準を定めるものとする．

●治験の準備に関する基準（抜粋）

第 4 条 治験の依頼をしようとする者は，治験実施計画書の作成，実施医療機関及び治験責任医師の選定，治験薬の管理，副作用情報等の収集，記録の保存その他の治験の依頼及び管理に係る業務に関する手順書を作成しなければならない．

第 5 条 治験の依頼をしようとする者は，被験薬の品質，毒性及び薬理作用に関する試験その他治験の依頼をするために必要な試験を終了していなければならない．

第 7 条 治験の依頼をしようとする者は，次に掲げる事項を記載した治験実施計画書を作成しなければならない．

第 8 条 治験の依頼をしようとする者は，第 5 条の試験により得られた資料並びに被験薬の品質，有効性及び安全性に関する情報に基づいて，次に掲げる事項を記載した治験薬概要書を作成しなければならない．

第 11 条 治験の依頼をしようとする者は，治験の契約が締結される前に，実施医療機関に対して治験薬を交付してはならない．

第 13 条 治験の依頼をしようとする者及び実施医療機関（前条の規定により業務の一部を委託する場合にあっては，治験の依頼をしようとする者，受託者及び実施医療機関）は，次に掲げる事項について記載した文書により治験の契約を締結しなければならない．

●治験の管理に関する基準（抜粋）

第16条　治験依頼者は，治験薬の容器又は被包に次に掲げる事項を邦文で記載しなければならない．
一　治験用である旨
二　治験依頼者の氏名及び住所（当該者が本邦内に住所を有しない場合にあっては，その氏名及び住所地の国名並びに治験国内管理人の氏名及び住所）
三　化学名又は識別記号
四　製造番号又は製造記号
五　貯蔵方法，有効期間等を定める必要があるものについては，その内容

2　治験依頼者は，治験薬に添付する文書，その治験薬又はその容器若しくは被包（内袋を含む．）には，次に掲げる事項を記載してはならない．
一　予定される販売名
二　予定される効能又は効果
三　予定される用法又は用量

第17条　治験依頼者は，治験薬の品質の確保のために必要な構造設備を備え，かつ，適切な製造管理及び品質管理の方法が採られている製造所において製造された治験薬を，治験依頼者の責任のもと実施医療機関に交付しなければならない．

第20条　治験依頼者は，被験薬の品質，有効性及び安全性に関する事項その他の治験を適正に行うために必要な情報を収集し，及び検討するとともに，実施医療機関の長に対し，これを提供しなければならない．

3　治験依頼者は，前項に規定する事項のうち当該被験薬の治験薬概要書から予測できないものを知ったときは，直ちにその旨を治験責任医師及び実施医療機関の長に通知しなければならない．

第22条　モニタリングに従事する者（以下「モニター」という．）は，モニタリングの結果，実施医療機関における治験がこの省令又は治験実施計画書に従って行われていないことを確認した場合には，その旨を直ちに当該実施医療機関の治験責任医師に告げなければならない．

第23条　治験依頼者は，監査に関する計画書及び業務に関する手順書を作成し，当該計画書及び手順書に従って監査を実施しなければならない．

2　監査に従事する者（以下「監査担当者」という．）は，監査に係る医薬品の開発に係る部門及びモニタリングを担当する部門に属してはならない．

第24条　治験依頼者は，実施医療機関がこの省令，治験実施計画書又は治験の契約に違反することにより適正な治験に支障を及ぼしたと認める場合（第46条に規定する場合を除く．）には，当該実施医療機関との治験の契約を解除し，当該実施医療機関における治験を中止しなければならない．

●治験を行う基準（抜粋）

第27条　実施医療機関の長は，治験を行うことの適否その他の治験に関する調査審議を次に掲げるいずれかの治験審査委員会に行わせなければならない．

治験を実施するためには治験審査委員会の承認が必要である．治験依頼者は，各医療機関に治験を依頼し，医療機関ごとの治験審査委員会における審議を経て治験実施の承認を得る．ただし，当該実施医療機関が小規模であることその他の事由により当該実施医療機関に治験審査委員会を設置することができないときは，当該医療機関の長が他の医療機関の長と共同で設置した治験審査委員会に代えることができる．

第28条　治験審査委員会は，次に掲げる要件を満たしていなければならない．
一　治験について倫理的及び科学的観点から十分に審議を行うことができること．
二　5名以上の委員からなること．
三　委員のうち，医学，歯学，薬学その他の医療又は臨床試験に関する専門的知識を有する者以外の者（次号及び第五号の規定により委員に加えられている者を除く．）が加えられていること．

四　委員のうち，実施医療機関と利害関係を有しない者が加えられていること．
五　委員のうち，治験審査委員会の設置者と利害関係を有しない者が加えられていること．
第30条　実施医療機関の長は，当該実施医療機関において治験を行うことの適否について，あらかじめ，第27条第1項の治験審査委員会の意見を聴かなければならない．

治験責任医師は，関与する治験に関する審議及び採決に参加することはできない．また，実施医療機関の長は，自らが設置する治験審査委員会に出席することはできるが，委員になることならびに審議及び採決に参加することはできない．

第35条　実施医療機関は，次に掲げる要件を満たしていなければならない．
一　十分な臨床観察及び試験検査を行う設備及び人員を有していること．
二　緊急時に被験者に対して必要な措置を講ずることができること．
三　治験責任医師等，薬剤師，看護師その他治験を適正かつ円滑に行うために必要な職員が十分に確保されていること．
第44条　治験責任医師等は，次に掲げるところにより，被験者となるべき者を選定しなければならない．
一　倫理的及び科学的観点から，治験の目的に応じ，健康状態，症状，年齢，同意の能力等を十分に考慮すること．
二　同意の能力を欠く者にあっては，被験者とすることがやむを得ない場合を除き，選定しないこと．
三　治験に参加しないことにより不当な不利益を受けるおそれがある者を選定する場合にあっては，当該者の同意が自発的に行われるよう十分な配慮を行うこと．
第50条　治験責任医師等は，被験者となるべき者を治験に参加させるときは，あらかじめ治験の内容その他の治験に関する事項について当該者の理解を得るよう，文書により適切な説明を行い，文書により同意を得なければならない．
2　被験者となるべき者が同意の能力を欠くこと等により同意を得ることが困難であるときは，前項の規定にかかわらず，被験者となるべき者の代諾者となるべき者の同意を得ることにより，当該被験者となるべき者を治験に参加させることができる．
5　治験責任医師等は，説明文書の内容その他治験に関する事項について，被験者となるべき者（被験者となるべき者の代諾者となるべき者の同意を得る場合にあっては，当該者．次条から第53条までにおいて同じ．）に質問をする機会を与え，かつ，当該質問に十分に答えなければならない．

被験者の同意においては，治験が研究を伴うこと，被験者にとって予期される臨床上の利益及び危険性又は不便のあること，他の治療方法の有無，治験への参加は被験者の自由意思であり，**治験への参加をいつでも拒否又は撤回できること，治験に参加しない場合であっても不利益を受けないこと，治験の結果が公表される場合であっても被験者の秘密は保全されること等についての説明を受け，被験者がこれを理解し自由な意思によって治験への参加に同意し，文書によってそのことを確認しなければならない**．被験者が同意の能力を欠く場合は，代諾者の同意を取得しなければならない．

e　承認審査のプロセスと承認

1) 製造販売承認申請に必要な資料

承認申請にあたっては，その時点における医学薬学等の学問水準に基づき，論理性，科学性及び信頼性の確保された承認申請資料を作成する．**申請資料には，申請品目の品質，有効性及び安全性を立証するための十分な根拠が示される必要がある．また，申請資料は厚生労働大臣の定める基準に従って収集，作成されたものでなければならないとされており，その基準として GLP 及び GCP を遵守したものでなければならない．**

2) 承認審査のプロセスと承認

治験において治験薬の有効性，安全性，品質などが証明されたならば，医薬品製造販売業は厚生労働省に申請品目の製造販売承認申請を行う．承認申請資料は，独立行政法人医薬品医療機器総合機構において一定期間，審査される（図 6.4）．

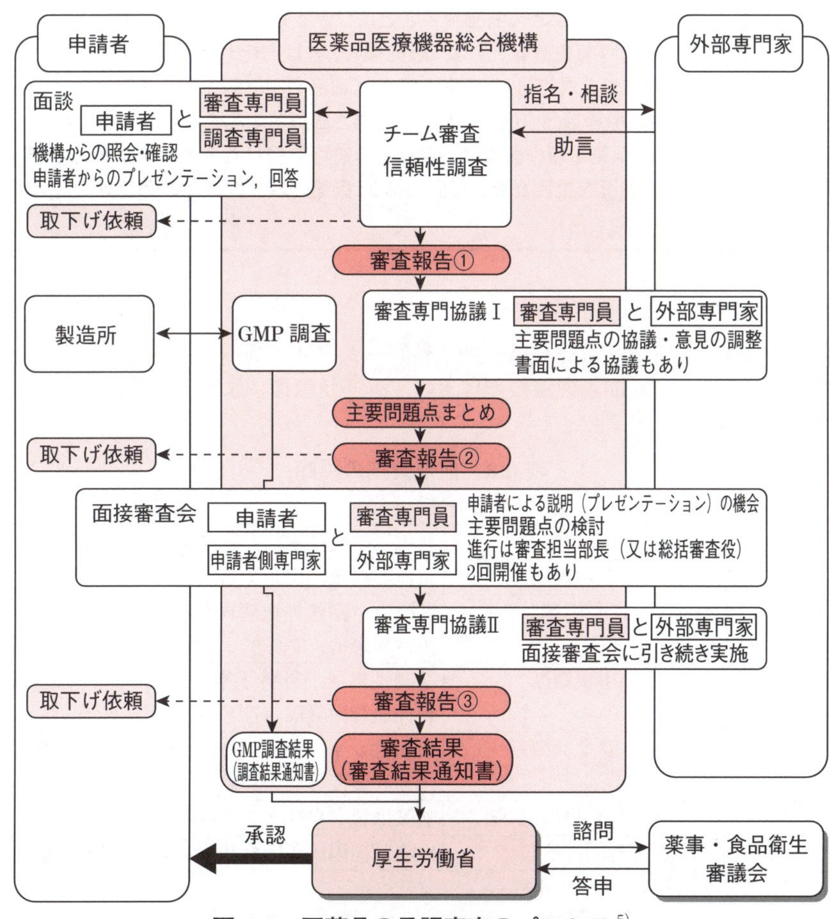

図 6.4　医薬品の承認審査のプロセス[5)]

f　安全な血液製剤の安定供給の確保等に関する法律（抜粋）

1）法の目的

第1条　この法律は，血液製剤の安全性の向上，安定供給の確保及び適正な使用の推進のために必要な措置を講ずるとともに，人の血液の利用の適正及び献血者等の保護を図るために必要な規制を行うことにより，国民の保健衛生の向上に資することを目的とする．

2）定　義

第2条　この法律で「血液製剤」とは，人体から採取された血液を原料として製造される医薬品（医薬品，医療機器等の品質，有効性及び安全性の確保等に関する法律（昭和35年法律第145号）に規定する医薬品をいう．以下同じ．）であって，厚生労働省令で定めるものをいう．

2　この法律で「献血者等」とは，献血をする者その他の被採血者をいう．

3　この法律で「採血事業者」とは，人体から採血することについて第13条第1項の許可を受けた者をいう．

4　この法律で「製造販売業者」，「製造業者」又は「販売業者」とは，それぞれ医薬品，医療機器等の品質，有効性及び安全性の確保等に関する法律第12条第1項 の医薬品の製造販売業の許可を受けた者若しくは同法第23条の20第1項の再生医療等製品（同法に規定する再生医療等製品をいう．以下同じ．）の製造販売業の許可を受けた者，同法第13条第1項の医薬品の製造業の許可を受けた者若しくは同法23条の22第1項の再生医療等製品の製造業の許可を受けた者又は同法第24条第1項の医薬品の販売業の許可を受けた者をいう．

●血液製剤とは

血液製剤とは人の血液からつくられた医薬品を総称して呼び，輸血用血液製剤，血漿分画製剤に大別される（表6.3）．このうち輸血用血液製剤はそのすべてが献血によって確保されている．

表6.3　血液製剤の種類

分　類	種　類	適応症
輸血用血液製剤	全血製剤	新生児の交換輸血，循環血液量以上の大量の出血
	赤血球製剤	造血器疾患に由来する貧血，慢性出血等
	血漿製剤	肝障害，播種性血管内凝固（DIC），血栓性血小板減少性紫斑病（TTP），溶血性尿毒症症候群（HUS）等
	血小板製剤	活動性出血，外科手術の術前状態，大量輸血時，播種性血管内凝固（DIC），血液疾患等
血漿分画製剤	アルブミン製剤	出血性ショック，ネフローゼ症候群，難治性腹水を伴う肝硬変等
	免疫グロブリン製剤	無又は低グロブリン血症等
	血液凝固因子製剤	血液凝固因子欠乏症患者に対する凝固因子の補充

3) 基本理念

第3条　血液製剤は，その原料である血液の特性にかんがみ，その安全性の向上に常に配慮して，製造され，供給され，又は使用されなければならない.
2　血液製剤は，国内自給（国内で使用される血液製剤が原則として国内で行われる献血により得られた血液を原料として製造されることをいう．以下同じ.）が確保されることを基本とするとともに，安定的に供給されるようにしなければならない.
3　血液製剤は，献血により得られる血液を原料とする貴重なものであること，及びその原料である血液の特性にかんがみ，適正に使用されなければならない.
4　国，地方公共団体その他の関係者は，この法律に基づく施策の策定及び実施に当たっては，公正の確保及び透明性の向上が図られるよう努めなければならない.

4) 血液事業に携わる関係者の責務

国，都道府県と市町村，採血事業者，血液製剤の製造業者及び医療関係者は，基本理念にのっとり，次の事項に努めなければならない.

第4条　国は，基本理念にのっとり，血液製剤の安全性の向上及び安定供給の確保に関する基本的かつ総合的な施策を策定し，及び実施しなければならない.
第6条　採血事業者は，基本理念にのっとり，献血の受入れを推進し，血液製剤の安全性の向上及び安定供給の確保に協力するとともに，献血者等の保護に努めなければならない.
第8条　医師その他の医療関係者は，基本理念にのっとり，血液製剤の適正な使用に努めるとともに，血液製剤の安全性に関する情報の収集及び提供に努めなければならない.

5) 基本方針

厚生労働大臣は，血液製剤の安全性の向上及び安定供給の確保を図るための基本的な方針を定める.

6) 採血の制限

第12条　次に掲げる物を製造する者がその原料とし，又は採血事業者若しくは病院若しくは診療所の開設者が第2号に掲げる物（厚生労働省令で定めるものに限る）の原料とする目的で採血する場合を除いては，何人も，業として，人体から採血してはならない．ただし，治療行為として，又は輸血，医学的検査若しくは学術研究のための血液を得る目的で採血する場合は，この限りでない.
一　血液製剤
二　医薬品（血液製剤を除く.），医療機器（医薬品，医療機器等の品質，有効性及び安全性の確保等に関する法律に規定する医療機器をいう．次号において同じ.）又は再生医療等製品
三　医薬品，医療機器又は再生医療等製品の研究開発において試験に用いる物その他の医療の質又は保健衛生上の向上に資する物として厚生労働省令で定める物
2　何人も，業として，人体から採取された血液又はこれから得られた物を原料として，前項各号に掲げる物以外の物を製造してはならない．ただし，血液製剤の製造に伴って副次的に得られた物又は厚生労働省令で定めるところによりその本来の用途に適しないか若しくは適しなくなったとされる血液製剤を原料とする場合は，この限りでない.

業として人体から採血することは，医療及び歯科医療以外の目的で行われる場合であっても，医師法第17条に規定する医業に該当する（法30）．

7）業として行う採血の許可

第13条　血液製剤の原料とする目的で，業として，人体から採血しようとする者は，厚生労働省令で定めるところにより，厚生労働大臣の許可を受けなければならない．ただし，病院又は診療所の開設者が，当該病院又は診療所における診療のために用いられる血液製剤のみの原料とする目的で採血しようとするときは，この限りでない．

8）有料での採血等の禁止

第16条　何人も，有料で，人体から採血し，又は人の血液の提供のあっせんをしてはならない．

9）採血者の義務

第25条　血液製剤の原料たる血液又は輸血のための血液を得る目的で，人体から採血しようとする者は，あらかじめ献血者等につき，厚生労働省令で定める方法による健康診断を行わなければならない．

2　前項の採血者は，厚生労働省令で定めるところにより貧血者，年少者，妊娠中の者その他の採血が健康上有害であると認められる者から採血してはならない．

10）血液製剤の安定供給

第26条　厚生労働大臣は，基本方針に基づき，毎年度，翌年度の血液製剤（用法，効能及び効果について血液製剤と代替性のある医薬品又は再生医療等製品であって厚生労働省令で定めるものを含み，厚生労働省令で定める血液製剤を除く．以下この条及び次条において同じ．）の安定供給に関する計画（以下「需給計画」という．）を定めるものとする．

参考文献

1）厚生労働省：「第4回有効で安全な医薬品を迅速に提供するための検討会」資料，平成19年3月2日
2）厚生労働省：平成20年度厚生労働白書，平成21年
3）「医薬品・医療機器開発に対する理解増進に関する研究」研究班：医薬品・バイオ研究の実用化に向けて―知っておきたい薬事規制―，平成18年度厚生労働科学研究費補助金
4）製薬協資料
5）医薬品医療機器総合機構ホームページ

Checkpoint

医薬品の研究開発期間と開発費	一つの新薬の開発には9～17年の歳月と，500～1000億円の研究開発費を要するといわれている．
非臨床試験	新薬の候補化合物を対象に，動物や培養細胞を用いて，有効性（薬効薬理試験）及び安全性（一般毒性試験，特殊毒性試験，安全性薬理試験等）を研究する．その物質の生体内での薬物動態試験や，品質，安定性に関する試験も行う．
臨床試験	非臨床試験を通過した新薬の候補化合物について，ヒトにおける有効性及び安全性を調べる．
治　験	臨床試験のうち，国（厚生労働省）の承認（製造販売承認）を得るための成績を収集する臨床試験を，「治験」と呼ぶ．
ヘルシンキ宣言	ヒトを対象とする試験を実施する場合は，医学研究の倫理規定である「ヘルシンキ宣言」を遵守しなければならない．被験者の人権，安全及び福祉の保護を確保するため，インフォームド・コンセントの重要性と自己決定権を明確化している（1章，p.8）．
GCP	治験の科学性，倫理性，被験者の人権・安全・福祉の保護を目的としている．治験はGCPを遵守して実施．
治験届出	治験の実施に際して，あらかじめ厚生労働大臣に治験の計画を届け出る．
副作用等報告	治験の依頼をした者又は自ら治験を実施した者は，治験における副作用及び感染症の発生等，被験薬の有効性及び安全性に関する事項で保健衛生上重要な知見を入手した場合には，その内容を厚生労働大臣に速やかに報告する．
副作用・感染症報告の期限	治験薬によると疑われる副作用・感染症等を知ったときは，定められたものについて7日以内又は15日以内に報告する．
手順書の作成	治験の依頼及び管理に関する業務手順書を作成する．
治験実施計画書	治験の実施に当たって，治験実施計画書を作成する．
治験薬概要書	治験の実施に当たって，治験薬概要書を作成する．
治験契約	治験実施医療機関と治験の実施に関する契約を締結する．
治験薬の容器等の表示事項	治験薬の容器又は被包に，治験用である旨等の事項を邦文で記載する．
治験薬の容器等の表示禁止事項	治験薬の容器又は被包に，予定される販売名，予定される効能又は効果，用法又は用量を記載してはならない．
治験審査委員会	治験を実施するためには治験審査委員会の承認が必要である．5名以上の委員からなること．委員のうち，医学，歯学，薬学その他の医療又は臨床試験に関する専門的知識を有する者以外の者，実施医療機関と利害関係を有しない者が加えられていること．
被験者の文書による同意	被験者となるべき者を治験に参加させるときは，あらかじめ治験の内容その他の治験に関する事項について被験者の理解を得るよう，文書により適切な説明を行い，文書により同意を得る．
血液製剤	血液製剤とは，人血漿その他の人体から採取された血液を原料として製造される医薬品．
血液製剤の国内自給	血液製剤は，国内自給が確保されることを基本とし，安定的に供給されるようにしなければならない．
採血の制限	血液製剤を製造する者がその原料とする目的で採血する場合を除いては，何人も，業として，人体から採血してはならない．
有料での採血等の禁止	何人も，有料で，人体から採血し，又は人の血液の提供のあっせんをしてはならない．

問　題

問 1　医薬品の開発は，原則として，理化学試験，動物試験，臨床試験を段階的に評価しながら進めていく必要がある．(84)

問 2　医薬品の安全性に関する非臨床試験の実施の基準（GLP）は，承認申請に添付される資料の毒性試験及び薬効薬理試験について適用される．(84 改)

問 3　厚生労働大臣は，治験の依頼に関する基準に適合しているかどうかを調査するため，当該職員に治験薬を業務上取り扱う場所に立ち入り，検査させることができる．(86)

問 4　医薬品の開発において，動物で得られた結果から人での反応をすべて推定できるわけではないので，人での試験は少人数で慎重に開始する必要がある．(87)

問 5　GLP において，対象となる試験には，ヒトを用いた吸収，分布，代謝，排泄に関する試験が含まれる．(89)

問 6　GCP において，治験責任医師から実施医療機関の長及び治験依頼者に伝えなければならない治験薬の「副作用によると疑われる」重篤な有害事象の発生には，因果関係が不明なものは含まれない．(89)

問 7　GCP において，治験依頼者が実施医療機関に対して行うモニタリングには，治験の進捗状況の調査のほか，当該治験が GCP 及び治験実施計画書に従って行われているかどうかの調査も含まれる．(89)

問 8　治験施設支援機関（SMO）から派遣の治験コーディネーター（CRC）も守秘義務が課せられる．(92)

問 9　GLP に基づき指定される信頼性保証部門の担当者には，その試験の実施担当者が含まれていてはならない．(93)

問 10　ヒトを被験者とする薬物についての試験は，すべて医薬品，医療機器等の品質，有効性及び安全性の確保等に関する法律上の治験に含まれる．(93 改)

問 11　GCP においては，治験審査委員会を設置していない医療機関では治験を行ってはならない．(93)

問 12　第Ⅱ相試験では，有効性を探索的に評価し，用量反応関係を明らかにすることが主な目的となる．(93)

問 13　第Ⅲ相試験は，プラセボ又は既存薬との比較を行う検証的試験であるため，オープン試験で行われる．(93)

問 14　治験依頼者は，治験開始後 30 日以内に治験計画を届け出なければならない．(94)

問 15　健康人を対象とした治験への参加の同意は，文書で得る必要はない．(94 改)

問 16　被験者は，理由を問わず，治験への参加の同意を撤回することができる．(94)

問 17　治験薬に添付する文書には，予定される販売名や予定される効能又は効果を記載する．(94)

問 18　医療機関の長は，モニタリング報告書を受け取った時は，当該実施医療機関において治験が適切に行われていたかどうか，治験審査委員会の意見を聴く必要がある．(99)

問 19　治験審査委員会においては，医療機関の長からの依頼により，治験実施計画書，治験薬概要書，説明文書等の資料に基づき治験の妥当性を審査する．(99)

問 20　治験の対象となる薬物について初めて治験の計画を届出した者は，届出の日から直ちに治験を依頼することができる．(100)

解答・解説

問 1　○　医薬品の開発は，安全性の確保の観点より，非臨床試験（理化学試験，動物試験等）から臨床試験へと段階的に評価しながら進めていく必要がある．

問 2　×　GLP は，承認申請に添付される資料の毒性試験及び安全性薬理試験について適用される．

問 3　○　厚生労働大臣は，治験が基準に適合するかどうかを調査するため，必要があると認めるときは，必要な報告をさせ，当該職員に病院，診療所，飼育動物診療施設，工場，事務所等に立ち入り，検査させ，質問させることができる．

問 4　○　第Ⅰ相試験として少数の健康人（抗がん剤の治験においてはがん患者）を対象に被験薬の安全性及び薬物動態を検討する．

問 5　×　GLP は，承認申請に添付される資料の毒性試験及び安全性薬理試験について適用され，ヒトを対象とする試験には適用されない．

問 6　×　治験責任医師は，治験薬の副作用によると疑われる死亡その他の重篤な有害事象の発生を認めたときは，直ちに実施医療機関の長に報告するとともに，治験依頼者に通知しなければならない．因果関係が不明なものは因果関係を否定できないことより報告，通知の対象となる．

問 7　○　実施医療機関における治験が GCP 又は治験実施計画書に従って行われているかどうかを調査し，確認しなければならない．

問 8　○　治験の依頼をした者もしくは自ら治験を実施した者又はその役員もしくは職員は，正当な理由なく，治験に関しその職務上知り得た人の秘密を漏らしてはならない．これらの者であった者についても，同様とする．

問 9　○　信頼性保証部門は，試験が GLP 省令に従って行われていることを保証するために必要な業務である．試験ごとの信頼性保証部門の担当者は，当該試験に従事する者以外の者でなければならない．

問 10　×　医薬品，医療機器等の品質，有効性及び安全性の確保等に関する法律上の治験は製造販売承認を得るための成績を収集する臨床試験である．治験以外のヒトを対象とする臨床試験は同法の治験に該当しない．

問 11　×　当該実施医療機関が小規模であることその他の事由により当該実施医療機関に治験審査委員会を設置することができないときは，当該医療機関の長が他の医療機関の長と共同で設置した治験審査委員会に代えることができる．

問 12　○　第Ⅱ相試験では，有効性・安全性を探索的に検討する瀬踏み試験を行い，至適用量を検討する．

問 13　×　第Ⅲ相試験は，プラセボ又は既存薬との比較を行う検証的試験であるため，二重盲験比較試験といわれる．

問 14　×　治験の依頼をしようとする者又は自ら治験を実施しようとする者は，あらかじめ，厚生労働大臣に治験の計画を届け出なければならない．

問 15　×　健康人又は患者であっても被験者には，あらかじめ治験の内容その他の治験に関する事項について，文書による説明を行い，文書による同意が必要である．

問 16　○　被験者は，理由を問わず，治験への参加の同意を撤回することができる．同意の撤回については説明文書に記載することとされている．

問 17　×　治験薬に添付する文書，その治験薬又はその容器もしくは被包には，予定される販売名，予定される効能又は効果，予定される用法又は用量を記載してはならない．

問 18　○　医療機関の長は，モニタリング報告書を受け取ったとき又は監査報告書を受け取ったときは，当該実施医療機関において治験が適切に行われているかどうか又は適切に行われたかどうかについて，治験審査委員会の意見を聴かなければならない．

問 19　○　治験審査委員会は，医療機関の長からの依頼により，治験実施計画書，治験薬概要書，説明文書等の資料に基づき治験を行うことの適否を審査する．

問 20　×　治験の対象となる薬物について初めて治験の計画委を届出した者は，原則として，30 日を経過した後でなければ治験を依頼し，又は自ら治験を実施してはならない．（法第 80 条の 2 第 2 項,3 項）

問21 治験の計画を届け出た治験依頼者は，治験を行う医療機関を追加しても，治験計画の変更届を提出する必要はない．(100)

問22 厚生労働大臣は，治験の依頼に関する基準に適合しているかどうかを調査するため，当該職員に治験薬を業務上取り扱う場所に立ち入り，検査させることができる．(100)

問23 治験依頼者は，治験薬の容器に治験用である旨，治験依頼者の氏名及び住所，化学名，用法又は用量，及び効能又は効果を記載しなければならない．(100)

問24 治験依頼者は，治験薬の副作用によるものと疑われる死亡につながるおそれのある症例を知ったときは，定められた期間内に厚生労働大臣（情報の整理を独立行政法人医薬品医療機器総合機構（PMDA）に行わせることとした場合は，PMDA）に報告しなければならない．(100)

問25 新有効成分について，我が国で初めて治験計画の届け出をした者は，届け出の日から30日以内に治験を開始しなければならない．(101)

問26 希少疾病用医薬品の治験には，GCPは適用されない．(101)

問27 治験審査会には，医学，薬学等の専門的知識を有する者以外の参加が必要である．(101)

問28 治験の実施前に文書を用いて被験者に説明し，文書により被験者から同意を得ることが原則である．(104)

問29 治験に関連する健康被害が発生した場合に受けることができる補償及び治療について被験者に説明しなければならない．(104)

問30 医薬品の治験とは，非臨床試験及び臨床試験の試験成績に関する資料の収集を目的とする試験の実施である．(104)

問31 医薬品の臨床試験の実施の基準は，被験者の人権の保護や治験の科学的な質及び成績の信頼性を確保することを目的としている．(104)

問32 血液製剤は，医薬品医療機器等法上の医薬品から除外されている．(102)

問33 血液製剤を製造販売する場合は，安全な血液製剤の安定供給の確保等に関する法律の規定による許可を受けなければならない．(102改)

問34 病院又は診療所以外の場所において，血液製剤の原料とする目的で，業として人体から採血するには，厚生労働大臣の許可が必要である．(102)

問35 業として採血することは，医業にあたる．(102)

問36 血液製剤の原料とする目的で採血するときは，その対価を支払うことができる．(102)

複 合 問 題

問 1 （法規・制度・倫理）

治験に関して製薬企業が行った業務について，正しいものはどれか．1つ選べ．(98)

1 第II相試験の開始に先立ち，厚生労働大臣に治験の計画を届け出た．
2 治験責任医師に治験実施計画書の作成を依頼した．
3 治験薬管理者に治験薬概要書の作成を依頼した．
4 治験施設支援機関（SMO）に治験協力者（CRC）の派遣を委託した．
5 モニタリング担当者が当該治験の監査を実施した．

問21　×　実施機関の追加等の治験計画の変更は，治験計画変更届の提出が必要である．

問22　○　厚生労働大臣は，治験が医薬品の臨床試験の実施の基準（GCP）に適合するかどうか調査するため立ち入り検査することができる．（法80条の3第7項）

問23　×　治験依頼者は，治験薬に添付する文書，その治験薬又はその容器若しくは被包に，予定される販売名，予定される効能･効果又は予定される用法･用量を記載してはならない．（GCP省令第16条）

問24　○　治験の依頼した者又は自ら治験を実施した者は，治験薬によると疑われる副作用･感染症等を知ったとき，死亡症例及び死亡につながるおそれのある症例を知った時から7日以内，その他の障害等は15日以内に報告しなければならない．（法第80条の2第6項，則第273条）

問25　×　届け出の日から30日以内ではなく，届け出の日から30日経過した後でなければ，治験を開始してはならない．

問26　×　希少疾病用医薬品であっても，医薬品の臨床試験においては，医薬品の臨床試験の実施の基準（GCP）を遵守しなければならない．

問27　○　治験審査委員会の要件の一つに，委員のうち，医学，歯学，薬学その他の医療又は臨床試験に関する専門的知識を有する者以外の者が加えられていることとある．（GCP省令第28条）

問28　○　治験責任医師当は，被験者を治験に参加させるときは，あらかじめ治験の内容その他の治験に関する事項について当該者の理解を得るよう，文書により適切な説明を行い，文書により同意を得なければならない．（GCP省令第50条）

問29　○　記述のとおりである．

問30　×　治験とは，製造販売の承認の規定により提出すべき資料のうち，臨床試験の試験成績に関する資料を目的とする試験である．非臨床試験は，ヒトで行う臨床試験（治験）に先立ち実験動物等を用いて実施される試験である．

問31　○　記述のとおりである．

問32　×　血液製剤についても，日本薬局方に収載されている人全血液のように医薬品医療機器等法上の医薬品の定義に該当する場合は，医薬品として規制される．

問33　×　血液製剤を製造販売する場合，「安全な血液製剤の安定供給の確保等に関する法律」ではなく，医薬品医療機器等法の規定による製造販売業の許可を受けなければならない．

問34　○　血液製剤の原料とする目的で，業として，人体から採血しようとする者は，採血を行う場所ごとに，厚生労働大臣の許可を受けなければならない．ただし，病院又は診療所の開設者が当該病院又は診療所における診療のために用いられる血液製剤のみの原料とする目的で採血しようとするときはこの限りでない（法第13条）．

問35　○　業として人体から採血することは，医療及び歯科医療以外の目的で行われる場合であっても，医師法に規定する医業に該当する．（医師法第17条）

問36　×　何人も，有料で，人体から採血し，又は人の血液の提供のあっせんをしてはならない．（法16条）

解答・解説

問 1　解答　1

1　○　治験を依頼しようとする者は，あらかじめ厚生労働大臣に治験の計画を届け出なければならない．

2　×　治験実施計画書の作成は，治験依頼者の業務．

3　×　治験薬概要書の作成は，治験依頼者の業務．

4　×　SMOへのCRC派遣要請は，治験実施施設の業務．

5　×　モニタリングと監査は兼務できない．

問 2 治験審査委員会が満たすべき要件として，誤っているのはどれか．2つ選べ．(103)

1 治験について，倫理的及び科学的観点から十分審議できること．
2 委員はすべて，医療又は臨床試験の専門的知識を有する者であること．
3 5名以上の委員からなること．
4 委員には，治験実施医療機関と利害関係を有しない者を加えること．
5 治験に係る審議及び採決には，治験実施医療機関の長を参加させること．

問 3 免疫グロブリン製剤等の血漿分画製剤の国内自給を推進するために必要とされている国の方針でないのはどれか．1つ選べ．(100)

1 必要な献血量の確保
2 原料血漿の有効利用
3 国内製造品の製造費用の補助
4 医療関係者に対する意義の啓発
5 適正使用の推進

問 2　解答　2, 5

1　○　そのとおりである.（医薬品の臨床試験の実施の基準に関する省令第 28 条一号）

2　×　委員のうち, 医学, 歯学, 薬学その他の医療又は臨床試験に関する専門的以外の者が加えられていること.（省令第 28 条第三号）

3　○　そのとおりである.（省令第 28 条第二号）

4　○　そのとおりである.

5　×　実施医療機関の長, 治験責任医師又は治験協力者は審議及び採決に参加することができない.（省令第 29 条）

問 3　解答　3

安全な血液製剤の安定供給の確保等に関する法律の基本理念（第 3 条）に, 血液製剤は国内自給（献血により得られた血液製剤）, 安定的な供給, 適正な使用とあり, また国の責務（第 4 条）及び基本方針（第 9 条）に製造費用の補助はない.

Ⅲ 編

薬事関係法規

7章　薬剤師法

a　薬剤師の資格と任務

1）薬剤師の任務

（薬剤師の任務）第1条　薬剤師は，**調剤，医薬品の供給その他薬事衛生**をつかさどることによって，**公衆衛生**の向上及び増進に寄与し，もって国民の健康な生活を確保するものとする．

薬剤師の任務を規定したもので，憲法第25条の趣旨を受け，薬剤師は，① 調剤，② 医薬品の供給，③ その他薬事衛生の業務をとおして，公衆衛生の向上と増進に寄与し，もって国民の健康な生活を確保することが任務とされている（1章，p.3）．

① 調剤：処方箋の受付，処方の鑑査，薬剤の調製，調剤薬・薬袋等の鑑査，薬剤の交付，調剤録・薬歴への記載など

② 医薬品の供給：医薬品の研究開発，製造，輸出入，販売，管理，保管，試験研究など

③ その他薬事衛生：食品衛生，環境衛生，薬事行政など

医師法第1条（医師の任務）

医師は，医療及び保健指導を掌ることによって，公衆衛生の向上及び増進に寄与し，もって国民の健康な生活を確保するものとする．

歯科医師法第1条（歯科医師の任務）

歯科医師は，歯科医療及び保健指導を掌ることによって，公衆衛生の向上及び増進に寄与し，もって国民の健康な生活を確保するものとする．

医師（歯科医師）は，① 医療（歯科医療），② 保健指導をとおして，公衆衛生の向上と増進に寄与し，もって国民の健康な生活を確保することが任務とされている．このことからも薬剤師法は，医師法，歯科医師法と同等の規定になっていることが理解できる．

2）薬剤師の免許

（免許）第2条　薬剤師になろうとする者は，厚生労働大臣の免許を受けなければならない．

免許の申請手続（則1）

1．薬剤師免許申請書（様式第1）

2. 戸籍の謄本又は抄本
3. 相対的欠格事由に該当する者か否かに関する医師の診断書
4. 絶対的欠格事由に該当しない旨を証明した書面

3) 免許取得の要件

（免許の要件）第3条　薬剤師の免許（以下「免許」という.）は，**薬剤師国家試験**（以下「試験」という.）に合格した者に対して与える.
（**絶対的欠格事由**）第4条　**未成年者**には，免許を与えない.

（**相対的欠格事由**）第5条　次の各号のいずれかに該当する者には，免許を与えないことがある.
一　心身の障害により薬剤師の業務を適正に行うことができない者として厚生労働省令で定めるもの
二　麻薬，大麻又はあへんの**中毒者**
三　**罰金以上の刑**に処せられた者
四　前号に該当する者を除くほか，**薬事に関し犯罪又は不正**の行為があった者

免許は，次の要件をすべて満たす者が取得できる.

1. 薬剤師国家試験に合格した者
2. 絶対的欠格事由に該当しない者
3. 相対的欠格事由に該当しない者（免許を与えるか否かは厚生労働大臣に委ねられている）

相対的欠格事由の心身の障害により薬剤師の業務を適正に行うことができない者として厚生労働省令で定める者とは，視覚又は精神の機能の障害により薬剤師の業務を適正に行うに当たって必要な認知，判断及び意思疎通を適切に行うことができない者.（則1の2）

しかし，免許を与えるかどうかを決定するときは，申請者が現に利用している障害を補う手段又は受けている治療等により障害が補われ，又は障害の程度が軽減している状況を考慮して判断される.（則1の3）

4) 薬剤師名簿

（薬剤師名簿）第6条　**厚生労働省に薬剤師名簿**を備え，登録年月日，第8条第1項の規定による処分に関する事項その他の免許に関する事項を**登録**する.

薬剤師名簿登録事項（令4）

1. **登録番号及び登録年月日**
2. **本籍地都道府県名**（日本国籍でない者は，その国籍），**氏名，生年月日，性別**
3. 薬剤師国家試験合格の年月
4. 法第8条第1項又は第2項の規定による処分に関する事項
5. 法第8条の2第2項に規定する再教育研修を修了した旨
6. その他厚生労働大臣の定める事項（則2）
   - 再免許の場合はその旨
   - 書換，再交付した場合はその旨，理由，年月日
   - 登録を消除した場合はその旨，理由，年月日
   - 法附則第六項の規定により免許を与える場合には，旧法第七十六条の規定に該当する者で

あることを明らかにする事実

5）登録及び免許証の交付

（登録及び免許証の交付）第7条　免許は，試験に合格した者の申請により，薬剤師名簿に登録することによって行う．
2　厚生労働大臣は，免許を与えたときは，薬剤師免許証を交付する．

国家試験に合格しただけでは薬剤師ではなく，申請により薬剤師名簿に登録された者が，**登録された日から薬剤師**となる．

6）相対的欠格事由一号の該当者に対する意見の聴取

（意見の聴取）第7条の2　厚生労働大臣は，免許を申請した者について，第5条第1号に掲げる者に該当すると認め，同条の規定により免許を与えないこととするときは，あらかじめ，当該申請者にその旨を通知し，その求めがあったときは，厚生労働大臣の指定する職員にその意見を聴取させなければならない．

7）行政処分等

（免許の取消し等）第8条　薬剤師が，第5条各号のいずれかに該当し，又は薬剤師としての品位を損するような行為のあったときは，厚生労働大臣は，次に掲げる処分をすることができる．
一　**戒告**
二　**3年以内の業務の停止**
三　**免許の取消し**
2　都道府県知事は，薬剤師について前2項の処分が行われる必要があると認めるときは，その旨を厚生労働大臣に具申しなければならない．
3　第1項の規定により免許を取り消された者（第5条第3号若しくは第4号に該当し，又は薬剤師としての品位を損するような行為のあった者として第1項の規定により免許を取り消された者にあっては，その取消しの日から起算して5年を経過しない者を除く．）であっても，その者がその取消しの理由となった事項に該当しなくなったときその他その後の事情により再び免許を与えるのが適当であると認められるに至ったときは，再免許を与えることができる．この場合においては，第7条の規定を準用する．
4　厚生労働大臣は，第1項，及び前項に規定する処分をするに当たっては，あらかじめ，**医道審議会の意見**を聴かなければならない．
5　厚生労働大臣は，第1項の規定による免許の取消処分をしようとするときは，都道府県知事に対し，当該処分に係る者に対する意見の聴取を行うことを求め，当該意見の聴取をもって，厚生労働大臣による聴聞に代えることができる．
6 ～10　条文省略
11　厚生労働大臣は，第1項の規定による業務の停止の命令をしようとするときは，都道府県知事に対し，当該処分に係る者に対する弁明の聴取を行うことを求め，当該弁明の聴取をもって，厚生労働大臣による弁明の機会の付与に代えることができる．
12　前項の規定により弁明の聴取を行う場合において，都道府県知事は，弁明の聴取を行うべき日時までに相当な期間をおいて，当該処分に係る者に対し，次に掲げる事項を書面により通知しなければならない．
一　第1項の規定を根拠として当該処分をしようとする旨及びその内容
二　当該処分の原因となる事実

三　弁明の聴取の日時及び場所
13 ～ 18　条文省略

薬剤師が，成年被後見人又は被保佐人になったときは，厚生労働大臣は，その免許を取り消す．また，薬剤師が，相対的欠格事由のいずれかに該当したとき，あるいは薬剤師としての品位を損するような行為のあったときは，戒告あるいは業務停止又は免許取消し等を命ずることができる．なお，免許を取り消された者が，「その取消しの事由がなくなったとき」及び「その他その後の事情により再び免許を与えるのが適当であると認められたとき」は，再免許を受けることができる．

●**医道審議会**（厚生労働省設置法第 10 条）

医道審議会は，医療法，医師法，歯科医師法，保健師助産師看護師法，理学療法士及び作業療法士法，看護師等の人材確保の促進に関する法律，あん摩マッサージ指圧師，はり師，きゅう師等に関する法律，柔道整復師法，薬剤師法，死体解剖保存法及び精神障害者福祉に関する法律の規定によりその権限に属させられた事項を処理する．

2　前項に定めるもののほか，医道審議会の組織，所掌事務及び委員その他の職員その他医道審議会に関し必要な事項については，政令（医道審議会令）で定める．

（調査のための権限）第 8 条の 3　厚生労働大臣は，薬剤師について第 8 条第 1 項の規定による処分をすべきか否かを調査する必要があると認めるときは，当該事案に関係する者若しくは参考人から意見若しくは報告を徴し，調剤録その他の物件の所有者に対し，当該物件の提出を命じ，又は当該職員をして当該事案に関係のある薬局その他の場所に立ち入り，調剤録その他の物件を検査させることができる．
2　前項の規定により立入検査をしようとする職員は，その身分を示す証明書を携帯し，関係人の請求があったときは，これを提示しなければならない．
3　第 1 項の規定による立入検査の権限は，犯罪捜査のために認められたものと解してはならない．
（医道審議会）厚生労働省設置法第 10 条　**医道審議会**は，医療法，医師法，歯科医師法，保健師助産師看護師法，理学療法士及び作業療法士法，看護師等の人材確保の促進に関する法律，あん摩マッサージ指圧師，はり師，きゅう師等に関する法律，柔道整復師法，薬剤師法，死体解剖保存法及び精神障害者福祉に関する法律の規定によりその権限に属させられた事項を処理する．
2　前項に定めるもののほか，医道審議会の組織，所掌事務及び委員その他の職員その他医道審議会に関し必要な事項については，政令（医道審議会令）で定める．
（再教育研修）第 8 条の 2　厚生労働大臣は，前条第 1 項第 1 号若しくは第 2 号に掲げる処分を受けた薬剤師又は同条第三項の規定により再免許を受けようとする者に対し，薬剤師としての倫理の保持又は薬剤師として必要な知識及び技能に関する研修として厚生労働省令で定めるもの（以下「再教育研修」という．）を受けるよう命ずることができる．
2　厚生労働大臣は，前項の規定による再教育研修を修了した者について，その申請により，再教育研修を修了した旨を薬剤師名簿に登録する．
3　厚生労働大臣は，前項の登録をしたときは，再教育研修修了登録証を交付する．
4　第 2 項の登録を受けようとする者及び再教育研修修了登録証の書換交付又は再交付を受けようとする者は，実費を勘案して政令で定める額の手数料を納めなければならない．
5　前条第 12 項から第 19 項まで（第 14 項を除く．）の規定は，第 1 項の規定による命令をしようとする場合について準用する．この場合において，必要な技術的読替えは，政令で定める．

再教育研修の内容（則 7 の 2）

1. **倫理研修**（薬剤師としての倫理の保持に関する研修）
2. **技術研修**（薬剤師として必要な知識及び技能に関する研修）

再教育研修の形態（薬食発第 0331001 号，平成 20 年 3 月）

処分の原因となった事由（薬剤師としての倫理の欠如，薬剤師として必要な知識及び技能の欠如）

により，倫理，技術を習得する研修が「集合研修」，「課題研修」及び「個別研修」の形態により行われる．

①戒告処分…集合研修

②業務停止1年未満…集合研修及び課題研修又は集合研修及び個別研修

③業務停止1年以上及び再免許…集合研修及び個別研修

集合研修：倫理研修又は技術研修

課題研修：対象者（倫理の欠如によって業務停止1年未満の処分を受けた者）の処分の原因となった事由に関連する内容について，少人数のグループ討議形式で行う研修

個別研修：倫理研修又は技術研修

> (薬剤師の氏名等の公表) 第28条の2　厚生労働大臣は，医療を受ける者その他国民による薬剤師の資格の確認及び医療に関する適切な選択に資するよう，**薬剤師の氏名その他の政令で定める事項を公表**するものとする．

公表事項（令14）

1. 薬剤師の氏名及び性別
2. 薬剤師名簿の登録年月日
3. 法第8条第2項第1号に掲げる処分に関する事項（当該処分を受けた薬剤師であって，再教育研修を修了していないもの）
4. 法第8条第2項第2号に掲げる処分でいずれかに該当するものに関する事項

　イ　厚生労働大臣が定めた業務の停止の期間を経過していない薬剤師に係る処分

　ロ　当該処分を受けた薬剤師であって，再教育研修の命令を受け，当該再教研修を修了していないものに係る処分

8) 届出義務

> (届出) 第9条　薬剤師は，**厚生労働省令で定める2年ごと**の年の12月31日現在における氏名，住所その他厚生労働省令で定める事項を，当該年の翌年1月15日までに，その住所地の都道府県知事を経由して厚生労働**大臣に届け出**なければならない．

薬剤師は，様式第6による届出票により届出を行う．届け出は，昭和57年（1982年）を初年度とし，**西暦の偶数年の12月31日現在における事項を届け出なければならない**．

違反者は，50万円以下の罰金（法32）

9) 政令等への委任

> (政令等への委任) 第10条　この章に規定するもののほか，免許の申請，薬剤師名簿の登録，訂正及び消除並びに免許証の交付，書換交付，再交付及び返納に関し必要な事項は政令で，第8条第1項の処分，第8条の2第1項の再教育研修の実施，同条第2項の薬剤師名簿の登録並びに同条第3項の再教育研修修了登録証の交付，書換交付及び再交付に関して必要な事項は厚生労働省令で定める．

●免許の申請（令3）

薬剤師の免許を受けようとする者は，申請書に厚生労働省令で定める書類を添え，住所地の都道府県知事を経由して，これを厚生労働大臣に提出しなければならない．

●薬剤師名簿の登録事項（令4，則2）→法第6条の解説参照

●薬剤師名簿の訂正（令5）

・薬剤師は，前条第2号の登録事項に**変更**を生じたときは，**30日以内に**，薬剤師名簿の訂正を**申請**しなければならない．

・申請をするには，申請書に申請の原因たる事実を証する書類を添え，住所地の都道府県知事を経由して，これを厚生労働大臣に提出しなければならない．

※薬剤師名簿の登録事項のうち，変更を生じたとき30日以内に訂正を申請しなければならない事項は，**本籍地都道府県名**（日本国籍でない者は，その国籍），**氏名**，生年月日，性別である．

●登録の消除（令6）

・薬剤師名簿の登録の消除を申請するには，住所地の都道府県知事を経由して，申請書を厚生労働大臣に提出しなければならない．

・薬剤師が死亡し，又は失踪の宣告を受けたときは，戸籍法（昭和22年法律第224号）による死亡又は失踪の届出義務者は，30日以内に，薬剤師名簿の登録の消除を申請しなければならない．

●登録消除の制限（令7）条文省略

●免許証の書換交付（令8）

・薬剤師は，薬剤師免許証の記載事項に変更を生じたときは，免許証の書換交付を申請することができる．

・前項の申請をするには，申請書に免許証を添え，住所地の都道府県知事を経由して，これを厚生労働大臣に提出しなければならない．

・第1項の申請をする場合には，厚生労働大臣の定める額の手数料を納めなければならない．

●免許証の再交付（令9）

・薬剤師は，免許証を破り，よごし，又は失ったときは，免許証の再交付を申請することができる．

・前項の申請をするには，住所地の都道府県知事を経由して，申請書を厚生労働大臣に提出しなければならない．

・第1項の申請については，前条第3項の規定を準用する．

・免許証を破り，又はよごした薬剤師が第1項の申請をする場合には，申請書にその免許証を添えなければならない．

・薬剤師は，免許証の再交付を受けた後，失った免許証を発見したときは，5日以内に，住所地の都道府県知事を経由して，これを厚生労働大臣に返納しなければならない．

●免許証の返納（令10）

・薬剤師は，薬剤師名簿の登録の消除を申請するときは，住所地の都道府県知事を経由して，免許証を厚生労働大臣に返納しなければならない．第6条第2項の規定により薬剤師名簿の登録の消除を申請する者についても，同様とする．

・薬剤師は，免許を取り消されたときは，5日以内に，住所地の都道府県知事を経由して，免許証を厚生労働大臣に返納しなければならない．

10）試　験

（試験の目的）第11条　試験は，薬剤師として必要な知識及び技能について行なう．

（試験の実施）第12条　試験は，毎年少なくとも1回，厚生労働大臣が行なう．

2　厚生労働大臣は，試験の科目又は実施若しくは合格者の決定の方法を定めようとするときは，あらかじめ，医道審議会の意見を聴かなければならない．

●試験の科目（則８）

薬剤師国家試験を分けて必須問題試験及び一般問題試験とし，一般問題試験を更に分けて薬学理論問題試験及び薬学実践問題試験とし，その科目は，それぞれ次のとおりとする．

<table>
<tr><td colspan="2">必須問題試験</td><td>□物理・化学・生物　□病態・薬物治療
□衛生　□薬理　□法規・制度・倫理
□薬剤　□実務</td></tr>
<tr><td rowspan="2">一般
問題試験</td><td>薬学理論
問題試験</td><td>□物理・化学・生物　□病態・薬物治療
□衛生　□薬理　□法規・制度・倫理
□薬剤</td></tr>
<tr><td>薬学実践
問題試験</td><td>□物理・化学・生物　□病態・薬物治療
□衛生　□薬理　□法規・制度・倫理
□薬剤　□実務</td></tr>
</table>

●試験施行期日等の公告（則９）

試験を施行する期日及び場所並びに受験願書の提出期限は，あらかじめ，官報で公告する．

（薬剤師試験委員）第13条　条文省略
（試験事務担当者の不正行為の禁止）第14条　条文省略
（受験資格）第15条　試験は，次の各号のいずれかに該当する者でなければ，受けることができない．
一　学校教育法（昭和22年法律第26号）に基づく大学において，薬学の正規の課程（同法第87条第２項に規定するものに限る．）を修めて卒業した者
二　外国の薬学校を卒業し，又は外国の薬剤師免許を受けた者で，厚生労働大臣が前号に掲げる者と同等以上の学力及び技能を有すると認定したもの
（受験手数料）第16条　条文省略
（不正行為の禁止）第17条　試験に関して不正の行為があった場合には，その不正行為に関係のある者について，その受験を停止させ，又はその試験を無効とすることができる．この場合においては，なお，その者について，期間を定めて試験を受けることを許さないことができる．
（省令への委任）第18条　条文省略

b　薬剤師の業務

1）調剤業務

（調剤）第19条　薬剤師でない者は，販売又は授与の目的で調剤してはならない．ただし，医師若しくは歯科医師が次に掲げる場合において自己の処方せんにより自ら調剤するとき，又は獣医師が自己の処方せんにより自ら調剤するときは，この限りでない．
一　患者又は現にその看護に当たっている者が特にその医師又は歯科医師から薬剤の交付を受けることを希望する旨を申し出た場合
二　医師法（昭和23年法律第201号）第22条各号の場合又は歯科医師法（昭和23年法律第202号）第21条各号の場合

薬剤師の調剤独占権を認めた条文であり，医師法第22条（処方箋の交付義務）とともにわが国の医薬分業の根拠となっている．しかし，「ただし書き」の医師等が自己の処方箋により自ら調剤できるという例外が規定されている．このため，わが国では患者等が医師等に対して特段に薬剤の交付を受けることを希望しない旨を申し出ない場合，医師等から薬剤の交付を受けることを希望しているものと解釈され，医師等による調剤が行われてきたことも，長い間医薬分業が進展しなかった原因の一つである．

違反者が医師・歯科医師・獣医師以外の場合，3年以下の懲役若しくは100万円以下の罰金，又はこれの併科（法29）

違反者が医師・歯科医師・獣医師の場合，50万円以下の罰金（法32）

（処方箋の交付義務）　医師法第22条

医師は患者に対し治療上薬剤を調剤して投与する必要があると認めた場合には，患者又は現にその看護に当たっている者に対して処方箋を交付しなければならない．ただし，患者又は現にその看護に当たっている者が処方箋の交付を必要としない旨を申し出た場合及び次の各号の1に該当する場合においては，この限りでない．

一　暗示的効果を期待する場合において，処方箋を交付することがその目的の達成を妨げるおそれがある場合
二　処方箋を交付することが診療又は疾病の予後について患者に不安を与え，その疾病の治療を困難にするおそれがある場合
三　病状の短時間ごとの変化に即応して薬剤を投与する場合
四　診断又は治療方法の決定していない場合
五　治療上必要な応急の措置として薬剤を投与する場合
六　安静を要する患者以外に薬剤の交付を受けることができる者がいない場合
七　覚醒剤を投与する場合
八　薬剤師が乗り組んでいない船舶内において薬剤を投与する場合

（名称の使用制限）第20条　薬剤師でなければ，薬剤師又はこれにまぎらわしい名称を用いてはならない．

薬剤師の職能を保護するとともに，薬剤師の名称の占有を認めている．このため，薬剤士や調剤師，

調剤士，薬師等のまぎらわしい名称の使用を禁止している．

違反者は，50万円以下の罰金（法32）

2）調剤応需義務

（調剤の求めに応ずる義務）第21条　調剤に従事する薬剤師は，調剤の求めがあった場合には，正当な理由がなければ，これを拒んではならない．

薬局，病院，診療所などで調剤に従事する薬剤師の義務であり，調剤に従事しない薬剤師は対象にはならない．

調剤拒否の正当な理由に該当するとされているケースを示す（薬局業務運営ガイドラインより）．

1. 処方箋の内容に疑義があるが処方医師（又は医療機関）に連絡がつかず，疑義照会できない場合．ただし，当該処方箋の患者がその薬局の近隣の患者の場合は処方箋を預かり，後刻処方医師に疑義照会して調剤すること．
2. 患者の症状等から早急に調剤薬を交付する必要があるが，医薬品の調達に時間を要する場合．ただし，この場合は即時調剤可能な薬局を責任をもって紹介すること．
3. 災害その他特殊の事由により薬剤師が薬局において調剤することができない場合．
4. 処方箋が明らかに偽造されていると思われるような場合も「正当な理由」に該当する．
5. 冠婚葬祭，急病等で薬剤師が不在の場合．

3）調剤の場所の制限

（調剤の場所）第22条　薬剤師は，医療を受ける者の居宅等（居宅その他の厚生労働省令で定める場所をいう．）において医師又は歯科医師が交付した処方せんにより，当該居宅等において調剤の業務のうち厚生労働省令で定めるものを行う場合を除き，薬局以外の場所で，販売又は授与の目的で調剤してはならない．ただし，病院若しくは診療所又は飼育動物診療施設（獣医療法（平成4年法律第46号）第2条第2項に規定する診療施設をいい，往診のみによって獣医師に飼育動物の診療業務を行わせる者の住所を含む．以下この条において同じ.）の調剤所において，その病院若しくは診療所又は飼育動物診療施設で診療に従事する医師若しくは歯科医師又は獣医師の処方せんによって調剤する場合及び災害その他特殊の事由により薬剤師が薬局において調剤することができない場合その他の厚生労働省令で定める特別の事情がある場合は，この限りでない．

違反者は，1年以下の懲役若しくは50万円以下の罰金に処し，又はこれを併科（法30）

●調剤の場所（則13）

厚生労働省令で定める医療を受ける者の居宅等

一　居宅（有料老人ホーム，ケアホーム，グループホーム等も含む）

二　次に掲げる施設の居室

イ　児童福祉法に規定する乳児院，母子生活支援施設，児童養護施設，知的障害児施設，盲ろうあ児施設，肢体不自由児施設，児童自立支援施設

ロ　生活保護法及び中国残留邦人等支援法に規定する救護施設，更生施設

ハ　売春防止法に規定する婦人保護施設

ニ　老人福祉法に規定する養護老人ホーム，特別養護老人ホーム，軽費老人ホーム

ホ　障害者自立支援法に規定する障害者支援施設，福祉ホーム

●患者の居宅等において薬剤師が行うことのできる調剤の業務（則13の2）

薬剤師が，処方箋中に疑わしい点があるかどうか確認すること及び処方箋を交付した医師等に疑しい点を確認することができる．

(1) 薬剤師が患者の居宅等において，以下に掲げる業務を行うことは，差し支えない．

① 処方箋を受領すること

② 処方箋が偽造でないこと又はファクシミリで電送された処方内容に基づいて薬剤の調製等を行った際に処方箋がファクシミリ等で電送されたものと同一であることを確認すること

③ 薬剤を交付すること

しかし，薬剤の秤量，粉砕，混合等の調剤行為は薬局において行わなければならない．

(2) 薬剤師が，患者の居宅等において処方医が交付した処方箋に基づき，当該居宅等において薬剤師が行うことができる調剤の業務について，処方医への疑義照会に加え，以下の業務を行うことができる（改正省令による改正後の規則（以下「新規則」という．）第13条の2関係）．

薬剤師が，処方医の同意を得て，当該処方箋に記載された医薬品の数量を減らして調剤する業務（調剤された薬剤の全部若しくは一部が不潔になり，若しくは変質若しくは変敗するおそれ，調剤された薬剤に異物が混入し，若しくは付着するおそれ又は調剤された薬剤が病原微生物その他疾病の原因となるものに汚染されるおそれがない場合に限る．）

(3) また，患者が負傷等により寝たきりの状態にあり，又は歩行が困難である場合，患者又は現にその看護に当たっている者が運搬することが困難な物が処方された場合その他これらに準ずる場合についても，薬剤師が，その者の居宅等を訪問して，同様の業務を行うことができる（新規則第13条の3第2号関係）．

(4) 薬剤師は，(2) 及び (3) の業務に当たっては，患者の居宅等に飲み残された薬剤等が引き続き適正に使用できるものであることを確認した上で，実施する必要がある．

●調剤の場所の特例に関する特別の事情（則13の3）

次の場合は，薬剤師は薬局以外の場所で調剤できる．なお，特別な事情がある場合は，都道府県知事への届出あるいは許可の取得は不要である．

一　災害その他特殊の事由により薬剤師が薬局において調剤することができない場合

二　患者が負傷等により寝たきりの状態にあり，又は歩行が困難である場合，患者又は現にその看護に当たっている者が運搬することが困難な物が処方された場合及びその他これらに準ずる場合に，薬剤師が医療を受ける者の居宅等を訪問して処方箋中に疑わしい点があるかどうかを確認すること，及び処方箋を交付した医師等へ疑わしい点を確認する場合

また，一の「特殊の事由」とは，患者の状態が居宅等で急変した場合など特に緊急の場合であって，その者を救命するためには，当該居宅等において新規則13条の2に基づき，薬剤師が患者の在宅等で行うことができる業務以外の調剤業務を行うことしか手段がないと処方医及び薬剤師が判断した場合

二の「その他これらに準ずる場合」については，次のような場合が想定される．

① 患者が老人で一人暮らし，又は現にその看護に当たっている者が，薬局の営業時間中に来訪できない場合

② 遠隔診療に基づき薬剤が処方された場合

4) 処方箋による調剤・無断変更調剤の禁止

（処方せんによる調剤）第23条　薬剤師は，医師，歯科医師又は獣医師の処方せんによらなければ，販売又は授与の目的で調剤してはならない．
2　薬剤師は，処方せんに記載された医薬品につき，その処方せんを交付した医師，歯科医師又は獣医師の同意を得た場合を除くほか，これを変更して調剤してはならない．

調剤は，必ず医師等の処方箋によらなければならない．処方箋のコピーあるいは偽処方箋で調剤することはできない．処方箋に記載されていた医薬品が一般名あるいは局方名の場合は該当するどの医薬品で調剤してもよいが，商品名で記載されていた場合は処方箋を発行した医師等の同意を得なければ，その商品名以外の医薬品に変更して調剤することはできない．しかし，後発医薬品（ジェネリック医薬品）への変更が可能な処方箋で患者の同意を得た場合は，事前に医師の同意を得なくても次の変更が可能である．ただし，内服薬に限る．

1. 先発医薬品を後発医薬品（含量規格が異なるもの及び類似する別剤形のものを含む）に変更
2. 後発医薬品を異なる後発医薬品（含量規格が異なるもの及び類似する別剤形のものを含む）に変更

また，調剤上必要な賦形剤や安定剤等の添加は，医師等の同意を得る必要はない．

さらに，薬剤学上の理由から処方箋に記載された投与日数を一部変更して調剤することは認められている．これは，いわゆる「分割調剤」といわれるものであり，その場合は，処方箋及び調剤録に必要事項を記入し，処方箋を患者に返却しなければならない．

違反者は，1年以下の懲役又は50万円以下の罰金，又はこれの併科（法30）

5) 処方箋監査

（処方せん中の疑義）第24条　薬剤師は，処方せん中に疑わしい点があるときは，その処方せんを交付した医師，歯科医師又は獣医師に問い合わせて，その疑わしい点を確かめた後でなければ，これによって調剤してはならない．

薬剤師は，必ず処方箋の記載事項を確認しなければならない．医薬品の規格，用法・用量，副作用や相互作用等のチェックを行い，患者が薬害事故に遭遇することなく安全に薬物治療を受けられるようにしなければならない．処方箋中に疑義のある場合は，必ず医師に問い合わせて疑義を確認した後でなければ調剤することはできない．もし，疑義を見過ごし服用した患者に健康被害が生じた場合には，薬剤師も重大な責任を問われることを自覚しなければならない．

近年，カラーコピー機による精巧な偽処方箋の使用が問題となっている．特に抗不安薬，睡眠薬，抗うつ薬，精神刺激薬，麻薬などが記載された処方箋には注意が必要であり，事件等の発生を未然に防止する観点からもケースによっては処方箋を交付した医師に処方内容を積極的に確認することも重要である．違反者は，50万円以下の罰金（法32）

処方箋の記載事項（医師法施行規則21条，歯科医師法施行規則20条）

患者の氏名，年齢，薬名，分量，用法，用量，発行年月日，使用期間，病院若しくは診療所の名称及び所在地又は医師（歯科医師）の住所，医師（歯科医師）の記名押印又は署名

6）調剤した薬剤の表示義務

（調剤された薬剤の表示）第25条　薬剤師は，販売又は授与の目的で調剤した薬剤の容器又は被包に，処方せんに記載された患者の**氏名，用法，用量**その他厚生労働**省令で定める事項**を記載しなければならない．

調剤された薬剤は，医薬品，医療機器等の品質，有効性及び安全性の確保等に関する法律の医薬品に該当しない．このため表示方法は，医薬品，医療機器等の品質，有効性及び安全性の確保等に関する法律の規定（毒薬，劇薬，習慣性医薬品等の表示）の適用を受けず，毒薬，劇薬の交付の制限（年齢等）の適用も受けないことになる．

違反者は，1年以下の懲役又は50万円以下の罰金，又はこれの併科（法30）

調剤された薬剤の容器又は被包の表示事項（法25，則14）

1. 患者の氏名
2. 用法及び用量
3. 調剤年月日
4. 調剤した薬剤師の氏名
5. 調剤した薬局，病院，診療所，飼育動物診療施設の名称及び所在地

7）処方箋への記入

（処方せんへの記入等）第26条　**薬剤師は**，調剤したときは，その処方せんに，調剤済みの旨（その調剤によって，当該処方せんが調剤済みとならなかったときは，調剤量），調剤年月日その他厚生労働省令で定める事項を**記入**し，かつ，**記名押印し，又は署名**しなければならない．

違反者は，50万円以下の罰金（法32）

処方箋への記入事項（法26，則15）

1. 調剤済みの旨（又は調剤量）
2. 調剤年月日
3. 調剤した薬局又は病院，診療所，飼育動物診療施設の名称及び所在地
4. 医師等の同意を得て処方箋に記載された医薬品を変更して調剤した場合には，その変更内容
5. 医師等に疑わしい点を確かめた場合には，その回答の内容
6. 薬剤師の記名押印又は署名

8）処方箋の保存

（処方せんの保存）第27条　**薬局開設者は**，当該薬局で調剤済みとなった処方せんを，調剤済みとなった日から**3年間，保存**しなければならない．

調剤済み処方箋の保存義務者は，薬局開設者である．違反者は，50万円以下の罰金（法32）

9）調剤録

（調剤録）第28条　**薬局開設者は**，薬局に**調剤録を備え**なければならない．
2　**薬剤師は**，薬局で調剤したときは，厚生労働省令で定めるところにより，調剤録に厚生労働省令で定める事項を**記入**しなければならない．
3　**薬局開設者は**，第1項の調剤録を，最終の記入の日から**3年間**，**保存**しなければならない．

処方箋が調剤済みとなった場合，必要事項がすでに記載されている処方箋を保存することになるので，調剤録への記入は不要となる．違反者は，50万円以下の罰金（法32）

調剤録の記入事項（則16）

1. 患者の氏名及び年齢
2. 薬名及び分量
3. 調剤年月日
4. 調剤量
5. 調剤した薬剤師の氏名
6. 処方箋の発行年月日
7. 処方箋を交付した医師，歯科医師又は獣医師の氏名
8. 前号の者の住所又は勤務する病院若しくは診療所若しくは飼育動物診療施設の名称及び所在地
9. 医師等の同意を得て処方箋に記載された医薬品を変更して調剤した場合には，その変更内容
10. 医師等に疑わしい点を確かめた場合には，その回答の内容

10）情報の提供と薬学的知見に基づく指導

（情報の提供及び指導）第25条の2　**薬剤師は**，前項で定める場合のほか，調剤した薬剤の適正な使用のため必要があると認める場合には，患者の当該薬剤の使用の状況を継続かつ的確に把握するとともに，患者又は現にその看護にあたっている者に対し，必要な情報を提供し，及び必要な薬学的知見に基づく指導を行わなければならないい．

・薬局開設者は，調剤された薬剤の販売・授与する場合，薬剤師は書面又はいわゆるタブレッド型端末などを用い，対面により必要な情報提供を行い及び必要な薬学的知見に基づく指導を行わなければならない（医薬品，医療機器等の品質，有効性及び安全性の確保等に関する法律第9条の3）とされ，必要に応じての措置として，患者の薬剤使用状況を継続的に把握することによって薬剤師が薬剤服用後のコンプライアンス及び有害事象のモニタリングに関与することが明記された．これにより，調剤録（薬剤師法第28条）は，重要な記録資料となる．

・薬学的知見に基づく指導とは，例えば医薬品を服用した際の副作用の初期症状の説明に加えて，その対処方法，医薬品同士や食品などとの相互作用及び禁忌の回避などが該当する．

Checkpoint

（任　務）	
薬剤師の3つの業務	① 調剤　② 医薬品の供給　③ その他の薬事衛生
（免　許）	
取得の要件	① 薬剤師国家試験合格者　② 絶対的欠格事由に該当しない者 ③ 相対的欠格事由に該当しない者（与えるか否かは大臣の裁量）
絶対的欠格事由	免許を与えない者（① 未成年者）
相対的欠格事由	免許を与えないことがある者（① 省令で定める心身障害者　② 麻薬，大麻又はあへんの中毒者　③ 罰金以上の刑に処せられた者　④ 薬事に関し犯罪又は不正の行為があった者）
登　録	薬剤師名簿に登録された者が登録された日から薬剤師となる
薬剤師名簿の登録事項	① 登録番号・登録年月日　② 本籍地都道府県名（国籍），氏名，生年月日，性別 ③ 薬剤師国家試験合格の年月　④ 免許取消し，業務停止処分に関する事項 ⑤ 免許取消し・業務停止処分を受けた者が再教育研修を修了した旨　⑥ 再免許の旨，書換，再交付の旨・理由・年月日，登録消除の旨・理由・年月日
取消し	成年被後見人又は被保佐人になったとき，免許は取り消される
薬剤師名簿の訂正	本籍地都道府県名（国籍），氏名，生年月日，性別の変更は30日以内
登録の消除	死亡・失踪の届出義務者は30日以内に申請
返　納	再交付後に失った免許証を発見，免許取消しは5日以内に返納
薬剤師の届出	西暦偶数年の12月31日における事項を翌年1月15日までに届出

問　題

問 1　薬剤師は，当該薬局で調剤済みとなった処方箋に，調剤済みの旨，調剤年月日その他必要事項を記入し，かつ，記名押印し，又は署名しなければならない．(91改)

問 2　薬剤師法には，薬剤師でない者は調剤してはならない旨の規定があるが，例外規定が存在する．(98)

問 3　正当な理由がないのに，その業務上知り得た秘密を漏らしたときは，刑事責任を問われることがある．(97)

問 4　薬剤師は，処方箋中に疑わしい点があるときは，処方した医師に確認するよう患者に指示しなければならない．(97改)

問 5　患者が持参した処方箋はカラーコピーと疑われるものであったが，患者の求めに応じて調剤した．(94改)

問 6　薬剤師の生涯学習を支援するため，生涯学習に努めている薬剤師を認定する制度がある．(94)

問 7　薬剤師業務の停止期間は3年以内である．(99)

問 8　未成年者には，薬剤師免許は与えられない．(100)

問 9　薬剤師免許の申請者は，卒業した大学を経由して厚生労働大臣に提出する．(100)

問10　薬剤師免許の効力は，申請者が免許を受け取った時から生じる．(100)

問11　薬剤師免許を取り消されても，免許証を厚生労働大臣に返納する必要はない．(100)

（業　務）	
調剤応需義務	調剤に従事する薬剤師は正当な理由がなければ調剤を拒めない
調剤の場所の制限	① 薬局　② 居宅等（処方箋の鑑査・医師等への疑義の確認に限定） （例外）① 病院等の調剤所　② 災害時，薬局で調剤できず他の場所で調剤する場合　③ 患者が寝たきり・歩行困難又は看護者も運搬困難な物が処方された場合に患者の居宅等において処方箋の鑑査・医師等への疑義の確認を行う場合
処方箋による調剤	医師等の処方箋によらなければ調剤できない
無断変更調剤の禁止	医薬品は処方箋交付医師等の同意無しに変更して調剤できない
処方箋中の疑義	疑義あるときは処方箋交付医師等に確認後でなければ調剤できない
調剤した薬剤の容器等への表示事項	① 患者の氏名　② 用法及び用量　③ 調剤年月日　④ 調剤した薬剤師の氏名　⑤ 調剤した薬局等の名称及び所在地
処方箋への記入事項	① 調剤済みの旨（調剤済みとならなかったときは調剤量）　② 調剤年月日　③ 調剤した薬局等の名称及び所在地　④ 医薬品を変更した場合の変更内容　⑤ 疑義照会の回答内容　⑥ 薬剤師の記名押印又は署名
処方箋の保存	薬局開設者に3年間保存の義務
調剤録と記入事項	薬局開設者に3年間保存の義務，記入事項は，① 患者の氏名及び年齢　② 薬名及び分量　③ 調剤年月日　④ 調剤量　⑤ 調剤した薬剤師の氏名　⑥ 処方箋の発行年月日　⑦ 処方箋を交付した医師等の氏名　⑧ 医師等の住所又は勤務する病院等の名称及び所在地　⑨ 医薬品を変更した場合の変更内容　⑩ 疑義照会の回答内容
情報の提供及び指導	調剤時，患者等へ薬剤の適正使用に必要な情報を提供し，薬剤の使用の状況を継続かつ的確に把握し必要な薬学的知見に基づく指導を行う

解答・解説

問 1　○　設問のとおりであり，薬剤師の義務である．（法26条）

問 2　○　薬剤師でない者は，販売又は授与の目的で調剤してはならない．ただし，医師もしくは歯科医師が法で定める場合において自己の処方箋により自ら調剤するとき，又は獣医師が自己の処方箋により自ら調剤するときは，この限りでない．（法23条）

問 3　○　刑法上の秘密漏示に当たる．医師，薬剤師，医薬品販売業者等，又はこれらの職であった者が，正当な理由がないのにその業務上取り扱ったことについて知り得た人の秘密を漏らしてはならないとされる．（刑法134条1項）

問 4　×　薬剤師に確認する義務がある．薬剤師は，処方箋に疑わしい点があるときには，その処方箋を交付した医師，歯科医師又は獣医師に問い合わせて，その疑わしい点を確かめた後でなければ，これによって調剤してはならない．（法24条）

問 5　×　処方箋をコピーする行為は，（刑法161条）偽造私文書等行使，（同法159条）私文書偽造等，（同法246条）詐欺に該当し，禁止行為に当たり患者からの調剤の求めに応じることはできない．

問 6　○　日本薬剤師研修センターの研修認定制度に基づき，一定期間内に集合研修や自己研修を受け，定められた単位を取得した薬剤師の成果を客観的に認定する制度がある．

問 7　○　薬剤師法8条の二に薬剤師としての品位を損するような行為があったときは，厚生労働大臣は，3年以内の業務停止の処分をすることができるとされている．

問 8　○　厚生労働大臣は，絶対的欠格事由（未成年者）に該当する者には，薬剤師免許を与えない．

問 9　×　薬剤師免許の申請書は，都道府県知事を経由して厚生労働大臣に提出する．

問10　×　薬剤師免許の効力は，薬剤師名簿に登録された時点から有効となる．

問11　×　住所地の都道府県知事を経由して薬剤師免許を速やかに厚生労働大臣に返納する．

問 12 薬剤師免許証が破れたという理由では，再交付を申請することはできない．(100)

問 13 薬剤師が被補助人になった場合には，薬剤師免許が取り消される．(102)

問 14 薬剤師免許は，薬剤師免許証の交付によって効力が生じる．(102)

問 15 薬剤師国家試験に合格した者には，申請手続きを要せず免許が与えられる．(102)

問 16 視覚又は精神の機能の障害により薬剤師業務を適正に行うにあたって必要な認知，判断及び意思疎通を適切に行うことができない者は，免許を与えられないことがある．(102)

問 17 成年後被後見人とは，判断能力が欠けているのが通常の状態にある者として，家庭裁判所から後見開始の審判を受けた者である．(102)

問 18 薬剤師は，病棟においては，診療の補助を業として行える．(101)

問 19 薬剤師免許の処分にあたっては，薬事・食品衛生審議会の意見を聴かなければならない．(99)

問 20 戒告は最も軽い処分であるため，再教育研修の対象とはならない．(99)

問 21 行政処分での薬剤師業務停止期間は 3 年以内である．(99)

問 22 免許を取り消された者が再び薬剤師免許を取得しようとする場合は，改めて国家試験を受けて合格しなければならない．(99)

問 23 処方された医薬品を備蓄していなかったので，調剤を拒否した．(103)

問 24 患者から薬袋不要の申出があったので，調剤した薬剤だけ交付した．(103)

問 25 処方箋を交付した医師の同意を得て薬剤を変更して調剤した．(103)

問 26 処方箋に発行の年月日の記載がなかったが調剤した．(103)

問 27 薬剤師免許証を紛失し，再交付申請中であるが，調剤した．(103)

問 28 薬剤師が販売又は授与の目的で調剤した薬剤の適正な使用のため，患者に対し必要な情報を提供し薬学的知見に基づく指導を行い．その後電話にて使用状況を確認した．(104 改)

問 29 薬剤師が処方箋中に疑わしい点があったので，その処方箋を交付した医師に問い合わせたが連絡がつかなかったため，後で確認することにして調剤して交付した．(104)

問 30 薬局開設者が患者から希望があったので，調剤済みとなった処方箋を，すぐに患者に返した．(104)

問 31 薬剤師が，分割調剤を行ったので，処方箋に必要な事項を記載し，調剤録への記載は省略した．(104)

問 32 薬局開設者が，調剤録を最終の記載日から 3 年間保存したのち廃棄した．(104)

問 33 薬剤師の任務は，「医療及び保健指導をつかさどることによって，公衆衛生の向上及び増進に寄与し，もって国民の健康な生活を確保する.」と定められている．(105)

問 34 薬剤師でなければ，薬剤師又はこれにまぎらわしい名称を用いてはならない．(105)

問 35 薬剤師免許は，薬剤師国家試験の合格によって発行される．(105)

問 36 薬剤師は罪を犯しても，免許を取り消されることはない．(105)

問 37 調剤に従事する薬剤師に限り，資格を確認できるよう氏名が公表される．(105)

問12　×　薬剤師は免許証を破り，汚し，又は失った時は，免許証の再交付を申請することができる．

問13　×　被補助人は，被後見人及び被保佐人よりも障害の程度は軽いとされ，薬剤師になれない絶対的条件ではないため厚生労働大臣の裁量により判断される．

問14　×　薬剤師免許は，薬剤師名簿に登録されて，効力を生じる．

問15　×　薬剤師免許を受けようとする者は，麻薬中毒者でないこと等に関する医師の診断書，成年後被後見人等に登録されていないことの証明書等と共に都道府県知事を経由して厚生労働大臣に申請しなければならない．

問16　○　相対的欠格事由の1つである．他に麻薬，大麻又はアヘンの中毒者や罰金以上の刑に処された者等がある．

問17　○　記述のとおりである．被保佐人とは，判断能力が著しく不十分である者として家庭裁判所から保佐開始の審判を受けた者である．

問18　×　診療の補助を業として行えるのは看護師である．

問19　×　厚生労働大臣は，薬剤師の処分にあたって，医道審議会の意見を聴かなければならない．

問20　×　例え戒告であっても，厚生労働大臣は，再教育研修を命じることができる．

問21　○　処分は，戒告，3年以内の業務停止，免許の取り消しがある．

問22　×　薬剤師国家試験を再度受験する必要はない．免許を取り消された薬剤師について，再び免許を与えることが適当であると認められるときは，厚生労働大臣は，再び免許を与えることができる．

問23　×　調剤に従事する薬剤師は，調剤の求めがあった場合，正当な理由がなければ．これを拒んではならない．

問24　×　薬剤師法に基づくと，調剤した薬剤の容器又は被包（薬袋）には記載事項が定められており，薬剤のみを交付することはできない．

問25　○

問26　×　薬剤師は処方箋中に疑わしい点があるときは，処方箋を交付した医師，歯科医師及び獣医師確かめた後でなければ，調剤してはならない．

問27　○

問28　○

問29　×　薬剤師は，処方箋中に疑わしい点があるときは，その処方箋を交付した医師に問い合わせて，その疑わしい点を確かめた後でなければ，これによって調剤してはならない．

問30　×　薬局開設者は，当該薬局で調剤済みとなった処方箋を，調剤済みとなった日から3年間保存しなければならない．そのため患者に調剤済みの処方箋を返却することはできない．

問31　×　分割調剤は，すなわち調剤済みにならなかった処方箋であり，その処方箋及び調剤録に必要事項を記入しなければならない．また調剤済みとならなかった処方箋の所有権は，患者にある．

問32　○

問33　×　この記載は，医師法第1条であり，薬剤師は，調剤，医薬品の供給その他薬事衛生をつかさどることによって，公衆衛生の向上及び増進に寄与し，もって国民の健康的な生活を確保するものとする．（薬剤師法第1条）

問34　○　薬剤師法第20条

問35　×　薬剤師免許は，薬剤師国家試験に合格した者の申請により，薬剤師名簿に登録された時点より効力を生じる．（薬剤師法第7条）

問36　×　薬剤師が以下のいずれかに該当したときは，厚生労働大臣は，戒告3年以内の業務停止，免許の取消し処分をすることができる．

・心身の障害により薬剤師の業務を適正に行うことができない者として厚生労働省令で定めるもの．
・麻薬，大麻又はあへんの中毒者
・罰金以上の刑に処された者
・薬事に関し犯罪又は不正の行為があった者
・薬剤師として品位を損するような行為のあった者

問37　×　調剤に従事する薬剤師に限らず，すべての薬剤師は資格を確認できるよう氏名が公表されている．

複 合 問 題

問 1 薬剤師法に定める薬剤師の任務又は業務でないのはどれか．1つ選べ．(99)
1 調剤
2 医薬品の供給
3 処方箋の中の疑わしい点の医師，歯科医師，獣医師への照会
4 調剤した薬剤についての患者への情報提供
5 検査のための採血

問 2 厚生労働大臣が，薬剤師の免許の取消し等の処分をするにあたって，あらかじめ意見を聴かなければならないのはどれか．1つ選べ．(102)
1 医道審議会
2 都道府県知事
3 内閣府
4 薬事・食品衛生審議会
5 裁判所

問 3 日本国内において就業者数が最も多いのはどれか．1つ選べ．(101)
1 医師
2 歯科医師
3 薬剤師
4 看護師
5 臨床検査技師

問 4 薬剤師法において，薬剤師が，販売又は授与の目的で調剤したときに，患者又は現に看護にあたっている者に対して，情報の提供と共に行わなければならないとされているのはどれか．1つ選べ．(101)
1 療養の方法の指導
2 薬学的知見に基づく指導
3 療養上の世話
4 処方箋の写しの交付
5 疑義紹介の有無の告知

問 5 薬剤師を「医療の担い手」と明記している法律はどれか．1つ選べ．(100)
1 薬剤師法
2 医薬品医療機器等法
3 医療法
4 健康保険法
5 国民健康保険法

問 6 薬剤師に関する記述のうち，正しいのはどれか．1つ選べ．(104)
1 薬剤師の免許の効力は，薬剤師国家試験に合格したときから生じる．
2 薬剤師以外の者が調剤を行うことは，例外なく禁止されている．
3 薬剤師名簿への登録を行えば，自動的に保険薬剤師として登録される．
4 薬剤師でなければ，薬剤師又はこれにまぎらわしい名称を用いてはならない．
5 薬剤師の品位を損するような行為を行っても，免許を取り消されることはない．

（薬剤師法第28条の2）

解答・解説

問 1　解答　5

5　検査のための採血は，医行為であり，医師，医師の指導又は監督のもと，看護師及び臨床検査技師が行える行為である．

問 2　解答　1

1　医道審議会の意見を聴かなければならない．

問 3　解答　4

2014年の届出医師数は，311,205人
2014年の届出歯科医師数は，103,972人
2014年の届出薬剤師数は，288,151人
2014年の届出看護師数は，1,086,779人
2014年の届出臨床検査技師数は，64,079人

問 4　解答　2

薬剤師法第25条の2
薬剤師は，調剤した薬剤の適正な使用のため，販売又は授与の目的で調剤したときは，患者又は現にその看護にあたっている者に対し，必要な情報を提供し，及び必要な薬学的知見に基づく指導を行わなければならない．

問 5　解答　3

3　医療法第1条の4第2項

問 6　解答　4

1　薬剤師免許は，薬剤師名簿に登録された時点で効力を生じる．
2　例外として医師，歯科医師，獣医師が自らの処方箋により自ら調剤することができる．
3　自動的に保険薬剤師に登録されることはなく，薬剤師の申請により厚生労働大臣（地方厚生局等に委任）が行う．
5　薬剤師が以下のいずれかに該当したときは，厚生労働大臣は，戒告3年以内の業務停止，免許の取

問 7　薬剤師が業務上知りえた人の秘密を洩らすと秘密漏示罪に問 われる場合があるが，その根拠となる法律はどれか．1つ選べ．(105)

1　民法
2　薬剤師法
3　刑法
4　医薬品医療機器等法
5　個人情報の保護に関する法律

問 8　薬局薬剤師の役割として正しいのはどれか．1つ選べ．(105)

1　入院患者の薬物療法を決定する．
2　国民の主体的な健康管理を支援する．
3　医師の指示に基づき，在宅患者に治療行為をする．
4　親交のある患者に対し，供給不足の医薬品を優先的に配分する．
5　来局者の健康診断の結果から糖尿病の早期診断をする．

問 9　保険薬局で処方箋を受け付けた際の薬剤師の対応について，正しいものはどれか．2つ選べ．(97 改)

1　処方内容に疑問を感じただけでは，調剤を断る正当な理由にならない．
2　疑義照会をせず調剤を行った結果生じた被害については，民法による損害賠償の責任を問われることがある．
3　医師又は歯科医師の発行した処方箋であることを免許証番号で確認する．
4　処方箋を持参した者が患者自身でない場合は，患者との関係を確認し，調剤録に記載しなければならない．

問 10　体調の不良を訴えて成人男性が薬局を訪れた．薬剤師が男性に質問した結果，現在の服用薬，副作用歴，アレルギー歴はないことを確認した．(99 改)

薬剤師は，この男性の事例は一般用医薬品で対応できないと判断し，受診勧奨を行った．この男性は医療機関を受診し，再び薬局を訪れた．薬剤師法に照らし，薬剤師の行為として正しいのはどれか．1つ選べ．

1　ファクシミリで処方内容の連絡を受けていた薬剤を調剤したが，この男性が処方箋を持参しなかったため，その薬剤を交付しなかった．
2　この男性が処方箋に記載された薬剤とは異なる成分の薬剤を希望したため，その薬剤を調剤した．
3　処方箋に用法の記載がなかったため，一般的な用法を説明した．
4　お薬手帳の記載から，処方された薬剤が以前使用されたことがあるとわかったため，情報提供を行わなかった．
5　この男性から薬袋は不要であると申し出があったため，薬剤のみを交付した．

問 11　70 歳女性．圧迫骨折で入院中であり，以下の薬剤が処方された．(99 改)

(処方)		
	イプリフラボン錠 200 mg	1回1錠（1日3錠）
	メコバラミン錠 500 μg	1回1錠（1日3錠）
	ジクロフェナクナトリウム錠 25 mg	1回1錠（1日3錠）
	エペリゾン錠 50 mg	1回1錠（1日3錠）
	乳酸カルシウム水和物	1回1g（1日3g）

消し処分をすることができる.
・心身の障害により薬剤師の業務を適正に行うことができない者として厚生労働省令で定めるもの.
・麻薬，大麻又はあへんの中毒者
・罰金以上の刑に処された者
・薬事に関し犯罪又は不正の行為があった者
・薬剤師として品位を損するような行為のあった者.

問 7　解答　3
刑法第 134 条及び刑法第 135 条

問 8　解答　2
1　入院患者の薬物療法の決定は医師が行う業務である.
3　薬局薬剤師は，医師の指示に基づき在宅医療における薬学的管理指導をおこなうものの，治療行為は医師の業務である.
4　問題文のような行為は薬局薬剤師の業務ではない.
5　糖尿病の早期発見は重要であるが，医師の業務に該当する.

問 9　解答　1，2
1　○　処方内容に疑義がある場合は，処方した医師等に問い合わせ，疑義を明らかにした後に調剤を行う.
2　○　疑義照会をしなかった結果生じた被害については，民法で債務不履行責任を問われることがある.
3　×　医師等の記名押印又は署名でもって，薬剤師は医師等が発行した処方箋であることを確認する.
4　×　調剤録の記載事項は，患者の氏名等の処方箋の記載事項であり，処方箋を持参した者と患者の関係を記載する必要はない.

問10　解答　1
1　○　薬剤師は処方箋によらなければ，薬剤を交付してはならない.
2　×　薬剤師は処方医の同意を得なければ，薬剤を変更して調剤してはならない.
3　×　薬剤師は処方箋中に疑わしい点があるときは，処方医に問い合わせて明らかにした後でなければ，調剤してはならない.
4　×　薬剤師は，患者又は現に看護している者に，調剤した薬剤の適正な使用のために必要な情報を提供し，薬学的知見に基づく指導を行わなければならない.
5　×　薬剤師は，調剤した薬剤の容器又は被包に所定の事項を記入して交付しなければならない.

問11　解答　5
5　○　薬剤師は処方箋中に疑わしい点があるときは，処方医に問い合わせなければならない.

1日3回　朝昼夕食後　7日分

退院後，この患者は入院していた医療機関の処方箋とともに，別の医療機関からの処方箋を保険薬局に持参した．薬局の薬剤師が確認したところ，処方箋中に重複している薬剤があることを発見した．

処方変更が必要と考え，電話で処方医に問い合わせたところ，処方医は他の患者の診察中であり，「処方どおりに調剤してください」とだけ回答があった．その後の薬剤師の行動として，最も適切なものはどれか．1つ選べ．

1　医師が処方変更に応じないことへの不満を患者に伝えた．
2　処方どおりに調剤し，注意して服用するよう患者に指導した．
3　薬剤師の判断で，重複した薬剤を処方から削除して調剤した．
4　医師の心情に配慮して，次回の処方から変更してもらうことにした．
5　医師に正確に情報が伝わっていない可能性があると考え，再度医師に確認した．

問12　保険薬局の管理薬剤師が，新人の薬剤師に保険調剤について指導を行った．(101)

保険調剤は，「保険薬局及び保険薬剤師療養担当規則」に基づくものである．この規則の根拠となっている法律はどれか．1つ選べ．

1　介護保険法
2　医療法
3　健康保険法
4　薬剤師法
5　医薬品医療機器等法

問13　87歳女性，寝たきり．この患者に対して発行された処方薬と残薬を，家族が薬局に持参した．(102)

(持参した残薬の一覧)

カルデサルタンシレキセチル錠8 mg	75錠
シルニジピン錠20 mg	135錠
ヒドロクロロチアジド錠25 mg	72錠
アトルバスタチン錠10 mg	37錠
酸化マグネシウム錠250 mg	232錠

(持参した処方箋の内容)

〔処方1〕

カルデサルタンシレキセチル錠8 mg	1回1錠（1日1錠）
シルニジピン錠20 mg	1回1錠（1日1錠）
ヒドロクロロチアジド錠25 mg	1回1錠（1日1錠）
タモキシフェン錠20 mg	1回1錠（1日1錠）

1日1回　朝食後　30日分

〔処方2〕

アトルバスタチン錠10 mg	1回1錠（1日1錠）

1日1回　夕食後　30日分

〔処方3〕

酸化マグネシウム錠250 mg	1回1錠（1日3錠）

1日3回　朝昼夕食後　30日分

その後，この患者の服薬アドヒアランスを向上させるため，処方医の指示により薬剤師が患者宅を訪問した．患者の居宅で行うことができない業務はどれか．2つ選べ．(102)

1　処方箋を受け取ること
2　薬剤を粉砕すること
3　疑義照会をすること
4　薬剤を一包化すること
5　薬剤を交付すること

問12　解答　3

保険薬局及び保険薬剤師療養担当規則は，厚生労働省令である．省令は，法律や政令を施行するため，あるいは法律や政令に基づいて発する命令とされている．保険薬局及び保険薬剤師療養担当規則は，健康保険法に定められた保険薬局及び保険薬剤師としての業務を滞りなく実施するため，健康保険法の委任に基づいて定められた省令である．

問13　解答　2，4

薬剤師法に基づけば以下のことが居宅等で行える．

処方箋の受領，疑義照会，処方医の同意を得て医薬品の数量調整，薬剤の交付及びその情報提供．

問14 69歳女性皮膚科を受診し，四肢の皮膚湿疹に対して以下の処方箋持ち，初めてこの薬局を訪れた．薬剤師が薬を取り揃える前にお薬手帳で併用薬を確認したところ，女性はラタノプロスト点眼薬を処方されていた．なお，副作用歴やアレルギー歴はないとのことであった．女性は今回の処方薬を初めて使用する．

（処方1）
ベタメタゾン・d—クロルフェニラミンマレイン酸塩配合錠　1回1錠（1日2錠）
1日2回　朝夕食後5日分

（処方2）
エビナスチン塩酸塩錠200 mg　1回1錠）(1日1錠）
1日1回夕食後　14日分

（処方3）
ベタメタゾン吉草酸エステル軟膏0.12％5 g
1回適量　1日2回　朝夕　四肢の患部に塗布

処方監査に基づく疑義照会について正しいのはどれか2つ選べ．(103)

1　処方に誤りがあり，疑義があったにもかかわらず薬剤師が疑義照会をせず，そのため患者に健康被害が生じた場合，処方医が損害賠償責任を負うが，薬剤師は負わない．(103)
2　疑義照会は，処方医でなくても医師に行えばよい．
3　処方箋中に法令で定められた事項が記載されていない場合は，疑義照会を行なければならない．
4　患者がお薬手帳を持参しない場合は，併用薬はないものとして疑義の有無を判断する．
5　疑義照会による医師からの回答の内容は処方箋に記入しなければならない．

問14　解答　3，5

1　×　疑義照会を怠ったため患者に健康被害が発症した場合は調剤過誤にあたり，薬剤師は損害賠償責任（不法行為責任）また疑義紹介を怠ることは薬剤師法に抵触する罰則及び行政処分が下される可能性がある．

2　×　疑義照会は，処方箋を交付した医師にしなければならない．

4　×　お薬手帳の有無にかかわらず，薬剤師は併用薬に注意を払う必要がある．

8章　医薬品，医療機器等の品質，有効性及び安全性の確保等に関する法律（医薬品医療機器等法）

薬事法の名称は，平成26年11月25日から，医薬品，医療機器等の品質，有効性及び安全性の確保等に関する法律（略称：医薬品医療機器等法）に変更された．

a　規制対象物の定義と分類

1）医薬品医療機器等法の3つの目的

> （目的）第1条　この法律は，医薬品，医薬部外品，化粧品，医療機器及び再生医療等製品（以下「医薬品等」という）の品質，有効性及び安全性の確保並びにこれらの使用による保健衛生上の危害の発生及び拡大の防止のために必要な規制を行うとともに，指定薬物の規制に関する措置を講ずるほか，医療上特にその必要性が高い医薬品，医療機器及び再生医療等製品の研究開発の促進のために必要な措置を講ずることにより，保健衛生の向上を図ることを目的とする．

① **医薬品等の品質・有効性・安全性の確保及び使用による危害の発生・拡大の防止**→このために，薬局（b節），販売業（c節，d節），品質・製造（e節），承認審査（f節），流通（h節）を規制し，製造販売後調査制度（g節）を設け，監督・取締（j節）を行う．

② **指定薬物の規制**→このために，製造，輸入，販売，使用，所持等の禁止，広告の制限，検査等（k節）を行う．

③ **医療上特にその必要性が高い医薬品，医療機器及び再生医療等製品の研究開発の促進**→第9章医薬品医療機器総合機構法

＜医薬品医療機器等法の究極の目的＞　保健衛生の向上を図る．

本法は医薬品，医薬部外品，化粧品，医療機器，再生医療等製品及び指定薬物の6つの『規制対象物』に関する日本国内での『業』のあらゆる活動を規制する法律である．

2）国及び地方公共団体の責務

> （国の責務）第1条の2　国は，この法律の目的を達成するため，医薬品等の品質，有効性及び安全性の確保，これらの使用による保健衛生上の危害の発生及び拡大の防止その他の必要な施策を策定し，及び実施しなければならない．
>
> （都道府県等の責務）第1条の3　都道府県，地域保健法（昭和22年法律第101号）第5条第1項の政令で定める市（以下「保健所を設置する市」という．）及び特別区は，前条の施策に関し，国との適切な役割分担を踏まえて，当該地域の状況に応じた施策を策定し，及び実施しなければならない．

●国の責任及び国との役割分担が求められる地方自治体の責任を明文化している．

3）医薬品等関連事業者及び医薬関係者の責務

（医薬品等関連事業者等の責務）第1条の4　医薬品等の製造販売，製造（小分けを含む．以下同じ．），販売，貸与若しくは修理を業として行う者，第4条第1項の許可を受けた者（以下「薬局開設者」という．）又は病院，診療所若しくは飼育動物診療施設（獣医療法（平成四年法律第46号）第2条第2項に規定する診療施設をいい，往診のみによつて獣医師に飼育動物の診療業務を行わせる者の住所を含む．以下同じ．）の開設者は，その相互間の情報交換を行うことその他の必要な措置を講ずることにより，医薬品等の品質，有効性及び安全性の確保並びにこれらの使用による保健衛生上の危害の発生及び拡大の防止に努めなければならない．

（医薬関係者の責務）第1条の5　医師，歯科医師，薬剤師，獣医師その他の医薬関係者は，医薬品等の有効性及び安全性その他これらの適正な使用に関する知識と理解を深めるとともに，これらの使用の対象者（動物への使用にあつては，その所有者又は管理者．第68条の4，第68条の7第3項及び第4項，第68条の21並びに第68条の22第3項及び第4項において同じ．）及びこれらを購入し，又は譲り受けようとする者に対し，これらの適正な使用に関する事項に関する正確かつ適切な情報の提供に努めなければならない．

●医薬品等関連事業者の責務として，相互間の情報交換を行うこと，また医薬関係者の責務として使用者等への正確かつ適切な情報の提供が努力義務となっている．

4）国民の義務

（国民の役割）第1条の6　国民は，医薬品等を適正に使用するとともに，これらの有効性及び安全性に関する知識と理解を深めるよう努めなければならない．

●ネット販売などにより医薬品等の入手が容易になったことから，安全性・有効性に関する知識を国民にも求めている．

5）医薬品の定義

第2条　この法律で「医薬品」とは，次に掲げる物をいう．

一　日本薬局方に収められている物

二　人又は動物の疾病の診断，治療又は予防に使用されることが目的とされている物であって，機械器具等（機械器具，歯科材料，医療用品，衛生用品並びにプログラム（電子計算機に対する指令であって，一の結果を得ることができるように組み合わされたものをいう．以下同じ．）及びこれを記録した記録媒体をいう．以下同じ．）でないもの（医薬部外品及び再生医療等製品を除く．）

三　人又は動物の身体の構造又は機能に影響を及ぼすことが目的とされている物であって，機械器具等でないもの（医薬部外品，化粧品及び再生医療等製品を除く．）

●医薬品とは次の①～③のいずれかの要件を満たすものである.

医薬品		
医薬品	① 日本薬局方収載品	精製水，アスピリン，トウモロコシデンプンなど賦形剤などの医薬品添加物
	② 人・動物の疾病の診断・治療・予防に使用するもの（医療機器，医薬部外品及び再生医療等製品を除く）	診断薬：妊娠診断薬，尿たんぱく試薬など 予防薬：ワクチン類，殺虫剤など 治療薬：
	③ 人・動物の身体の構造・機能に影響を及ぼすもの（医療機器，医薬部外品，化粧品及び再生医療等製品を除く）	避妊薬，嫌煙薬，減肥薬など

●処方箋により調剤された薬剤は，一般に流通する物ではないので，本法上の医薬品に該当しない（薬剤師法第25条）.

●飲食物は医薬品・医薬部外品を除いて全て食品である．その境界を科学的に線引きすることは難しいが，効能効果を標榜すると，法第2条で医薬品に該当する．ダイエットを標榜する健康食品などは，未承認無許可医薬品で不正医薬品となる.

＜体外診断用医薬品＞

> 第2条14　この法律で「体外診断用医薬品」とは，専ら疾病の診断に使用されることが目的とされている医薬品のうち，人又は動物の身体に直接使用されることのないものをいう.

●診断薬は体外用診断薬（血液，尿などの検査薬）と体内用診断薬（硫酸バリウム，ヨード造影剤など）に分けられる.

●放射性医薬品は原子力基本法に規定する放射線を放出する医薬品をいい，直接人体に投与し，体外から特殊な装置で放射性同位元素が放出する微量の放射線を測定するもの（甲状腺機能検査に用いられるヨウ化ナトリウムなど：体内診断用放射性医薬品）と，直接人体には投与せず，血液及び尿中に含まれる微量の物質を体外で測定するもの（ガンの診断に使用される腫瘍マーカーなど：体外診断用放射性医薬品）がある.

6）医薬部外品の定義

> 第2条2　この法律で「医薬部外品」とは，次に掲げる物であって人体に対する作用が緩和なものをいう.
> 一　次のイからハまでに掲げる目的のために使用される物（これらの使用目的のほかに，併せて前項第二号又は第三号に規定する目的のために使用される物を除く.）であつて機械器具等でないもの
> イ　吐きけその他の不快感又は口臭若しくは体臭の防止
> ロ　あせも，ただれ等の防止
> ハ　脱毛の防止，育毛又は除毛
> 二　人又は動物の保健のためにするねずみ，はえ，蚊，のみその他これらに類する生物の防除の目的のために使用される物（この使用目的のほかに，併せて前項第二号又は第三号に規定する目的のために使用される物を除く.）であつて機械器具等でないもの
> 三　前項第二号又は第三号に規定する目的のために使用される物（前二号に掲げる物を除く.）のうち，厚生労働大臣が指定するもの

★厚生労働大臣の指定する医薬部外品（最終改正・平成 21 年 2 月 6 日）

(1) 胃の不快感を改善することが目的とされている物	(12) 滋養強壮，虚弱体質の改善及び栄養補給が目的とされている物
(2) いびき防止薬	(13) 生薬を主たる有効成分とする保健薬
(3) カルシウムを主たる有効成分とする保健薬［(16) に掲げるものを除く.］	(14) すり傷，切り傷，さし傷，かき傷，靴ずれ，創傷面等の消毒又は保護に使用されることが目的とされている物
(4) 含嗽（がんそう）薬	
(5) 健胃薬［(1) 及び (21) に掲げるものを除く.］	(15) 整腸薬［(21) に掲げるものを除く.］
(6) 口腔（こうくう）咽喉（いんこう）薬（(17) に掲げるものを除く.）	(16) 肉体疲労時，中高年期等のビタミン又はカルシウムの補給が目的とされている物
(7) コンタクトレンズ装着薬	(17) のどの不快感を改善することが目的とされている物
(8) 殺菌消毒薬［(14) に掲げるものを除く.）	(18) 鼻づまり改善薬（外用剤に限る.）
(9) しもやけ＝あかぎれ用薬［(20) に掲げるものを除く.］	(19) ビタミンを含有する保健薬［(12) 及び (16) に掲げるものを除く.］
(10) 瀉下（しゃげ）薬	(20) ひび，あかぎれ，あせも，ただれ，うおのめ，たこ，手足のあれ，かさつき等を改善することが目的とされている物
(11) 消化薬［(21) に掲げるものを除く.］	(21) (5)，(11) 又は (15) に掲げる物のうち，いずれか二以上に該当するもの

●医薬部外品に必要な要件は以下のとおり.

① **人体に対する作用が緩和なもの**：人体に対する作用が強い殺虫剤（毒薬，劇薬に該当するものなど）は医薬品であり，蚊取り線香など緩和なものは医薬部外品である.

② **厚生労働大臣が指定するもの**：平成 11 年以降厚生労働大臣が指定されたものは，新指定医薬部外品ともいわれる．医薬品販売の規制緩和に伴い，コンビニエンス・ストア，一般小売店でも販売できるように医薬部外品に移行された.

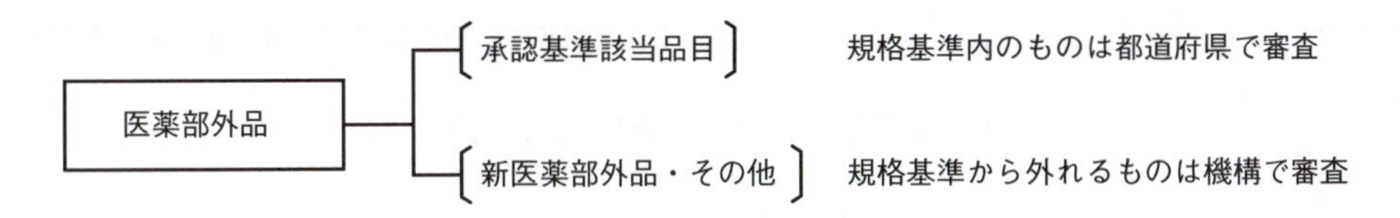

図 8.1　医薬部外品の承認審査による分類
（厚生労働白書より一部改変）

7) 化粧品の定義

> 第2条3　この法律で「**化粧品」とは**，人の身体を清潔にし，美化し，魅力を増し，容貌を変え，又は皮膚若しくは毛髪を健やかに保つために，身体に塗擦，散布その他これらに類似する方法で使用されることが目的とされている物で，人体に対する作用が緩和なものをいう．ただし，これらの使用目的のほかに，第一項第二号又は第三号に規定する用途に使用されることも併せて目的とされている物及び医薬部外品を除く.

●化粧品に必要な要件は以下のとおり.

① **使用目的**：人の身体を清潔にし，美化し，魅力を増し，容貌を変え，又は皮膚若しくは毛髪を健

やかに保つ．したがって，動物用は含まない．

② **使用方法**：身体に塗擦（とさつ），散布その他これらに類似する方法で使用する．したがって，内服は含まない．

③ 人体に対する**作用が緩和なもの**．

④ **医薬品，医薬部外品に該当しないもの**

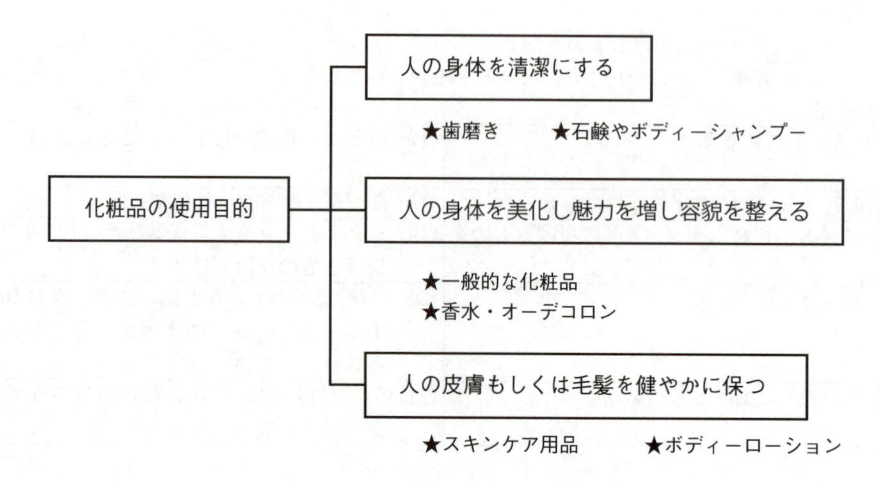

図 8.2 化粧品の使用目的による分類

●薬用化粧品：使用目的，使用方法は化粧品とほぼ同様であるが，にきび，肌荒れ，かぶれ等の防止又は皮膚の殺菌消毒に使用されるもので，医薬部外品に属する．

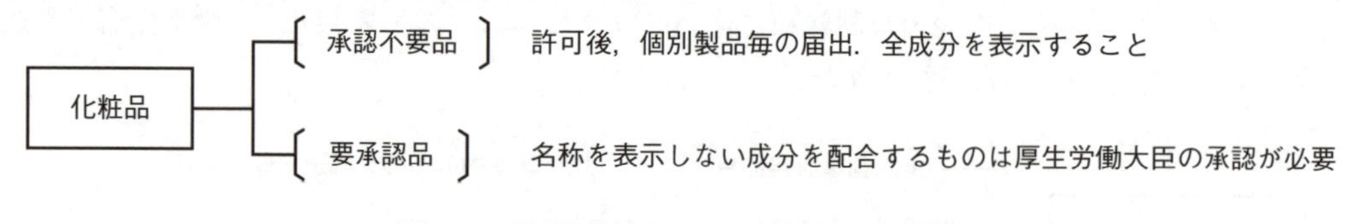

図 8.3 承認手続きによる化粧品の分類

8）医療機器（高度管理医療機器・管理医療機器・一般医療機器）と特定保守管理医療機器の定義

第２条４　この法律で**「医療機器」とは**，人若しくは動物の疾病の診断，治療若しくは予防に使用されること，又は人若しくは動物の身体の構造若しくは機能に影響を及ぼすことが目的とされている機械器具等（再生医療等製品を除く．）であって，政令で定めるものをいう．

第２条５　この法律で**「高度管理医療機器」とは**，医療機器であって，副作用又は機能の障害が生じた場合（適正な使用目的に従い適正に使用された場合に限る．次項及び第七項において同じ．）において人の生命及び健康に重大な影響を与えるおそれがあることからその適切な管理が必要なものとして，厚生労働大臣が薬事・食品衛生審議会の意見を聴いて指定するものをいう．

第２条６　この法律で**「管理医療機器」とは**，高度管理医療機器以外の医療機器であって，副作用又は機能の障害が生じた場合において人の生命及び健康に影響を与えるおそれがあることからその適切な管理が必要なものとして，厚生労働大臣が薬事・食品衛生審議会の意見を聴いて指定するものをいう．

第２条７　この法律で**「一般医療機器」とは**，高度管理医療機器及び管理医療機器以外の医療機器であって，副作用又は機能の障害が生じた場合においても，人の生命及び健康に影響を与えるおそれがほとんどないものとして，厚生労働大臣が薬事・食品衛生審議会の意見を聴いて指定するものをいう．

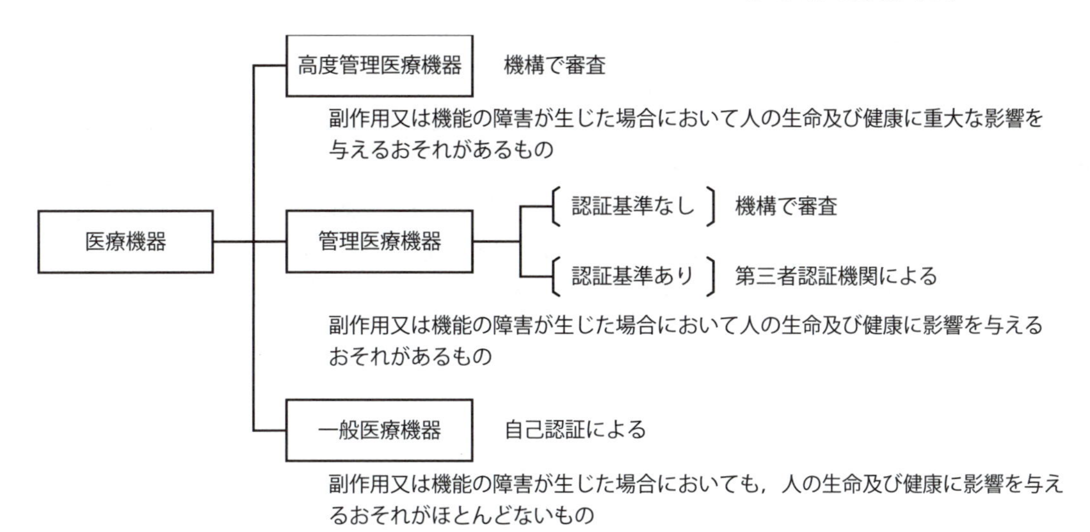

図 8.4　医療機器の分類

●医療機器に必要な要件は以下のとおり．

① **使用目的**：人・動物の疾病の診断・治療・予防を目的とするもの，あるいは人・動物の身体の構造・機能に影響を及ぼすことを目的とするもの（医薬品の要件 ②，③ と同じ）

② 再生医療等製品を除く**機械器具等**であるもの

③ **政令で定めるもの**：機械器具（手術台及び治療台，保育器，視力補正用眼鏡ほか），医療用品（エックス線フィルム，縫合糸ほか），歯科材料（歯科用金属，歯冠材料ほか），衛生用品（月経処理用タンポン，コンドームほか）

●医療機器はその**リスクにより**，高度管理医療機器（**人工透析器**，**コンタクトレンズ**など），管理医療機器（**補聴器**，電子式血圧計など），一般医療機器（**家庭用救急絆創膏**，**ガーゼ**など）に分けられる．

<特定保守管理医療機器>

> 第２条８　この法律で**「特定保守管理医療機器」とは**，医療機器のうち，保守点検，修理その他の管理に専門的な知識及び技能を必要とすることからその適正な管理が行われなければ疾病の診断，治療又は予防に重大な影響を与えるおそれがあるものとして，厚生労働大臣が薬事・食品衛生審議会の意見を聴いて指定するものをいう．

●特定保守管理医療機器には，心臓カテーテル付検査装置，軟性血管鏡血液透析ろ過装置，汎用人工呼吸器などがある．

9）再生医療等製品の定義

> 第２条９　この法律で**「再生医療等製品」とは**，次に掲げる物（医薬部外品及び化粧品を除く）であって，政令で定めるものをいう．
> 一　次に掲げる医療又は獣医療に使用されることが目的とされている物のうち，人又は動物の細胞に培養その他の加工を施したもの
> 　イ　人又は動物の身体の構造又は機能の再建，修復又は形成
> 　ロ　人又は動物の疾病の治療又は予防

二　人又は動物の疾病の治療に使用されることが目的とされている物のうち，人又は動物の細胞に導入され，これらの体内で発現する遺伝子を含有させたもの

●再生医療等製品は，いずれも人又は動物の細胞を用いることから，品質が不均一であり，有効性の予測が困難であるという特性を持つ．現在，自家培養表皮，自家培養軟骨などが医療現場で使用され，iPS 細胞，ES 細胞を用いた治験が行われている．細胞を使って身体の構造等の再建等を行う例：軟骨再生製品，細胞を使って疾病の治療を行う例：癌免疫製品，遺伝子治療の例：遺伝性疾患治療製品

10) 生物由来製品・特定生物由来製品の定義

第2条10　この法律で「生物由来製品」とは，人その他の生物（植物を除く.）に由来するものを原料又は材料として製造をされる医薬品，医薬部外品，化粧品又は医療機器のうち，保健衛生上特別の注意を要するものとして，厚生労働大臣が薬事・食品衛生審議会の意見を聴いて指定するものをいう.

第2条11　この法律で「特定生物由来製品」とは，生物由来製品のうち，販売し，賃貸し，又は授与した後において当該生物由来製品による保健衛生上の危害の発生又は拡大を防止するための措置を講ずることが必要なものであって，厚生労働大臣が薬事・食品衛生審議会の意見を聴いて指定するものをいう.

●生物由来製品は，ワクチン，抗毒素遺伝子組換えタンパク，培養細胞由来タンパク，ヘパリンなどの主に動物に由来する原料又は材料を用いた製品である.

●特定生物由来製品は輸血用血液製剤，ヒト血漿分画製剤，ヒト臓器抽出医薬品など（本章 i 節参照）の主に人の血液や組織に由来する原料又は材料を用いた製品である.

11) 薬局の定義

第2条12　この法律で「薬局」とは，薬剤師が販売又は授与の目的で調剤の業務を行う場所（その開設者が医薬品の販売業を併せ行う場合には，その販売業に必要な場所を含む.）をいう．ただし，病院若しくは診療所又は飼育動物診療施設の調剤所を除く.

●薬局は，薬剤師が調剤の業務を行う場所，販売業をあわせて行う場合には，その場所も含む．ただし病院等の調剤所は，医療法で規定され，本法で規制されない（本章 b 節参照）.

12) 製造販売の定義

第2条13　この法律で「製造販売」とは，その製造（他に委託して製造をする場合を含み，他から委託を受けて製造をする場合を除く．以下「製造等」という.）をし，又は輸入をした医薬品（原薬たる医薬品を除く.），医薬部外品，化粧品，医療機器若しくは再生医療等製品を，それぞれ販売し，貸与し，若しくは授与し，又は医療機器プログラム（医療機器のうちプログラムであるものをいう．以下同じ.）を電気通信回線を通じて提供することをいう.

●医薬品等を世の中に送り出す者を「製造販売業」者と定義し，自ら製造する者以外に他に委託して製造する者も含め，市販後まで，その品質，有効性，安全性については責任を負うことになった（本章 e 節参照）.

13）指定薬物の定義

第2条15　この法律で「指定薬物」とは，中枢神経系の興奮若しくは抑制又は幻覚の作用（当該作用の維持又は強化の作用を含む．以下「精神毒性」という．）を有する蓋然性が高く，かつ，人の身体に使用された場合に保健衛生上の危害が発生するおそれがある物（大麻取締法（昭和23年法律第124号）に規定する大麻，覚醒剤取締法（昭和26年法律第252号）に規定する覚醒剤，麻薬及び向精神薬取締法（昭和28年法律第14号）に規定する麻薬及び向精神薬並びにあへん法（昭和29年法律第71号）に規定するあへん及びけしがらを除く．）として，厚生労働大臣が薬事・食品衛生審議会の意見を聴いて指定するものをいう．

●指定薬物とは，**興奮等の作用を有する蓋然性（がいぜんせい）**が高く，かつ，使用した場合に保健衛生上の危害が発生するおそれのある**麻薬類似の薬物である**（本章k節参照）．

14）希少疾病用医薬品・希少疾病用医療機器・希少疾病用再生医療等製品の定義

第2条16　この法律で「希少疾病用医薬品」とは，第77条の2第1項の規定による指定を受けた医薬品を，「希少疾病用医療機器」とは，同項の規定による指定を受けた医療機器を，「希少疾病用再生医療等製品」とは，同項の規定による指定を受けた再生医療等製品をいう．

●希少疾病用医薬品及び希少疾病用医療機器は**対象者（患者）数5万人未満**で，医療上の必要性，開発の可能性などを要件に指定される（本章l節参照）．

15）治験の定義

第2条17　この法律で「治験」とは，第14条第3項（同条第9項及び第19条の2第5項において準用する場合を含む．），第23条の2の5第3項（同条第11項及び第23条の2の17第5項において準用する場合を含む．）又は第23条の25第3項（同条第9項及び第23条の37第5項において準用する場合を含む．）の規定により提出すべき資料のうち臨床試験の試験成績に関する資料の収集を目的とする試験の実施をいう．

●治験とは，医薬品又は医療機器の製造販売承認申請書に添付する資料のうち，臨床試験の成績に関する資料の収集を目的として実施する試験をいう（第6章c節参照）．

16）物の定義

第2条18　この法律にいう「物」には，プログラムを含むものとする．

●ソフトウェアは単体で医療機器の有効性・安全性に関与する．具体的にはソフトウェアを汎用パソコン等にインストールすることで，医療機器として性能を発揮する「単体プログラム」を定義し規制の対象とする．

17）地方薬事審議会

> 第３条 都道府県知事の諮問に応じ，薬事（医療機器及び再生医療等製品に関する事項を含む．以下同じ．）に関する当該都道府県の事務及びこの法律に基づき当該都道府県知事の権限に属する事務のうち政令で定めるものに関する重要事項を調査審議させるため，各都道府県に，地方薬事審議会を置くことができる．

●地方薬事審議会は都道府県知事の薬事に関する諮問機関として設置されるものである．厚生労働省に設置され大臣に諮問する機関は薬事・食品衛生審議会である

参考文献
1）日本公定書協会編集（2014）薬事衛生六法 2014 年版，p.20 ～ 712，薬事日報社
2）厚生労働省製作統括官付政策評価官室編集（2008）平成 20 年版厚生労働白書，p.92 ～ 100

Checkpoint

医薬品医療機器等法とは	本法は医薬品などの『物』に関し，国内での『業として』のあらゆる活動を規制する法律
法の目的	＜保健衛生の向上を図る＞ ① 医薬品・医薬部外品・化粧品・医療機器・再生医療等製品の品質・有効性・安全性を確保のために必要な規制を行う ② 指定薬物の規制に関する措置を講ずる ③ 希少疾病用医薬品・医療機器の研究開発の促進のために必要な措置を講ずる
（定義）	
医薬品	① 局方品 ② 人・動物の疾病の診断・治療・予防に使用する機械器具等でないもの（医薬部外品・再生医療等製品を除く） ③ 人・動物の身体の構造・機能に影響を及ぼす機械器具等でないもの（医薬部外品・化粧品・再生医療等製品を除く）
医薬部外品	体に対する作用が緩和な物であって医薬品・機械器具等でないもの ① 吐きけその他の不快感・口臭・体臭の防止 ② あせも・ただれ等の防止 ③ 脱毛の防止・育毛・除毛 ④ ねずみ・はえ・蚊・のみ等の駆除・防止 ⑤ その他
化粧品	身体に塗擦・散布その他類似する方法で，清潔・美化・魅力を増し・容貌を変え，皮膚・毛髪を健やかに保つために使用，作用が緩和な，医薬品・医薬部外品でないもの
医療機器	人・動物の疾病の診断・治療・予防，又は身体の構造・機能に影響を及ぼすことが目的とされている機械器具等
高度管理医療機器	医療機器であって，副作用・機能の障害が生じた場合（適正な使用目的に従い適正に使用された場合に限る）において人の生命・健康に重大な影響を与えるおそれがあることからその適切な管理が必要なもの

管理医療機器	高度管理医療機器以外の医療機器であって，副作用・機能の障害が生じた場合において人の生命・健康に影響を与えるおそれがあることからその適切な管理が必要なもの
一般医療機器	高度管理医療機器・管理医療機器以外の医療機器であって，副作用・機能の障害が生じた場合においても，人の生命・健康に影響を与えるおそれがほとんどないもの
特定保守管理医療機器	医療機器のうち，保守点検・修理その他の管理に専門的な知識・技能を必要とすることから，その適正な管理が行われなければ疾病の診断・治療・予防に重大な影響を与えるおそれがあるもの
再生医療等製品	医療又は獣医療に使用されることを目的とするもので，人又は動物の細胞に培養その他の加工を施したもの，人又は動物の細胞に導入され，これらの体内で発現する遺伝子を含有させたもの
生物由来製品	人その他の生物（植物を除く）に由来するものを原料・材料として製造される医薬品・医薬部外品・化粧品・医療機器のうち，保健衛生上特別の注意を要するもの
特定生物由来製品	生物由来製品のうち，販売・賃貸・授与した後に当該生物由来製品による保健衛生上の危害の発生・拡大防止に措置を講ずることが必要なもの
薬　局	薬剤師が販売・授与の目的で調剤の業務を行う場所 開設者が医薬品の販売業を併せ行う場合に，その販売業に必要な場所 病院等の調剤所を除く
製造販売	製造・輸入した医薬品・医薬部外品・化粧品・医療機器を販売・賃貸・授与すること
体外診断用医薬品	専ら疾病の診断に使用されることが目的とされている医薬品 人・動物の身体に直接使用されることのないもの
指定薬物	大麻・覚せい剤・麻薬等ではなく，中枢神経系の興奮・抑制・幻覚の作用を有する蓋然性が高く，かつ，人の身体に使用された場合に保健衛生上の危害が発生するおそれがあるもの
希少疾病用医薬品・希少疾病用医療機器	発症者数が5万人未満の疾病に用いる医薬品等で，国が指定する
治　験	提出すべき医薬品承認申請資料のうち臨床試験の試験成績に関する資料の収集を目的とする試験の実施をいう
地方薬事審議会	薬事に関する都道府県知事の諮問機関

問　題

問 1　疾病の診断，治療又は予防に用いられる物は，医薬品又は医療機器のどちらかに該当する．(94)

問 2　特定生物由来製品とは，生物由来製品のうち，保健衛生上の危害防止の措置が必要なものであって，厚生労働大臣により指定されたものをいう．(93)

問 3　化粧品は，人の身体を清潔にし，美化することなどが目的であり，疾病の診断，治療又は予防を目的としていない．(94)

問 4　医療機器は，高度医療機器，管理医療機器又は一般医療機器のいずれかに該当する．(94)

問 5　生物由来製品とは，医薬品のうち，植物以外の生物由来原料を利用して製造された製品をいう．(93)

問 6　国は，医薬品の使用による保健衛生上の危害の発生及び拡大の防止のための施策を策定しなければならない．(101)

問 7　体外診断用医薬品は，処方箋医薬品として指定される．(99)

問 8　人の疾病の診断，治療又は予防に使用されることを目的としたプログラムも医療機器に該当することがある．(102)

問 9　人体に対するリスクの大きさによって，「高度管理医療機器」，「管理医療機器」，「一般医療機器」に分類される．(102)

問 10　医療機器には再生医療等製品も含まれる．(102)

問 11　指定薬物は，麻薬又は向精神薬の中から指定される．(103)

問 12　覚醒剤は，指定薬物に含まれる．(103)

問 13　指定薬物は，医薬品医療機器等法による「医療等の用途」以外の用途に使用してはならない．(103)

問 14　指定薬物について，何人も広告を行ってはならない．(103)

問 15　厚生労働大臣は，指定薬物の疑いがある物品を発見した場合，その物品を貯蔵している者に対して，指定薬物であるかどうかの検査を受けるべきことを命ずることができる．(103)

解答・解説

問 1　×　予防に用いられる物は必ずしも医薬品又は医療機器ではない．

問 2　○　特定生物由来製品とは，保健衛生上の危害防止の措置が必要な生物由来製品である．

問 3　○　化粧品は，人の身体を清潔にし，美化することなどが目的である．

問 4　○　医療機器は，高度医療機器，管理医療機器，一般医療機器の 3 つに分けられる．

問 5　×　医薬品のみではない．

問 6　○　医薬品医療機器等法第 1 条の 2 には，「国は，この法律の目的を達成するため，医薬品等の品質，有効性及び安全性の確保，これらの使用による保健衛生上の危害の発生及び拡大の防止その他の必要な施策を策定し，及び実施しなければならない．」と定められている．

問 7　×　体外診断用医薬品には，処方箋医薬品に指定されているものはない．

問 8　○　医薬品医療機器等法第 2 条第 4 項には，「この法律で「医療機器」とは，人若しくは動物の疾病の診断，治療若しくは予防に使用されること，又は人若しくは動物の身体の構造若しくは機能に影響を及ぼすことが目的とされている機械器具等（再生医療等製品を除く．）であつて，政令で定めるものをいう．」と定められており，機械器具等にはプログラムも含まれる．

問 9　○　医薬品医療機器等法第 2 条第 5 項には，「この法律で「高度管理医療機器」とは，医療機器であつて，副作用又は機能の障害が生じた場合（適正な使用目的に従い適正に使用された場合に限る．次項及び第 7 項において同じ．）において人の生命及び健康に重大な影響を与えるおそれがあることからその適切な管理が必要なものとして，厚生労働大臣が薬事・食品衛生審議会の意見を聴いて指定するものをいう．」，同第 6 項には「この法律で「管理医療機器」とは，高度管理医療機器以外の医療機器であつて，副作用又は機能の障害が生じた場合において人の生命及び健康に影響を与えるおそれがあることからその適切な管理が必要なものとして，厚生労働大臣が薬事・食品衛生審議会の意見を聴いて指定するものをいう．」，同第 7 項には「この法律で「一般医療機器」とは，高度管理医療機器及び管理医療機器以外の医療機器であつて，副作用又は機能の障害が生じた場合においても，人の生命及び健康に影響を与えるおそれがほとんどないものとして，厚生労働大臣が薬事・食品衛生審議会の意見を聴いて指定するものをいう．」と定められている．

問 10　×　再生医療等製品は，医療機器から除かれる．

問 11　×　指定薬物は大麻，覚醒剤，麻薬，向精神薬，あへん及びけしがらを除く．

問 12　×　指定薬物は大麻，覚醒剤，麻薬，向精神薬，あへん及びけしがらを除く．

問 13　○　医薬品医療機器等法第 76 条の 4 には，「指定薬物は，疾病の診断，治療又は予防の用途及び人の身体に対する危害の発生を伴うおそれがない用途として厚生労働省令で定めるもの（以下この条及び次条において「医療等の用途」という．）以外の用途に供するために製造し，輸入し，販売し，授与し，所持し，購入し，若しくは譲り受け，又は医療等の用途以外の用途に使用してはならない．」と定められている．

問 14　×　医薬関係者などを対象として行うことができる．

問 15　○　医薬品医療機器等法第 76 条の 6 第 1 項には，「厚生労働大臣又は都道府県知事は，指定薬物又は指定薬物と同等以上に精神毒性を有する蓋然性が高い物である疑いがある物品を発見した場合において，保健衛生上の危害の発生を防止するため必要があると認めるときは，厚生労働省令で定めるところにより，当該物品を貯蔵し，若しくは陳列している者又は製造し，輸入し，販売し，若しくは授与した者に対して，当該物品が指定薬物であるかどうか及び当該物品が指定薬物でないことが判明した場合にあつては，当該物品が指定薬物と同等以上に精神毒性を有する蓋然性が高い物であるかどうかについて，厚生労働大臣若しくは都道府県知事又は厚生労働大臣若しくは

問 16　指定薬物は麻薬及び向精神薬取締法に基づき，厚生労働大臣が指定する．(101)

問 17　指定薬物の販売を行う際には，指定薬物販売業の許可を得る必要がある．(101)

問 18　指定薬物を廃棄しようとする者は，その数量等を都道府県知事に届け出て，職員の立会の下で廃棄しなければならない．(101)

問 19　指定薬物を含有する植物は，すべて指定薬物として規制される．(100)

問 20　指定薬物の製造，販売等が認められる「医療等の用途」とは，疾病の診断，治療又は予防の用途及び犯罪鑑識の用途のみである．(100)

問 21　医薬品医療機器等法の規定に違反して指定薬物を販売した者に対する罰則は，罰金のみである．(100)

問 22　厚生労働大臣は，医薬品医療機器等法の規定に違反して販売された指定薬物を薬事監視員に回収させることができる．(100)

問 23　中枢神経系の興奮若しくは抑制又は幻覚の作用（精神毒性）を有している蓋然性が高く，身体に使用された場合に保健衛生上の危害の発生のおそれがある物が，指定薬物に指定されている．(99)

問 24　厚生労働大臣は，緊急を要する場合，薬事・食品衛生審議会の意見を聴かずに指定薬物を指定することができる．(99)

問 25　希少疾病用医薬品の指定にあたっては，薬事・食品衛生審議会の意見を聴く必要がある．(101)

問 26　希少疾病用医薬品の指定申請にあたっては，その用途に係る本邦における対象者の数に関する資料が必要である．(101)

問 27　希少疾病用医薬品の指定が取り消されたときは，その旨は公示されない．(101)

問 28　希少疾病用医薬品の指定を受けた者が試験研究を中止しようとするときは，あらかじめ，届け出なければならない．(101)

問 29　国は，希少疾病用医薬品の試験研究を促進するために必要な資金の確保に努める．(100)

問 30　国は，希少疾病用医薬品の試験研究を促進するために必要な税制上の措置を講ずる．(100)

都道府県知事の指定する者の検査を受けるべきことを命ずることができる.」と定められている.

問16　×　指定薬物は医薬品医療機器等法に基づき，厚生労働大臣が指定する.

問17　×　指定薬物販売業の許可は存在しない.

問18　×　指定薬物を廃棄するときは，廃棄物を盗取されないよう適切な方法をもって廃棄することとされており，廃棄に当たり届け出等の手続きは必要ない

問19　×　指定薬物を含有する植物であっても，サルビア・ディビノラム及びミトラガイナ・スペシオーサ以外の植物は除かれる.

問20　×　「医療等の用途」には，学術研究や試験検査なども含まれる.

問21　×　医薬品医療機器等法の規定に違反して指定薬物を販売した者に対する罰則は，罰金又は懲役である.

問22　○　医薬品医療機器等法第70条第2項には，「厚生労働大臣，都道府県知事，保健所を設置する市の市長又は特別区の区長は，前項の規定による命令を受けた者がその命令に従わないとき，又は緊急の必要があるときは，当該職員に，同項に規定する物を廃棄させ，若しくは回収させ，又はその他の必要な処分をさせることができる.」と定められている.

問23　○　医薬品医療機器等法第2条第15項には，「この法律で「指定薬物」とは，中枢神経系の興奮若しくは抑制又は幻覚の作用（当該作用の維持又は強化の作用を含む．以下「精神毒性」という.）を有する蓋然性が高く，かつ，人の身体に使用された場合に保健衛生上の危害が発生するおそれがある物（大麻取締法（昭和23年法律第124号）に規定する大麻，覚せい剤取締法（昭和26年法律第252号）に規定する覚醒剤，麻薬及び向精神薬取締法（昭和28年法律第14号）に規定する麻薬及び向精神薬並びにあへん法（昭和29年法律第71号）に規定するあへん及びけしがらを除く.）として，厚生労働大臣が薬事・食品衛生審議会の意見を聴いて指定するものをいう.」と定められている.

問24　○　医薬品医療機器等法第76条の10第1項には，「厚生労働大臣は，第2条第15項の指定をする場合であつて，緊急を要し，あらかじめ薬事・食品衛生審議会の意見を聴くいとまがないときは，当該手続を経ないで同項の指定をすることができる.」と定められている.

　　　×　指定薬物は，医療等の用途以外に製造し，輸入し，販売し，授与し，所持し，購入し，若しくは譲り受けてはならない.

問25　○　医薬品医療機器等法第77条の2第1項には，「厚生労働大臣は，次の各号のいずれにも該当する医薬品，医療機器又は再生医療等製品につき，製造販売をしようとする者（本邦に輸出されるものにつき，外国において製造等をする者を含む.）から申請があつたときは，薬事・食品衛生審議会の意見を聴いて，当該申請に係る医薬品，医療機器又は再生医療等製品を希少疾病用医薬品，希少疾病用医療機器又は希少疾病用再生医療等製品として指定することができる.」と定められている.

問26　○　医薬品医療機器等法施行規則第250条第2項には，「前項の申請書には，当該申請に係る医薬品，医療機器又は再生医療等製品に関し，その用途に係る本邦における対象者の数に関する資料，その毒性，薬理作用等に関する試験成績の概要その他必要な資料を添付しなければならない.」と定められている.

問27　×　希少疾病用医薬品の指定が取り消されたときは，その旨が公示される.

問28　○　医薬品医療機器等法施行規則第252条には，「法第77条の5の規定による希少疾病用医薬品，希少疾病用医療機器又は希少疾病用再生医療等製品の試験研究又は製造販売若しくは製造の中止の届出は，様式第百八による届書を提出することによつて行うものとする.」と定められている.

問29　○　医薬品医療機器等法第77条の3には，「国は，前条第一項各号のいずれにも該当する医薬品，医療機器及び再生医療等製品の試験研究を促進するのに必要な資金の確保に努めるものとする.」と定められている.

問30　○　医薬品医療機器等法第77条の4には，「国は，租税特別措置法（昭和32年法律第26号）で定めるところにより，希少疾病用医薬品，希少疾病用医療機器及び希少疾病用再生医療等製品の試験研究を促進するため必要な措置を講ずるものとする.」と定められている.

b 薬　局

平成25年12月13日に公布された「薬事法及び薬剤師法の一部を改正する法律」(平成25年法律第103号）により，平成26年6月12日から新しい医薬品販売制度が施行されることになった．今回の薬事法改正では，医薬品及び薬剤の使用に際しての安全性の確保を図るため，医薬品の区分として要指導医薬品を新設し，その販売に際しての薬剤師の対面による情報提供及び薬学的知見に基づく指導を義務付ける等の医薬品の販売業等に関する規制の見直しを図った．

1）薬局開設の許可・更新

(薬局の許可）第4条　薬局は，その所在地の都道府県知事の許可を受けなければ，開設してはならない．
2　前項の許可を受けようとする者は，厚生労働省令で定めるところにより，次に掲げる事項を記載した申請書をその薬局の所在地の都道府県知事に提出しなければならない．（略）
3　前項の申請書には，次に掲げる書類を添付しなければならない．
一　その薬局の平面図
二　第7条第1項ただし書又は第2項の規定により薬局の管理者を指定してその薬局を実地に管理させる場合にあっては，その薬局の管理者の氏名及び住所を記載した書類
三　第一項の許可を受けようとする者及び前号の薬局の管理者以外にその薬局において薬事に関する実務に従事する薬剤師又は登録販売者を置く場合にあっては，その薬剤師又は登録販売者の氏名及び住所を記載した書類
四　その薬局において医薬品の販売業を併せ行う場合にあっては，次のイ及びロに掲げる書類
イ　その薬局において販売し，又は授与する医薬品の薬局医薬品，要指導医薬品及び一般用医薬品に係る厚生労働省令で定める区分を記載した書類
ロ　その薬局においてその薬局以外の場所にいる者に対して一般用医薬品を販売し，又は授与する場合にあっては，その者との間の通信手段その他の厚生労働省令で定める事項を記載した書類
五　その他厚生労働省令で定める書類
4　第一項の許可は，6年ごとにその更新を受けなければ，その期間の経過によって，その効力を失う．
5　この条において，次の各号に掲げる用語の意義は，当該各号に定めるところによる．
一　登録販売者　（略）
二　薬局医薬品　要指導医薬品及び一般用医薬品以外の医薬品（専ら動物のために使用されることが目的とされているものを除く．）をいう．
三　要指導医薬品　（略）
四　一般用医薬品　（略）

●薬局とは薬剤師が調剤を行う場所（医薬品販売を行う場合はその場所を含む）であるが，医薬品は生命関連物質であるため，**開設は許可制**となっている．許可権者は都道府県知事（保健所を設置する市又は特別区の場合は，市長又は区長）である．

●**許可の有効期間は6年間**であり，6年ごとに許可の更新を受けなければならない．

●**登録販売者**とは，都道府県知事により一般用医薬品の販売又は授与に従事する資質が有ると確認された者で，資質は厚生労働省令で定める試験により判断される．

●**薬局医薬品**とは要指導医薬品及び一般用医薬品以外の医薬品をいう．

●**要指導医薬品**とはスイッチ直後品目及び販売直後のダイレクト一般用医薬品，一部の毒薬及び劇薬をいう．

●**一般用医薬品**とは医薬品のうち，その効能及び効果において人体に対する作用が著しくないもの．薬剤師その他の医薬関係者から提供された情報に基づき需要者の選択により使用されるもの．（要指導医薬品を除く）**第一類医薬品〜第三類医薬品**（後述）

2）薬局開設の許可の基準

> （許可の基準）第5条　次の各号のいずれかに該当するときは，前条第1項の許可を与えないことができる．
> 一　その薬局の構造設備が，厚生労働省令で定める基準に適合しないとき．
> 二　その薬局において調剤及び調剤された薬剤の販売又は授与の業務を行う体制並びにその薬局において医薬品の販売業を併せ行う場合にあっては医薬品の販売又は授与の業務を行う体制が厚生労働省令で定める基準に適合しないとき．
> 三　申請者（申請者が法人であるときは，その業務を行う役員を含む．第12条の2第3号，第13条第4項第2号（同条第7項及び第13条の3第3項において準用する場合を含む．），第19条の2第2項，第26条第2項第3号，第30条第2項第2号，第34条第2項第2号，第39条第3項第2号及び第40条の2第4項第2号において同じ．）が，次のイからヘまでのいずれかに該当するとき．
> イ　第75条第1項の規定により許可を取り消され，取消しの日から3年を経過していない者
> ロ　第75条の2第1項の規定により登録を取り消され，取消しの日から3年を経過していない者
> ハ　禁錮以上の刑に処せられ，その執行を終わり，又は執行を受けることがなくなった後，3年を経過していない者
> ニ　イからハに該当する者を除くほか，この法律，麻薬及び向精神薬取締法，毒物及び劇物取締法（昭和25年法律第303号）その他薬事に関する法令で政令で定めるもの又はこれに基づく処分に違反し，その違反行為があった日から2年を経過していない者
> ホ　成年被後見人又は麻薬，大麻，あへん若しくは覚醒剤の中毒者
> ヘ　心身の障害により薬局開設者の業務を適正に行うことができない者として厚生労働省令で定めるもの

●都道府県知事（保健所を設置する市又は特別区の場合は，市長又は区長）は，次の3要件を満たさない場合には，薬局の許可を与えないことができる．

① **構造設備の要件**（薬局等構造設備規則）

② **薬局業務を行う体制の要件**
（薬局並びに店舗販売業及び配置販売業の業務を行う体制を定める省令）

③ **申請者の人的要件**

【**薬局の構造設備**】（薬局等構造設備規則第1条）

1　調剤された薬剤又は医薬品を購入し，又は譲り受けようとする者が容易に出入りできる構造であり，薬局であることがその外観から明らかであること．

2　換気が十分であり，かつ，清潔であること．

3　当該薬局以外の薬局又は店舗販売業の店舗の場所，常時居住する場所及び不潔な場所から明確に区別されていること．

4　面積はおおむね19.8 m^2 以上とし，薬局の業務を適切に行うことができるものであること．

5　医薬品を通常陳列し，又は調剤された薬剤もしくは医薬品を交付する場所にあっては60ルックス以上，調剤台の上にあっては120ルックス以上の明るさを有すること．

6　要指導医薬品又は一般用医薬品を販売し，又は授与する薬局にあっては，開店時間（医薬品医療機器等法施行規則第14条の3第1項に規定する開店時間をいう．以下同じ．）のうち，

要指導医薬品又は一般用医薬品を販売し，又は授与しない時間がある場合には，要指導医薬品又は一般用医薬品を通常陳列し，又は交付する場所を閉鎖することができる構造のものであること．

7　冷暗貯蔵のための設備を有すること．

8　鍵のかかる貯蔵設備を有すること．

9　次に定めるところに適合する調剤室を有すること．

イ　6.6 m^2 以上の面積を有すること．

ロ　天井及び床は，板張りコンクリート又はこれらに準ずるものであること．

ハ　調剤された薬剤若しくは医薬品を購入し，若しくは譲り受けようとする者又は調剤された薬剤若しくは医薬品を購入し，若しくは譲り受けた者若しくはこれらの者によって購入され，若しくは譲り受けられた医薬品を使用する者が進入することができないよう必要な措置が採られていること．

10　要指導医薬品を販売し，又は授与する薬局にあっては，次に定めるところに適合するものであること．

イ　要指導医薬品を陳列するために必要な陳列棚その他の設備（以下「陳列設備」という．）を有すること．

ロ　要指導医薬品を陳列する陳列設備から1.2メートル以内の範囲（以下「要指導医薬品陳列区画」という．）に医薬品を購入し，若しくは譲り受けようとする者又は医薬品を購入し，若しくは譲り受けた者若しくはこれらの者によって購入され，若しくは譲り受けられた医薬品を使用する者が進入することができないよう必要な措置が採られていること．ただし，要指導医薬品を陳列しない場合又はかぎをかけた陳列設備その他医薬品を購入し，若しくは譲り受けようとする者若しくは医薬品を購入し，若しくは譲り受けた者若しくはこれらの者によって購入され，若しくは譲り受けられた医薬品を使用する者が直接手の触れられない陳列設備に陳列する場合は，この限りでない．

ハ　開店時間のうち，要指導医薬品を販売し，又は授与しない時間がある場合には，要指導医薬品陳列区画を閉鎖することができる構造のものであること．

11　第一類医薬品を販売し，又は授与する薬局にあっては，次に定めるところに適合するものであること．

イ　第一類医薬品を陳列するために必要な陳列設備を有すること．

ロ　第一類医薬品を陳列する陳列設備から1.2 m以内の範囲（以下「第一類医薬品陳列区画」という．）に医薬品を購入し，若しくは譲り受けようとする者又は医薬品を購入し，若しくは譲り受けた者若しくはこれらの者によって購入され，若しくは譲り受けられた医薬品を使用する者が進入することができないよう必要な措置が採られていること．ただし，第一類医薬品を陳列しない場合又はかぎをかけた陳列設備その他医薬品を購入し，若しくは譲り受けようとする者又は医薬品を購入し，若しくは譲り受けた者若しくはこれらの者によって購入され，若しくは譲り受けられた医薬品を使用する者が直接手の触れられない陳列設備に陳列する場合は，この限りでない．

ハ　開店時間のうち，第一類医薬品を販売し，又は授与しない時間がある場合には，第一類医薬品陳列区画を閉鎖することができる構造のものであること．

12　次の定めるところに適合する医薬品医療機器等法第9条の3第1項及び第4項，第36条の4第1項及び第4項並びに第36条の6第1項及び第4項に基づき情報を提供し，及び指導を行うための設備並びに法第36条の10第1項，第3項及び第5項に基づき情報を提供するための設備を有すること．ただし，複数の設備を有する場合は，いずれかの設備が適合していれば足りるものとする．

イ　調剤室に近接する場所にあること．

ロ　要指導医薬品を陳列する場合には，要指導医薬品陳列区画の内部又は近接する場所にあること．

ハ　第一類医薬品を陳列する場合には，第一類医薬品陳列区画の内部又は近接する場所にあること．

ニ　指定第二類医薬品を陳列する場合には，指定第二類医薬品を陳列する陳列設備から7m以内の範囲にあること．ただし，鍵をかけた陳列設備に陳列する場合又は指定第二類医薬品を陳列する陳列設備から1.2m以内の範囲に医薬品を購入し，若しくは譲り受けようとする者又は医薬品を購入し，若しくは譲り受けた者若しくはこれらの者によって購入され，若しくは譲り受けられた医薬品を使用する者が進入することができないような必要な措置が採られている場合は，この限りでない．

ホ　2以上の階に医薬品を通常陳列し，又は交付する場所がある場合には，各階の医薬品を通常陳列し，又は交付する場所の内部にあること．

13　次に掲げる調剤に必要な設備及び器具を備えていること．

イ　液量器（20mL，200mL）
ロ　温度計（100度）
ハ　水浴
ニ　調剤台
ホ　軟膏板
ヘ　乳鉢（散剤用）及び乳棒
ト　はかり（感量10mg，100mg）
チ　ビーカー
リ　ふるい器
ヌ　へら（金属製のもの及び角製又はこれに類するもの）
ル　メスピペット及びピペット台
ヲ　メスフラスコ及びメスシリンダー
ワ　薬匙（金属製のもの及び角製又はこれに類するもの）
カ　ロート及びロート台
ヨ　調剤に必要な書籍〔磁気ディスク（これに準ずる方法により一定の事項を確実に記録しておくことができる物を含む．）をもって調製するものを含む．以下同じ．〕

14　薬局製造販売医薬品の製造に係る許可を得ている薬局については，次に掲げる試験検査に必要な設備及び器具を備えていること．

ただし，試験検査台については，調剤台を試験検査台として用いる場合であって，試験検査及び調剤の双方に支障がないと認められるとき，ニ，ホ，ト及びリに掲げる設備及び器具については，医薬品医療機器等法施行規則第12条第1項に規定する登録試験検査機関を利用して自己の責任において試験検査を行う場合であって，支障がなく，かつ，やむを得ないと認められるときは，この限りでない．

イ　顕微鏡，ルーペ又は粉末X線回折装置
ロ　試験検査台
ハ　デシケーター
ニ　はかり（感量1mg）
ホ　薄層クロマトグラフ装置
ヘ　比重計又は振動式密度計
ト　pH計
チ　ブンゼンバーナー又はアルコールランプ
リ　崩壊度試験器
ヌ　融点測定器
ル　試験検査に必要な書籍

15　営業時間のうち，特定販売のみを行う時間がある場合には，都道府県知事（保健所設置市又は特別区の区域にある場合においては，市長又は区長）又は厚生労働大臣が特定販売の実施方法に関する適切な監督を行うために必要な設備を備えていること．

【薬局の業務を行う体制の基準】

（薬局並びに店舗販売業及び配置販売業の業務を行う体制を定める省令第１条）

医薬品の調剤及び販売又は授与の業務を行う体制の基準

1　薬局の開店時間内は，常時，当該薬局において調剤に従事する薬剤師が勤務していること．

2　当該薬局において，調剤に従事する薬剤師の員数が当該薬局における１日平均取扱い処方箋数（前年における総取扱処方箋数（前年において取り扱った眼科，耳鼻咽喉科及び歯科の処方箋の数にそれぞれ３分の２を乗じた数とその他の診療科の処方箋の数との合計数をいう.）を前年において業務を行った日数で除して得た数とする．ただし，前年において業務を行った期間がないか，又は３か月未満である場合においては，推定によるものとする.）を 40 で除して得た数（その数が１に満たないときは１とし，その数に１に満たない端数が生じたときは，その端数は１とする）以上であること．

3　要指導医薬品又は第一類医薬品を販売し，又は授与する薬局にあっては，要指導医薬品又は第一類医薬品を販売し，又は授与する営業時間内は，常時，当該薬局において医薬品の販売又は授与に従事する薬剤師が勤務していること．

4　第二類医薬品又は第三類医薬品を販売し，又は授与する薬局にあっては，第二類医薬品又は第三類医薬品を販売し，又は授与する営業時間内は，常時，当該薬局において医薬品の販売又は授与に従事する薬剤師又は登録販売者が勤務していること．

5　営業時間又は営業時間外で相談を受ける時間内は，調剤された薬剤若しくは医薬品を購入し，若しくは譲り受けようとする者又は調剤された薬剤若しくは医薬品を購入し，若しくは譲り受けた者若しくはこれらの者によって購入され，若しくは譲り受けられた医薬品を使用する者から相談があった場合に，法第９条の３第４項，第 36 条の４第４項又は第 36 条の 10 第５項の規定による情報の提供又は指導を行うための体制を備えていること．

6　当該薬局において，調剤に従事する薬剤師の週当たりの勤務時間数の総和が，当該薬局の開店時間の１週間の総和以上であること．

7　要指導医薬品又は一般用医薬品を販売し，又は授与する薬局にあっては，当該薬局において要指導医薬品又は一般用医薬品の販売又は授与に従事する薬剤師及び登録販売者の週当たり勤務時間数の総和を当該薬局内の要指導医薬品の情報の提供及び指導を行う場所並びに一般用医薬品の情報提供を行う場所の数で除して得た数が，要指導医薬品又は一般用医薬品を販売し，又は授与する開店時間の１週間の総和以上であること．

8　要指導医薬品又は一般用医薬品を販売し，又は授与する薬局にあっては，要指導医薬品又は一般用医薬品を販売し，又は授与する開店時間の１週間の総和が，当該薬局の開店時間の１週間の総和の２分の１以上であること．

9　要指導医薬品又は第一類医薬品を販売し，又は授与する薬局にあっては，当該薬局において要指導医薬品又は第一類医薬品の販売又は授与に従事する薬剤師の週当たり勤務時間数の総和を当該薬局内の要指導医薬品の情報の提供及び指導を行う場所並びに第一類医薬品の情報の提供を行う場所の数で除して得た数が，要指導医薬品又は第一類医薬品を販売し，又は授与する開店時間の１週間の総和以上であること．

10　要指導医薬品を販売し，又は授与する薬局にあっては，要指導医薬品を販売し，又は授与する開店時間の一週間の総和が，要指導医薬品又は一般用医薬品を販売し，又は授与する開店時間の一週間の総和の2分の1以上であること．

11　第一類医薬品を販売し，又は授与する薬局にあっては，第一類医薬品を販売し，又は授与する開店時間の1週間の総和が，要指導医薬品又は一般用医薬品を販売し，又は授与する開店時間の1週間の総和の2分の1以上であること．

12　調剤の業務に係る医療の安全を確保するため，指針の策定，従事者に対する研修の実施その他必要な措置が講じられていること．

13　法第9条の3第1項及び第4項の規定による情報の提供及び指導その他の調剤の業務に係る適正な管理を確保するため，指針の策定，従事者に対する研修の実施その他必要な措置が講じられていること．

14　医薬品を販売し，又は授与する薬局にあっては，法第36条の4第1項及び第4項並びに第36条の6第1項及び第4項の規定による情報の提供及び指導並びに法第36条の10第1項，第3項及び第5項の規定による情報の提供その他の医薬品の販売又は授与に係わる適正な管理を確保するため，指針の策定，従事者に対する研修（特定販売を行う薬局にあっては，特定販売に関する研修を含む.）の実施その他必要な措置が講じられていること．

薬局開設者が講じなければならない措置に含まれるもの

1　医薬品の使用に係る安全な管理（医薬品の安全使用）のための責任者の設置

2　従事者から薬局開設者への事故報告の体制の整備

3　医薬品の安全使用並びに調剤された薬剤及び医薬品の情報提供のための業務に関する手順書の作成及び当該手順書に基づく業務の実施

4　医薬品の安全使用並びに調剤された薬剤及び医薬品の情報提供及び指導のために必要となる情報の収集その他調剤の業務に係る医療の安全及び適正な管理並びに医薬品の販売又は授与の業務に係る適正な管理の確保を目的とした改善のための方策の実施

【薬局開設者の条件】 法第5条第3号（以下の欠格事由に該当しない）

イ　許可を取り消され，取り消しの日から3年を経過していない者

ロ　登録を取り消され，取消しの日から3年を経過していない者

ハ　禁錮以上の刑に処せられ，執行後3年を経過していない者

ニ　薬事に関する法令・処分違反行為があった日から2年を経過していない者

ホ　成年被後見人又は麻薬，大麻，あへん若しくは覚醒剤の中毒者

へ　心身の障害により薬局開設者の業務を適正に行うことができないと厚生労働省令で定める者（精神の機能の障害により薬局開設者の業務を適正に行うにあたって必要な認知，判断及び意思疎通を適切に行うことができない者：則8）

3）薬局の名称の使用制限

（名称の使用制限）第6条　医薬品を取り扱う場所であって，第4条第1項の許可を受けた薬局（以下単に「薬局」という.）でないものには，薬局の名称を付してはならない．ただし，厚生労働省令で定める場所については，この限りでない．

●薬局を開設するためには基準があり，この基準を満たした場合，都道府県知事（保健所を設置する市又は特別区の場合は，市長又は区長）の薬局開設の許可を受けた場所に「薬局」の名称を付することができる．このため，同じように医薬品を取り扱うからといって薬局開設の許可を受けていない場所には「薬局」の名称を付することができない．

●ただし，病院又は診療所の調剤所は「薬局」の名称を付することができるが，飼育動物診療施設の調剤所は「薬局」の名称を付することはできない．（則 10）

4）薬局の管理

（薬局の管理）第7条　第4条第1項の許可を受けた者（以下「薬局開設者」という．）が薬剤師（薬剤師法（昭和35年法律第146号）第8条の2第1項の規定による厚生労働大臣の命令を受けた者にあっては，同条第2項の規定による登録を受けた者に限る．以下この項及び次項，第28条第2項，第31条の2第2項，第35条第1項並びに第45条において同じ．）であるときは，自らその薬局を実地に管理しなければならない．ただし，その薬局において薬事に関する実務に従事する他の薬剤師のうちから薬局の管理者を指定してその薬局を実地に管理させるときは，この限りでない．

2　薬局開設者が薬剤師でないときは，その薬局において薬事に関する実務に従事する薬剤師のうちから薬局の管理者を指定してその薬局を実地に管理させなければならない．

3　後述……11）薬局管理者の兼業禁止

●薬局とは，薬剤師が調剤，医薬品の販売を行う場所である．そのため，薬局の管理とは調剤，医薬品の販売等の業務を行う上で保健衛生上支障が生じないようにすることであり，ここでは薬局経営に関する管理は該当しない．

●薬局開設者が薬剤師であるときには，原則として，自らその薬局を実地に管理しなければならないが，その薬局に勤務する薬剤師の中から指定して実地に管理させることもできる．

●開設者が薬剤師でない場合は，その薬局に勤務する薬剤師の中から指定して実地に管理させなければならない．

5）医療の選択支援のための薬局機能に関する情報提供等

（薬局開設者による薬局に関する情報の提供等）第8条の2　薬局開設者は，厚生労働省令で定めるところにより，医療を受ける者が薬局の選択を適切に行うために必要な情報として厚生労働省令で定める事項を当該薬局の所在地の都道府県知事に報告するとともに，当該事項を記載した書面を当該薬局において閲覧に供しなければならない．

2　薬局開設者は，前項の規定により報告した事項について変更が生じたときは，厚生労働省令で定めるところにより，速やかに，当該薬局の所在地の都道府県知事に報告するとともに，同項に規定する書面の記載を変更しなければならない．

3　薬局開設者は，第1項の規定による書面の閲覧に代えて，厚生労働省令で定めるところにより，当該書面に記載すべき事項を電子情報処理組織を使用する方法その他の情報通信の技術を利用する方法であって厚生労働省令で定めるものにより提供することができる．

4　都道府県知事は，第1項又は第2項の規定による報告の内容を確認するために必要があると認めるときは，市町村その他の官公署に対し，当該都道府県の区域内に所在する薬局に関し必要な情報の提供を求めることができる．

5　都道府県知事は，厚生労働省令で定めるところにより，第1項及び第2項の規定により報告された事項を公表しなければならない．

- **薬局開設者は，医療を受ける者が薬局の選択を適切に行うために必要な情報を所在地の都道府県知事が定める方法により，1年に1回以上，都道府県知事の定める日までに報告する．**（則11の2）
- 都道府県知事に報告する事項は厚生労働省令で定められている．（則11の3別表第1）
- 都道府県知事に報告した「(1) 基本情報」に変更が生じたときは，都道府県知事が定める方法により都道府県知事に報告しなければならない．（則11の4）
- また，当該薬局において都道府県知事に報告した事項を記載した書面等を医療を受ける者に閲覧できるようにしなければならない．書面に代えて電磁的方法を利用して提供してもよい．（則11の5）
- 都道府県知事は，報告された事項の内容を公表しなければならない．公表の方法は必要な情報を抽出し，適切に比較検討することを支援するため，容易に検索することができる形式でのインターネットの利用による方法，あるいは書面による閲覧又は電磁的記録に記録された情報の内容を紙面若しくは出力装置の映像面に表示する方法による．（則11の6）
- 都道府県知事は，報告内容確認のため，市町村その他の官公署に対し，薬局に関する必要な情報の提供を求めることができる．

表8.1　薬局開設者の報告事項（則11の3関係　別表第一）

<table>
<tr><td colspan="3">1. 管理・運営・サービス等に関する事項</td></tr>
<tr><td>(1) 基本情報</td><td colspan="2">薬局の名称，開設者氏名，管理者氏名，所在地，電話・FAX番号，営業日，営業時間</td></tr>
<tr><td>(2) 薬局へのアクセス</td><td colspan="2">薬局までの交通手段，薬局の駐車場（有無，駐車台数，有料 / 無料），ホームページアドレス，電子メールアドレス</td></tr>
<tr><td>(3) 薬局サービス等</td><td colspan="2">相談に対する対応の可否，対応できる外国語の種類，障害者に対する配慮，車椅子利用者に対する配慮，受動喫煙を防止するための措置</td></tr>
<tr><td>(4) 費用負担</td><td colspan="2">医療保険及び公費負担等の取扱い
クレジットカードによる料金支払いの可否</td></tr>
<tr><td colspan="3">2. 提供サービスや地域連携体制に関する事項</td></tr>
<tr><td rowspan="3">(1) 業務内容
提供サービス</td><td colspan="2">認定薬剤師の種類及び人数</td></tr>
<tr><td>薬局業務の内容</td><td>無菌調剤実施の可否　一包化調剤実施の可否
麻薬調剤実施の可否　浸煎剤・湯剤調剤実施の可否
薬局製剤実施の可否　在宅調剤業務実施の可否
薬歴管理実施の有無　「お薬手帳」交付の可否</td></tr>
<tr><td>地域医療連携体制</td><td>医療連携の有無
地域住民への啓発活動への参加の有無</td></tr>
<tr><td>(2) 実績・結果等に関する事項</td><td colspan="2">薬局の薬剤師数，医療安全対策（安全管理責任者配置の有無），情報開示体制，症例検討会開催状況，処方箋応需数（患者数），患者満足度調査（調査実施の有無，調査結果の提供の有無）</td></tr>
</table>

6）薬局開設者の遵守事項

（薬局開設者の遵守事項）第9条　厚生労働大臣は，厚生労働省令で，薬局における医薬品の試験検査の実施方法その他薬局の業務に関し薬局開設者が遵守すべき事項を定めることができる．

2　薬局開設者は，第7条第1項ただし書又は第2項の規定によりその薬局の管理者を指定したときは，第8条第2項の規定による薬局の管理者の意見を尊重しなければならない．

●**管理者の意見**を尊重する（法9－2）

薬局開設者が薬局の管理者を指定したときは，その薬局の業務について薬局の管理者の意見を尊重しなければならない．

＜薬局開設者の遵守事項に関する省令＞

●薬局開設の許可証の掲示（則3）

薬局開設者は，薬局開設の許可証を薬局の見やすい場所に掲示しておかなければならない．

●医薬品の試験検査の実施方法（則12）

薬局開設者は，薬局の管理者が医薬品の適切な管理のために必要と認める医薬品の試験検査を，薬局の管理者に行わせなければならない．登録試験検査機関を利用して試験検査を行うことができるが，その場合はその結果を薬局の管理者に確認させなければならない．

●薬局の管理に関する帳簿を備え保存する（則13）

薬局開設者は，薬局の管理に関する帳簿を備え，最終の記載の日から3年間保存しなければならない．**薬局の管理者は**試験検査，不良品の処理その他当該薬局の管理に関する事項を**帳簿に記載しなければならない**．

●医薬品の譲受及び譲渡に関する記録（則14）

薬局開設者は，医薬品卸や他の薬局から医薬品を譲り受けたとき，及び他の薬局への譲り渡し，医薬品卸への返品など，医薬品の譲受・譲渡があった場合は，次の事項を書面に記載し，最終記載の日から3年間保存しなければならない．

① 品名　② 数量　③ 譲受又は販売若しくは譲与の年月日

④ 譲渡人又は譲受人の氏名

医薬品卸との譲渡・譲受の記録は納品伝票などをファイルして保存することで代用できる．他の薬局との記録は振替伝票を記録として残す．

●薬局における従事者の区別（則15）

薬局開設者は，薬剤師，登録販売者又は一般従事者であることが容易に判別できるよう，その薬局に勤務する従事者に名札を付けさせること，その他必要な措置を講じなければならない．

●実務の証明（則15の8）

薬局開設者は，薬局において薬剤師又は登録販売者の管理及び指導の下に実務に従事した薬剤師又は登録販売者以外の一般従事者から，その実務に従事したことの証明を求められたときは，速やかにその証明を行わなければならない．その場合，虚偽又は不正の証明を行ってはならない．

●業務経験の証明（則15の9）

薬局開設者は，薬局において第140条第2項又は第149条の2第2項に規定する登録販売者としての業務に従事した者から，その業務に従事したことの証明を求められたときは，速やかにその証明を行わなければならない．その場合，虚偽又は不正の証明を行ってはならない．

●視覚，聴覚又は音声機能もしくは言語機能に障害を有する薬剤師等に対する措置（則15）

薬局開設者自らが障害を有する薬剤師もしくは登録販売者であるとき，又はその薬局に勤務する薬剤師若しくは登録販売者が障害を有するときは，保健衛生上支障を生じる恐れがないように必要な設備の設置その他の措置を講じなければならない．

●**薬局における調剤**

調剤に関する薬剤師の義務行為は，薬剤師法で規定されているが，平成18年の薬事法改定により薬局開設者に対しても調剤に関する遵守事項が規定された．

① 薬局開設者は，その薬局で調剤に従事する薬剤師でない者に調剤させてはならない．（則11の8）
② 薬局開設者は，医師等の処方箋によらない場合，薬剤師に調剤させてはならない．また，処方箋に記載された医薬品につき，処方箋を交付した医師等の同意を得た場合を除き，薬剤師に処方箋に記載された医薬品を変更して調剤させてはならない．（則11の9）
③ 薬局開設者は，薬剤師が処方箋中に疑わしい点があると認める場合には，薬剤師をしてその処方箋を交付した医師等に問合せをさせて，疑わしい点を確かめた後でなければ，調剤させてはならない．（則11の10）
④ 薬局開設者は調剤の求めがあった場合には，正当な理由がある場合を除き，薬剤師に調剤させなければならない．（則11の11）

7）調剤された薬剤に関する情報提供及び指導等

（調剤された薬剤に関する情報提供及び指導等）第9条の3　薬局開設者は，医師又は歯科医師から交付された処方せんにより調剤された薬剤の適正な使用のため，当該薬剤を販売し，又は授与する場合には，厚生労働省令で定めるところにより，その薬局において薬剤の販売又は授与に従事する薬剤師に，対面（映像及び音声の送受信により相手の状態を相互に認識しながら通話をすることが可能な方法その他の方法により薬剤の適正な使用を確保することが可能であると認められる方法として厚生労働省令で定めるものを含む.）により，厚生労働省令で定める事項を記載した書面（当該事項が電磁的記録（電子的方式，磁気的方式その他人の知覚によっては認識することができない方式で作られる記録であって，電子計算機による情報処理の用に供されるものをいう．以下第36条の10までにおいて同じ.）に記録されているときは，当該電磁的記録に記録された事項を厚生労働省令で定める方法により表示したものを含む.）を用いて必要な情報を提供させ，及び必要な薬学的知見に基づく指導を行わせなければならない.

2　薬局開設者は，前項の規定による情報の提供及び指導を行わせるに当たっては，当該薬剤師に，あらかじめ，当該薬剤を使用しようとする者の年齢，他の薬剤又は医薬品の使用の状況その他の厚生労働省令で定める事項を確認させなければならない.

3　薬局開設者は，第一項に規定する場合において，同項の規定による情報の提供又は指導ができないとき，その他同項に規定する薬剤の適正な使用を確保することができないと認められるときは，当該薬剤を販売し，又は授与してはならない.

4　薬局開設者は，医師又は歯科医師から交付された処方箋により調剤された薬剤の適正な使用のため，当該薬剤を購入し，若しくは譲り受けようとする者又は当該薬局開設者から当該薬剤を購入し，若しくは譲り受けた者から相談があった場合には，厚生労働省令で定めるところにより，その薬局において薬剤の販売又は授与に従事する薬剤師に，必要な情報を提供させ，又は必要な薬学的知見に基づく指導を行わせなければならない.

5　第一項又は前項に定める場合のほか，薬局開設者は，医師又は歯科医師から交付された処方箋により調剤された薬剤の適正な使用のため必要がある場合として厚生労働省令で定める場合には，厚生労働省令で定めるところにより，その薬局において薬剤の販売又は授与に従事する薬剤師に，その調剤した薬剤を購入し，又は譲り受けた者の当該薬剤の使用の状況を継続的かつ的確に把握させるとともに，その調剤した薬剤を購入し，又は譲り受けた者に対して必要な情報を提供させ，又は必要な薬学的知見に基づく指導を行わせなければならない.

6　薬局開設者は，その薬局において薬剤の販売又は授与に従事する薬剤師に第一項又は前二項に規定する情報の提供及び指導を行わせたときは，厚生労働省令で定めるところにより，当該薬剤師にその内容を記録させなければならない.

●薬局開設者は調剤された薬剤を販売等する場合は，必要な情報提供及び薬学的知見に基づく指導を薬剤師に行わせなければならないことが規定されている．保険薬剤師は従来から薬剤交付時に情報提供を行っていたが，点字等も含め**書面により情報提供することとともに，個々の患者により異なる指導を，薬学的知見に基づいて行うことが医薬品医療機器等法（旧薬事法）で義務化**されている．情報提供及び指導に当たっては次の事項に注意する必要がある．

① **情報提供は，情報提供を行う場所（患者の居宅等を含む）において調剤及び薬剤の販売等に従事する薬剤師に対面（テレビ電話等によるものを含む）で行わせる**こと．（則 15 の 12 − 1）

② 第 9 条の 3 第 1 項の厚生労働省令で定める書面を用いて情報提供を行う事項

　ア　調剤された薬剤の名称
　イ　有効成分の名称・分量
　ウ　用法・用量
　エ　効能・効果
　オ　使用上の注意のうち，保健衛生上の危害の発生を防止するために必要な事項
　カ　その他調剤した薬剤師が適正使用のために必要と判断する事項

ただし，薬袋等に薬剤師法第 25 条（調剤された薬剤の表示）の表示が行われている場合にはア〜エについては，書面への記載は省略できる．（則 15 の 12 − 2）

③ 第 9 条の 3 第 2 項の厚生労働省令で定める確認させなければならない事項

　ア　年齢
　イ　他の薬剤又は医薬品の使用の状況
　ウ　性別
　エ　症状
　オ　現にかかっている他の疾病がある場合は，その病名
　カ　妊娠しているか否かの別及び妊娠中である場合は妊娠週数
　キ　授乳しているか否かの別
　ク　当該薬剤に係る購入，譲受け又は使用の経験の有無
　ケ　調剤された薬剤又は医薬品の副作用その他の事由によると疑われる疾病にかかったことがあるか否かの別並びにかかったことがある場合はその症状，その時期，当該薬剤又は医薬品の名称，有効成分，服用した量及び服用の状況
　コ　その他法第九条の三第一項の規定による情報の提供及び指導を行うために確認が必要な事項（則 15 の 13-4）

④ 購入者等から相談があった場合には，調剤及び薬剤の販売・授与に従事する薬剤師に，情報提供又は指導を行う場所（患者の居宅等を含む）において，対面で行わせること．その際，薬剤の使用にあたり保健衛生上の危害の発生を防止するために必要な事項についての説明及び薬剤の用法，用量，使用上の注意，併用を避けるべき医薬品その他適正な使用のために必要な情報の提供及び必要な指導を行わせること．（則 15 の 13）

⑤ 新たに継続的服薬指導（使用状況の把握，情報提供及び薬学的知見に基づく指導）及びその内容の記録が義務付けられた．

8) 薬局における掲示

（薬局における掲示）第9条の4　薬局開設者は，厚生労働省令で定めるところにより，当該薬局を利用するために必要な情報であって厚生労働省令で定める事項を，当該薬局の見やすい場所に掲示しなければならない．

平成18年改正薬事法では，医薬品販売制度の改正に伴い，**薬局を利用するために必要な情報を掲示することが義務付けられた．一般用医薬品を販売していない薬局においても掲示しなければならない**．なお，薬局における掲示事項については，施行規則第15条の15に規定されている．

表8.2　薬局における必要掲示事項（則15の15－2，別表第1の2）

第1　薬局の管理及び運営に関する事項		第2　要指導医薬品及び一般用医薬品の販売に関する制度に関する事項	
1	許可の区分の別（薬局である旨）	1	要指導医薬品，第一・二・三類医薬品の定義及び解説
2	薬局開設者氏名又は名称その他の薬局開設許可証の記載事項	2	要指導医薬品，第一・二・三類医薬品の表示に関する解説
3	管理者氏名	3	要指導医薬品，第一・二・三類医薬品の情報提供及び指導に関する解説
4	勤務する薬剤師又は登録販売者の別及び氏名及び担当業務	4	要指導医薬品の陳列に関する解説
5	取り扱う要指導医薬品及び一般用医薬品の区分	5	指定第二類医薬品の陳列（特定販売を行うことについて広告する場合にあっては，当該広告における表示，7において同じ.）等に関する解説
6	勤務する者の名札等による区分に関する説明	6	指定第二類医薬品を購入し，又は譲り受けようとする場合は，当該指定第二類医薬品の禁忌を確認すること及び当該指定第二類医薬品の使用について薬剤師又は登録販売者に相談することを勧める旨
7	営業時間，営業時間外で相談できる時間及び営業時間外で医薬品の購入又は譲受けの申込みを受理する時間	7	一般用医薬品の陳列に関する解説
8	相談時及び緊急時の連絡先	8	医薬品による健康被害の救済に関する制度に関する解説
		9	個人情報の適正な取扱いを確保するための措置
		10	その他必要な事項

掲示にあたり，「許可の区分の別」，「薬局開設者氏名又は名称その他の薬局開設許可証の記載事項」，「勤務する薬剤師又は登録販売者の別及び氏名」については，薬局の許可証並びに薬剤師免許又は販売従事登録証（写しを含む）を掲示することで対応できる．

9) 休廃止等の届出

（休廃止等の届出）第10条　薬局開設者は，その薬局を廃止し，休止し，若しくは休止した薬局を再開したとき，又はその薬局の管理者その他厚生労働省令で定める事項を変更したときは，30日以内に，薬局の所在地の都道府県知事にその旨を届け出なければならない．

> 第10条の2　薬局開設者は，その薬局の名称その他厚生労働省令で定める事項を変更しようとするときは，あらかじめ，薬局の所在地の都道府県知事にその旨を届け出なければならない．

表 8.3　省令により薬局開設者が都道府県知事に行う届出・申請

法10条		薬局を廃止・休止・再開するとき	30日以内
則16条	1	薬局開設者の氏名（薬局開設者が法人であるときは，その業務を行う役員の氏名を含む）又は住所を変更したとき	
	2	薬局の構造設備の主要部分を変更したとき	
	3	通常の営業日及び営業時間を変更したとき	
	4	薬局管理者の氏名，住所又は週当たりの勤務時間数を変更したとき	
	5	薬局管理者以外の薬事に関する実務に従事する薬剤師又は登録販売者の氏名又は週当たりの勤務時間数を変更したとき	
	6	放射性医薬品を扱うときは，その種類を変更したとき	
	7	併せ行う医薬品の販売業その他の業務の種類を変更したとき	
	8	薬局において販売又は授与する医薬品の区分を変更したとき	
法10条の2		薬局の名称を変更するとき	事前
則16条の2	1	相談及び緊急時の電話番号その他連絡先を変更するとき	
	2	特定販売の実施の有無を変更するとき	
	3	第1条第4項各号に掲げる項目を変更するとき	

10) 政令・省令への委任

> （政令への委任）第11条　この章に定めるもののほか，薬局の開設の許可，許可の更新，管理その他薬局に関し必要な事項は，政令で定める．

表 8.4　政令で定められた薬局開設者の義務事項

令2	前年における総取り扱い処方箋数の届出	毎年3月31日までに届出
令45	薬局開設の許可証の記載事項の変更が生じたとき	書き換え交付を申請
令46	薬局開設許可証が破れ，汚し，又は失ったとき	再交付を申請
令46	許可証の再交付を受けた後，失った許可証を発見したとき	発見した許可証を直ちに返納
令47	許可取り消し処分を受けたとき，又は業務を廃止したとき	直ちに許可証を返納
令57 則3	薬局開設の許可証を薬局の見やすい場所に掲示しておかなければならない	

11) 薬局管理者の兼業禁止

> （薬局の管理）第7条第3項　薬局の管理者（第1項の規定により薬局を実地に管理する薬局開設者を含む．次条第1項において同じ．）は，その薬局以外の場所で業として薬局の管理その他薬事に関する実務に従事する者であってはならない．ただし，その薬局の所在地の都道府県知事の許可を受けたときは，この限りでない．

- **薬局の管理者は，その薬局が営業している間は常時薬局を直接に管理しなければならない**ので，原則として，他の場所で薬局の管理や他薬事に従事することを禁止している．
- ただし，非常勤の学校薬剤師を兼ねるなどその薬局を実地に管理する上で支障がないような場合で，都道府県知事の許可を受けたときには兼務できる．

12）薬局管理者の義務

（管理者の義務）第8条　薬局の管理者は，保健衛生上支障を生ずるおそれがないように，その薬局に勤務する薬剤師その他の従業者を監督し，その薬局の構造設備及び医薬品その他の物品を管理し，その他その薬局の業務につき，必要な注意をしなければならない．
2　薬局の管理者は，保健衛生上支障を生ずるおそれがないように，その薬局の業務につき，薬局開設者に対し必要な意見を述べなければならない．

●薬局の管理者の義務を規定したものである．調剤・医薬品販売等の業務を行う上で保健衛生上支障を生じさせないために次のことを行わなければならない．
　① **人の監督**：薬局に勤務する薬剤師その他の従業者を監督する
　② **物の管理**：薬局の構造設備及び医薬品その他の物品を管理
　③ その他：薬局の業務につき，必要な注意をする
●「② 物の管理」の具体的なことについては省令で規定されている．
試験検査，不良品の処理その他当該薬局の管理に関する事項を，薬局管理簿に記載しなければならない．（則13－2）
●**薬局管理者には，保健衛生上の責任者として，薬局開設者に必要な意見を述べなければならない**という義務規定がある．一方，**薬局開設者には，管理者の意見を尊重しなければならない義務**がある．（法9－2）

薬局業務運営ガイドライン（平成5年4月）（厚生省薬企37）

（趣旨）
従来，薬局は主として医薬品の供給を通じて国民の保健衛生の向上に寄与してきた．薬局に関する法制度や行政運営もこのような薬局の医薬品の供給業としての側面に着目して行われてきた．高齢化の進行，国民の意識の変化，医療保険制度の改革等を踏まえると，今後薬局は調剤，医薬品の供給等を通じ国民に対し良質かつ適切な医療を供給し，地域保健医療に貢献する必要がある．そのためには，薬局薬剤師の自覚と行動を促し，患者本位の良質な医薬分業を推進するとともに，地域における医薬品の供給・相談役として地域住民に信頼される「かかりつけ薬局」を育成する必要がある．薬局に関する法制度や行政運営についてもこのような薬局の役割，位置づけを明確にしたうえ，薬局の地域保健医療への貢献を促す方向で見直しを行っていくことが求められる．
以上のような問題認識から，今般，薬局自らが自主的に達成すべき目標であると同時に，薬局に対する行政指導の指針として，薬局の業務運営の基本的事項について「薬局業務運営ガイドライン」を定めたものである．

1　薬局の基本理念
(1) 調剤を通じ良質かつ適切な医療の供給
　薬局は，調剤，医薬品の供給等を通じて国民に対し良質かつ適切な医療を行うよう努めなければならない．
(2) 地域保健医療への貢献
　薬局は地域の医師会，歯科医師会，薬剤師会，医療機関等と連携をとり，地域保健医療に貢献しなければならない．
(3) 薬局選択の自由
　薬局は国民が自由に選択できるものでなければならない．

2　医療機関，医薬品製造販売業者及び卸売業者からの独立
(1) 薬局は医療機関から経済的，機能的，構造的に独立していなければならない．

(2) 薬局は医療機関と処方箋の斡旋について約束を取り交わしてはならない.
(3) 薬局は医療機関に対し処方箋の斡旋の見返りに，方法のいかんを問わず，金銭，物品，便益，労務，供応その他経済上の利益の提供を行ってはならない.
(4) 薬局は医薬品の購入を特定の製造販売業者，特定の卸売業者又はそれらのグループのみに限定する義務を負ってはならない.

3　薬局の名称，表示

(1) 薬局の名称は，薬局と容易に認識できるよう「薬局」を付した名称とし積極的に表示すること.
(2) 特定の医療機関と同一と誤解されるような名称は避けること.
(3)「基準薬局」である場合は積極的に表示すること.

4　構造設備

(1) 地域保健医療を担うのにふさわしい施設であること．特に清潔と品位を保つこと.
(2) 薬局等構造設備規則に定められているほか，処方箋応需の実態に応じ，十分な広さの調剤室及び患者の待合に供する場所（いす等を設置）等を確保するよう努めること.
(3) 患者のプライバシーに配慮しながら薬局の業務を行えるよう，構造，設備に工夫することが望ましい.
(4) 薬局は利用者の便に資するよう，公道に面していること.

5　**開設者**

(1) **開設者は，医療の担い手である薬剤師であることが望ましい.**
(2) 開設者は薬局の地域保健医療の担い手としての公共的使命を認識し，薬事法，薬剤師法等の関係法令及びガイドラインに従った薬局業務の適正な運営に努めること.
(3) 開設者は薬局の管理者が薬剤師法第9条に規定する義務及びガイドラインを守るために必要と認めて述べる意見を十分尊重しなければならない.
(4) 開設者はその薬局に勤務する薬剤師等の資質の向上に努めなければならない.
(5) 開設者は，地域薬剤師会が地域の保健医療の向上のため行う処方箋受け入れ体制の整備等の諸活動に積極的に協力すること.
(6) 開設者は薬局の業務運営について最終的な責任を負う.

6　管理者

(1) 薬局の管理者は，ガイドラインに従った薬局業務の適正な運営に努めるとともに，保健衛生上支障を生ずる恐れがないように，その**薬局に勤務する薬剤師その他の従事者を監督し，その薬局の構造設備及び医薬品その他の物品を管理し，その他薬局業務につき，必要な注意をしなければならない.**
(2) **薬局の管理者は，前項の管理者の義務を遂行するために必要と認めるときは，開設者に改善を要求しなければならない.**

7　保険薬局の指定等

薬局は保険薬局の指定及び麻薬小売業者の免許を受けることが望ましい.

8　薬剤師の確保等

(1) 薬局の業務量に応じた必要な薬剤師数を確保すること.
必要薬剤師数は，次のA及びBにより算定した人数のうち多いほうの人数とする.
A：**1日に応需する平均処方箋数が40までは1とし，それ以上40又はその端数を増すごとに1を加えた数.**
ただし，眼科，耳鼻いんこう科及び歯科の処方箋数については3分の2に換算して算定する.
B：医薬品の販売高（消費者に対して直接販売した医薬品の販売高に限る）の1月平均額が800万円までは1とし，それ以上800万円又はその端数を増すごとに1を加えた数.
注：現在「B」は削除されている.

(2) 業務の適正な運営を図るため，薬局の処方箋受付け状況等を配慮した薬剤師の勤務体制とすること．
(3) 薬局の業務に従事する薬剤師の氏名を，薬局内の見やすい場所に掲示すること．
(4) 薬剤師は，白衣，ネームプレート等を着用し，薬剤師であることを容易に認識できるようにすること．
(5) 薬剤師は薬事関係法規に精通するほか，医療保険関係法規等（老人保健，公費負担関係を含む）を十分理解し，適正な調剤等に努めること．
(6) 薬剤師は，薬局の業務を遂行するため，薬剤師研修センター，薬剤師会及び薬科大学等が開催する研修を受講し，また自主的な学習に努めること．

9　医薬品の備蓄

(1) 薬局は医療機関が発行する処方箋を円滑に受け入れることができるよう，地域の実情に応じ必要な調剤用医薬品を備蓄すること．
(2) 備蓄する医薬品の数は，処方箋応需の意思を疑われるような少ない品目数であってはならない．
(3) 備蓄する医薬品は，その多くが特定の製造業者の製品に限定されてはならない．
(4) 患者等が持参した処方箋に，薬局に在庫していない医薬品が処方されていた場合に備えて，地域薬剤師会が設置する備蓄センターの利用，卸売業者の協力，地域薬局間での医薬品の分譲等により，迅速に調剤用医薬品が調達できる体制を講じておくこと．

10　開局時間

(1) 開局時間は，地域医療機関や患者の需要に対応できるものであること．
特定の医療機関からの処方箋応需のみ対応し，当該医療機関の診療時間外及び休診日に処方箋を応需していない薬局は，早急に改善を図ること．
(2) 開局時間を住民の見やすいところに表示すること．

11　休日・夜間等の対応

(1) 薬局は，行政機関，医師会，歯科医師会，薬剤師会等が実施する地域の休日，夜間の診療体制に参加，協力するなどして，休日，夜間の処方箋応需に努めなければならない．
(2) 閉局時には，連絡先又は近隣で開局している当番薬局の案内等を外部から見やすいところに掲示すること．

12　業務

(1) 処方箋応需
① 処方箋は薬剤師が責任をもって受け付け，正確かつ迅速に調剤を行うこと．
② 薬局は，患者等が持参した処方箋を応需するのが当然の義務であり，正当な理由がなくこれを拒否してはならない．
処方箋を拒否することが認められる場合としては，以下のような場合が該当するが，やむを得ず断る場合には，患者等にその理由をよく説明し，適切な調剤が受けられるよう措置をとる．
なお，処方医薬品がその薬局に備蓄されていないことを理由とした拒否は認められないものであること．
ア．処方箋の内容に疑義があるが処方医師（又は医療機関）に連絡がつかず，疑義照会できない場合．ただし，当該処方箋の患者がその薬局の近隣の患者の場合は処方箋を預かり，後刻処方医師に疑義照会して調剤すること．
イ．冠婚葬祭，急病等で薬剤師が不在の場合．
注：平成21年改正の「薬局並びに店舗販売業及び配置販売業の業務を行う体制を定める省令」により，薬局の営業時間内は，常時，調剤に従事する薬剤師が勤務していることになり，特段正当な理由に該当しなくなった．
ウ．患者の症状等から早急に調剤薬を交付する必要があるが，医薬品の調達に時間を要する場合．ただし，この場合は即時調剤可能な薬局を責任をもって紹介する．
エ．災害，事故等により，物理的に調剤が不可能な場合．

③ 恒常的処方箋応需拒否薬局

正当な理由がなく恒常的に処方箋応需を拒否する薬局は，患者に迷惑をかけ，薬局に対する国民の信頼を裏切るとともに，薬局，薬剤師に求められている使命，社会的役割を自ら放棄するものであるから，他の医薬品販売業へ転換することが望ましい．

(2) 薬歴管理・服薬指導

薬剤師は，医薬品の有効で安全な使用，特に重複投薬や相互作用の防止に資するため，患者について調剤された薬剤ばかりでなく，必要に応じ一般用医薬品を含めた薬歴管理を行い，適切な服薬指導を実施すること．また，必要に応じ処方医師へ処方の変更等について相談し，その過程の記録を残すなど，患者のための医療を心がけること．

(3) 疑義照会

薬剤師は，患者が有効かつ安全に調剤された薬剤を使用することができるよう，患者の薬歴管理の記録や患者等との対話を基に薬学的見地から処方箋を確認し，当該処方箋に疑義がある場合は，処方医師に問い合わせて疑義が解消した後でなければ調剤してはならない．

なお，疑義照会を行った場合は，その記録を残しておくこと．

(4) 薬袋等への記載

薬袋等へは，薬剤師法施行規則で定める事項のほか，服用に際しての注意，問合せ先など，患者のために必要な情報をできるだけ記載すること．

(5) 受診の勧め

一般用医薬品等の販売に当たって，一般用医薬品の適用外と思われる場合は，患者が適正な受診の機会を逃すことのないよう，速やかに「かかりつけ医」等への受診を勧めること．

(6) ファクシミリ患者サービス

薬局は，ファクシミリを設置することが望ましい．

なお，処方箋受入れ準備体制のためのファクシミリの利用については，薬局が医療機関と申し合わせ，患者等の意思に反して，特定の薬局へ処方内容を電送するよう誘導又は限定することは，認められないものである．

13　一般用医薬品の供給

(1) 薬局は調剤とあわせて一般用医薬品の供給に努めること．

(2) 一般用医薬品の販売に当たっては，必要に応じ薬歴管理を行うとともに，適切な服薬指導を実施すること．

(3) 習慣性や依存性のある医薬品及びその他乱用されやすい医薬品は十分注意して供給すること．

14　医薬品情報の収集等

(1) 常に，医薬品の有効性・安全性に関する情報，副作用情報，保健・医療・介護・福祉情報などを収集し，薬局業務に資すること．

(2) 薬局の業務を円滑に推進するため，関係機関・団体との連絡を密にするとともに，地域住民に必要な情報の提供に努めること．

(3) 医薬品等の副作用等について，薬局利用者からの収集にも努めること．

15　広告

地域保健医療に貢献する薬局として，国民及び医療関係者の信頼を損うことのないよう，品位のある広告に留意すること．

16　在宅医療・福祉

薬局及び薬剤師は調剤及び介護用品等の供給を通じ，在宅医療，福祉に貢献するよう努力すること．

17　薬事衛生等への参画

薬局の薬剤師は，薬物乱用防止，学校薬剤師活動，地域の環境衛生の維持向上等に積極的に参画するよう努めること．

Checkpoint

（薬局の開設）	
開設の許可・更新	許可権者は都道府県知事，有効期間6年間，6年ごとに更新を受ける
登録販売者	都道府県知事により一般用医薬品の販売又は授与に従事する資質があると認められた者
薬局医薬品	要指導医薬品及び一般用医薬品以外の医薬品
要指導医薬品	スイッチ直後品目及び販売直後のダイレクト一般用医薬品，毒薬及び劇薬
開設の許可基準	① 構造設備の要件　② 薬局業務を行う体制の要件　③ 申請者の人的要件
名称の使用制限	薬局開設の許可を受けた場所のみ可，（例外）病院，診療所の調剤所も可
（薬局開設者の業務）	
薬局の管理	薬局開設者が薬剤師の場合は自ら実地に管理，他の薬剤師を管理者に指定することも可，薬局開設者が薬剤師でない場合は薬剤師を管理者に指定しなければならない
薬局に関する情報の提供等	医療を受ける者が薬局の選択を適切に行うために必要な情報を所在地の都道府県知事が定める方法により，知事に報告するとともに当該事項を記載した書面を当該薬局の見やすい場所に掲示しなければならない
遵守事項	管理者の意見尊重，薬局開設の許可証の掲示，医薬品の試験検査の実施方法，薬局における医薬品の業務に係る医療安全の確保，薬局の管理に関する帳簿の備えと保存，医薬品の譲受及び譲渡の記録と保存，実務の証明，業務経験の証明，視覚，聴覚若しくは音声機能もしくは言語機能に障害を有する薬剤師等に対する措置，薬局における従事者の区別等々
薬剤を販売する場合等における情報提供	書面を用いて行わなければならない．情報提供事項：① 調剤された薬剤の名称　② 有効成分の名称・分量　③ 用法・用量　④ 効能・効果　⑤ 使用上の注意のうち，保健衛生上の危害の発生を防止するために必要な事項　⑥ その他調剤した薬剤師が適正使用のために必要と判断する事項（薬袋等に規定の表示が行われている場合 ①～④ の書面への記載は省略できる）
休廃止等の届出	薬局を休止・廃止・再開したときは30日以内に知事に届け出
（薬局管理者の業務）	
兼業禁止	その薬局以外の管理の兼業は禁止　（例外）学校薬剤師等は知事の許可を受ければ可
義務	① 薬局に勤務する薬剤師その他の従業者を監督する　② 薬局の構造設備及び医薬品その他の物品を管理（医薬品を他の薬品と区別して貯蔵し，又は陳列しなければならない．試験検査，不良品の処理その他当該薬局の管理に関する事項を，薬局管理簿に記載しなければならない）　③ 薬局の業務につき，必要な注意をする（薬局管理者には，保健衛生上の責任者として，薬局開設者に必要な意見を述べなければならない）

問　題

問 1　薬局の開設許可は，厚生労働大臣が店舗ごとに与える.（89）

問 2　薬局開設者が既存の薬局と同一の構造設備を有する薬局を同一県内に開設する場合は，都道府県知事へ届け出ればよい.（86）

問 3　一般用医薬品を販売する場合には，薬局であっても店舗販売業の許可が必要である.（105）

問 4　薬局開設者は，医療を受ける者が薬局の選択を適切に行うために必要な情報として，厚生労働省令で定める事項を閲覧に供しなければならない.（94）

問 5　建物の2階にあった薬局を同一建物の1階へ移転する場合には，同一建物であることから新たな許可を受ける必要はなく届出のみでよい.（90）

問 6　病院又は診療所の調剤所は，医薬品医療機器等法に基づく薬局ではないが，「薬局」の名称を付すことができる.（89改）

問 7　薬局における薬剤師の員数の算定の基礎となる1日平均取扱処方箋数について，眼科，耳鼻咽喉科及び歯科の処方箋数の扱いは，前年において取り扱った眼科，耳鼻咽喉科及び歯科の処方箋数にそれぞれ3分の2を乗じることとされている.（90改）

問 8　薬局開設者は，薬剤師でなければならない.（105）

問 9　薬局の開設許可の基準は，構造設備及び薬事に関する実務に従事する薬剤師の員数のみである.（89）

問 10　薬局開設者は，医薬品の製造販売業者が行う医薬品の適正な使用のために必要な情報の収集に協力するよう努める法律上の義務がある.（86）

問 11　薬局開設者は，当該薬局の管理に関する事項を記録する帳簿を備えなければならない.（86）

問 12　薬局開設者が，当該薬局の管理に関する帳簿を，最終記載の日から2年間保存し，その直後に廃棄した.（89）

問 13　薬局の開設者は，前年における総取扱処方箋数を薬局の所在地の市町村長に届け出なければならない.（89改）

問 14　薬局開設者が薬剤師であるときは，常に自らその薬局を実地に管理する義務がある.（89）

問 15　薬局の管理者は，薬事に関する実務に3年以上従事した薬剤師でなければならない.（92）

問 16　薬局の管理者が，薬剤師免許を取り消されたときは，薬局開設の許可も取り消されることになる.（92）

問 17　薬局の管理者は，都道府県知事の許可を受ければ，管理する薬局以外の場所で業として薬事に関する実務に従事することができる.（86）

問 18　薬局は医療連携体制の中で，調剤を中心とした医薬品や医療・衛生材料等の供給拠点としての役割を担うことが求められている.（94）

問 19　薬局は，調剤とあわせて要指導医薬品及び一般用医薬品の供給に努める必要がある.（90改）

問 20　薬局開設者は，薬剤師，登録販売者又は一般従事者であることが容易に判別できるよう，その店舗に勤務する従事者に名札を付けさせることその他必要な措置を講じなければならない.（96）

問 21　薬局の業務内容について都道府県知事に報告することは，薬局の管理者の義務である.（98改）

問 22　勤務する薬剤師その他の従業者を監督することは，薬局の管理者の義務である.（98改）

問 23　薬局の休止，廃止又は再開に関する届出をすることは，薬局の管理者の義務である.（98改）

解答・解説

問 1　×　薬局の開設許可は，所在地の都道府県知事（保健所を設置する市又は特別区の場合は，市長又は区長）が店舗ごとに与える．（法 4 条）

問 2　×　既存の薬局と同一の構造設備を有する薬局を同一県内に開設する場合であっても届け出ではなく，許可が必要である．（法 4 条）

問 3　×　薬局開設の許可を受ければ，要指導医薬品又は一般用医薬品を販売することもできる．

問 4　○　薬局を利用するために必要な情報を掲示することが薬局開設者に義務付けられた．（法 8 条の 2）

問 5　×　届け出ではなく，新たに薬局開設の許可を受けなければならない．（法 4 条，5 条）

問 6　○　薬局でないものには，薬局の名称を付してはならないが，例外として，病院又は診療所の調剤所は，「薬局」の名称を付すことができる．（則 10 条）

問 7　○　処方箋枚数の算定方法として，眼科，耳鼻いんこう科及び歯科の処方箋は，それぞれの処方箋数に 3 分の 2 を乗じることとされている．（薬局並びに店舗販売業及び配置販売業の業務を行う体制を定める省令 1 条）

問 8　×　薬局開設者に別段の資格は求められていない．ただし，薬局業務運営ガイドラインにおいては，薬剤師であることが望ましいとされている．

問 9　×　薬局の開設許可の基準は，「① 構造設備　② 薬剤師の員数　③ 申請者の人的要件」である．（法 5 条）

問 10　○　薬局開設者は，医薬品の適正な使用のために必要な情報の収集に協力するよう努めなければならない．（法 77 条の 3）

問 11　○　薬局開設者は，薬局の管理に関する事項を記録する帳簿を備えなければならない．（則 13 条）

問 12　×　薬局開設者は，管理に関する事項を記録する帳簿を 3 年間保存しなければならない．（則 13 条）

問 13　×　前年の総取扱処方箋数の届け出先は，薬局の所在地の都道府県知事である．（令 2 条）

問 14　×　薬局開設者が薬剤師であるときは，自らその薬局を実地に管理する義務があるが，その薬局において薬事に関する実務に従事する他の薬剤師を管理者に指定してその薬局を実地に管理させることもできる．（法 7 条）

問 15　×　3 年以上実務に従事した薬剤師でなければならないという規定はない．（法 7 条）

問 16　×　薬局管理者と薬局開設者が同一とは限らない．また，薬局管理者は薬剤師に限定されるが，薬局開設者は薬剤師でなくても可能である．（法 5 条）

問 17　○　薬局の管理者の兼業は禁止されている．しかし，都道府県知事の許可を受ければ，学校薬剤師などの実務に従事することができる．（法 7 条）

問 18　○　薬局は，調剤を中心とした医薬品や医療・衛生材料等の供給拠点としての役割を担うことが求められている．（薬局業務運営ガイドライン）

問 19　○　薬局は，セルフメディケーションの観点からも要指導医薬品及び一般用医薬品の供給に努めることが必要である．

問 20　○　薬局開設者は，薬剤師，登録販売者又は一般従事者であることが容易に判別できるよう，その店舗に勤務する従事者に名札を付けさせることその他必要な措置を講じなければならない．（則 15 条）

問 21　×　薬局の業務内容について都道府県知事に報告することは，薬局開設者の義務である．（則 11 条の 3）

問 22　○　勤務する薬剤師その他の従業者を監督することは，薬局の管理者の義務である．（法 8 条）

問 23　×　薬局の休止，廃止又は再開に関する届出をすることは，薬局開設者の義務である．（法 10 条）

c 医薬品販売業

1) 医薬品の販売業の許可

（医薬品の販売業の許可）第 24 条　薬局開設者又は医薬品の販売業の許可を受けた者でなければ，業として，医薬品を販売し，授与し，又は販売若しくは授与の目的で貯蔵し，若しくは陳列（配置することを含む．以下同じ.）してはならない．ただし，医薬品の製造販売業者がその製造等をし，又は輸入した医薬品を薬局開設者又は医薬品の製造販売業者，製造業者若しくは販売業者に，医薬品の製造業者がその製造した医薬品を医薬品の製造販売業者又は製造業者に，それぞれ販売し，授与し，又はその販売若しくは授与の目的で貯蔵し，若しくは陳列するときは，この限りでない．
2　前項の許可は，6 年ごとにその更新を受けなければ，その期間の経過によって，その効力を失う．

●**医薬品は，生命関連物質であるため販売等（授与，又は販売もしくは授与の目的で貯蔵し，もしくは陳列することを含む）を行うには許可が必要**である．これに対して，**医薬部外品・化粧品の販売等に許可は必要としない．許可の有効期限は 6 年である．**

●**ただし，次の場合は医薬品の販売業の許可を必要としない．**

① 製造販売業者が製造・輸入した医薬品を，薬局開設者又は医薬品の製造販売業者，製造業者もしくは販売業者に販売等する場合（病院開設者，一般消費者には販売できない）．

② 製造業者が製造した医薬品を医薬品の製造販売業者又は製造業者に販売する場合（販売業者には販売できない）．

●医薬品の製造販売業者は，店舗販売業者に対しては要指導医薬品又は一般用医薬品以外の医薬品を，配置販売業者に対しては一般用医薬品以外の医薬品を販売等してはならない．

●薬局製造販売医薬品の製造販売業者である薬局開設者は，当該薬局以外の薬局開設者又は医薬品の製造販売業者，製造業者もしくは販売業者に対して，薬局製造販売医薬品を販売し，又は授与してはならない．（則 92 の 3）

2) 医薬品の販売業の許可の種類

（医薬品の販売業の許可の種類）第 25 条　医薬品の販売業の許可は，次の各号に掲げる区分に応じ，当該各号に定める業務について行う．
一　**店舗販売業**の許可　要指導医薬品（第 4 条第 5 項第 3 号に規定する要指導医薬品をいう．以下同じ.）又は一般用医薬品を，店舗において販売し，又は授与する業務
二　**配置販売業**の許可　一般用医薬品を，配置により販売し，又は授与する業務
三　**卸売販売業**の許可　医薬品を，薬局開設者，医薬品の製造販売業者，製造業者若しくは販売業者又は病院，診療所若しくは飼育動物診療施設の開設者その他厚生労働省令で定める者（第 34 条第 3 項において「薬局開設者等」という）に対し，販売し，又は授与する業務

●卸売販売業における医薬品の販売等の相手方としてその他厚生労働省令で定める者とは，① 国，

都道府県知事，又は市町村長（特別区の区長を含む）②助産所の開設者　③救急用自動車等により業務を行う事業者等を含む15の者が，規定されている．（則138）

3）店舗販売業

（店舗販売業の許可）第26条　店舗販売業の許可は，店舗ごとに，その店舗の所在地の都道府県知事（その店舗の所在地が保健所を設置する市又は特別区の区域にある場合においては，市長又は区長．次項及び第28条第3項において同じ.）が与える．
2 ～ 3　省略
4　次の各号のいずれかに該当するときは，第一項の許可を与えないことができる．
一　その店舗の構造設備が，厚生労働省令で定める基準に適合しないとき．
二　薬剤師又は登録販売者を置くことその他その店舗において医薬品の販売又は授与の業務を行う体制が適切に医薬品を販売し，又は授与するために必要な基準として厚生労働省令で定めるものに適合しないとき．
三　申請者が，第5条第三号イからへまでのいずれかに該当するとき．

●**店舗販売業の許可は，店舗の所在地の都道府県知事（保健所を設置する市又は特別区の場合は，市長又は区長）が与える．**
●薬局の許可基準同様，次の3要件を満たさない場合には，許可を与えないことができる．
①**構造設備の要件（薬局等構造設備規則）**
②**店舗販売業の業務を行う体制の要件**
（薬局並びに店舗販売業及び配置販売業の業務を行う体制を定める省令）
③**申請者の人的要件**（薬局開設者の人的要件を準用）

【**店舗販売業の店舗の構造設備**】（薬局等構造設備規則第2条）（薬局の構造設備参照）
1. 医薬品を購入し，又は譲り受けようとする者が容易に出入りできる構造であり，店舗であることがその外観から明らかであること．
2. 換気が十分であり，かつ，清潔であること．
3. 当該店舗販売業以外の店舗販売業の店舗又は薬局の場所，常時居住する場所及び不潔な場所から明確に区別されていること．
4. 面積はおおむね13.2 m^2 以上とし，店舗販売業の業務を適切に行うことができるものであること．
5. 医薬品を通常陳列し，又は交付する場所にあっては60ルックス以上の明るさを有すること．
6. 開店時間のうち，要指導医薬品又は一般用医薬品を販売し，又は授与しない時間がある場合には，要指導医薬品又は一般用医薬品を通常陳列し，又は交付する場所を閉鎖することができる構造のものであること．
7. 冷暗貯蔵のための設備を有すること．ただし，冷暗貯蔵が必要な医薬品を取り扱わない場合は，この限りではない．
8. 鍵のかかる貯蔵設備を有すること．ただし，毒薬を取り扱わない場合は，この限りではない．
9. 要指導医薬品を販売し，又は授与する店舗にあっては，次に定めるところに適合するものであること．
　イ　要指導医薬品を陳列するために必要な陳列設備を有すること．
　ロ　要指導医薬品陳列区画に医薬品を購入し，若しくは譲り受けようとする者又は医薬品を購入し，若しくは譲り受けた者若しくはこれらの者によって購入され，若しくは譲り受けられた医薬品を使用する者が進入することができないよう必要な措置が採られていること．ただし，要指導医薬品を陳列しない場合又は鍵をかけた陳列設備その他医薬品を購入し，若しくは譲り受けようとする者若しくは医薬品を購入し，若しくは譲り受けた者若しくはこれらの者によって購入され，若しくは譲り受けられた医薬品を使用する者が直接手の触れられない陳列設備に陳列する場合は，この限りでない．

ハ　開店時間のうち，要指導医薬品を販売し，又は授与しない時間がある場合には，要指導医薬品陳列区画を閉鎖することができる構造のものであること．

10. 第一類医薬品を販売等する店舗にあっては，次に定めるところに適合するものであること．

イ　第一類医薬品を陳列するために必要な陳列設備を有すること．

ロ　第一類医薬品陳列区画に医薬品を購入し，もしくは譲り受けようとする者又は医薬品を購入しもしくは譲り受けた者もしくはこれらの者によって購入され，もしくは譲り受けられた医薬品を使用する者が進入することができないよう必要な措置が採られていること．ただし，第一類医薬品を陳列しない場合又は鍵をかけた陳列設備その他一般用医薬品を購入し，もしくは譲り受けようとする者又は一般用医薬品を購入しもしくは譲り受けた者もしくはこれらの者によって購入され，もしくは譲り受けられた一般用医薬品を使用する者が直接手に触れられない陳列設備に陳列する場合は，この限りでない．

ハ　開店時間のうち，第一類医薬品を販売等し，又は授与しない営業がある場合には，第一類医薬品陳列区画を閉鎖することができる構造のものであること．

11. 次に定めるところに適合する医薬品，医療機器等の品質，有効性及び安全性の確保等に関する法律第36条の6第1項から第3項までに基づき情報を提供するための設備を有すること．ただし，複数の設備を有する場合は，いずれかの設備が適合していれば足りるものとする．

イ　第一類医薬品を陳列する場合には，第一類医薬品陳列区画の内部又は近接する場所にあること．

ロ　指定第二類医薬品を陳列する場合には，指定第二類医薬品を陳列する陳列設備から7 m以内の範囲にあること．ただし，**鍵をかけた陳列設備に陳列**する場合は又は**指定第二類医薬品を陳列する陳列設備から1.2 m以内の範囲**に一般用医薬品を購入し，もしくは譲り受けようとする者又は一般用医薬品を購入し，もしくは譲り受けた者もしくはこれらの者によって購入され，もしくは譲り受けられた一般用医薬品を使用する者が進入することができないような必要な措置がとられている場合は，この限りではない．

ハ　2以上の階に一般用医薬品を通常陳列し，又は交付する場所がある場合には，各階の一般用医薬品を通常陳列し，又は交付する場所の内部にあること．

12. 営業時間のうち，特定販売のみを行う時間がある場合には，都道府県知事（その店舗の所在地が保健所を設置する市又は特別区の区域にある場合においては，市長又は区長）又は厚生労働大臣が特定販売の実施方法に関する適切な監督を行うために必要な設備を備えていること．

【**店舗販売業の業務を行う体制**】（薬局並びに店舗販売業及び配置販売業の業務を行う体制を定める省令第2条）

1. 要指導医薬品又は第一類医薬品を販売し，又は授与する店舗にあっては，要指導医薬品又は第一類医薬品を販売し，又は授与する営業時間内は，常時，当該店舗において薬剤師が勤務していること．
2. 第二類医薬品又は第三類医薬品を販売し，又は授与する営業時間内は，常時，当該店舗において薬剤師又は登録販売者が勤務していること．
3. 営業時間又は営業時間外で相談を受ける時間内は，医薬品を購入し，若しくは譲り受けようとする者又は医薬品を購入し，若しくは譲り受けた者若しくはこれらの者によって購入され，若しくは譲り受けられた医薬品を使用する者から相談があつた場合に，法第36条の6第4項又は第36条の10第5項の規定による情報の提供又は指導を行うための体制を備えていること．

4. 当該店舗において，要指導医薬品又は一般用医薬品の販売又は授与に従事する薬剤師及び登録販売者の週当たり勤務時間数の総和を当該店舗内の要指導医薬品の情報の提供及び指導を行う場所並びに一般用医薬品の情報の提供を行う場所の数で除して得た数が，要指導医薬品又は一般用医薬品を販売し，又は授与する開店時間の一週間の総和以上であること．

5～8. 省略

9. 法第36条の6第1項及び第4項の規定による情報の提供及び指導並びに法第36条の10第1項，第3項及び第5項の規定による情報の提供その他の要指導医薬品及び一般用医薬品の販売又は授与の業務に係る適正な管理を確保するため，指針の策定，従事者に対する研修の実施その他必要な措置が講じられていること．

「**店舗販売業者が講じなければならない措置に含まれる事項**」

前項第9号に掲げる店舗販売業者が講じなければならない措置には，次に掲げる事項を含むものとする．

1. 従事者から店舗販売業者への事故報告の体制の整備
2. 要指導医薬品等の適正販売等のための業務に関する手順書の作成及び当該手順書に基づく業務の実施
3. 要指導医薬品等の適正販売等のために必要となる情報の収集その他要指導医薬品等の適正販売等の確保を目的とした改善のための方策の実施.

（店舗販売品目）第27条　店舗販売業者は，薬局医薬品（第4条第5項第2号に規定する薬局医薬品をいう．以下同じ.）を販売し，授与し，又は販売若しくは授与の目的で貯蔵し，若しくは陳列してはならない.

（店舗の管理）第28条　店舗販売業者は，その店舗を，自ら実地に管理し，又はその指定する者に実地に管理させなければならない.

2　前項の規定により店舗を実地に管理する者（以下「店舗管理者」という.）は，厚生労働省令で定めるところにより，薬剤師又は登録販売者でなければならない.

3　店舗管理者は，その店舗以外の場所で業として店舗の管理その他薬事に関する実務に従事する者であってはならない．ただし，その店舗の所在地の都道府県知事の許可を受けたときは，この限りでない.

●店舗管理者は，次の各号に掲げる区分に応じ，各号に定める者であって，その店舗において医薬品の販売又は授与に関する業務に従事するものでなければならない．（則140－2）

1. **要指導医薬品又は第一類医薬品を販売し，又は授与する店舗（薬剤師）**
2. **第二類医薬品又は第三類医薬品を販売し，又は授与する店舗（薬剤師又は登録販売者）**

●第一類医薬品を販売等する店舗において薬剤師を店舗管理者とすることができない場合には，要指導医薬品若しくは第一類医薬品を販売等する薬局，薬剤師が店舗管理者である要指導医薬品若しくは第一類医薬品を販売等する店舗販売業又は薬剤師が区域管理者である第一類医薬品を配置販売する配置販売業において登録販売者として3年以上業務に従事した者を店舗管理者とすることができる．（則140 － 2）

●第一類医薬品を販売等する店舗の店舗販売業者は，当該店舗の店舗管理者が薬剤師でない場合には，店舗管理者を補佐する者として薬剤師を置かなければならない．　補佐する者は，保健衛生上支障を生ずるおそれがないように，店舗販売業者及び店舗管理者に対し必要な意見を述べなければならない．一方，店舗販売業者及び店舗管理者は，補佐する者の意見を尊重しなければならない．（則141）

（店舗管理者の義務）第29条　店舗管理者は，保健衛生上支障を生ずるおそれがないように，その店舗に勤務する薬剤師，登録販売者その他の従業者を監督し，その店舗の構造設備及び医薬品その他の物品を管理し，その他その店舗の業務につき，必要な注意をしなければならない．

2　店舗管理者は，保健衛生上支障を生ずるおそれがないように，その店舗の業務につき，店舗販売業者に対し必要な意見を述べなければならない．

（店舗販売業者の遵守事項）第29条の2　厚生労働大臣は，厚生労働省令で，次に掲げる事項その他店舗の業務に関し店舗販売業者が遵守すべき事項を定めることができる．

一　店舗における医薬品の管理の実施方法に関する事項

二　店舗における医薬品の販売又は授与の実施方法（その店舗においてその店舗以外の場所にいる者に対して一般用医薬品を販売し，又は授与する場合におけるその者との間の通信手段に応じた当該実施方法を含む．）に関する事項

2　店舗販売業者は，第28条第1項の規定により店舗管理者を指定したときは，前条第2項の規定による店舗管理者の意見を尊重しなければならない．

●省令で定める店舗販売業者の遵守事項は，薬局開設者の遵守事項を準用する．（則143）

許可証の掲示（則3），試験検査の実施方法（則144），管理に関する帳簿（則145），医薬品の譲受け及び譲渡に関する記録（則146），医薬品を陳列する場所等の閉鎖（則147），従事者の区別（則147条の2），濫用等のおそれのある医薬品の販売等（則147条の3），特定販売の方法等（則147条の7），指定第二類医薬品の販売等（則147条の8），実務の証明（則147条の9），業務経験の証明（則147条の10），視覚，聴覚又は音声機能若しくは言語機能に障害を有する薬剤師等に対する措置（則147条の11），掲示（則147条の12）．

（店舗における掲示）第29条の3　店舗販売業者は，厚生労働省令で定めるところにより，当該店舗を利用するために必要な情報であって厚生労働省令で定める事項を，当該店舗の見やすい場所に掲示しなければならない．

別表第1の2　薬局における掲示の規定と同じである．

4）配置販売業

（配置販売業の許可）第30条　配置販売業の許可は，配置しようとする区域をその区域に含む都道府県ごとに，その都道府県知事が与える．

2　次の各号のいずれかに該当するときは，前項の許可を与えないことができる．

一　薬剤師又は登録販売者が配置することその他当該都道府県の区域において医薬品の配置販売を行う体制が適切に医薬品を配置販売するために必要な基準として厚生労働省令で定めるものに適合しないとき．

二　申請者が，第5条第3号イからへまでのいずれかに該当するとき．

●複数の都道府県において配置販売を行う場合には，**それぞれの都道府県ごとに知事の許可**を受けなければならない．

【配置販売業の業務を行う体制】

（薬局並びに店舗販売業及び配置販売業の業務を行う体制を定める省令第3条）

法第30条第2項第1号の規定に基づく厚生労働省で定める配置販売業の都道府県の区域において医薬品の配置販売業の業務を行う体制の基準は，次に掲げる基準とする．

1. 第一類医薬品を配置販売する配置販売業にあっては，第一類医薬品を配置販売業する時間内は，常時，当該区域において薬剤師が勤務していること．
2. 第二類医薬品又は第三類医薬品を配置販売する時間内は，常時，当該区域において薬剤師又は登録販売者が勤務していること．
3. 当該区域において，薬剤師及び登録販売者が一般用医薬品を配置する勤務時間数の1週間の総和が，当該区域における薬剤師及び登録販売者の週当たり勤務時間数の総和の2分の1以上であること．
4. 第一類医薬品を配置販売する配置販売業にあっては，当該区域において第一類医薬品の配置販売に従事する薬剤師の週当たりの勤務時間の総和が，当該区域において一般用医薬品の配置販売に従事する薬剤師及び登録販売者の週当たり勤務時間数の総和の2分の1以上であること．
5. 一般用医薬品の情報提供その他一般用医薬品の配置販売の配置販売の業務に係る適正な管理を確保するため，指針の策定，従事者に対する研修の実施その他必要な措置が講じられていること．

「配置販売業者が講じなければならない措置に含まれる事項」

1. 従事者から配置販売業者への事故報告の体制の整備
2. 一般用医薬品の適正配置のための業務に関する手順書の作成及び当該手順書に基づく業務の実施
3. 一般用医薬品の適正配置のために必要となる情報の収集その他一般用医薬品の適正配置の確保を目的とした改善のための方策の実施．

（配置販売品目）第31条　配置販売業の許可を受けた者（以下「配置販売業者」という．）は，一般用医薬品のうち経年変化が起こりにくいことその他の厚生労働大臣の定める基準に適合するもの以外の医薬品を販売し，授与し，又は販売若しくは授与の目的で貯蔵し，若しくは陳列してはならない．

配置販売品目基準（平成21年告26）

1　経年変化が起こりにくいこと．
2　剤型，用法，用量等からみて，その使用方法が簡易であること．
3　容器又は被包が，壊れやすく，又は破れやすいものでないこと．

（都道府県ごとの区域の管理）第31条の2　配置販売業者は，その業務に係る都道府県の区域を，自ら管理し，又は当該都道府県の区域内において配置販売に従事する配置員のうちから指定したものに管理させなければならない．

2　前項の規定により都道府県の区域を管理する者（以下「**区域管理者**」という．）は，厚生労働省令で定めるところにより，**薬剤師又は登録販売者**でなければならない．

（区域管理者の義務）第31条の3　区域管理者は，保健衛生上支障を生ずるおそれがないように，その業務に関し配置員を監督し，医薬品その他の物品を管理し，その他その区域の業務につき，必要な注意をしなければならない．

2　区域管理者は，保健衛生上支障を生ずるおそれがないように，その区域の業務につき，配置販売業者に対し必要な意見を述べなければならない．

（配置販売業者の遵守事項）第31条の4　厚生労働大臣は，厚生労働省令で，配置販売の業務に関する記録方法その他配置販売の業務に関し配置販売業者が遵守すべき事項を定めることができる．
2　配置販売業者は，第31条の2第1項の規定により区域管理者を指定したときは，前条第2項の規定による区域管理者の意見を尊重しなければならない．

●省令で定める配置販売業者の遵守事項は，薬局開設者の遵守事項を準用する．（則149）

管理に関する帳簿（則13），医薬品の譲受及び譲渡に関する記録（則14），視覚，聴覚又は音声機能若しくは言語機能に障害を有する薬剤師等に対する措置（則15），従事者の区別（則15の2），変更の届出（則16），区域管理者の指定（則140），区域管理者を補佐する者（則141）

（配置従事の届出）第32条　配置販売業者又はその配置員は，医薬品の配置販売に従事しようとするときは，その氏名，配置販売に従事しようとする区域その他厚生労働省令で定める事項を，あらかじめ，配置販売に従事しようとする区域の都道府県知事に届け出なければならない．

配置従事の届出事項（則150）

1. 配置販売業者の氏名及び住所
2. 配置販売に従事する者の氏名及び住所
3. 配置販売に従事する区域及びその期間

（配置従事者の身分証明書）第33条　配置販売業者又はその配置員は，その住所地の都道府県知事が発行する**身分証明書**の交付を受け，かつ，これを携帯しなければ，医薬品の配置販売に従事してはならない．
2　前項の身分証明書に関し必要な事項は，厚生労働省令で定める．

●配置従事者の身分証明書の有効期間は，発行の日から発行の日の属する年の翌年の12月31日までとする．（則152－2）

5）卸売販売業

（卸売販売業の許可）第34条　卸売販売業の許可は，営業所ごとに，その営業所の所在地の都道府県知事が与える．
2　次の各号のいずれかに該当するときは，前項の許可を与えないことができる．
一　その営業所の構造設備が，厚生労働省令で定める基準に適合しないとき．
二　申請者が，第5条第3号イからヘまでのいずれかに該当するとき．
3　卸売販売業の許可を受けた者（以下「卸売販売業者」という．）は，当該許可に係る営業所については，業として，**医薬品を，薬局開設者等以外の者に対し，販売し，又は授与してはならない**．

（営業所の管理）第35条　卸売販売業者は，**営業所ごとに，薬剤師を置き，その営業所を管理**させなければならない．ただし，卸売販売業者が薬剤師の場合であって，自らその営業所を管理するときは，この限りでない．
2　卸売販売業者が，薬剤師による管理を必要としない医薬品として厚生労働省令で定めるもののみを販売又は授与する場合には，前項の規定にかかわらず，その営業所を管理する者（以下「医薬品営業所管理者」という．）は，薬剤師又は薬剤師以外の者であって当該医薬品の品目に応じて厚生労働省令で定めるものでなければならない．
3　医薬品営業所管理者は，その営業所以外の場所で業として営業所の管理その他薬事に関する実務に従事する者であってはならない．ただし，その営業所の所在地の都道府県知事の許可を受けたときは，この限りでない．

（医薬品営業所管理者の義務）第36条　医薬品営業所管理者は，保健衛生上支障を生ずるおそれがないように，その営業所に勤務する薬剤師その他の従業者を監督し，その営業所の構造設備及び医薬品その他の物品を管理し，その他その営業所の業務につき，必要な注意をしなければならない．
2　医薬品営業所管理者は，保健衛生上支障を生ずるおそれがないように，その営業所の業務につき，卸売販売業者に対し必要な意見を述べなければならない．

（卸売販売業者の遵守事項）第36条の2　厚生労働大臣は，厚生労働省令で，営業所における医薬品の試験検査の実施方法その他営業所の業務に関し卸売販売業者が遵守すべき事項を定めることができる．
2　卸売販売業者は，第35条第1項又は第2項の規定により医薬品営業所管理者を置いたときは，前条第2項の規定による医薬品営業所管理者の意見を尊重しなければならない．

●省令で定める店舗販売業者の遵守事項：試験検査の実施方法（則157），医薬品の適正管理の確保（則158），営業所の管理に関する帳簿（則158－3），医薬品の譲受け及び譲渡に関する記録（則158－4），業務経験の証明（則158－5），視覚，聴覚又は音声機能若しくは言語機能に障害を有する薬剤師に対する措置（則158－6）．

●卸売販売業者は，店舗販売業者に対し，要指導医薬品又は一般用医薬品以外の医薬品を，配置販売業者に対し，一般用医薬品以外の医薬品を販売等してはならない．（則158－2）

6）一般用医薬品の区分

（一般用医薬品の区分）第36条の7　一般用医薬品（専ら動物のために使用されることが目的とされているものを除く．）は，次のように区分する．
一　第一類医薬品　その副作用等により日常生活に支障を来す程度の健康被害が生ずるおそれがある医薬品のうちその使用に関し特に注意が必要なものとして厚生労働大臣が指定するもの及びその製造販売の承認の申請に際して第14条第9項に該当するとされた医薬品であつて当該申請に係る承認を受けてから厚生労働省令で定める期間を経過しないもの
二　第二類医薬品　その副作用等により日常生活に支障を来す程度の健康被害が生ずるおそれがある医薬品（第一類医薬品を除く．）であつて厚生労働大臣が指定するもの
三　第三類医薬品　第一類医薬品及び第二類医薬品以外の一般用医薬品
2　厚生労働大臣は，前項第一号及び第二号の規定による指定に資するよう医薬品に関する情報の収集に努めるとともに，必要に応じてこれらの指定を変更しなければならないい．
3　厚生労働大臣は，第1項第一号又は第二号の規定による指定をし，又は変更しようとするときは，薬事・食品衛生審議会の意見を聴かなければならない．

【一般用医薬品】

●**一般用医薬品はリスクの程度に応じて3区分に分類される．**

●第一類医薬品：その副作用等により日常生活に支障を来す程度の健康被害が生ずるおそれがある医薬品のうちその使用に関し特に注意が必要な医薬品．

●第二類医薬品：その副作用等により日常生活に支障を来す程度の健康被害が生ずるおそれがある医薬品（第一類医薬品を除く．）．

●第三類医薬品：第一類医薬品及び第二類医薬品以外の一般用医薬品で比較的リスクが低く，日常生活に支障をきたす程度ではないが，身体の変調不調が起こる恐れがある医薬品．

●一般用医薬品の区分の指定，又は変更するときは，厚生労働大臣が，薬事・食品衛生審議会の意見を聴いて行う．

●医薬品の分類は下表の通り．

表 8.5　医薬品の分類

<table>
<tr><td colspan="3">薬局医薬品</td><td rowspan="3">要指導医薬品</td><td colspan="4">一般用医薬品</td></tr>
<tr><td colspan="2">医療用医薬品</td><td rowspan="2">薬局製造販売医薬品（薬局製剤）</td><td rowspan="2">第一類医薬品</td><td colspan="2">第二類医薬品</td><td rowspan="2">第三類医薬品</td></tr>
<tr><td>処方箋医薬品</td><td>処方箋医薬品以外の医療用医薬品</td><td>指定第二類医薬品</td><td></td></tr>
</table>

7) 区分ごとの医薬品販売の方法等

（薬局医薬品の販売に従事する者等）第 36 条の 3　薬局開設者は，厚生労働省令で定めるところにより，薬局医薬品につき，薬剤師に販売させ，又は授与させなければならない．

（薬局医薬品に関する情報提供及び指導等）第 36 条の 4　薬局開設者は，薬局医薬品の適正な使用のため，薬局医薬品を販売し，又は授与する場合には，厚生労働省令で定めるところにより，その薬局において医薬品の販売又は授与に従事する薬剤師に，対面により，厚生労働省令で定める事項を記載した書面（省略）を用いて必要な情報を提供させ，及び必要な薬学的知見に基づく指導を行わせなければならない．ただし，薬剤師等に販売し，又は授与するときは，この限りでない．

（要指導医薬品の販売に従事する者等）第 36 条の 5　薬局開設者又は店舗販売業者は，厚生労働省令で定めるところにより，要指導医薬品につき，薬剤師に販売させ，又は授与させなければならない．

（要指導医薬品に関する情報提供及び指導等）第 36 条の 6　薬局開設者又は店舗販売業者は，要指導医薬品の適正な使用のため，要指導医薬品を販売し，又は授与する場合には，厚生労働省令で定めるところにより，その薬局又は店舗において医薬品の販売又は授与に従事する薬剤師に，対面により，厚生労働省令で定める事項を記載した書面（省略）を用いて必要な情報を提供させ，及び必要な薬学的知見に基づく指導を行わせなければならない．ただし，薬剤師等に販売し，又は授与するときは，この限りでない．

表 8.6　区分ごとの医薬品販売の方法

<table>
<tr><td rowspan="2">リスク区分 ／ 事項</td><td rowspan="2">要指導医薬品</td><td colspan="4">一般用医薬品</td></tr>
<tr><td>第一類医薬品</td><td>指定第二類医薬品</td><td>第二類医薬品</td><td>第三類医薬品</td></tr>
<tr><td>販売する専門家</td><td colspan="2">薬剤師</td><td colspan="3">薬剤師又は登録販売者</td></tr>
<tr><td>購入者から質問がなくても行う積極的な情報提供</td><td>書面で情報提供＋薬学的知見に基づく指導</td><td>書面で情報提供</td><td colspan="2">努力義務</td><td>不要（法律上の定めなし）</td></tr>
<tr><td>購入者から相談があった場合の対応</td><td>必要な情報提供の義務＋薬学的知見に基づく指導</td><td colspan="4">必要な情報提供の義務</td></tr>
<tr><td>陳列（則　第218条の2，3）</td><td colspan="2">購入者が直接手に取ることができない陳列設備</td><td>情報提供するための設備（カウンター）から7メートル以内の範囲</td><td colspan="2">区別して（混在させないように）陳列</td></tr>
<tr><td>販売方法（則　第139条）</td><td>店舗でのみの販売</td><td colspan="4">特定販売（インターネット，電話，カタログ等の対面販売以外の販売方法）でも可</td></tr>
</table>

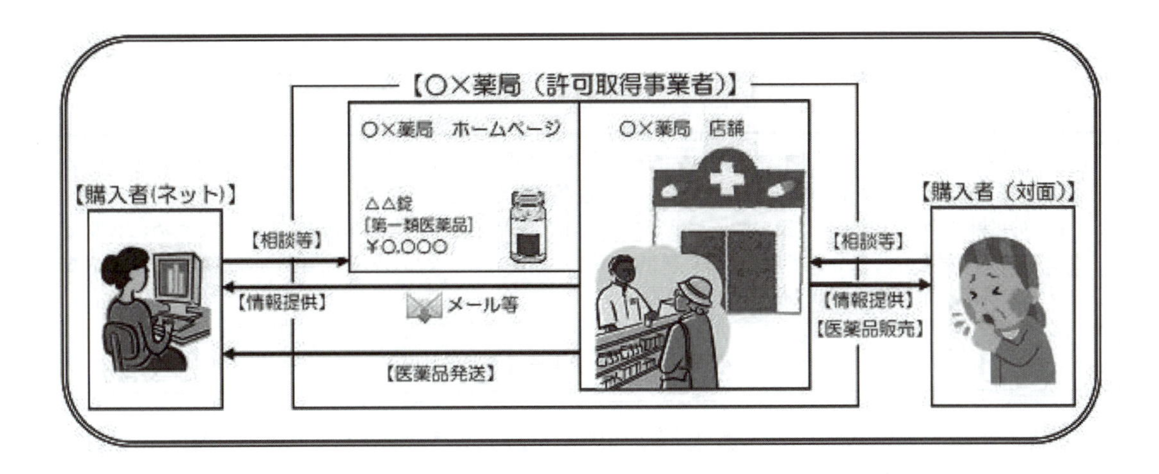

図 8.5　医薬品のネット販売の概要

（東京都福祉保健局のホームページ http://www.fukushihoken.metro.tokyo.jp/kenkou/iyaku/ippan_kusuri/ippan_seido.html から）

●**特定販売**を用いた販売許可の申請（則 139 条）

特定販売を行うためには，その薬局又は店舗販売業者において，その薬局以外の場所にいる者に対して一般用医薬品（又は薬局製造販売医薬品）を販売し，又は授与する場合にあっては，その者との間の通信手段その他以下の事項を記載した書類を提出し，許可を受けなければならない．

① 特定販売を行う際に使用する通信手段．② 次のイからホまでに掲げる**特定販売**を行う医薬品の区分．イ　第一類医薬品．ロ　指定第二類医薬品．ハ　第二類医薬品．ニ　第三類医薬品．ホ　薬局製造販売医薬品（薬局のみ）．③ 特定販売を行う時間及び営業時間のうち特定販売のみを行う時間がある場合はその時間．④ 特定販売を行うことについての広告に，申請書に記載する薬局の名称と異なる名称を表示するときは，その名称．⑤ 特定販売を行うことについて**インターネット**を利用して広告をするときは，主たるホームページアドレス及び主たるホームページの構成の概要．⑥ 都道府県知事（省略）又は厚生労働大臣が特定販売の実施方法に関する適切な監督を行うために必要な設備の概要（その薬局の営業時間のうち特定販売のみを行う時間がある場合に限る．）．

●**特定販売**の方法等（則 15 条の 6，則 147 条の 7）

薬局開設者又は店舗販売業者は，特定販売を行う場合は，次に掲げるところにより行わなければならない．① 当該薬局に貯蔵し，又は陳列している一般用医薬品又は薬局製造販売医薬品（薬局のみ）を販売し，又は授与すること．② **特定販売**を行うことについて広告をするときは，インターネットを利用する場合はホームページに，その他の広告方法を用いる場合は当該広告に，見やすく表示すること．③ **特定販売**を行うことについて広告をするときは，第一類医薬品，指定第二類医薬品，第二類医薬品，第三類医薬品及び薬局製造販売医薬品（薬局のみ）の区分ごとに表示すること．④ **特定販売**を行うことについて**インターネット**を利用して広告をするときは，都道府県知事及び厚生労働大臣が容易に閲覧することができるホームページで行うこと．

8) 登録販売者の資質確認

（資質の確認）第 36 条の 8　都道府県知事は，一般用医薬品の販売又は授与に従事しようとする者がそれに必要な資質を有することを確認するために，厚生労働省令で定めるところにより試験を行う.

2　前項の試験に合格した者又は第二類医薬品及び第三類医薬品の販売若しくは授与に従事するために必要な資質を有する者として政令で定める基準に該当する者であつて，医薬品の販売又は授与に従事しようとするものは，都道府県知事の登録を受けなければならない.

3　第 5 条第三号イからヘまでのいずれかに該当する者は，前項の登録を受けることができないい.

4　第 2 項の登録又はその消除その他必要な事項は，厚生労働省令で定めるる.

●登録販売者試験，受験申請，販売従事登録の申請，登録販売者の名簿及び登録証の交付，再交付等についての規定（則 159 の 3 ～ 13）.

9) 一般用医薬品の販売に従事する者

（一般用医薬品の販売に従事する者）第 36 条の 9　薬局開設者，店舗販売業者又は配置販売業者は，厚生労働省令で定めるところにより，一般用医薬品につき，次の各号に掲げる区分に応じ，当該各号に定める者に販売させ，又は授与させなければならない.

一　第一類医薬品　　薬剤師

二　第二類医薬品及び第三類医薬品　薬剤師又は登録販売者

10) 一般用医薬品の情報提供等

（一般用医薬品に関する情報提供等）第 36 条の 10　薬局開設者又は店舗販売業者は，第一類医薬品の適正な使用のため，**第一類医薬品**を販売し，又は授与する場合には，厚生労働省令で定めるところにより，その薬局又は店舗において医薬品の販売又は授与に従事する薬剤師に，厚生労働省令で定める事項を記載した**書面**（当該事項が電磁的記録に記録されているときは，当該電磁的記録に記録された事項を厚生労働省令で定める方法により表示したものを含む.）**を用いて必要な情報を提供させなければならない**．ただし，薬剤師等に販売し，又は授与するときは，この限りでない.

2　薬局開設者又は店舗販売業者は，前項の規定による情報の提供を行わせるに当たつては，当該薬剤師に，あらかじめ，**第一類医薬品**を使用しようとする者の**年齢，他の薬剤又は医薬品の使用の状況その他の厚生労働省令で定める事項を確認**させなければならない.

3　薬局開設者又は店舗販売業者は，第二類医薬品の適正な使用のため，**第二類医薬品**を販売し，又は授与する場合には，厚生労働省令で定めるところにより，その薬局又は店舗において医薬品の販売又は授与に従事する**薬剤師又は登録販売者に，必要な情報を提供させるよう努めなければならない**．ただし，薬剤師等に販売し，又は授与するときは，この限りでない.

4　薬局開設者又は店舗販売業者は，前項の規定による情報の提供を行わせるに当たつては，当該薬剤師又は登録販売者に，あらかじめ，第二類医薬品を使用しようとする者の年齢，他の薬剤又は医薬品の使用の状況その他の厚生労働省令で定める事項を確認させるよう努めなければならない.

5　薬局開設者又は店舗販売業者は，一般用医薬品の適正な使用のため，その薬局若しくは店舗において一般用医薬品を購入し，若しくは譲り受けようとする者又はその薬局若しくは店舗において一般用医薬品を購入し，若しくは譲り受けた者若しくはこれらの者によつて購入され，若しくは譲り受けられた一般用医薬品を使用する者から相談があつた場合には，厚生労働省令で定めるところにより，その薬局又は店舗において医薬品の販売又は授与に従事する薬剤師又は登録販売者に，必要な情報を提供させなければならない.

6　第1項の規定は，第一類医薬品を購入し，又は譲り受ける者から説明を要しない旨の意思の表明があつた場合（第一類医薬品が適正に使用されると認められる場合に限る.）には，適用しない.

11）販売方法等の制限

（販売方法等の制限）第37条　薬局開設者又は店舗販売業者は店舗による販売又は授与以外の方法により，配置販売業者は配置以外の方法により，それぞれ医薬品を販売し，授与し，又はその販売若しくは授与の目的で医薬品を貯蔵し，若しくは陳列してはならない.

2　配置販売業者は，医薬品の直接の容器又は直接の被包（省略）を開き，その医薬品を分割販売してはならない.

Checkpoint

医薬品を販売できる者	①薬局開設者 ②医薬品の販売業の許可を受けた者 ③医薬品の製造販売業者がその製造等又は輸入した医薬品を薬局開設者又は医薬品の製造販売業者，製造業者もしくは販売業者に販売 ④医薬品の製造業者がその製造した医薬品を医薬品の製造販売業者又は製造業者に販売（医薬品の製造販売業者・製造業者は販売業の許可は不要） 許可は6年ごとにその更新を受けなければ，効力を失う
医薬品販売業の種類	①店舗販売業　②配置販売業　③卸売販売業
店舗販売業の許可	薬局の許可基準同様，次の3要件を満たさない場合には，許可を与えないことができる. ①構造設備の要件（薬局等構造設備規則第2条） ②店舗販売業の業務を行う体制の要件（薬局並びに店舗販売業及び配置販売業の業務を行う体制を定める省令第2条） ③申請者の人的要件（薬局開設者の人的要件を準用）
店舗販売品目	一般用医薬品以外の医薬品の販売等は不可，例外（動物用医薬品）
店舗の管理	店舗販売業者は，その店舗を自ら実地に管理又はその指定する者が実地に管理，店舗管理者は薬剤師又は登録販売者
配置販売品目	一般用医薬品のうち，「①経年変化が起こりにくいこと　②剤型，用法，用量等からみて，その使用方法が簡易であること　③容器又は被包が，壊れやすく，又は破れやすいものでないこと」に適合するもの
一般用医薬品の定義	医薬品のうち，その効能及び効果において人体に対する作用が著しくないものであって，薬剤師その他の医薬関係者から提供された情報に基づく需要者の選択により使用されることが目的とされているもの（要指導医薬品を除く.）
医薬品の区分とその販売に従事する者	①薬局医薬品（薬剤師） ②要指導医薬品　第一類医薬品（薬剤師） ③第二類医薬品　第三類医薬品（薬剤師又は登録販売者）
情報の提供及び指導	①薬局医薬品（薬局製造販売医薬品を除く）：薬剤師に，対面により，厚生労働省令で定める事項を記載した書面を用いて必要な情報を提供させ，及び必要な薬学的知見に基づく指導の義務. ②要指導医薬品：薬剤師に，対面により，厚生労働省令で定める事項を記載した書面を用いて必要な情報を提供させ，及び必要な薬学的知見に基づく指導の義務. ③第一類医薬品：薬剤師に，厚生労働省令で定める事項を記載した書面を用いて必要な情報提供の義務. ④第二類医薬品：薬剤師又は登録販売者に，必要な情報提供の努力義務.
販売方法等の制限	薬局開設者と店舗販売業者は店舗で販売．配置販売業者は配置以外の販売方法は不可 配置販売業者による医薬品の分割販売（零売，開封販売）は不可

問 題

問 1 薬局開設者又は店舗販売業者は，配置による方法で一般用医薬品を販売してはならない．(99)

問 2 一般用医薬品は，要指導医薬品，第一類医薬品，第二類医薬品及び第三類医薬品に分類される．(102)

問 3 医薬品のうち，その効能及び効果において人体に対する作用が著しくないものは一般用医薬品である．(99)

問 4 指定第二類医薬品とは，第二類医薬品のうち，人体に対する作用が比較的緩和なものとして厚生労働大臣が指定した医薬品である．(98)

問 5 薬局において，薬剤師の不在時には，登録販売者が一般用医薬品の第一類医薬品を販売若しくは授与できる．(95)

問 6 第一類医薬品を購入しようとする人に，薬剤師がその医薬品の情報を記載した書面（又は電磁記録）を用いずに説明した．(97)

問 7 第一類医薬品に該当する製品の購入希望者のうち，以前も同じ製品を購入したことが明らかな者に対しては，薬剤師の判断で情報提供をせずに販売することができる．(97)

問 8 第三類医薬品については，当該薬局で購入した者から相談があっても，情報提供をしなくてよい場合がある．(102)

問 9 購入した一般用医薬品についての相談を受けた薬剤師は，その製品が該当する一般用医薬品の区分に関わらず，相談に応じなければならない．(97)

問10 第一類医薬品は，第二類医薬品と区別して陳列する．(97)

問11 第一類医薬品は，医薬品を購入しようとする人の手が直接触れられない場所に陳列する．(97)

問12 指定第二類医薬品を情報提供するための設備から 2 メートル離れた商品棚に陳列した．(98)

問13 要指導医薬品の適正な使用を確保できないと認められるときは，販売してはならない．(102)

問14 店舗販売業の管理者が薬剤師であれば，登録販売者も情報提供及び指導をした上で，要指導医薬品を販売することができる．(102)

問15 登録販売者になるには，都道府県知事が行う試験に合格し，都道府県知事の登録を受けなければならない．(95)

問16 第一類医薬品は，一般用医薬品の中で，副作用等その使用に関し特に注意が必要なものである．(104)

問17 薬局開設者は，要指導医薬品を，使用しようとする者以外の者に原則として販売してはならない．(103)

解答・解説

問 1　○　薬局開設者又は店舗販売業者は，配置による方法で一般用医薬品を販売してはならない．（法 37 条）

問 2　×　要指導医薬品は，OTC 薬ではあるが，一般用医薬品には含まない．（法 4 条，第 36 条の 2）

問 3　×　一般用医薬品とは，医薬品のうち，その効能及び効果において人体に対する作用が著しくないものであって，薬剤師その他の医薬関係者から提供された情報に基づく需要者の選択により使用されることが目的とされているもの（要指導医薬品を除く．）をいう．（法第 4 条第 5 項の 4）　また，例えば注射用水は，人体に対する作用が著しくないが，医療用医薬品である．

問 4　×　指定第二類医薬品とは，第二類医薬品のうち，特別の注意を要するものとして厚生労働大臣が指定した医薬品である．（施行規則第 210 条の 5）

問 5　×　第一類医薬品を販売できるのは薬剤師であって，登録販売者は販売はできない．（法 36 条の 9）

問 6　×　薬局開設者又は店舗販売業者は，第一類医薬品の適正な使用のため，第一類医薬品を販売し，又は授与する場合には，書面（電磁的記録）を用いて必要な情報を提供させなければならない．ただし，薬剤師等に販売し，又は授与するときは，この限りでない．（法 36 条の 10）

問 7　×　薬剤師の判断で情報提供をせずに販売してはならない．第一類医薬品を購入する者から説明を要しない旨の意思の表明があった場合（第一類医薬品が適正に使用されると認められる場合に限る．）には，適用（情報提供）しない．（法 36 条の 10 の 6）

問 8　×　第一類，第二類，第三類の区別にかかわらず，一般用医薬品について購入者から相談があった場合には，情報提供を行う義務がある．（法 36 条の 10 の 5）

問 9　○　記述のとおり．（法 36 条の 10 の 6）

問 10　○　記述のとおり．（薬局等構造設備基準第 1 条）

問 11　○　第一類医薬品陳列区画に一般用医薬品を購入等しようとする者が，進入することができないよう陳列しなければならない．ただし，第一類医薬品を鍵をかけた陳列設備に陳列するとき，あるいは第一類医薬品を購入等しようとする者が直接手に触れられない陳列設備に陳列する場合は，この限りでない．（薬局等構造設備基準第 2 条 10–ロ）

問 12　○　指定第二類医薬品を陳列する場合には，原則として，情報提供するための設備から 7 メートル以内に陳列しなければならない．（施行規則第 218 条の 2）

問 13　○　記述のとおり．（法 36 条の 6）

問 14　×　要指導医薬品は，薬剤師が情報提供及び指導した上で，販売又は授与しなければならない．（法 36 条の 5，法 36 条の 6）

問 15　○　都道府県知事は，一般用医薬品の販売又は授与に従事しようとする者がそれに必要な（登録販売者としての）資質を有することを確認するために，厚生労働省令で定めるところにより試験を行う．（法 36 条の 8）

問 16　○　医薬品医療機器等法第 36 条の 7 第 1 項第 1 号には，「第一類医薬品　その副作用等により日常生活に支障を来す程度の健康被害が生ずるおそれがある医薬品のうちその使用に関し特に注意が必要なものとして厚生労働大臣が指定するもの及びその製造販売の承認の申請に際して第 14 条第 8 項に該当するとされた医薬品であって当該申請に係る承認を受けてから厚生労働省令で定める期間を経過しないもの」と定められている．

問 17　○　医薬品医療機器等法第 36 条の 5 第 2 項には，「薬局開設者又は店舗販売業者は，要指導医薬品を使用しようとする者以外の者に対して，正当な理由なく，要指導医薬品を販売し，又は授与してはならない．ただし，薬剤師等に販売し，又は授与するときは，この限りでない．」と定められている．

問 18 薬局開設者は，第一類医薬品を販売した場合，品名，販売日時等を書面に記載しなければならない．(103)

問 19 薬局開設者は，薬剤師不在時でも要指導医薬品を販売できる．(103)
問 20 薬局製造販売医薬品は，一般用医薬品に該当する．(103)
問 21 薬局において，要指導医薬品を来局者の手に取りやすい場所に陳列した．(102)

問 22 第一類医薬品を販売するときは，薬剤師があらかじめ，使用しようとする者の年齢，他の薬剤又は医薬品の使用の状況等を確認しなければならない．(102)

問 23 要指導医薬品の適正な使用を確保できないと認められるときは，要指導医薬品を販売してはならない．(102)

問 24 第三類医薬品については，当該薬局で購入した者から相談があっても，情報提供をしなくてよい場合がある．(102)
問 25 要指導医薬品を貯蔵する場所には，かぎをかけなければならない．(101)

問 26 要指導医薬品は，薬局医薬品である．(101)
問 27 要指導医薬品は，需要者が選択して購入する．(101)

問 28 薬局の薬剤師は，一般用医薬品の購入者から相談があった場合には，書面を用いて情報提供しなければならない．(99)
問 29 薬剤師又は登録販売者は，その薬局又は店舗において第二類医薬品を購入した者からその医薬品について相談を受けた場合，情報提供をしなければならない．(99)

問 18　○　医薬品医療機器等法施行規則第 14 第 3 項には，「薬局開設者は，薬局医薬品，要指導医薬品又は第一類医薬品（以下この項において「薬局医薬品等」という.）を販売し，又は授与したとき（薬局開設者，医薬品の製造販売業者，製造業者若しくは販売業者又は病院，診療所若しくは飼育動物診療施設の開設者に販売し，又は授与したときを除く．第 5 項及び第 6 項並びに第百四十六条第 3 項，第 5 項及び第 6 項において同じ.）は，次に掲げる事項を書面に記載しなければならない.」と定められている.

問 19　×　要指導医薬品は薬剤師が販売しなければならない.

問 20　×　薬局製造販売医薬品は一般用医薬品ではない.

問 21　×　原則として，購入者が要指導医薬品陳列区画の内部に進入できないような措置をとらなければならない.

問 22　○　医薬品医療機器等法第 36 条の 10 第 2 項には，「薬局開設者又は店舗販売業者は，前項の規定による情報の提供を行わせるに当たつては，当該薬剤師に，あらかじめ，第一類医薬品を使用しようとする者の年齢，他の薬剤又は医薬品の使用の状況その他の厚生労働省令で定める事項を確認させなければならない.」と定められている.

問 23　○　医薬品医療機器等法第 36 条の 6 第 3 項には，「薬局開設者又は店舗販売業者は，第一項本文に規定する場合において，同項の規定による情報の提供又は指導ができないとき，その他要指導医薬品の適正な使用を確保することができないと認められるときは，要指導医薬品を販売し，又は授与してはならない.」と定められている.

問 24　×　第一類医薬品，第二類医薬品，第三類医薬品にかかわらず，相談があった場合は情報提供を行う義務がある.

問 25　×　要指導医薬品の陳列設備から 1.2 m の範囲に購入者が進入できないような措置が採られている（要指導医薬品陳列区画に陳列している）場合には，かぎをかける必要はない.

問 26　×　要指導医薬品は，薬局医薬品ではない.

問 27　○　医薬品医療機器等法第 4 条第 5 項第 3 号には，「要指導医薬品　次のイからニまでに掲げる医薬品（専ら動物のために使用されることが目的とされているものを除く.）のうち，その効能及び効果において人体に対する作用が著しくないものであつて，薬剤師その他の医薬関係者から提供された情報に基づく需要者の選択により使用されることが目的とされているものであり，かつ，その適正な使用のために薬剤師の対面による情報の提供及び薬学的知見に基づく指導が行われることが必要なものとして，厚生労働大臣が薬事・食品衛生審議会の意見を聴いて指定するものをいう.」と定められている.

問 28　×　相談時には情報提供しなければならないが，その際，必ずしも書面を用いる必要はない.

問 29　○　医薬品医療機器等法第 36 条の 10 第 5 項には，「薬局開設者又は店舗販売業者は，一般用医薬品の適正な使用のため，その薬局若しくは店舗において一般用医薬品を購入し，若しくは譲り受けようとする者又はその薬局若しくは店舗において一般用医薬品を購入し，若しくは譲り受けた者若しくはこれらの者によつて購入され，若しくは譲り受けられた一般用医薬品を使用する者から相談があつた場合には，厚生労働省令で定めるところにより，その薬局又は店舗において医薬品の販売又は授与に従事する薬剤師又は登録販売者に，必要な情報を提供させなければならない.」と定められている.

問 30　指定第二類医薬品を情報を提供するための設備から２メートル離れた商品棚に陳列した。(98)

問 31　薬剤師が別の来局者に応対していたので、指定第二類医薬品を登録販売者が販売した。(98)

問30　○　医薬品医療機器等法施行規則第218条の4第1項第2号には，「指定第二類医薬品を陳列する場合には，薬局等構造設備規則第1条第1項第13号又は第2条第12号に規定する情報を提供するための設備から7m以内の範囲に陳列すること．ただし，鍵をかけた陳列設備に陳列する場合又は指定第二類医薬品を陳列する陳列設備から1.2m以内の範囲に医薬品を購入し，若しくは譲り受けようとする者又は医薬品を購入し，若しくは譲り受けた者若しくはこれらの者によつて購入され，若しくは譲り受けられた医薬品を使用する者が進入することができないよう必要な措置が採られている場合は，この限りでない.」と定められている.

問31　○　医薬品医療機器等法第36条の9第1項第2号には，「第二類医薬品及び第三類医薬品　薬剤師又は登録販売者」と定められている.

d 医療機器及び再生医療等製品の特性を踏まえた規制

平成26年11月，薬事法が医薬品医療機器等法として大きく改正されたことで，原則，医療機器が医薬品と同格レベルとして扱われることとなった．また，「再生医療等製品」が新設され，医薬品医療機器等法はもとより，再生医療等の安全性の確保等に関する法律にも規定されることとなった．

1）高度管理医療機器等の販売業及び賃貸業の許可

（高度管理医療機器等の販売業及び貸与業の許可）第30条　高度管理医療機器又は特定保守管理医療機器（以下「高度管理医療機器等」という．）の販売業又は貸与業の許可を受けた者でなければ，それぞれ，業として，高度管理医療機器等を販売し，授与し，若しくは貸与し，若しくは販売，授与若しくは貸与の目的で陳列し，又は高度管理医療機器プログラム（高度管理医療機器のうちプログラムであるものをいう．以下この項において同じ．）を電気通信回線を通じて提供してはならない．ただし，高度管理医療機器等の製造販売業者がその製造等をし，又は輸入をした高度管理医療機器等を高度管理医療機器等の製造販売業者，製造業者，販売業者又は貸与業者に，高度管理医療機器等の製造業者がその製造した高度管理医療機器等を高度管理医療機器等の製造販売業者又は製造業者に，それぞれ販売し，授与し，若しくは貸与し，若しくは販売，授与若しくは貸与の目的で陳列し，又は高度管理医療機器プログラムを電気通信回線を通じて提供するときは，この限りでない．

2　前項の許可は，営業所ごとに，その営業所の所在地の都道府県知事が与える．

3　次の各号のいずれかに該当するときは，第1項の許可を与えないことができる．

　一　その営業所の構造設備が，厚生労働省令で定める基準に適合しないとき．

　二　申請者が，第5条第3号イからへまでのいずれかに該当するとき．

4　第1項の許可は，6年ごとにその更新を受けなければ，その期間の経過によって，その効力を失う．

医療機器は，人体に与えるその機器の人体等に及ぼすリスク（危険度）に応じ，「高度管理医療機器」「管理医療機器」「一般医療機器」の3つに分類されている．

「高度管理医療機器」及び「特定保守管理医療機器」の販売は許可制，「管理医療機器（特定保守管理医療機器を除く．）」は届出制，「一般医療機器」（特定保守管理医療機器を除く．）の販売は許可も届出も必要としない．なお，**「特定保守管理医療機器」の販売業はリスクの程度に関係なく，販売等には許可が必要である**．

- 高度管理医療機器とは，副作用又は障害が生じた場合に生命や健康に重大な影響を与えるおそれがある医療機器であり，医薬品同様に販売等には許可が必要である．
  ただし，次の場合は許可を必要としない．
  ① 製造販売業者が製造・輸入した高度管理医療機器等を，高度管理医療機器等の製造販売業者，製造業者，販売業者又は賃貸業者に販売等する場合
  ② 製造業者が製造した高度管理医療機器等を高度管理医療機器等の製造販売業者又は製造業者に販売する場合
- **許可は店舗ごと**に取る必要があり，**許可権者は都道府県知事**である．
- 許可基準には，営業所の構造設備と申請者の人的基準がある．
  構造設備：薬局等構造設備規則第4条

申請者の人的基準：薬局開設者の人的要件準用（法5－3イ～ホ）

●許可の有効期限は6年間である．

2）高度管理医療機器の管理者の設置

（管理者の設置）第39条の2　前条第1項の許可を受けた者は，厚生労働省令で定めるところにより，高度管理医療機器等の販売又は貸与を実地に管理させるために，営業所ごとに，厚生労働省令で定める基準に該当する者（次項において「高度管理医療機器等営業所管理者」という．）を置かなければならない．

●高度管理医療機器の管理者の基準は次のいずれかに該当する者（則162）

① 高度管理医療機器等の販売等に関する業務に3年以上従事した後，厚生労働大臣の登録を受けた者が行う基礎講習を修了した者

② 厚生労働大臣が①に掲げる者と同等以上の知識及び経験を有すると認めた者（高度管理医療機器等営業管理者の継続的研修）

●高度管理医療機器等の販売業者等は，高度管理医療機器等営業管理者に，研修実施機関が行う研修を毎年度受講させなければならない．（則168）

（準用）第40条　第39条第1項の高度管理医療機器等の販売業又は賃貸業については，第8条，第9条，第10条及び第11条の規定を準用する．この場合において，第9条第1項中「医薬品の試験検査の実施方法」とあるのは，「高度管理医療機器又は特定保守管理医療機器の品質確保の方法」と読み替えるものとする．

3）管理医療機器の販売業及び賃貸業の届出

（管理医療機器の販売業及び貸与業の届出）第39条の3　管理医療機器（特定保守管理医療機器を除く．以下この節において同じ．）を業として販売し，授与し，若しくは貸与し，若しくは販売，授与若しくは貸与の目的で陳列し，又は管理医療機器プログラム（管理医療機器のうちプログラムであるものをいう．以下この項において同じ．）を電気通信回線を通じて提供しようとする者（第39条第1項の許可を受けた者を除く．）は，あらかじめ，営業所ごとに，その営業所の所在地の都道府県知事に厚生労働省令で定める事項を届け出なければならない．ただし，管理医療機器の製造販売業者がその製造等をし，又は輸入をした管理医療機器を管理医療機器の製造販売業者，製造業者，販売業者又は貸与業者に，管理医療機器の製造業者がその製造した管理医療機器を管理医療機器の製造販売業者又は製造業者に，それぞれ販売し，授与し，若しくは貸与し，若しくは販売，授与若しくは貸与の目的で陳列し，又は管理医療機器プログラムを電気通信回線を通じて提供しようとするときは，この限りでない．

2　厚生労働大臣は，厚生労働省令で，管理医療機器の販売業者又は貸与業者に係る営業所の構造設備の基準を定めることができる．

●管理医療機器の販売等業を併せ行う薬局開設者，医薬品の販売業者又は高度管理医療機器等の販売業者もしくは賃貸業者が，それらに係る届出を行ったときは，別段の届出がなければ，管理医療機器の販売業又は賃貸業に係る届出を行ったものとみなす．（令49）

4）医療機器の修理業の許可

（医療機器の修理業の許可）第40条の2　医療機器の修理業の許可を受けた者でなければ，業として，医療機器の修理をしてはならない．
2　前項の許可は，修理する物及びその修理の方法に応じ厚生労働省令で定める区分（以下「修理区分」という．）に従い，厚生労働大臣が修理をしようとする事業所ごとに与える．
3　第1項の許可は，3年を下らない政令で定める期間ごとにその更新を受けなければ，その期間の経過によって，その効力を失う．
4　次の各号のいずれかに該当するときは，第1項の許可を与えないことができる．
一　その事業所の構造設備が，厚生労働省令で定める基準に適合しないとき．
二　申請者が，第5条第3号イからへまでのいずれかに該当するとき．
5　第1項の許可を受けた者は，当該事業所に係る修理区分を変更し，又は追加しようとするときは，厚生労働大臣の許可を受けなければならない．
6　前項の許可については，第1項から第4項までの規定を準用する．

（準用）第40条の3　医療機器の修理業については，第23条の2の14第3項及び第4項，第23条の2の15第2項，第23条の2の16第2項並びに第23条の2の22の規定を準用する．この場合において，第23条の2の14第4項中「医療機器責任技術者」とあり，第23条の2の15第2項中「医療機器責任技術者又は体外診断用医薬品製造管理者」とあり，及び第23条の2の16第2項中「医療機器責任技術者，体外診断用医薬品製造管理者」とあるのは，「医療機器修理責任技術者」と読み替えるものとする．

（情報提供）第40条の4　医療機器の販売業者，貸与業者又は修理業者は，医療機器を一般に購入し，譲り受け，借り受け，若しくは使用し，又は医療機器プログラムの電気通信回線を通じた提供を受ける者に対し，医療機器の適正な使用のために必要な情報を提供するよう努めなければならない．

5）特定医療機器に関する記録及び保存

（特定医療機器に関する記録及び保存）第68条の5　人の体内に植え込む方法で用いられる医療機器その他の医療を提供する施設以外において用いられることが想定されている医療機器であって保健衛生上の危害の発生又は拡大を防止するためにその所在が把握されている必要があるものとして厚生労働大臣が指定する医療機器（以下この条及び次条において「特定医療機器」という．）については，第23条の2の5の承認を受けた者又は選任外国製造医療機器等製造販売業者（以下この条及び次条において「特定医療機器承認取得者等」という．）は，特定医療機器の植込みその他の使用の対象者（次項において「特定医療機器利用者」という．）の氏名，住所その他の厚生労働省令で定める事項を記録し，かつ，これを適切に保存しなければならない．
2　特定医療機器を取り扱う医師その他の医療関係者は，その担当した特定医療機器利用者に係る前項に規定する厚生労働省令で定める事項に関する情報を，直接又は特定医療機器の販売業者若しくは貸与業者を介する等の方法により特定医療機器承認取得者等に提供するものとする．ただし，特定医療機器利用者がこれを希望しないときは，この限りでない．
3　特定医療機器の販売業者又は貸与業者は，第1項の規定による記録及び保存の事務（以下この条及び次条において「記録等の事務」という．）が円滑に行われるよう，特定医療機器を取り扱う医師その他の医療関係者に対する説明その他の必要な協力を行わなければならない．
4　特定医療機器承認取得者等は，その承認を受けた特定医療機器の一の品目の全てを取り扱う販売業者その他の厚生労働省令で定める基準に適合する者に対して，記録等の事務の全部又は一部を委託することができる．この場合において，特定医療機器承認取得者等は，あらかじめ，当該委託を受けようとする者の氏名，住所その他の厚生労働省令で定める事項を厚生労働大臣に届け出なければならない．

5　特定医療機器承認取得者等，特定医療機器の販売業者若しくは貸与業者若しくは前項の委託を受けた者又はこれらの役員若しくは職員は，正当な理由なく，記録等の事務に関しその職務上知り得た人の秘密を漏らしてはならない．これらの者であった者についても，同様とする．
6　前各項に定めるもののほか，記録等の事務に関し必要な事項は，厚生労働省令で定める．

6）再生医療等の安全性の確保等に関する法律

（目的）再生医療等の安全性の確保等に関する法律　第1条　この法律は，再生医療等に用いられる再生医療等技術の安全性の確保及び生命倫理への配慮（以下「安全性の確保等」という．）に関する措置その他の再生医療等を提供しようとする者が講ずべき措置を明らかにするとともに，特定細胞加工物の製造の許可等の制度を定めること等により，再生医療等の迅速かつ安全な提供及び普及の促進を図り，もって医療の質及び保健衛生の向上に寄与することを目的とする．

（定義）再生医療等の安全性の確保等に関する法律　第2条　この法律において「再生医療等」とは，再生医療等技術を用いて行われる医療（省略）をいう．
2　この法律において「再生医療等技術」とは，次に掲げる医療に用いられることが目的とされている医療技術であって，細胞加工物を用いるもの（省略）のうち，その安全性の確保等に関する措置その他のこの法律で定める措置を講ずることが必要なものとして政令で定めるものをいう．
一　人の身体の構造又は機能の再建，修復又は形成
二　人の疾病の治療又は予防
3　この法律において「細胞」とは，細胞加工物の原材料となる人又は動物の細胞をいう．
4　この法律において「細胞加工物」とは，人又は動物の細胞に培養その他の加工を施したものをいい，「特定細胞加工物」とは，再生医療等に用いられる細胞加工物のうち再生医療等製品であるもの以外のものをいい，細胞加工物について「製造」とは，人又は動物の細胞に培養その他の加工を施すことをいい，「細胞培養加工施設」とは，特定細胞加工物の製造をする施設をいう．
以下，省略

7）再生医療等製品の販売業の許可

（再生医療等製品の販売業の許可）第40条の5　再生医療等製品の販売業の許可を受けた者でなければ，業として，再生医療等製品を販売し，授与し，又は販売若しくは授与の目的で貯蔵し，若しくは陳列してはならない．ただし，再生医療等製品の製造販売業者がその製造等をし，又は輸入した再生医療等製品を再生医療等製品の製造販売業者，製造業者又は販売業者に，厚生労働大臣が指定する再生医療等製品の製造販売業者がその製造等をし，又は輸入した当該再生医療等製品を医師，歯科医師若しくは獣医師又は病院，診療所若しくは飼育動物診療施設の開設者に，再生医療等製品の製造業者がその製造した再生医療等製品を再生医療等製品の製造販売業者又は製造業者に，それぞれ販売し，授与し，又はその販売若しくは授与の目的で貯蔵し，若しくは陳列するときは，この限りでない．
2　前項の許可は，営業所ごとに，その営業所の所在地の都道府県知事が与える．
3　次の各号のいずれかに該当するときは，第1項の許可を与えないことができる．
一　その営業所の構造設備が，厚生労働省令で定める基準に適合しないとき．
二　申請者が，第5条第3号イからへまでのいずれかに該当するとき．
4　第1項の許可は，6年ごとにその更新を受けなければ，その期間の経過によって，その効力を失う．
5　第1項の許可を受けた者は，当該許可に係る営業所については，業として，再生医療等製品を，再生医療等製品の製造販売業者，製造業者若しくは販売業者又は病院，診療所若しくは飼育動物診療施設の開設者その他厚生労働省令で定める者以外の者に対し，販売し，又は授与してはならない．

再生医療等製品は，いずれも人の細胞等を用いることから，品質が不均一であり，有効性の予測が困難な場合があるという特性を有しているため，その取り扱いには特段の注意が必要である．

●再生医療等製品は，医薬品や医療機器同様，販売業の許可が必要である．
ただし，次の場合は許可を必要としない．

① 再生医療等製品の製造販売業者が製造・輸入した再生医療等製品を，再生医療等製品の製造販売業者，製造業者に販売等する場合．
② 厚生労働大臣が指定する再生医療等製品の製造販売業者が，製造・輸入した再生医療等製品を医師，歯科医師若しくは獣医師又は病院，診療所若しくは飼育動物診療施設の開設者に販売等する場合．
③ 再生医療等製品の製造業者が製造した再生医療等製品を再生医療等製品の製造販売業者又は製造業者に販売等する場合．

●**許可は店舗ごと**に取る必要がある．また，**許可権者は都道府県知事**である．
●許可基準は，営業所の構造設備（薬局等構造設備規則第5条第2項）と申請者の人的基準（薬局開設者の人的要件準用）がある．
●許可の有効期限は6年間である．

（管理者の設置）第40条の6　前条第1項の許可を受けた者は，厚生労働省令で定めるところにより，再生医療等製品の販売を実地に管理させるために，営業所ごとに，厚生労働省令で定める基準に該当する者（以下「再生医療等製品営業所管理者」という．）を置かなければならない．
2　再生医療等製品営業所管理者は，その営業所以外の場所で業として営業所の管理その他薬事に関する実務に従事する者であってはならない．ただし，その営業所の所在地の都道府県知事の許可を受けたときは，この限りでない．

（準用）第40条の7　再生医療等製品の販売業については，第8条，第9条（第1項各号を除く．），第10条第1項及び第11条の規定を準用する．この場合において，第9条第1項中「次に掲げる事項」とあるのは，「再生医療等製品の販売業の営業所における再生医療等製品の品質確保の実施方法」と読み替えるものとする．

【再生医療等製品の販売業の営業所の構造設備】（薬局等構造設備規則第2条）
1. 採光，照明及び換気が適切であり，かつ，清潔であること．
2. 常時居住する場所及び不潔な場所から明確に区別されていること．
3. 冷暗貯蔵のための設備を有すること．ただし，冷暗貯蔵が必要な再生医療等製品を取り扱わない場合は，この限りでない．
4. 取扱品目を衛生的に，かつ，安全に貯蔵するために必要な設備を有すること．

Checkpoint

高度管理医療機器等の販売業又は賃貸業	① 高度管理医療機器等の販売業又は賃貸業の許可を受けた者 ② 高度管理医療機器等の製造販売業者がその製造等又は輸入した高度管理医療機器等を高度管理医療機器等の製造販売業者，製造業者，販売業者に販売，賃貸等の場合は許可不要 ③ 高度管理医療機器等の製造業者がその製造した高度管理医療機器等を高度管理医療機器等の製造販売業者，製造業者に販売，賃貸等の場合は許可不要 ・許可は営業所ごとに営業所の所在地の知事が与える ・許可は6年ごとにその更新を受けなければ，その効力を失う ・営業所ごとに高度管理医療機器等営業管理者を置くこと
管理医療機器の販売業及び賃貸業	① 管理医療機器の販売業及び賃貸業の届け出を行った者 ② 管理医療機器の製造販売業者がその製造等又は輸入した管理医療機器を管理医療機器の製造販売業者，製造業者，販売業者又は賃貸業者に販売，賃貸等の場合は届け出不要 ③ 管理医療機器の製造業者がその製造した管理医療機器を管理医療機器の製造販売業者又は製造業者に販売，賃貸等の場合は届け出不要 ・営業所ごとに営業所の所在地の知事に届け出る
一般医療機器（特定保守管理医療機器を除く）の販売業	誰でも販売できる
医療機器の修理業	・医療機器の修理業の許可を受けた者 ・許可は，大臣が修理をしようとする事業所ごとに与える ・許可は，3年を下らない政令で定める期間ごとにその更新を受けなければ，その効力を失う
再生医療等の安全性の確保等に関する法律の目的	再生医療等に用いられる再生医療等技術の安全性の確保及び生命倫理への配慮に関する措置その他の再生医療等を提供しようとする者が講ずべき措置を明らかにするとともに，特定細胞加工物の製造の許可等の制度を定めること等により，再生医療等の迅速かつ安全な提供及び普及の促進を図り，もって医療の質及び保健衛生の向上に寄与する．
再生医療等製品の販売業	① 再生医療等製品の販売業の許可を受けた者 ② 再生医療等製品の製造販売業者がその製造等又は輸入した再生医療等製品を再生医療等製品の製造販売業者，製造業者又は販売業者に販売する場合は許可不要． ② 厚生労働大臣が指定する再生医療等製品の製造販売業者がその製造等又は輸入した当該再生医療等製品を医師，歯科医師若しくは獣医師又は病院，診療所若しくは飼育動物診療施設の開設者に販売する場合は許可不要． ③ 再生医療等製品の製造業者がその製造した再生医療等製品を再生医療等製品の製造販売業者又は製造業者に販売する場合は許可不要． ・営業所ごとに営業所の所在地の都道府県知事が与える． ・許可は6年ごとにその更新を受けなければ，その効力を失う． ・営業所ごとに管理者を置かなければならない．

問　題

問 1　医薬品の販売業者は，業として一般医療機器を販売する場合，都道府県知事にその旨を届け出なければならない．(92)

問 2　薬局開設者は，管理医療機器販売業の許可を受けた者とみなされる．(92)

問 3　高度管理医療機器販売業の管理者は，薬剤師でなければならない．(92)

問 4　人の疾病の診断，治療又は予防に使用されることを目的としたプログラムも医療機器に該当することがある．(102)

問 5　人体に対するリスクの大きさによって，「高度管理医療機器」，「管理医療機器」，「一般医療機器」に分類される．(102)

問 6　添付文書の記載事項は法令で定められていない．(102)

問 7　再生医療等製品も医療機器に含まれる．(102)

問 8　高度管理医療機器の販売においては，薬剤師による対面での情報提供が義務づけられている．(102)

複 合 問 題

問 1　消費者への販売に当たり，医薬品医療機器等法に基づく販売業の許可及び薬局開設の許可のいずれも必要としないのはどれか．１つ選べ．(98 改)

1　高度管理医療機器
2　特定保守管理医療機器
3　指定医薬部外品（有効成分の名称・分量を表示すべきものとして厚生労働大臣が指定した医薬部外品）
4　日本薬局方ブドウ酒
5　人の身体の構造に影響を及ぼすことが目的とされている物であって，機械器具等でないもの（医薬部外品及び化粧品を除く．）

解答・解説

問 1　×　一般医療機器の販売は，許可や届出を必要とせず，誰でもできる．（法 39 条，法 39 条の 3）

問 2　×　管理医療機器販売業は，許可ではなく届出を行ったものとみなす．（法 39 条の 3，令 49 条）
問 3　×　薬剤師でなければならないことはない．（則 162 条）
問 4　○　「医療機器」とは，人若しくは動物の疾病の診断，治療若しくは予防に使用されること，又は人若しくは動物の身体の構造若しくは機能に影響を及ぼすことが目的とされている機械器具等（機械器具，歯科材料，医療用品，衛生用品並びにプログラムをいう．再生医療等製品を除く．）であって，政令で定めるものをいう．（法 2 条の 4）
問 5　○　副作用又は機能の障害が生じた場合において，人の生命及び健康に与える影響に応じて，「高度管理医療機器」，「管理医療機器」，「一般医療機器」に分類されている．（法 2 条の 5,6,7）
問 6　×　使用方法，取扱い上の必要事項について，添付文書の記載が定められている．（法 63 条の 2）
問 7　×　再生医療等製品は医療機器から除かれている．（法 2 条の 4）
問 8　×　そのような規程はない．

解答・解説

問 1　解答　3
1　×　許可が必要．高度管理医療機器（ペースメーカ等）を消費者に販売するにあたっては，高度管理医療機器の販売業の許可が必要である．（法 39 条）
2　×　許可が必要．特定保守管理医療機器（CT 装置等）を消費者に販売するためには，特定保守管理医療機器の販売業の許可が必要である．（法 39 条）
3　○　許可は不要．特別な許可は必要としない．
4　×　許可が必要．日本薬局方ブドウ酒は医薬品に該当するので，医薬品を消費者に販売するためには，医薬品販売業の許可又は薬局開設の許可が必要である．（法 24 条）
5　×　許可が必要．設問の記述は「医薬品」に該当するので，医薬品を販売するためには，医薬品販売業の許可又は薬局開設の許可が必要である．（法 4 条）

e　品質確保・製造責任

1) 製造販売

製造販売については本法第2条第12項で定義されている（本章a節参照）．製造販売業は，製造業者に製造を委託することで，自ら製造所を所有する必要はなく，開発や市販した製品の品質，有効性，安全性等の市販後の安全管理業務等のみを業とし，製品を市場へ投入する全責任を負う業態である．
→製造～出荷の全体をコントロールする．

ⅰ）製造販売業の種類と許可の有効期間

第12条　次の表の上欄に掲げる医薬品（体外診断用医薬品を除く），医薬部外品又は化粧品の種類に応じ，それぞれ同表の下欄に定める厚生労働大臣の許可を受けた者でなければ，それぞれ，業として，医薬品，医薬部外品，化粧品又は医療機器の製造販売をしてはならない．
2　前項の許可は，3年を下らない政令で定める期間ごとにその更新を受けなければ，その期間の経過によって，その効力を失う．

第23条の2　次の表の上欄に掲げる医療機器又は体外診断用医薬品の種類に応じ，それぞれ同表の下欄に定める厚生労働大臣の許可を受けた者でなければ，それぞれ，業として，医療機器又は体外診断用医薬品の製造販売をしてはならない．
2　前項の許可は，3年を下らない政令で定める期間ごとにその更新を受けなければ，その期間の経過によって，その効力を失う．

●製造販売業の種類

医薬品，医薬部外品，化粧品又は医療機器の種類	許可の種類
処方箋医薬品	**第一種医薬品製造販売業許可**
処方箋医薬品以外の医薬品（薬局製造販売医薬品*及び体外診断用医薬品を除く）	**第二種医薬品製造販売業許可**
医薬部外品	医薬部外品製造販売業許可
化粧品	化粧品製造販売業許可
高度管理医療機器	第一種医療機器製造販売業許可
管理医療機器	第二種医療機器製造販売業許可
一般医療機器	第三種医療機器製造販売業許可
体外診断用医薬品	体外診断用医薬品製造販売業許可

＊薬局製造販売医薬品の製造販売は別途都道府県知事等の許可が必要．

●許可の有効期間は政令第3条で以下のように定められている．

法第12条第2項の政令で定める期間は，次の各号に掲げる許可の区分に応じ，それぞれ当該各号に定める期間とする．

一　第一種医薬品製造販売業許可（第3号に掲げるものを除く.）　5年
二　第二種医薬品製造販売業許可（次号に掲げるものを除く.）　5年
三　薬局開設者が当該薬局における設備及び器具をもって製造し，当該薬局において直接消費者に販売し，又は授与する医薬品であって，厚生労働大臣の指定する有効成分以外の有効成分を含有しないもの（以下「薬局製造販売医薬品」という.）の製造販売に係る許可　6年
四　医薬部外品製造販売業許可　5年
五　化粧品製造販売業許可　5年
六　第一種医療機器製造販売業許可　5年
七　第二種医療機器製造販売業許可　5年
八　第三種医療機器製造販売業許可　5年

(第一種医療機器製造販売業許可を受けた者は，第二種及び第三種医療機器製造販売業許可を受けたものとみなす．第二種医療機器製造販売業許可を受けた者は，第三種医薬品製造販売業許可を受けたものとみなす.)

●平成17年4月施行の薬事法改正により，製品の市場への責任を明確化し，市販後安全対策の充実・強化を図るため，従来の「製造業」から製造販売行為（製品を出荷・上市する行為）を分離し，製造所の所有を前提としない業の許可体系が構築された．これにより，製造販売業は，市場に流通する最終製品の品質保証，安全確保に係わる一切の責任を負うことになった．なお，製造販売業の許可制の導入に伴い，従来の輸入販売業許可は，製造販売業許可に包括されることになった.

●製造販売業の許可の特例

第一種医療機器製造販売業許可を受けた者は第二種及び第三種医療機器製造販売業許可を受けたものとし，第二種医療機器製造販売業許可を受けた者は第三種医療機器製造販売業許可を受けたものとみなされる．より高度な管理（リスク管理）力を必要とする許可を有する場合は，より低い管理要件は満足するものとして，みなし許可が与えられる.

リスク／種類 業態	高い ←→ 低い		
	高度管理医療機器	管理医療機器	一般医療機器
第一種医療機器製造販売業	許可	みなし許可	みなし許可
第二種医療機器製造販売業		許可	みなし許可
第三種医療機器製造販売業			許可

ii）製造販売業の許可基準

第12条の2　次の各号のいずれかに該当するときは，前条第1項の許可を与えないことができる.
一　申請に係る医薬品，医薬部外品又は化粧品の品質管理の方法が，厚生労働省令で定める基準に適合しないとき.
二　申請に係る医薬品，医薬部外品又は化粧品の製造販売後安全管理（品質，有効性及び安全性に関する事項その他適正な使用のために必要な情報の収集，検討及びその結果に基づく必要な措置をいう．以下同じ.）の方法が，厚生労働省令で定める基準に適合しないとき.
三　申請者が，第5条第三号イからホまでのいずれかに該当するとき.

> 第23条の2の2　次の各号のいずれかに該当するときは，前条第1項の許可を与えないことができる．
> 一　申請に係る医療機器又は体外診断用医薬品の製造管理又は品質管理に係る業務を行う体制が，厚生労働省令で定める基準に適合しないとき．
> 二　申請に係る医療機器又は体外診断用医薬品の製造販売後安全管理の方法が，厚生労働省令で定める基準に適合しないとき．
> 三　申請者が，第5条第三号イからへまでのいずれかに該当するとき．

製造販売業者は製品を市場に出荷する最終責任を負い，市販後の安全管理を確保する必要がある．そのため医薬品等の品質管理の方法あるいは製造販売後安全管理の方法が厚生労働省令で定める基準に合致していなければ許可されない．また，申請者が不適格事由（法第5条：薬局開設許可申請者と同じ）に該当する者には与えないことができる．

<厚生労働省令で定める基準>

「医薬品，医薬部外品，化粧品及び医療機器の品質管理の基準」Good Quality Practice（GQP）

「医薬品，医薬部外品，化粧品及び医療機器の製造販売後安全管理の基準」Good Vigilance Practice（GVP）

iii）GQP

医薬品等の品質管理の基準はGQP（平成16年省令136）として以下のように規定されている．

第1章　総論

<定義>

第2条　この省令で「品質管理業務」とは，医薬品（原薬たる医薬品を除く．以下同じ．），医薬部外品，化粧品又は医療機器（以下「医薬品等」という．）の製造販売をするに当たり必要な製品（製造の中間工程で造られたものであって，以後の製造工程を経ることによって製品となるものを含む．以下同じ．）の品質を確保するために行う，医薬品等の市場への出荷の管理，製造業者，法第13条の3第1項に規定する外国製造業者（以下「外国製造業者」という．）その他製造に関係する業務（試験検査等の業務を含む．）を行う者（以下「製造業者等」という．）に対する管理監督，品質等に関する情報及び品質不良等の処理，回収処理その他製品の品質の管理に必要な業務をいう．

2　この省令で「市場への出荷」とは，製造販売業者がその製造等（他に委託して製造をする場合を含み，他から委託を受けて製造をする場合を含まない．以下同じ．）をし，又は輸入した医薬品等を製造販売のために出荷することをいう．

3　この省令で「ロット」とは，一の製造期間内に一連の製造工程により均質性を有するように製造された製品の一群をいう．

4　この省令で「細胞組織医薬品」とは，人又は動物の細胞又は組織から構成された医薬品（人の血液及び人の血液から製造される成分から構成される医薬品を除く．）をいう．

5　この省令で「細胞組織医療機器」とは，人又は動物の細胞又は組織から構成された医療機器をいう．

第2章　医薬品の品質管理の基準

<**医薬品等総括製造販売責任者**の業務>

第3条　医薬品の製造販売業者は，次の各号に掲げる業務を法第17条第2項に規定する医薬品等**総括製造販売責任者**に行わせなければならない．

一　次条第3項に規定する**品質保証責任者**を監督すること．

二　第11条第2項第二号に規定するほか，前号の品質保証責任者からの報告等に基づき，所要の措置を決定し，その実施を次条第2項に規定する品質保証部門その他品質管理業務に関係する部門又は責任者に指示すること．

三　第一号の品質保証責任者の意見を尊重すること．

四　第二号の品質保証部門と医薬品，医薬部外品，化粧品及び医療機器の製造販売後安全管理の基準に関する省令第4条第1項 に規定する安全管理統括部門その他の品質管理業務に関係する部門との密接な連携を図らせること．

<品質管理業務に係る組織及び職員>

第4条　医薬品の製造販売業者は，品質管理業務を適正かつ円滑に遂行しうる能力を有する人員を十分に有しなければならない．

2　医薬品の製造販売業者は，品質管理業務の統括に係る部門として，次に掲げる要件を満たす**品質保証部門**を置かなければならない．

一　医薬品等総括製造販売責任者の監督の下にあること．

二　品質保証部門における業務を適正かつ円滑に遂行しうる能力を有する人員を十分に有すること．

三　医薬品等の販売に係る部門その他品質管理業務の適正かつ円滑な遂行に影響を及ぼす部門から独立していること．

3　医薬品の製造販売業者は，次に掲げる要件を満たす品質管理業務の責任者（以下この章において「**品質保証責任者**」という．）を置かなければならない．

一　品質保証部門の責任者であること．

二　品質管理業務その他これに類する業務に3年以上従事した者であること．

三　品質管理業務を適正かつ円滑に遂行しうる能力を有する者であること．

四　医薬品等の販売に係る部門に属する者でないことその他品質管理業務の適正かつ円滑な遂行に支障を及ぼすおそれがない者であること．

4　医薬品の製造販売業者は，品質管理業務に従事する者（医薬品等総括製造販売責任者及び品質保証責任者を含む．以下同じ．）の責務及び管理体制を文書により適正に定めなければならない．

<品質標準書>

第5条　医薬品の製造販売業者は，医薬品の品目ごとに，製造販売承認事項その他品質に係る必要な事項を記載した文書（以下「品質標準書」という．）を作成しなければならない．

以下略す

iv）GVP

医薬品等の製造販売後安全管理の基準（GVP）では用語を以下のように定義している．

①「安全管理情報」とは，医薬品，医薬部外品，化粧品又は医療機器の品質，有効性及び安全性に関する事項その他医薬品等の適正な使用のために必要な情報をいう．

②「安全確保業務」とは，製造販売後安全管理に関する業務のうち，安全管理情報の収集，検討及びその結果に基づく必要な措置（以下「安全確保措置」という．）に関する業務をいう．

③「**市販直後調査**」とは，安全確保業務のうち，医薬品の製造販売業者が販売を開始した後の6か月間，診療において，医薬品の適正な使用を促し，症例等の発生を迅速に把握するために行うものであって，承認に条件として付されるものをいう．

④「**医薬情報担当者**」Medical Representative（**MR**）とは，医薬品の適正な使用に資するために，医療関係者を訪問すること等により安全管理情報を収集し，提供することを主な業務として行う者をいう．

⑤「**医療機器情報担当者**」とは，医療機器の適正な使用に資するために，医療関係者を訪問すること等により安全管理情報を収集し，提供することを主な業務として行う者をいう．

⑥「**第一種製造販売業者**」とは，「処方せん医薬品」又は高度管理医療機器の製造販売業者をいう．

⑦「**第二種製造販売業者**」とは，処方せん医薬品以外の医薬品又は管理医療機器の製造販売業者をいう．

⑧「**第三種製造販売業者**」とは，医薬部外品，化粧品又は一般医療機器の製造販売業者をいう．

v）製造販売の承認

> 第14条　医薬品（厚生労働大臣が基準を定めて指定する医薬品及び第23条の2第1項の規定により指定する体外診断用医薬品を除く.），医薬部外品（厚生労働大臣が基準を定めて指定する医薬部外品を除く.），厚生労働大臣の指定する成分を含有する化粧品の製造販売をしようとする者は，品目ごとにその製造販売についての厚生労働大臣の承認を受けなければならない.

●医薬品，医薬部外品，厚生労働大臣の指定する成分を含有する化粧品又は医療機器を製造販売する者は，**原則として品目ごとに厚生労働大臣の承認を受けなければならない**（f節 承認審査システム参照）.

●製造販売の承認が不要なもの

① 医薬品：日本薬局方に収載のデンプン等の製剤補助剤，指定体外診断用医薬品（認証品目）
② 医薬部外品：清浄綿生理処理用品，パーマネント・ウェーブ用剤等
③ 化粧品：全成分表示を行わない化粧品以外の化粧品
④ 医療機器：一般医療機器，電子体温計等の指定管理機器（認証品目）

vi）製造販売の承認拒否要件

> 第14条第2項　次の各号のいずれかに該当するときは，前項の承認は，与えない.
> 一　申請者が，第12条第1項の許可（申請をした品目の種類に応じた許可に限る.）を受けていないとき.
> 二　申請に係る医薬品，医薬部外品又は化粧品を製造する製造所が，第13条第1項の許可（申請をした品目について製造ができる区分に係るものに限る.）又は第13条の3第1項の認定（申請をした品目について製造ができる区分に係るものに限る.）を受けていないとき.
> 三　申請に係る医薬品，医薬部外品又は化粧品の名称，成分，分量，構造，用法，用量，使用方法，効能，効果，性能，副作用その他の品質，有効性及び安全性に関する事項の審査の結果，その物が次のイからハまでのいずれかに該当するとき.
> イ　申請に係る医薬品又は医薬部外品が，その申請に係る効能，効果又は性能を有すると認められないとき.
> ロ　申請に係る医薬品又は医薬部外品が，その効能，効果又は性能に比して著しく有害な作用を有することにより，医薬品又は医薬部外品として使用価値がないと認められるとき.
> ハ　イ又はロに掲げる場合のほか，医薬品，医薬部外品又は化粧品として不適当なものとして厚生労働省令で定める場合に該当するとき.
> 四　申請に係る医薬品，医薬部外品又は化粧品が政令で定めるものであるときは，その物の製造所における製造管理又は品質管理の方法が，厚生労働省令で定める基準に適合していると認められないとき.

以下の場合には製造販売の承認を与えない.

① **申請者が種類に応じた製造販売業の許可**を受けていない.
② それを製造する製造所が許可を受けていない.
③ 品質，有効性及び安全性に欠陥がある.
④ 製品に有害作用があり，その使用価値がない.
⑤ 製造所がGMP（Good Manufacturing Practice）に適合しない，など.

vii）製造販売の特例承認

第14条の3　第14条の承認の申請者が製造販売をしようとする物が，次の各号のいずれにも該当する医薬品として政令で定めるものである場合には，厚生労働大臣は，同条第2項，第5項，第6項及び第8項の規定にかかわらず，薬事・食品衛生審議会の意見を聴いて，その品目に係る同条の承認を与えることができる．
一　国民の生命及び健康に重大な影響を与えるおそれがある疾病のまん延その他の健康被害の拡大を防止するため緊急に使用されることが必要な医薬品であり，かつ，当該医薬品又は医療機器の使用以外に適当な方法がないこと．
二　その用途に関し，外国（医薬品の品質，有効性及び安全性を確保する上で本邦と同等の水準にあると認められる医薬品の製造販売の承認の制度又はこれに相当する制度を有している国として政令で定めるものに限る.）において，販売し，授与し，並びに販売又は授与の目的で貯蔵し，及び陳列することが認められている医薬品であること．
2　厚生労働大臣は，保健衛生上の危害の発生又は拡大を防止するため必要があると認めるときは，前項の規定により第14条の承認を受けた者に対して，当該承認に係る品目について，当該品目の使用によるものと疑われる疾病，障害又は死亡の発生を厚生労働大臣に報告することその他の政令で定める措置を講ずる義務を課することができる．

●特例承認制度として，インフルエンザワクチンなど緊急に必要な外国製造医薬品の承認制度として設けられたもので，承認拒否事由の規定にかかわらず，薬事・食品衛生審議会の意見を聴いて，その品目に係る製造販売の承認を与えるものである（特例承認医薬品など）.
●特例承認は医療機器，体外診断用医薬品及び再生医療等製品にも適用される．（法23条2の8，法23条の28）

2）製造業

i）製造業の許可

第13条　医薬品，医薬部外品又は化粧品の製造業の許可を受けた者でなければ，それぞれ，業として，医薬品，医薬部外品又は化粧品の製造をしてはならない．

第23条の2の3　業として，医療機器又は体外診断用医薬品の製造（設計を含む）をしようとする者は，製造所（医療機器又は体外診断用医薬品の製造工程のうち設計，組立て，滅菌その他の厚生労働省令で定めるものをするものに限る）ごとに，厚生労働省令で定めるところにより，厚生労働大臣の登録を受けなければならない．

許可権者は厚生労働大臣であるが，この権限は地方厚生局長に委任され，さらに生物学的製剤，放射性医薬品，本法第43条に規定する国家検定品，遺伝子組換え技術を応用して製造される医薬品，その他製造管理又は品質管理に特別の注意を有する医薬品などを除き，製造所の所在地の都道府県知事が事務を行う．

ii）製造業の許可区分

第13条第2項　前項の許可は，厚生労働省令で定める区分に従い，厚生労働大臣が製造所ごとに与える．

許可は，当該製造所で製造する製品又は製造工程に応じた区分に従い，製造所ごとに与えられる．

iii）製造業許可の有効期間

> 第13条第3項　第1項の許可は，3年を下らない政令で定める期間ごとにその更新を受けなければ，その期間の経過によって，その効力を失う．

許可の種類に応じた許可の有効期間は政令で以下のように定める．

法第13条第3項（同条第7項において準用する場合を含む.）の政令で定める期間は，次の各号に掲げる許可の区分に応じ，それぞれ当該各号に定める期間とする．

一　**医薬品の製造に係る許可（次号に掲げるものを除く.）**　**5年**
二　**薬局製造販売医薬品の製造に係る許可**　**6年**
三　**医薬部外品の製造に係る許可**　**5年**
四　**化粧品の製造に係る許可**　**5年**

iv）製造業許可の条件

> 第13条第4項　次の各号のいずれかに該当するときは，第1項の許可を与えないことができる．
> 一　その製造所の構造設備が，厚生労働省令で定める基準に適合しないとき．
> 二　申請者が，第5条第三号イからホまでのいずれかに該当するとき．

許可要件には，医薬品及び医薬部外品の製造管理及び品質管理の基準 Good Manufacturing Practice（GMP）（平成16年省令179）**に規定される構造設備基準（GMP ハード）と，申請者の人的基準（製造販売業許可申請者と同一）がある．**

> 第14条第2項　次の各号のいずれかに該当するときは，前項の承認は，与えない．
> 四　申請に係る医薬品，医薬部外品又は化粧品が政令で定めるものであるときは，その物の製造所における製造管理又は品質管理の方法が，厚生労働省令で定める基準に適合していると認められないとき．

製造業者が GMP を遵守していることが，製造販売の承認を取るための条件となっている．

v）GMP

医薬品及び医薬部外品の製造管理及び品質管理の基準（GMP）では用語を以下のように定義している．

①「製品」とは，製造所の製造工程を経た物をいう．
②「資材」とは，製品の容器，被包及び表示物をいう．
③「ロット」とは，同一の製造期間内に一連の製造工程により均質性を有するように製造された製品及び原料の一群をいう．
④「管理単位」とは，同一性が確認された資材の一群をいう．
⑤「**バリデーション**」とは，製造所の構造設備並びに手順，工程その他の製造管理及び品質管理の方法が期待される結果を与えることを検証し，これを文書とすることをいう．
⑥「清浄区域」とは，製造作業を行う場所のうち，原料の秤量作業を行う場所，薬剤の調製作業を行う場所及び洗浄後の容器が作業所内の空気に触れる場所をいう．
⑦「無菌区域」とは，作業所のうち，無菌化された薬剤又は滅菌された容器が作業所内の空気に触れ

る場所，薬剤の充てん作業を行う場所，容器の閉そく作業を行う場所及び無菌試験等の無菌操作を行う場所をいう．

⑧「**細胞組織医薬品**」とは，人又は動物の細胞又は組織から構成された医薬品（人の血液及び人の血液から製造される成分から構成される医薬品を除く．）をいう．

⑨「**ドナー**」とは，細胞組織医薬品の原料となる細胞又は組織を提供する人をいう．

⑩「**ドナー動物**」とは，細胞組織医薬品の原料となる細胞又は組織を提供する動物をいう．

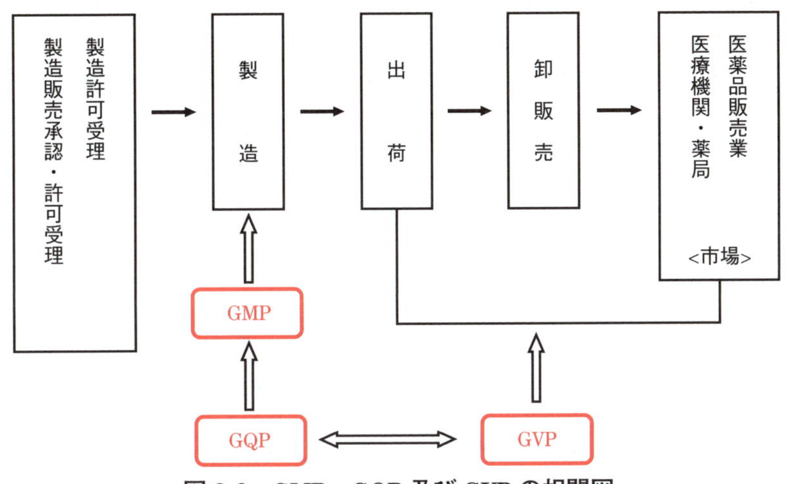

図 8.6　GMP，GQP 及び GVP の相関図

vi）製造業基準の適合性調査

> 第 13 条第 5 項　厚生労働大臣は，第 1 項の許可又は第 3 項の許可の更新の申請を受けたときは，前項第 1 号の基準に適合するかどうかについての書面による調査又は実地の調査を行うものとする．

●許可更新時毎に許可要件に合致しているか否か，書面又は実施の調査を行い，GMP 等の適合性調査を行う．

vii）製造許可の区分変更，追加

> 第 13 条第 6 項　第 1 項の許可を受けた者は，当該製造所に係る許可の区分を変更し，又は追加しようとするときは，厚生労働大臣の許可を受けなければならない．
> 第 7 項　前項の許可については，第 1 項から第 5 項までの規定を準用する．

区分を変更，追加するときは，事前に厚生労働大臣の許可を得る．

viii）機構による調査

> 第 13 条の 2 項　厚生労働大臣は，独立行政法人医薬品医療機器総合機構（以下「機構」という．）に，医薬品（専ら動物のために使用されることが目的とされているものを除く．），医薬部外品（同），又は化粧品のうち政令で定めるものに係る前条第 1 項の許可又は同条第 3 項の許可の更新についての同条第 5 項に規定する調査を行わせることができる．
> 第 2 項　厚生労働大臣は，前項の規定により機構に調査を行わせるときは，当該調査を行わないものとする．この場合において，厚生労働大臣は，前条第 1 項の規定による許可又は同条第 3 項の規定による許可の更新をするときは，機構が第 1 項の規定により通知する調査の結果を考慮しなければならない．

第３項 厚生労働大臣が第１項の規定により機構に調査を行わせることとしたときは，同項の政令で定める医薬品，医薬部外品，又は化粧品に係る前条第１項の許可又は同条第３項の許可の更新の申請者は，機構が行う当該調査を受けなければならない．
第４項 機構は，前項の調査を行ったときは，遅滞なく，当該調査の結果を厚生労働省令で定めるところにより厚生労働大臣に通知しなければならない．
第５項 機構が行う調査に係る処分（調査の結果を除く．）又はその不作為については，厚生労働大臣に対して，行政不服審査法による審査請求をすることができる．

厚生労働大臣は機構（9章p.282参照）**に許可関係の事務を行わせることができる**とし，実際これらの事務は機構で行っている．機構に調査を行わせるときは，国はこの調査を行わない．機構は大臣に報告義務があり，それに基づき大臣が判断する．機構の処分については行政不服審査が請求できる．

3）登録認証機関

i）登録認証機関による認証

第23条の2の23 厚生労働大臣が基準を定めて指定する**高度管理医療機器，管理医療機器又は体外診断用医薬品**（**指定高度管理医療機器等**）の製造販売をしようとする者又は外国において本邦に輸出される指定高度管理医療機器等の製造等をする者（外国指定高度管理医療機器製造等事業者）であって第23条の3第1項の規定により選任した製造販売業者に指定高度管理医療機器等の製造販売をさせようとするものは，厚生労働省令で定めるところにより，**品目ごとに**その製造販売についての厚生労働大臣の登録を受けた者（**登録認証機関**）の**認証**を受けなければならない．

- 医療機器等の承認・許可を受けようとする者の負担は小さいものではなかったことから，登録認証機関による認証制度が新設された．品目ごとに行われていた調査も**製品群ごと**に統一された**Quality Management System（QMS）**基準調査となった．
- 同一の製造販売業者がすでに製品Aに係るQMS調査を受け，基準に適合している場合は，製品Aと同一製品群に属する製品B，Cに係るQMS調査は原則免除され，認証を得ることができる．

ii）登録認証機関の認証拒否

第23条の2の23 2 次の各号のいずれかに該当するときは，登録認証機関は，前項の認証を与えてはならない．
一 申請者（外国指定高度管理医療機器製造等事業者を除く）が，第23条の2第1項の許可を受けていないとき．
二 申請者（外国指定高度管理医療機器製造等事業者に限る）が，第23条の2第1項の許可を受けた製造販売業者を選任していないとき．
三 申請に係る指定高度管理医療機器等を製造する製造所が，第23条の2の3第1項又は第23条の2の4第1項の登録を受けていないとき．
四 申請に係る指定高度管理医療機器等が，前項の基準に適合していないとき．
五 申請に係る指定高度管理医療機器等が政令で定めるものであるときは，その物の製造管理又は品質管理の方法が，第23条の2の5第2項第4号に規定する厚生労働省令で定める基準に適合していると認められないとき．

iii）基準適合証の交付と返還

> 第23条の2の24　登録認証機関は，（中略）による調査の結果，同条の認証に係る医療機器又は体外診断用医薬品の製造管理又は品質管理の方法が（中略）基準に適合していると認めるときは，次に掲げる医療機器又は体外診断用医薬品について当該基準に適合していることを証するものとして，厚生労働省令で定めるところにより，基準適合証を交付する．
> 一　当該認証に係る医療機器又は体外診断用医薬品
> 二　当該認証を受けようとする者又は当該認証を受けた者が製造販売をし，又は製造販売をしようとする医療機器又は体外診断用医薬品であつて，前号に掲げる医療機器又は体外診断用医薬品と同一の第23条の2の5第8項第1号に規定する厚生労働省令で定める区分に属するもの
> 2　前項の基準適合証の有効期間は，前条第4項に規定する政令で定める期間とする．
> 3　医療機器又は体外診断用医薬品について第23条の4第2項第3号の規定により前条の認証を取り消された者又は第72条第2項の規定による命令を受けた者は，速やかに，当該医療機器又は体外診断用医薬品の製造管理又は品質管理の方法が第23条の2の5第2項第4号に規定する厚生労働省令で定める基準に適合していることを証する第1項の規定により交付された基準適合証を登録認証機関に返還しなければならない．

●医療機器等の承認又は標準適合性認証の要件として，その物の製造管理及び品質管理の方法がQMS基準に適合していることが求められる．また認証後，一定の期間を経過するごとにQMS調査を受けることが義務づけられている．

4）医薬品等総括製造販売責任者

製造販売業者は品質管理及び製造販売後安全管理に関する業務を統括し，組織的な運営を行うため，医薬品等総括製造販売責任者を置かなければならない．医薬品を製造販売する場合には医薬品等総括製造販売責任者は薬剤師であることが求められるが，一部の医薬品については，薬剤師でなくてもよいこととされる．

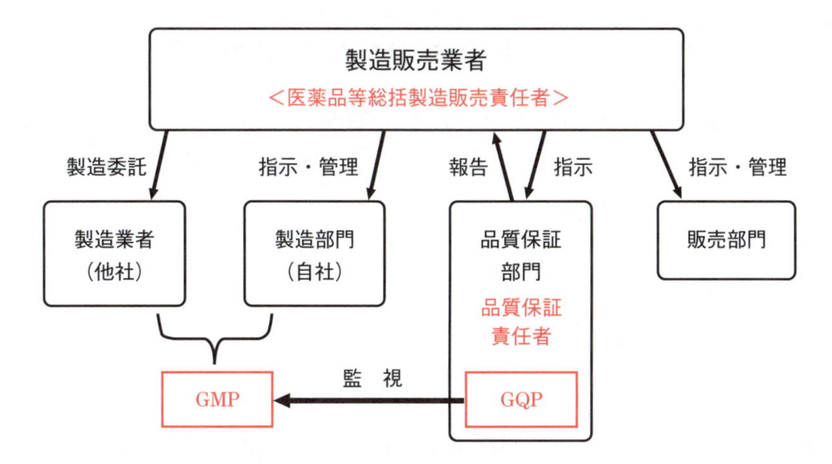

図8.7　製造，品質保証及び販売における医薬品等総括製造販売責任者の役割

ｉ）医薬品等総括製造販売責任者の設置

> 第17条　医薬品，医薬部外品又は化粧品の製造販売業者は，厚生労働省令で定めるところにより，医薬品，医薬部外品，化粧品又は医療機器の品質管理及び製造販売後安全管理を行わせるために，医薬品の製造販売業者にあっては薬剤師を，医薬部外品又は化粧品の製造販売業者にあっては厚生労働省令で定める基準に該当する者を，それぞれ置かなければならない．ただし，その品質管理及び製造販売後安全管理に関し薬剤師を必要としないものとして厚生労働省令で定める医薬品についてのみその製造販売をする場合においては，厚生労働省令で定めるところにより，薬剤師以外の技術者をもってこれに代えることができる．
> 第２項　前項の規定により品質管理及び製造販売後安全管理を行う者（以下「医薬品等総括製造販売責任者」という．）が遵守すべき事項については，厚生労働省令で定める．

●製造販売業者は製品の品質管理及び製造販売後安全管理を行わせるために，医薬品の製造販売においては，原則として薬剤師である医薬品等総括製造販売責任者を置かなければならない．

●医薬品以外の製品の医薬品等総括製造販売責任者は，その基準を施行規則第85条に定められている．

＜医薬部外品＞

1　薬剤師
2　旧大学令に基づく大学，旧専門学校令に基づく専門学校又は学校教育法に基づく大学もしくは高等専門学校（以下「大学等」という．）で，薬学又は化学に関する専門の課程を修了した者
3　旧中等学校令に基づく中等学校（以下「旧制中学」という．）もしくは学校教育法に基づく高等学校（以下「高校」という．）又はこれと同等以上の学校で，薬学又は化学に関する専門の課程を修了した後，医薬品又は医薬部外品の品質管理又は製造販売後安全管理に関する業務に3年以上従事した者
4　厚生労働大臣が前三号に掲げる者と同等以上の知識経験を有すると認めた者

＜化粧品＞

1　薬剤師
2　旧制中学もしくは高校又はこれと同等以上の学校で，薬学又は化学に関する専門の課程を修了した者
3　旧制中学もしくは高校又はこれと同等以上の学校で，薬学又は化学に関する科目を修得した後，医薬品，医薬部外品又は化粧品の品質管理又は製造販売後安全管理に関する業務に3年以上従事した者
4　厚生労働大臣が前三号に掲げる者と同等以上の知識経験を有すると認めた者

＜高度管理医療機器又は管理医療機器＞

1　大学等で物理学，化学，金属学，電気学，機械学，薬学，医学又は歯学に関する専門の課程を修了した後，医薬品又は医療機器の品質管理又は製造販売後安全管理に関する業務に3年以上従事した者
2　厚生労働大臣が前号に掲げる者と同等以上の知識経験を有すると認めた者

＜一般医療機器＞

1　旧制中学もしくは高校又はこれと同等以上の学校で，物理学，化学，金属学，電気学，機械学，薬学，医学又は歯学に関する科目を修得した後，医薬品等の品質管理又は製造販売後安全管理に関する業務に3年以上従事した者
2　厚生労働大臣が前号に掲げる者と同等以上の知識経験を有すると認めた者

●施行規則第85条のただし書きの規定により，医薬品の医薬品等総括製造販売責任者として薬剤師でない者を認めることがある．

＜薬剤師でなくても医薬品等総括製造販売責任者となれる者＞

1　生薬を粉末にし，又は刻む工程のみを行う製造所において製造される医薬品　イ又はロのいずれかに該当する者
　イ　生薬の製造又は販売に関する業務（品質管理又は製造販売後安全管理に関する業務を含む．）において生薬の品種の鑑別等の業務に5年以上従事した者
　ロ　厚生労働大臣がイに掲げる者と同等以上の知識経験を有すると認めた者
2　医療用ガス類のうち，厚生労働大臣が指定するもの　イからハまでのいずれかに該当する者

イ　旧制中学もしくは高校又はこれと同等以上の学校で，薬学又は化学に関する専門の課程を修了した者
ロ　旧制中学もしくは高校又はこれと同等以上の学校で，薬学又は化学に関する科目を修得した後，医療用ガス類の品質管理又は製造販売後安全管理に関する業務に3年以上従事した者
ハ　厚生労働大臣がイ又はロに掲げる者と同等以上の知識経験を有すると認めた者

ii）医薬品等総括製造販売責任者の遵守事項

第17条第2項　前項の規定により品質管理及び製造販売後安全管理を行う者（以下「医薬品等総括製造販売責任者」という.）が遵守すべき事項については，厚生労働省令で定める.

●医薬品等総括製造販売責任者が遵守すべき事項は施行規則第87条により以下のように定められている.

1　品質管理及び製造販売後安全管理に係る業務に関する法令及び実務に精通し，公正かつ適正に当該業務を行うこと.
2　当該業務を公正かつ適正に行うために必要があると認めるときは，製造販売業者に対し文書により必要な意見を述べ，その写しを5年間保存すること.
3　医薬品等の品質管理に関する業務の責任者（以下「品質保証責任者」という.）及び製造販売後安全管理に関する業務の責任者（以下「安全管理責任者」という.）との相互の密接な連携を図ること.

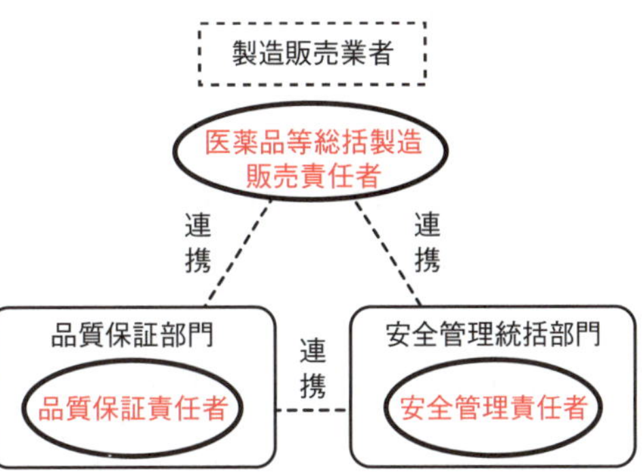

図 8.8　製造販売業における連携

iii）医薬品製造管理者の設置

第17条第3項　医薬品の製造業者は，自ら薬剤師であってその製造を実地に管理する場合のほか，その製造を実地に管理させるために，製造所ごとに，薬剤師を置かなければならない．ただし，その製造の管理について薬剤師を必要としない医薬品については，厚生労働省令で定めるところにより，薬剤師以外の技術者をもってこれに代えることができる.
4　前項の規定により医薬品の製造を管理する者（以下「医薬品製造管理者」という.）については，第7条第3項及び第8条第1項の規定を準用する．この場合において，第7条第3項中「その薬局の所在地の都道府県知事」とあるのは，「厚生労働大臣」と読み替えるものとする.

医薬品の製造業者は，自ら薬剤師でないときは薬剤師を製造所ごとに，医薬品製造管理者として設置しなければならない．薬局の管理薬剤師と同様，兼業は禁止されている.

●生薬及び医療用ガスの製造責任者には，ただし書きに該当し，薬剤師でない者を認めることがある.
[生薬及び医療用ガスの総括製造販売責任者（1節）参照].

生物由来製品の製造管理者は，厚生労働大臣の承認を受けて，医師，細菌学的知識を有する者その他の技術者を置かなければならない.

第68条の2　第17条第3項及び第5項の規定にかかわらず，生物由来製品の製造業者は，当該生物由来製品の製造については，厚生労働大臣の承認を受けて自らその製造を実地に管理する場合のほか，その製造を実地に管理させるために，製造所ごとに，厚生労働大臣の承認を受けて，医師，細菌学的知識を有する者その他の技術者を置かなければならない.

iv）責任技術者の設置

第17条第5項　医薬部外品又は化粧品の製造業者は，厚生労働省令で定めるところにより，医薬部外品，化粧品又は医療機器の製造を実地に管理させるために，製造所ごとに，責任技術者を置かなければならない．
第6項　前項の責任技術者（以下「医薬部外品等責任技術者」という．）については，第8条第1項の規定を準用する．

医薬品以外の製品の製造責任者は，その基準を施行規則第91条に定められているが，厚生労働大臣が指定する医薬部外品を製造する製造所においては薬剤師でなくてはならない．

v）製造販売業者等の遵守事項

第18条　厚生労働大臣は，厚生労働省令で，医薬品，医薬部外品又は化粧品の製造管理若しくは品質管理又は製造販売後安全管理の実施方法，医薬品等総括製造販売責任者の義務の遂行のための配慮事項その他医薬品，医薬部外品又は化粧品の製造販売業者がその業務に関し遵守すべき事項を定めることができる．

製造販売業者が遵守すべき事項は施行規則第92条により以下のように定められている．

1　薬事に関する法令に従い適正に製造販売が行われるよう必要な配慮をすること．
2　製造販売しようとする製品の品質管理を適正に行うこと．
3　製造販売しようとする製品の製造販売後安全管理を適正に行うこと．
4　生物由来製品（医療機器に限る．）の製造販売業者であって，その医薬品等総括製造販売責任者，品質保証責任者及び安全管理責任者のいずれも細菌学的知識を有しない場合にあっては，医薬品等総括製造販売責任者を補佐する者として細菌学的知識を有する者を置くこと．
5　医療機器の製造販売業者であって，その医薬品等総括製造販売責任者，品質保証責任者及び安全管理責任者のいずれもその製造販売する品目の特性に関する専門的知識を有しない場合にあっては，医薬品等総括製造販売責任者を補佐する者として当該専門的知識を有する者を置くこと．
6　医薬品等総括製造販売責任者，品質保証責任者及び安全管理責任者がそれぞれ相互に連携協力し，その業務を行うことができるよう必要な配慮をすること．
7　医薬品等総括製造販売責任者が規則第87条の規定による責務を果たすために必要な配慮をすること．
8　規則第87条第2号に規定する医薬品等総括製造販売責任者の意見を尊重すること．

vi）製造販売業者等の製造販売後安全管理に係る委託可能な業務

第18条第3項　医薬品，医薬部外品又は化粧品の製造販売業者は，製造販売後安全管理に係る業務のうち厚生労働省令で定めるものについて，厚生労働省令で定めるところにより，その業務を適正かつ確実に行う能力のある者に委託することができる．

●製造販売業者が製造販売後安全管理に係る業務のなかで，委託できる業務は施行規則第97条により以下のように定められている．

1　医薬品等の品質，有効性及び安全性に関する事項その他医薬品等の適正な使用のために必要な情報（以下この条において「安全管理情報」という．）の収集
2　安全管理情報の解析
3　安全管理情報の検討の結果に基づく必要な措置の実施
4　収集した安全管理情報の保存その他の前各号に附帯する業務

5）医薬品等の基準及び検定

医薬品等の品質確保を図るため薬事法で，日本薬局方，医薬品等の基準，国家検定等に関する事項を設定し，厚生労働省告示などによって個々の基準を通知している．

i）日本薬局方

第41条　厚生労働大臣は，医薬品の性状及び品質の適正を図るため，薬事・食品衛生審議会の意見を聴いて，日本薬局方を定め，これを公示する．
第2項　厚生労働大臣は，少なくとも10年ごとに日本薬局方の全面にわたって薬事・食品衛生審議会の検討が行われるように，その改定について薬事・食品衛生審議会に諮問しなければならない．

- **特定の医薬品については，国が公定の規格書，品質基準を作成することになっている．その第1が日本薬局方**であり，少なくとも10年ごとに全面にわたって見直さなければならない．現状は科学進歩や医薬品の開発速度あるいは日米EU医薬品規制調和国際会議（ICH：International Conference on Harmonization of Technical Requirements of Pharmaceuticals for Human Use）に対応するため，5年ごとの全面改正と，2回の追補改正が行われている．
- 日本薬局方は医療上重要であると一般的に認められている医薬品の性状及び品質などについての基準を定めたものである．

ii）医薬品等の基準

第42条　厚生労働大臣は，保健衛生上特別の注意を要する医薬品につき，薬事・食品衛生審議会の意見を聴いて，その製法，性状，品質，貯法等に関し，必要な基準を設けることができる．
第2項　厚生労働大臣は，保健衛生上の危害を防止するために必要があるときは，医薬部外品，化粧品又は医療機器について，薬事・食品衛生審議会の意見を聴いて，その性状，品質，性能等に関し，必要な基準を設けることができる．

- 医薬品等の基準例としては以下のものがある．

医薬品の基準例	①生物学的製剤基準　②放射性医薬品基準　③血液型判定用抗体基準など
化粧品の基準例	①化粧品基準
医療機器の基準例	①人工血管基準　②視力補正用コンタクトレンズ基準 ③医療用X線装置基準など
生物由来製品の基準例	①生物由来原料基準

iii）検　定

第43条　厚生労働大臣の指定する医薬品は，厚生労働大臣の指定する者の検定を受け，かつ，これに合格したものでなければ，販売し，授与し，又は販売若しくは授与の目的で貯蔵し，若しくは陳列してはならない．ただし，厚生労働省令で別段の定めをしたときは，この限りでない．
第2項　厚生労働大臣の指定する医療機器は，厚生労働大臣の指定する者の検定を受け，かつ，これに合格したものでなければ，販売し，賃貸し，授与し，又は販売，賃貸若しくは授与の目的で貯蔵し，若しくは陳列してはならない．ただし，厚生労働省令で別段の定めをしたときは，この限りでない．
第3項　前2項の検定に関し必要な事項は，政令で定める．
第4項　第1項及び第2項の検定の結果については，行政不服審査法による不服申立てをすることができない．

●検定とはあるものを一定の基準に従って検査し，それが基準に合致しているかどうかを確定し，又は認定すること.

検定を受けるべき医薬品には以下のものがある.

① 高度な製造技術や試験検査を必要とするもの

② 製造過程において品質に影響を受けやすいもの（血液製剤，生物学的製剤等）

●行政不服審査法：行政庁の違法又は不当な処分その他公権力の行使に当たる行為に関し，国民に対して広く行政庁に対する不服申立ての道を開くことによって，簡易迅速な手続による国民の権利利益の救済を図るとともに，行政の適正な運営を確保することを目的とするものである．ただし，専ら人の学識技能に関する試験又は検定の結果についての処分は，この法律又は他の法律で定めてある場合には審議請求又は異議申立てをすることができない.

参考文献

薬事日報社，薬事衛生六法 2014 年版，p.20 ～ 712，2014

Checkpoint

製造販売	製造又は輸入した医薬品等を販売，賃貸又は授与することをいう
製造販売業	製造業者に製造を委託することで，自ら製造所を所有する必要はなく，開発や市販した製品の品質，有効性，安全性等の市販後の安全管理業務等を行い，製品を市場へ投入する全責任を負う業態
製造販売の承認	医薬品等を製造販売する者は，品目ごとに厚生労働大臣（一部都道府県知事）の承認を受けなければならない ・医薬品及び医薬部外品は，原則として承認が必要である（例外：大臣が基準を定めて指定する体外診断用医薬品及び医薬部外品） ・化粧品は，原則として承認が不要である（例外：大臣の指定する成分を含有する化粧品）
承認拒否要件	次のいずれかに該当するときは，絶対的に承認を与えない ① 申請者が，種類に応じた製造販売業の許可を受けていない ② 製造者が，区分に応じた製造業の許可を受けていない ③ 品質・有効性・安全性に欠陥がある ④ 政令で定める品目については，製造所が GMP に適合していないなど
製造販売業の許可の種類と有効期間	医薬品（第一，第二種），医薬部外品，化粧品又は医療機器（第一～第三種）の種類に応じ，5 年，ただし薬局製剤医薬品の製造販売業の有効期間は 6 年
製造業	製造する製品は製造販売業のみに販売することができる
医薬品等総括製造販売責任者	品質管理及び製造販売後安全管理の責任者
医薬品製造管理者	医薬品の製造を管理する者で，原則として薬剤師でなければならない．兼業は禁止されている

問 題

問 1　医薬品の製造業の許可は，GVP（製造販売後安全管理の基準）と GQP（品質管理の基準）に適合することが要件となっている.（94）

問 2　医薬品の製造販売業者は，製造販売しようとする医薬品の品目ごとに許可を受けなければならない.（94）

問 3　医薬品の製造販売業者が自社製品を製造する自社の製造所は，製造業の許可を受けているものとみなされる.（94）

医薬部外品責任技術者	医薬品以外の医薬部外品，化粧品又は医療機器の製造管理を実地に行う者
GQP	製造販売業者は製品を市場に出荷する最終責任を負う必要があり，その医薬品等の品質管理の方法などを規定した基準をいう
GVP	製造販売業者は医薬品等の市販後の安全管理を確保する必要があり，医薬品，医薬部外品，化粧品及び医療機器の製造販売後安全管理の基準をいう
GMP	製造業者が遵守しなければならない医薬品及び医薬部外品の製造管理及び品質管理の基準
品質保証責任者	GQPにおいて品質保証部門の責任者であり，品質管理業務を統括する
品質標準書	GQPにおいて製造販売承認事項その他品質に係る必要な事項を記載した文書
登録認証機関	医療機器及び体外診断用医薬品は登録認証機関の認証を必要とする
QMS	登録認証機関による製品群ごとの統一された基準
安全管理情報	医薬品，医薬部外品，化粧品又は医療機器の品質，有効性及び安全性に関する事項その他医薬品等の適正な使用のために必要な情報
市販直後調査	安全確保業務のうち，医薬品の製造販売業者が販売を開始した後の6か月間，診療において，医薬品の適正な使用を促し，症例等の発生を迅速に把握するために行うものであって，承認に条件として付されるもの
医薬情報担当者	MR．医薬品の適正な使用に資するために，医療関係者を訪問すること等により安全管理情報を収集し，提供することを主な業務として行う者
医療機器情報担当者	医療機器の適正な使用に資するために，医療関係者を訪問すること等により安全管理情報を収集し，提供することを主な業務として行う者
第一種製造販売業者	「処方箋医薬品」又は高度管理医療機器の製造販売業者
第二種製造販売業者	処方箋医薬品以外の医薬品又は管理医療機器の製造販売業
第三種製造販売業者	医薬部外品，化粧品又は一般医療機器の製造販売業者
製品	製造所の製造工程を経た物
資材	製品の容器，被包及び表示物
ロット	一の製造期間内に一連の製造工程により均質性を有するように製造された製品及び原料の一群
バリデーション	製造所の構造設備並びに手順，工程その他の製造管理及び品質管理の方法が期待される結果を与えることを検証し，これを文書とすること
ドナー	細胞組織医薬品の原料となる細胞又は組織を提供する人
日本薬局方	医療上重要であると一般的に認められている医薬品の性状及び品質などについての基準を定めたもの，国が規定する公の規格書
医薬品等の品質基準	厚生労働大臣が設けた基準には，医薬品の基準として①生物学的製剤基準　②放射性医薬品基準　③血液型判定用抗体基準など，医薬部外品の基準として①生理処理用品基準，化粧品の基準として①化粧品基準，医療機器の基準として①人工血管基準　②視力補正用コンタクトレンズ基準　③医療用X線装置基準などがある
検定	あるものを一定の基準に従って検査し，それが基準に合致しているかどうかを確定し，又は認定すること

解答・解説

問 1　×　製造業の許可基準はGVPとGQPの適合ではなく，構造設備基準及び人的欠格要件である．（法13条）

問 2　×　許可の種類に応じて許可を受けなければならない．（法12条）

問 3　×　見なし規定はなく，区分ごとの許可が必要である．

問 4　医薬品の医薬品等総括製造販売責任者は，原則として医師でなければならない．(94 改)
問 5　製造業の許可は，定められた期間ごとに更新しなければ，その効力を失う．(94)
問 6　医薬品の製造販売業者が，医薬品医療機器等法に違反した行為を行ったときは，その製造販売業の許可は必ず取り消される．(93 改)
問 7　医薬品の製造販売業の許可の更新を拒もうとするときは，あらかじめ，その相手方にその処分の理由を通知し，有利な証拠の提出の機会を与える必要はない．(93)
問 8　医薬品の製造販売業者が，承認を受けた医薬品を正当な理由がなく引き続き 3 年間製造販売していないときは，その承認を取り消されることがある．(93)
問 9　製造販売の承認を受けた医薬品が，薬事法に定める承認の拒否事由のいずれかに該当したときは，その承認は必ず取り消される．(93)
問 10　医薬情報担当者は，薬剤師の資格を必要とする．(92)
問 11　医薬品の製造販売業の許可は，製造所ごとに与えられる．(92)
問 12　医薬品の製造販売業者は，原則として，薬剤師を総括製造販売責任者として置かなければならない．(92)
問 13　総括製造販売責任者は，GMP 適合性を自ら実地に確認しなければならない．(92)
問 14　日本薬局方収載医薬品を製造販売しようとする場合には，製造販売の承認を受ける必要はない．(92)
問 15　医薬品の製造販売をしようとする者は，体外診断用医薬品等の一部の医薬品を除き，品目ごとに承認を受けなければならない．(91)
問 16　医薬品の製造業の許可は，定められた区分に従い，製造所ごとに与えられる．(91)
問 17　医薬部外品の製造販売の承認は，5 年ごとに更新しなければならない．(91)
問 18　医薬部外品の製造販売業の許可を受けていないときは，医薬部外品の製造販売の承認は与えられない．(91)
問 19　医薬品の製造販売業者が置かなければならない総括製造販売責任者の要件は，薬学の正規の課程を修めて卒業した者である．(91)
問 20　医薬品製造業の許可を受けた者であれば，医薬部外品又は化粧品を業として製造することができる．(85)
問 21　医薬品製造業の許可は，その品目に関する製造承認がある限り，更新の手続は必要としない．(85)
問 22　医薬品製造販売業の許可を得ている事業所にあっては，すべての医薬品について医薬品販売業の許可を得ることなく，業として販売することができる．(85)
問 23　医薬品の製造業者は，自らが薬剤師である場合においても，製造を実施に管理させるために製造所に他の薬剤師を置かなければならない．(84)
問 24　日本薬局方に収載されている医薬品は，再評価の対象から除外されている．(88)
問 25　日本薬局方に有効成分が収載されていれば，その成分を含む製剤はすべて日本薬局方収載医薬品とみなされる．(88)
問 26　日本薬局方では，効能又は効果や，用法及び用量は定められていない．(88)
問 27　厚生労働大臣は，保健衛生上特別の注意を要する医薬品につき基準を設けたときは，少なくとも 10 年ごとにその改定について薬事・食品衛生審議会に諮問しなければならない．(88)
問 28　厚生労働大臣の指定する者が行った検定結果に不服がある場合は，行政不服審査法による不服申立てをすることができる．(88)
問 29　第一種医薬品製造販売業の許可を受けた者は，第二種医薬品製造販売業の許可を受けたものとみなされる．(96)
問 30　第二種医療機器製造販売業の許可を受けた者は，第三種医療機器製造販売業の許可を受けたものとみなされる．(96)
問 31　医薬部外品製造販売業の許可を受けた者は，化粧品製造販売業の許可を受けたものとみなされる．(96)
問 32　薬局の開設許可を受けた者は，その薬局について薬局製造販売医薬品の製造販売業の許可を受けたものとみなされる．(96)

問 4　×　原則として医師ではなく，薬剤師である．
問 5　○　5年である．（法13条3項）
問 6　×　必ず取り消されるわけではなく，取り消されることがある．（法75条）

問 7　×　更新を拒む時は事前に通知し，弁明等の機会を与える必要がある．（法76条）

問 8　○　承認取消しを命ずることができる．（法74条の2　3項6号）

問 9　○　承認拒否事由に該当するものは必ず承認を取り消される．（法74条の2）

問10　×　医薬情報担当者になるためのに必要な資格はない．薬剤師でなくてもよい．
問11　×　製造所ごとに与えられるのは製造業の許可である．（法12条）

問12　○　医薬品製造業販売業者は，原則として薬剤師である総括製造販売責任者を置かなければならない．（法17条）
問13　×　GMP適合性を自ら確認するものは，医薬品製造管理者又は責任技術者である．（法17条3項）
問14　×　製造販売の承認を受ける必要がある．日本薬局方収載医薬品は例外規定に当てはまらない．（法14条）
問15　○　医薬品の製造販売をしようとする者は，品目ごとに承認を受けなければならない．（法14条）

問16　○　製造所ごとに与えられる．（法13条2項）
問17　×　製造販売の承認については，更新の規定はない．
問18　○　製造販売業の許可を受けないと，承認は与えられない．（法14条2項）

問19　×　総括製造販売責任者は薬剤師であり，薬学部卒業生ではない．（法17条）

問20　×　医薬品製造業の許可を受けた者でも，医薬部外品又は化粧品の製造には許可が必要である．

問21　×　医薬品製造業には許可期間が設定されている．
問22　×　医薬品製造販売業の許可を得ていても，業として販売することができるのは，それが製造した医薬品に限定される．
問23　×　医薬品の製造業者が，自らが薬剤師である場合には他の薬剤師を置く必要はない．（法17条3項）

問24　×　再評価の対象になる．（法14条の6）
問25　×　有効成分が収載されていても，その成分を含む製剤が日局収載品となるわけではない．（法41条）

問26　○　効能又は効果や，用法及び用量は定められていない．
問27　×　改正期限についての規定はない．

問28　×　行政不服審査法による不服申立てはできない．（法43条4項）

問29　×　みなし規定の対象にならない．（令9条）

問30　○　みなし規定の対象になっている．（令9条）

問31　×　みなし規定の対象にならない．（令9条）
問32　×　みなし規定の対象にならない．（令9条）許可権者は知事に移行している．

問 33　製造販売業者が，医薬品を自社工場で製造する場合には，製造業の許可が必要である．(97)

問 34　医薬品の製造販売業者が，自ら輸入した医薬品を薬局開設者に販売する場合には，医薬品販売業の許可を必要としない．(97)

問 35　製造業者は，製造する品目ごとに製造許可を受ける必要がある．(97)

問 36　製造業者が，自ら製造した医薬品を店舗販売業者に販売する場合には，医薬品販売業の許可を必要としない．(97)

問 37　処方箋医薬品を製造するには，第一種医薬品製造業の許可を受ける必要がある．(98 改)

問 38　薬局等構造設備規則に適合することが，許可の要件となっている．(98)

問 39　医薬品製造業の許可を受けていれば，医薬部外品も製造することができる．(98)

問 40　製造品目を追加する場合には，追加品目ごとに許可申請が必要である．(98)

問 41　薬局製造販売医薬品を製造する薬局は，薬局ごとに製造業の許可が必要である．(98)

問 42　製造販売後安全管理に係る業務のうち，安全管理情報の収集は医薬品の製造販売業者が他者に委託できる．(95)

問 43　製造販売後安全管理に係る業務のうち，安全管理情報の解析は医薬品の製造販売業者が他者に委託できる．(95)

問 44　製造販売後安全管理に係る業務のうち，安全管理情報の解析結果の検討は，医薬品の製造販売業者が他者に委託できる．(95)

問 45　製造販売後安全管理に係る業務のうち，安全管理情報の検討結果に基づく必要な措置の決定は，医薬品の製造販売業者が他者に委託できる．(95)

問 46　製造販売後安全管理に係る業務のうち，安全管理情報の検討結果に基づく必要な措置の実施については，医薬品の製造販売業者が他者に委託できる．(95)

問 47　医薬品の製造業の許可については，製造しようとする医薬品の品質管理の方法が GQP（医薬品の品質管理の基準）に適合しないことを理由として，与えないことができる．(95)

問 48　医薬部外品の製造業の許可については，申請に係る製造所の構造設備が基準に適合しないことを理由として，与えないことができる．(95)

問 49　化粧品の製造業の許可については，製造しようとする化粧品の成分が化粧品基準に適合しないことを理由として，与えないことができる．(95)

問 50　医療機器の製造業の許可については，製造しようとする医療機器の製造販売の承認を受けていないことを理由として，与えないことができる．(95)

複合問題

問 1　処方箋医薬品の製造販売業者が遵守しなければならない GVP（Good Vigilance Practice）に関する記述のうち，正しいのはどれか．2つ選べ．(99)

1　市販直後調査の実施期間は，承認時からの 6 ヶ月間である．
2　安全管理統括部門及び安全管理責任者を置かなければならない．
3　医薬情報担当者は，医薬関係者を訪問すること等により，安全管理情報の収集，提供を行う．
4　再審査にあたり，申請資料が本基準に適合しているかが調査される．

問33　○　規定通りである．例外規定はなく，医薬品，医薬部外品，化粧品，医療機器について省令で定める区分に従い，製造所ごとに許可が必要である．（法13条）

問34　○　規定通りである．但し書き規定により，医薬品の製造販売業者はその製造等をし，又は輸入した医薬品を薬局開設者又は医薬品の製造販売業者，製造業者若しくは販売業者に販売できるが，医薬品の製造業者はその製造した医薬品を医薬品の製造販売業者又は製造業者にのみ販売できる．（法24条1項）なお，ここで輸入した医薬品は承認されたものでなければならない．

問35　×　製造する「品目ごと」でなく，省令の定める「区分」に従い，製造所ごとに許可が必要である．問33参照．

問36　×　医薬品販売業の許可が必要である．問34参照．

問37　×　製造業の許可は，種別ではなく，区分別である．処方箋医薬品の製造販売には，第一種医薬品製造販売の許可が必要である．（法13条2項）

問38　○　記述通り．（法13条2項1号）

問39　×　医薬部外品の製造業の許可を得なければならない．（法13条1項）

問40　×　その品目が同じ製造区分に該当すれば，許可は必要ない．異なる区分の場合は，その区分の許可が必要である．

問41　○　記述通り．製造販売，製造業の許可が必要である．（法13条1項）

問42　○　規則により委託できる業務である（法18条3項，則97条1号）．

問43　○　規則により委託できる業務である（法18条3項，則97条2号）．

問44　×　委託できる業務に含まれない（則97条）．安全管理上の結論を導く上で，重要な点である．

問45　×　委託できる業務に含まれない（則97条）．安全管理上，最も重要な点である．

問46　○　規則により委託できる業務である（法18条3項，則97条3号）．

問47　×　許可基準に含まれない（法13条4項）．GQPは医薬品製造販売業に係わる許可基準である（法12条の2−1号）．

問48　○　規定通り（法13条4項1号）．その他許可基準には，申請者の人的基準がある．

問49　×　化粧品基準は許可基準に含まれない（法13条4項）．化粧品基準に不適合なものは，販売・授与の目的で製造してはならない（法56条4号，準用法62条）．

問50　×　承認は許可基準に含まれない（法13条4項）．なお，製造販売の承認を受けるには，製造業の許可が必要である（法14条2項2号）．

解答・解説

問 1　解答　2，3

1　×　市販直後調査は，医薬品の適正使用を促し，重篤な症例等の発生を迅速に把握するために行われ，その実施期間は，医薬品の製造販売業者が販売を開始した後の6ヶ月間である．（GVP省令　第2条）

2　○　第一種製造販売業者は，安全管理統括部門と安全管理責任を置かなければならない．（GVP省令　第4条）

3　○　医薬情報担当者（MR）は，医薬品の適正な使用に資するために医療関係者を訪問すること等により安全管理情報を収集し，提供を行う．（GVP省令　第2条）

4　×　再審査にあたっては，申請資料が「医薬品の製造販売後の調査及び試験の実施の基準（GPSP）」，「医薬品の安全性に関する非臨床試験の実施の基準（GLP）」，「医薬品の臨床試験の

問 2　医薬品の製造又は製造販売に関する記述のうち正しいのはどれか．2つ選べ．(100)

1　製造業の許可は製造しようとする医薬品の品目ごとに受けなければならない．
2　業として医薬品の小分けを行おうとする者は製造業の許可を受けなければならない．
3　製造業の許可の申請を行った場合許可基準への適合の有無についての調査が行われる．
4　第一種医薬品製造販売業の許可を受ければすべての医療用医薬品を製造販売することができる．
5　日本薬局方に収載されている医薬品は承認審査を受けずに製造販売することができる．

問 3　医薬品の製造販売業及び製造業に関する記述のうち，正しいのはどれか．1つ選べ．(101)

1　製造業の許可は，品目ごとに受けなければならない．
2　製造業の許可には，第一種と第二種の区分がある．
3　製造業の許可については，GQP が許可要件である．
4　製造販売業者が，医薬品を自社工場で製造する場合には，製造業の許可が必要である．
5　製造販売業者が，自ら輸入した医薬品を薬局開設者に販売する場合には，医薬品販売業の許可が必要である．

問 4　医薬品の製造販売業者における総括製造販売責任者に関する記述のうち，誤っているのはどれか．2つ選べ．(102)

1　厚生労働大臣が指定する医薬品を製造する場合に置かなければならない．
2　選任にあたり必要とされる資格要件はない．
3　品質管理及び製造販売後安全管理に係る業務に関する法令及び実務に精通し，公正かつ適正に業務を行わなければならない．
4　業務を公正かつ適正に行うために必要があると認めるときは，製造販売業者に対し文書により必要な意見を述べなければならない．
5　品質保証責任者及び安全管理責任者との相互の密接な連携を図らなければならない．

問 5　医薬品の製造管理及び品質管理に関する基準（GMP）に関連する記述のうち，正しいのはどれか．2つ選べ．(103)

1　製造設備に関する規則で，人為的な誤りは対象とされていない．
2　複数の医薬品の交叉汚染や，虫・異物などの混入を防ぐことが必要である．
3　あらかじめ決められた手順・条件で製造すれば，製造記録を管理することが免除される．
4　製造所ごとに医薬品製造管理者を定め，その下に製造部門と品質部門を置かなければならない．

実施の基準（GCP）」に適合しているかが調査される．尚，再審査にあたり，申請資料がGVPに適合しているかについては調査されることはない．

問 2　解答　2，3

1　×　医薬品の製造の許可は，厚生労働省令で定める区分に従い，製造所ごとに与えられる．尚，医薬品の販売の許可は，品目ごとに受けなければならない．

2　○　小分けとは，既存の製品を容器から取り出し，その品質に変化を与えることなく，他の容器に充填する行為のことであり，製造行為に含まれるので，製造業の許可を受けなければならない．

3　○　記載の通り．許可基準への適合の有無について，書面による調査又は実地の調査が行われる．

4　×　第一種医薬品製造販売業の許可を受ければ，処方箋医薬品の製造販売をすることができるが，すべての医療用医薬品を製造販売できるわけではない．

5　×　厚生労働大臣が基準を定めて指定する医薬品を製造販売しようとする場合は，届出が必要であり，また，厚生労働大臣が基準を定めて指定する医薬品以外を製造販売しようとする場合については，承認が必要となる．従って，日本薬局方に収載されている医薬品であっても，厚生労働大臣が基準を定めて指定する医薬品を除き，承認審査を受けなければ製造販売することはできない．

問 3　解答　4

1　×　医薬品製造業の許可は，厚生労働省令で定める区分ごとに従い，厚生労働省が製造所ごとに受けなければならない．（法　第13条）

2　×　医薬品製造業の許可には，第一種，第二種の区分はない．尚，医薬品製造販売業の許可は，第一種，第二種の区分が存在する．（法　第12条）

3　×　製造業の許可については，GQPは許可要件に含まれていない．尚，GQPは，製造業ではなく，許可要件製造販売業の許可要件である．（法　第12条，第13条）

4　○　医薬品の製造業の許可を受けた者でなければ，業として，医薬品を製造することはできない．従って，製造販売業者が，医薬品を自社工場で製造する場合には，製造業の許可が必要である．

5　×　医薬品の製造販売業が，自ら輸入した医薬品を薬局開設者に販売するときは，販売業の許可は必要としない．（法　第24条）

問 4　解答　1，2

1　×　厚生労働大臣が指定する医薬品に限らず，全ての医薬品を製造する場合において，医薬品の製造販売業者は，総括製造販売責任者を置かなければならない．

2　×　医薬品の製造販売業者においては，原則として薬剤師が総括製造販売責任者に選任される．

3　○　記載の通り．医薬品の製造販売業者における総括製造販売責任者は，GQP省令に基づく品質管理業務及びＧＶＰ省令に基づく製造販売後安全管理業務に精通し，公正かつ適正に行わなければならない．

4　○　記載の通り．総括製造販売責任者は，業務を公正かつ適正に行うために必要があると認めるときは，製造販売業者に対し文書により必要な意見を述べ，その写しを5年間保存することとなっている．

5　○　記載の通り．医薬品の製造販売業者の連携に関しては，総括製造販売責任者は，医薬品の品質管理に関する業務の責任者（品質保証責任者）及び製造販売後安全管理に関する責任者（安全管理責任者）との相互の密接な連携を図る必要がある．

問 5　解答　2，4

1　×　製造段階での人為的な誤り（ヒューマンエラー）を最小限に抑えることは，GMP基準に掲げられている基本要件の一つである．

2　○　記載の通り．汚染及び品質低下を防止することも，GMP基準に掲げられている基本要件の一つである．

3　×　製造する医薬品が一定の品質を保つために，医薬品製造業者は製造示図書などの手順書等を作成し，製造部門はこれに従って製造を行い，製造記録を作成，管理，保存する必要がある．

4　○　記載の通り．

f 承認審査システム

新医薬品等の製造販売の承認審査は，その品質，有効性及び安全性を慎重に検討する必要があるために，承認申請された資料を各専門家が十分に検討した結果に基づき，その可否を決定する仕組みとなっている（8章e節参照）.

1）承認申請に必要な添付資料

（医薬品，医薬部外品及び化粧品の製造販売の承認）　第14条第3項　（略）承認を受けようとする者は，厚生労働省令で定めるところにより，申請書に臨床試験の試験成績に関する資料その他の資料を添付して申請しなければならない．この場合において，当該申請に係る医薬品が厚生労働省令で定める医薬品であるときは，当該資料は，厚生労働省令で定める基準に従って収集され，かつ，作成されたものでなければならない.

（医療機器及び体外診断用医薬品の製造販売の承認）　第23条の2の5　医療機器（一般医療機器並びに第23条の2の23第1項の規定により指定する高度管理医療機器及び管理医療機器を除く.）又は体外診断用医薬品（厚生労働大臣が基準を定めて指定する体外診断用医薬品及び同項の規定により指定する体外診断用医薬品を除く.）の製造販売をしようとする者は，品目ごとにその製造販売についての厚生労働大臣の承認を受けなければならない.

3　（略）承認を受けようとする者は，厚生労働省令で定めるところにより，申請書に臨床試験の試験成績に関する資料その他の資料を添付して申請しなければならない．この場合において，当該申請に係る医療機器又は体外診断用医薬品が厚生労働省令で定める医療機器又は体外診断用医薬品であるときは，当該資料は，厚生労働省令で定める基準に従って収集され，かつ，作成されたものでなければならない.

（再生医療等製品の製造販売の承認）　第23条の25　再生医療等製品の製造販売をしようとする者は，品目ごとにその製造販売についての厚生労働大臣の承認を受けなければならない.

3　（略）承認を受けようとする者は，厚生労働省令で定めるところにより，申請書に臨床試験の試験成績に関する資料その他の資料を添付して申請しなければならない．この場合において，当該資料は，厚生労働省令で定める基準に従って収集され，かつ，作成されたものでなければならない.

（条件及び期限付承認）　第23条の26　（略）承認の申請者が製造販売をしようとする物が，次の各号のいずれにも該当する再生医療等製品である場合には，厚生労働大臣は，同条第2項第三号イ及びロの規定にかかわらず，薬事・食品衛生審議会の意見を聴いて，その適正な使用の確保のために必要な条件及び7年を超えない範囲内の期限を付してその品目に係る同条第1項の承認を与えることができる.

一　申請に係る再生医療等製品が均質でないこと.

二　申請に係る効能，効果又は性能を有すると推定されるものであること.

三　申請に係る効能，効果又は性能に比して著しく有害な作用を有することにより再生医療等製品として使用価値がないと推定されるものでないこと.

●医薬品（厚生労働大臣が基準を定めて指定する医薬品（日本薬局方亜酸化窒素，アラビアゴム，親水ワセリン等）を除く.），医薬部外品（厚生労働大臣が基準を定めて指定する医薬部外品（清浄綿）を除く.）又は厚生労働大臣の指定する成分を含有する化粧品は，**品目ごとに製造販売の承認**を受けなければならない.

●医療機器（一般医療機器並びに指定する高度管理医療機器及び管理医療機器を除く.）又は体外診断用医薬品（厚生労働大臣が基準を定めて指定する体外診断用医薬品を除く.）も同様に**品目ごと**に製造販売の承認が必要である．なお，厚生労働大臣が基準を定めて指定する高度管理医療機器，管理医療機器又は体外診断用医薬品（指定高度管理医療機器等）については，登録認証機関により審査が行われ，認証が与えられる（法23条の2の23）.

●**再生医療等製品の条件及び期限付承認制度**

再生医療等製品においても，**品目ごと**に製造販売の承認に関する同様の規定がある（法23条の25）．ただし，再生医療等製品には，人又は動物の細胞等を用いることから，品質が不均一であり，有効性を確認するためのデータの収集・評価に長時間を要する場合もある．そこで，均質でない再生医療等製品については，治験データから有効性が推定され，安全性が確認されると，条件及び期限付きで早期に承認できる仕組みを導入し，承認後にさらに有効性・安全性を検証する．当該承認を受けた者は，原則として7年を超えない範囲内の期間内に使用成績に関する資料等を添付し，再度承認申請を行わなければならない．（法23条の26）

●承認申請の際には，定められた資料を添付する義務がある．

●厚生労働省令（則40条，114条の19，137の23）で定める基準に従い，医薬品，医薬部外品，化粧品，医療機器，体外診断用医薬品及び再生医療等製品の製造販売の承認申請の際に品目ごとに添付すべき資料のうちの一部を表8.7に示す．

表8.7　製造販売の承認申請に添付すべき資料の一部抜粋

（○：原則として添付を必要とする資料を示す）

	医薬品	医薬部外品	化粧品	医療機器	体外診断用医薬品	再生医療等製品
起源又は発見の経路及び外国における使用状況等に関する資料	○	○	○			○
開発の経緯及び外国における使用状況等に関する資料				○	○	
製造方法ならびに規格及び試験方法等に関する資料	○					○
安定性に関する資料	○	○			○	○
薬理作用に関する資料	○					
吸収，分布，代謝及び排泄に関する資料	○					
急性毒性，亜急性毒性，慢性毒性，遺伝毒性，催奇形性その他の毒性に関する資料	○					
体内動態に関する資料						○
臨床試験等の試験成績に関する資料	○					○
医療機器の製造販売後の調査及び試験の実施の基準に関する省令第2条第1項に規定する製造販売後調査等の計画に関する資料				○		
本法第52条第1項に規定する添付文書等記載事項に関する資料	○					
本法第63条の2第1項に規定する添付文書等記載事項に関する資料				○		
本法第65条の3に規定する添付文書等記載事項に関する資料						○
リスクマネジメントに関する資料				○	○	
製造方法に関する資料				○	○	
安全性に関する資料		○	○			
本法第41条第3項に規定する基準への適合性に関する資料				○	○	

●厚生労働大臣の定める基準に従って資料を収集し，かつ，作成しなければならない医薬品（則42）は，法14条第1項に規定する医薬品（人又は動物の皮膚に貼り付けられる医薬品，薬局製造販売医薬品，承認事務が都道府県知事にある医薬品及び動物専用医薬品は除く）をいう．

●医薬品，医療機器及び再生医療等製品の承認申請には，添付文書等の記載事項に関する資料を添付しなければならない（表8.7）．

●申請に係る医薬品等が，原薬等登録原簿（後述）に収められているものであるときは，承認申請者は，原薬等登録原簿に登録されていることを証明する書面を添付資料の一部に代えることができる．（法14条第4項）

2）添付資料の作成基準

（申請資料の信頼性の基準）規則第43条　法第14条第3項後段（同条第9項において準用する場合を含む．）に規定する資料は，医薬品の安全性に関する非臨床試験の実施の基準に関する省令（平成9年厚生省令第21号）及び医薬品の臨床試験の実施の基準に関する省令（平成9年厚生省令第28号）に定めるもののほか，次に掲げるところにより，収集され，かつ，作成されたものでなければならない．

一　当該資料は，これを作成することを目的として行われた調査又は試験において得られた結果に基づき正確に作成されたものであること．

二　前号の調査又は試験において，申請に係る医薬品についてその申請に係る品質，有効性又は安全性を有することを疑わせる調査結果，試験成績等が得られた場合には，当該調査結果，試験成績等についても検討及び評価が行われ，その結果は当該資料に記載されていること．

三　当該資料の根拠となった資料は，法第14条第1項又は第9項の承認を与える又は与えない旨の処分の日まで保存されていること．ただし，資料の性質上その保存が著しく困難であると認められるものにあってはこの限りでない．

① 医薬品の安全性に関する非臨床試験の実施の基準（GLP）
② 医薬品の臨床試験の実施の基準（GCP）
③ 資料が調査あるいは試験の結果に基づき正確に作成されていること等
（①〜③）の遵守

● 医療機器についても，医薬品の場合と同様に①〜③の規定がある（則114条の22）．GLP及びGCPはそれぞれ2005（平成17）年に「医療機器の安全性に関する非臨床試験の実施の基準」，「医療機器の臨床試験の実施の基準」として定められた．

● 再生医療等製品についても，①〜③に準じた規定があるが（GLP及びGCPはそれぞれ2014（平成26）年に「再生医療等製品の安全性に関する非臨床試験の実施の基準」，「再生医療等製品の臨床試験の実施の基準」として定めた），条件及び期限付承認の場合，２度目の承認時には，「再生医療等製品の製造販売後の調査及び試験の実施の基準（Good Post-marketing Study Practice, GPSP）」（後述）を遵守する（則137条の25）．

3）承認審査の仕組み

厚生労働大臣が承認権限を有する新医薬品等（動物専用のものは除く）の承認審査は，図8.9に示すように，厚生労働省及び独立行政法人医薬品医療機器総合機構（機構）からなる体制で行われている．

●審査においては，添付資料（表8.7）に基づき，申請品目の**品質**，**有効性**及び**安全性**に関する調査を行う．

- 当該品目が法第14条第3項後段の医薬品であるときは，あらかじめ当該品目に係る資料が基準（上述の添付資料の作成基準）に適合するかどうかについての**書面による調査又は実地の調査**を行う．
- 承認の申請は，都道府県知事が行うもの及び動物専用（政令で定めるもの）を除き，機構を経由して行う．
- **厚生労働大臣は，機構に**，医薬品，医薬部外品，化粧品，医療機器，体外診断用医薬品又は再生医療等製品の**承認審査ならびに調査を行わせることができる**．この場合，承認の申請者は，機構に審査の申請をし，機構が行う審査等を受けなければならない．
- **厚生労働大臣は**，すでに製造販売の承認の与えられているものと明らかに異なる物の製造販売の承認申請があった場合，その**承認について**，あらかじめ，**薬事・食品衛生審議会の意見**を聴かなければならない．医薬品，医薬部外品及び化粧品（法14条第2項），医療機器及び体外診断用医薬品（法23条の2の5第2項），再生医療等製品（法23条の25第2項）の承認拒否事由については，e. 品質確保・製造責任参照.

　なお，承認要件のひとつに，医薬品等の製造所における製造管理又は品質管理の方法が，厚生労働省令で定める基準に適合していることが規定されており，医薬品及び医薬部外品についてはGMP調査，医療機器及び体外診断用医薬品については，個々の製造所ごとにQMS調査を受けることになっていた．2013（平成25）年の法改正により，医療機器及び体外診断用医薬品については，申請する医療機器又は体外診断用医薬品が，以前に承認を得た医療機器又は体外診断用医薬品と「同じ区分」であって，それらの製造所で既にQMS基準適合証を受けていれば，品目ごとのQMS調査が免除されることとなった．GMP調査については，従来通りである．

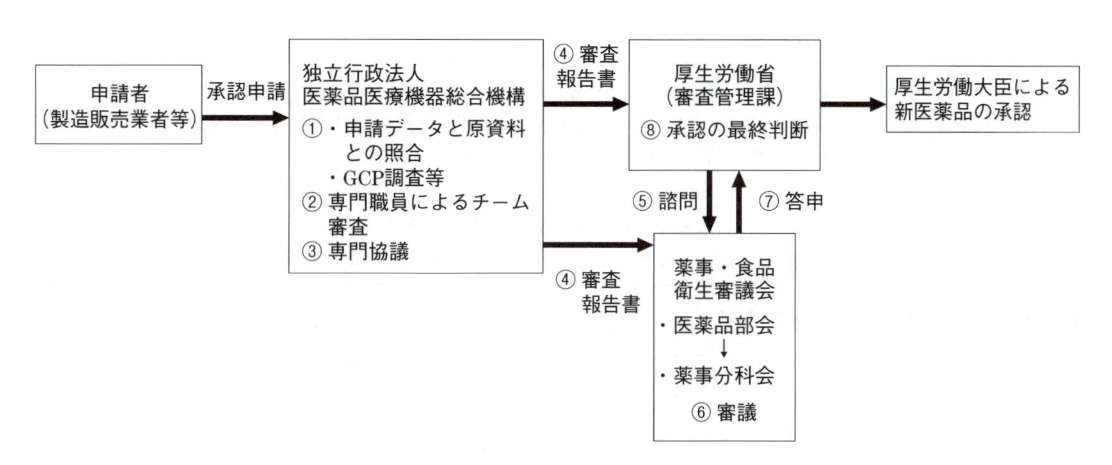

図8.9　新医薬品の承認審査の流れ
（令和2年厚生労働白書より一部改変）

4）優先審査

　厚生労働大臣は，承認申請に係る医薬品，医療機器又は再生医療等製品が，**希少疾病用医薬品等，先駆的医薬品等又は特定用途医薬品等であるとき，その他医療上特にその必要性が高いと認められるもの**であるときは，**優先的に審査を行う**ことができる（法14条第8項，法23条の2の5第10項，法23条の25第7項）.

5）条件付き早期承認

重篤で有効な治療方法が乏しい疾病の医薬品で，患者数が少ない等の理由で検証的臨床試験の実施が困難なものや，長期間を要するものについて，承認申請時に検証的臨床試験以外の臨床試験等で一定程度の有効性及び安全性を確認した上で，製造販売後に有効性・安全性の再確認等のために必要な調査等を実施すること等を条件として承認を与えることができる．条件付き早期承認された医薬品は，再審査実施前に中間的評価等を行い，その結果を踏まえて，承認条件の変更や安全対策等を実施する．

ⅰ）原薬等登録原簿の使用

（医薬品，医薬部外品及び化粧品の製造販売の承認）第 14 条第 4 項　（略）承認の申請に係る医薬品，医薬部外品又は化粧品が，第 80 条の 6 第 1 項に規定する原薬等登録原簿に収められている原薬等（原薬たる医薬品その他厚生労働省令で定める物をいう．以下同じ．）を原料又は材料として製造されるものであるときは，（略）承認を受けようとする者は，厚生労働省令で定めるところにより，当該原薬等が原薬等登録原簿に登録されていることを証する書面をもって前項の規定により添付するものとされた資料の一部に代えることができる．

●原薬等登録原簿に登録するのは原薬メーカー等の製造業者であり，原薬等登録原簿を使用するのは最終製品製造業者や承認申請を行う製造販売業者等である．MF 制度は，医薬品，医薬部外品及び化粧品の他に，医療機器・体外診断用医薬品（法 23 条の 2 の 5 第 4 項）及び再生医療等製品（法 23 条の 25 第 4 項）においても同様の規定がある．

ⅱ）原薬等登録原簿への登録

（原薬等登録原簿）第 80 条の 6　原薬等を製造する者（外国において製造する者を含む．）は，その原薬等の名称，成分（成分が不明のものにあっては，その本質），製法，性状，品質，貯法その他厚生労働省令で定める事項（規則 280 条 3 第 3 項）について，原薬等登録原簿に登録を受けることができる．
2　厚生労働大臣は，前項の登録の申請があったときは，次条第 1 項の規定により申請を却下する場合を除き，前項の厚生労働省令で定める事項を原薬等登録原簿に登録するものとする．
3　厚生労働大臣は，前項の規定による登録をしたときは，厚生労働省令で定める事項を公示するものとする．

●原薬等の製造業者は，原薬等登録原簿に以下の事項を記載し，登録することができる．
〈登録事項〉：原薬の名称，成分（成分不明の場合は，その本質），製法，性状，品質，貯法，製造所の名称及び住所，安全性に関する情報，登録を受けようとする者の氏名及び住所，当該品目に係る医薬品，医療機器もしくは再生医療等製品の製造業の許可もしくは登録又は医薬品等外国製造業者，医療機器等外国製造業者もしくは再生医療等製品外国製造業者の認定もしくは登録を受けているときはその区分及び番号，外国において原薬等を製造する者は原薬等国内管理人の氏名及び住所（則 280 の 3 第 3 項）．

●第 3 項により厚生労働大臣が公示する事項（則 280 条の 8）
①登録番号及び登録年月日　②原薬等登録業者の氏名及び住所　③当該品目の名称

ⅲ）原薬等登録原簿への登録の範囲

法 14 条第 4 項，23 条の 2 の 5 第 4 項及び 23 条の 25 第 4 項に規定する「登録を受けることができる原薬等」とは，次のものである（則280条の2）.

① 専ら他の医薬品（動物専用を除く）の製造の用に供されることが目的とされている医薬品（原薬，中間体及び特殊な製法により製造される製造原料等）
② これまで医薬品の製造に使用されたことのない添加剤又はこれまでの成分の配合割合と異なる添加剤
③ 専ら医療機器（動物専用を除く）の製造の用に供されることが目的とされている原材料
④ 専ら再生医療等製品（動物専用を除く）の製造の用に供されることが目的とされている原材料
⑤ 容器，包装材料その他承認審査に必要なもの（厚生労働大臣が指定するもの）

iv）機構による登録等の実施

●厚生労働大臣は，機構に原薬等に係る登録及び登録の抹消を行わせることができる（法80条の10）.
その場合，登録申請者は，機構に申請又は届出（軽微な変更の場合）をしなければならない.

●機構は登録，申請の却下，届出受理，登録抹消したときは，厚生労働大臣にその旨を通知しなければならない.

●登録申請者は，機構が行う登録や処分等については，厚生労働大臣に対して，行政不服審査法による審査請求をすることができる.

g　医薬品等の安全対策

新医薬品等の承認に際しては，詳細な調査及び検討が行われているが（f 参照），臨床試験症例数には限りがあり，対象となる被験者にも制限があるため，承認を受けた後においても，予測できない副作用等が発現する可能性がある．また，医学・薬学のめざましい進展により，承認した時点とは異なる知見が得られる場合も考えられる．承認後も引き続き新医薬品等の承認を受けた製造販売業者等が新医薬品等の使用成績調査を行い，一定の期間後にその安全性等の再確認を行う制度を**製造販売後調査 Post-Marketing Surveillance（PMS）**という．厚生労働省では，製造販売業者等に対し医薬品等の品質，有効性及び安全性に関して再確認を行わせるだけでなく，医薬関係者からも必要な情報を収集し，製造販売後の安全対策を講じている（図 8.10）．副作用・感染症報告制度には，生物由来製品又は再生医療等製品の製造販売業者等に義務づけられている感染症定期報告も含まれている（法68 条の 24，法 68 条の 14）．

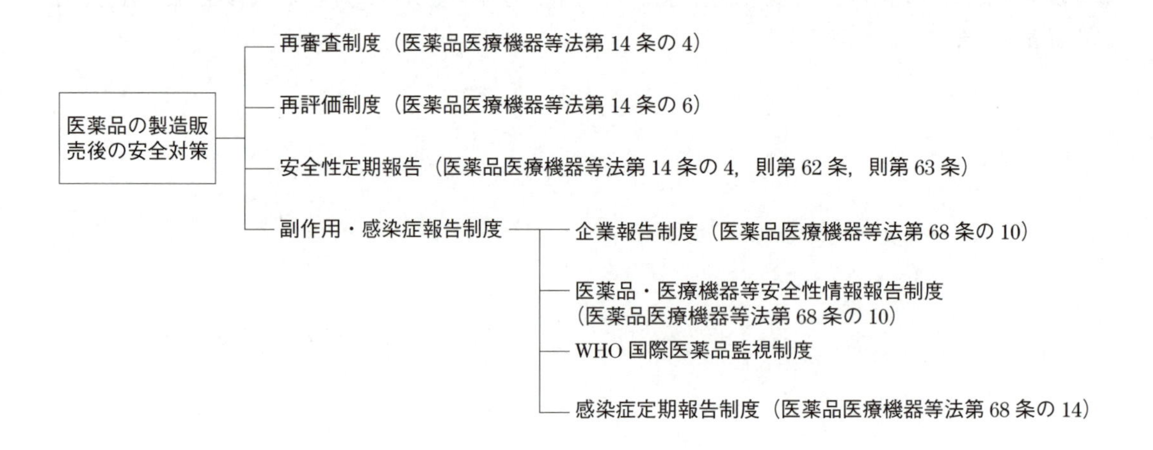

図 8.10　医薬品の製造販売後安全対策のしくみ
（令和 2 年厚生労働白書をもとに作成）

1）医薬品リスク管理計画

医薬品の安全性を確保するためには，開発の段階から製造販売後に至るまでの医薬品のリスクを適切に管理することが重要である．そこで，医薬品の製造販売業者は**「医薬品リスク管理計画」（Risk Management Plan, RMP）**を作成し，承認申請の際に提出することが義務づけられることとなった（平成 25 年 4 月 1 日以降に承認申請される新医薬品及びバイオ後続品から適用）．RMP は，3 つの要素（「安全性検討事項」，「医薬品安全性監視計画」，「リスク最小化計画」）で構成されている．これらを医薬品ごとに文書化し，関係者で共有できるようにすることで，市販後の安全対策の一層の充実強化を図るものである．それに伴い，GVP の市販直後調査の実施計画書は，RMP の一環として作成することとなった．同様に GPSP（後述）においても，使用成績調査，特定使用成績調査，製造販売後臨床試験などを RMP に基づき作成することとなった（平成 26 年 10 月 1 日施行）．

製造販売業者等から提出されたRMPは，機構の医薬品医療機器情報提供ホームページに掲載され公表される．RMPは，市販後に得られた新たな安全性・有効性の情報に基づき，継続的に見直しを行うことになる．RMPは，医薬品又は再生医療等製品の製造販売後に実施される再審査（後述）及び再評価制度（後述）にも使用される．

2）医薬品・再生医療等製品の再審査制度

新医薬品の承認を受けた者は，GVP省令に基づく市販直後調査を医薬品リスク管理として実施するとともに，**製造販売の承認後**も引き続き新医薬品の副作用その他の使用成績に関する調査を行い，**一定期間後に承認された医薬品の有効性，安全性等の再確認を行う義務**がある．これを**再審査制度**という．

ｉ）再審査の対象及び再審査期間

（新医薬品等の再審査）第14条の4　次の各号に掲げる医薬品につき第14条の承認を受けた者は，当該医薬品について，当該各号に定める期間内に申請して，厚生労働大臣の再審査を受けなければならない．
一　既に第14条又は第19条の2の承認を与えられている医薬品と有効成分，分量，用法，用量，効能，効果等が明らかに異なる医薬品として厚生労働大臣がその承認の際指示したもの（以下「新医薬品」という．）
　次に掲げる期間（以下この条において「調査期間」という．）を経過した日から起算して3月以内の期間（次号において「申請期間」という．）
イ　希少疾病用医薬品，**先駆的医薬品**その他厚生労働省令で定める医薬品として厚生労働大臣が薬事・食品衛生審議会の意見を聴いて指定するものについては，その承認にあった日後6年を超え10年を超えない範囲内において厚生労働大臣の指定する期間
ロ　**特定用途医薬品**又は既に第14条若しくは第19条の2の承認を与えられている医薬品と効能若しくは効果のみが明らかに異なる医薬品（イに掲げる医薬品を除く．）その他厚生労働省令で定める医薬品として厚生労働大臣が薬事・食品衛生審議会の意見を聴いて指定するものについては，その承認のあった日後6年に満たない範囲内において厚生労働大臣の指定する期間
ハ　イ又はロに掲げる医薬品以外の医薬品については，その承認のあった日後6年

●新再生医療等製品にも新医薬品に準ずる規定がある（法23条の29）．すなわち，**再審査の対象**となるものは，**「新医薬品（体外診断用医薬品を除く）」**及び**「新再生医療等製品」**である．ただし，再生医療等製品においては，承認の際に，条件及び期限付きで承認（8章f節参照）したものは除かれる．

新医薬品（法14条の4）	既に承認されている医薬品と有効成分，分量，用法，用量，効能，効果等が明らかに異なる医薬品として，厚生労働大臣がその承認の際指示したもの
新再生医療等製品（法23条の29）	既に承認されている再生医療等製品と構成細胞，導入遺伝子，構造，用法，用量，使用方法，効能，効果，性能等が明らかに異なる再生医療等製品として，厚生労働大臣がその承認の際指示したもの（ただし，条件及び期限付きで承認を受けたものを除く）

新医薬品又は新再生医療等製品の承認を受けた製造販売業者は，**定められた期間に，厚生労働大臣の再審査を受けなければならない**．

表 8.8　新医薬品の再審査期間（調査期間）（法 14 条の 4，則 57）

	対　象	期　間
新医薬品	① 希少疾病用医薬品 ② 長期の薬剤疫学的調査が必要なもの	10 年
	③ 新有効成分含有医薬品（既承認医薬品と有効成分が明らかに異なる医薬品）	8 年
	④ 先駆的医薬品	6 年－8 年
	⑤ 特定用途用医薬品 ⑥ 新効能医薬品（既承認医薬品と効能又は効果のみが明らかに異なる医薬品） ⑦ 新用法・用量医薬品（既承認医薬品と用法又は用量が明らかに異なる医薬品で有効成分及び投与経路が同一のもの）	6 年未満
	⑧ その他の医薬品	6 年

（注）新医薬品と有効成分，分量，用法，用量，効能，効果等が同一性を有すると認められる医薬品として厚生労働大臣がその承認の際指示したものは，再審査の対象となる．その再審査期間は，先行する新医薬品の再審査の申請期間に合致するように厚生労働大臣が指示する期間．

●新再生医療等製品においても，希少疾病用再生医療等製品は 10 年，既承認再生医療等製品と効能，効果又は性能のみが明らかに異なるもの，用法，用量又は使用方法が明らかに異なるものは 6 年未満，上記以外の再生医療等製品は 6 年と定められており，新医薬品と同様の規定がある（法 23 条の 29，則 137 の 39）．

ii）再審査期間の延長

> 第 14 条の 4 第 2 項　厚生労働大臣は，新医薬品の再審査を適正に行うため特に必要があると認めるときは，薬事・食品衛生審議会の意見を聴いて，調査期間を，その承認のあった日後 10 年を超えない範囲内において延長することができる．

厚生労働大臣は，指示された期間内に再審査を適正に行うための資料等が，十分に収集できない場合には，10 年を超えない範囲で再審査期間を延長することができる．再生医療等製品についても同様である（法 23 条の 29 第 2 項）．

iii）再審査の方法

> 第 14 条の 4 第 3 項　厚生労働大臣の再審査は，再審査を行う際に得られている知見に基づき，第 1 項各号に掲げる医薬品が第 14 条第 2 項第三号イからハまでのいずれにも該当しないことを確認することにより行う．

再審査は，再審査の際に得られた知見に基づき，新医薬品又は新再生医療等製品が承認の際の拒否事由のいずれにも該当しないことを確認することにより行う．

・承認拒否事由のいずれかに該当 → 承認取消，製造販売の中止等
・承認事項の一部を変更すれば拒否事由のいずれにも該当しない → 承認事項の一部変更が命じられる

iv）再審査の添付資料

> 第 14 条の 4 第 4 項　第 1 項の申請は，申請書にその医薬品の使用成績に関する資料その他厚生労働省令で定める資料を添付してしなければならない．この場合において，当該申請に係る医薬品が厚生労働省令で定める医薬品であるときは，当該資料は，厚生労働省令で定める基準に従って収集され，かつ，作成されたものでなければならない．

●再審査の申請書に添付すべき資料（則59）
① 医薬品の使用成績に関する資料（承認申請書の添付資料を準用参照）
② 医療用医薬品については，安全性定期報告（後出）の際に提出した資料の概要
③ 医薬品の効能又は効果及び安全性に関し，製造販売の承認後に得られた研究報告に関する資料

●再生医療等製品においても同様の規定があり（法23の29-4），の再審査申請書に添付すべき資料は，以下の通りである（則137の40）．
① 再生医療等製品の使用成績に関する資料（承認申請書の添付資料を準用参照）
② 再生医療等製品の効能，効果又は性能及び安全性に関し，製造販売の承認後に得られた研究報告に関する資料

●再審査申請資料の信頼性の基準（則61，同則43）
GPSP（Good Post-marketing Study Practice）医薬品の製造販売後の調査及び試験の実施の基準に関する省令（後出）に従って収集，作成する．GPSPでは製造販売後臨床試験を行うが，その際にGCPの一部が適用される．また，動物実験により安全性に関する試験が実施される場合は，GLPも適用される．

●再生医療等製品においても，再生医療等製品GPSPに従い，収集･作成されなければならない．（則137の42，同則137の25）

●再審査の申請資料は，再審査が終了した日から5年間保存しなければならない．

●厚生労働省令（則60）で定める医薬品とは，再審査の対象となる医薬品（法14条の4第4項後段の新医薬品）をいう．再生医療等製品においても同様の規定がある（則137の41）．

v）再審査の調査（再審査資料適合性調査）

> 第14条の4第5項　第3項の規定による確認においては，第1項各号に掲げる医薬品に係る申請内容及び前項前段に規定する資料に基づき，当該医薬品の品質，有効性及び安全性に関する調査を行うものとする．この場合において，第1項各号に掲げる医薬品が前項後段に規定する厚生労働省令で定める医薬品であるときは，あらかじめ，当該医薬品に係る資料が同項後段の規定に適合するかどうかについての書面による調査又は実地の調査を行うものとする．

●**再審査**は，申請内容及び添付資料に基づき，当該新医薬品の**品質，有効性及び安全性に関する調査**を行う．

●資料が基準どおりに作成されたかどうかについて，あらかじめ**書面調査又は実地調査**を行う．

●再審査に係る**審査及び調査は，機構が行う**（後述．法第14条の5参照）．

vi）使用成績等の調査報告及び安全性定期報告

> 第14条の4第6項　第1項各号に掲げる医薬品につき第14条の承認を受けた者は，厚生労働省令で定めるところにより，当該医薬品の使用の成績に関する調査その他厚生労働省令で定める調査を行い，その結果を厚生労働大臣に報告しなければならない．

●新医薬品は，承認時には発症しなかった新たな副作用等が起こるおそれもあることから，新医薬品の承認を受けた者は，再審査までの期間においても**厚生労働大臣に定期的に使用の成績等に関する報告**を行わなければならない．通常，製造販売の承認後1年ごとに次の事項を報告しなければなら

ない．この報告制度を**「安全性定期報告制度」**という．

［新医療用医薬品を除く新医薬品に関する報告内容］（則 62 より抜粋）

① 当該医薬品の名称
② 承認番号及び承認年月日
③ 調査期間及び調査症例数
④ 当該医薬品の出荷数量
⑤ 調査結果の概要及び解析結果
⑥ 副作用等の種類別発現状況
⑦ 副作用等の発現症例一覧

［新医療用医薬品に関する報告内容］（則 63 より抜粋）

①～⑦（上記の「当該医薬品」を「当該医療用医薬品等（当該医療用医薬品又は成分同一物をいう）」に置き換える）
⑧ 保健衛生上の危害の発生もしくは拡大の防止，又は適正な使用のために行われた措置
⑨ 添付文書
⑩ 品質，有効性及び安全性に関する事項，その他適正な使用のために必要な情報

●**新医療用医薬品**にあっては，**安全性定期報告**として，製造販売の承認を受けた者は，新医療用医薬品の承認の際に厚生労働大臣が指定した日から起算して，通常，**2 年間は半年ごとに，それ以降は 1 年ごとに再審査期間終了まで**の間，①～⑩に関する報告が義務づけられている（図 8.11 参照）.

●新医療用医薬品の安全定期報告に関する報告書（安全性定期報告書）についても RMP の中で作成する.

vii）守秘義務

> 第 14 条の 4 第 7 項　第 4 項後段に規定する厚生労働省令（規則 60 条）で定める医薬品につき再審査を受けるべき者，同項後段に規定する資料の収集若しくは作成の委託を受けた者又はこれらの役員若しくは職員は，正当な理由なく，当該資料の収集又は作成に関しその職務上知り得た人の秘密を漏らしてはならない．これらの者であった者についても，同様とする.

●再審査のための資料作成に携わった者は，正当な理由なく，資料の収集又は作成に関し，その職務上知り得た人（患者等）の秘密を漏らしてはならない．過去にそれらの業務に携わった者についても同様の守秘義務がある．再生医療等製品にも，同様の規定がある（法 23 条の 29）.

viii）準　用

> （準用）第 14 条の 5　医薬品（専ら動物のために使用されることが目的とされているものを除く．以下この条において同じ.）のうち政令で定めるものについての前条（法 14 の 4）第 1 項の申請，同条第 3 項の規定による確認及び同条第 5 項の規定による調査については，第 14 条第 11 項及び第 14 条の 2（第 4 項を除く.）の規定を準用する．この場合において，必要な技術的読替えは，政令で定める.

●**厚生労働大臣は，**承認審査の場合と同様に**再審査に係る申請，確認及び調査（再審査資料適合性調査）を機構**に行わせることができる.

●その場合，再審査の申請者は，機構が行う再審査に係る確認及び調査を受けなければならない.

- 機構は，再審査に係る確認及び調査の結果を遅滞なく厚生労働大臣に通知しなければならない．
なお，法14条の4第1項〜第7項及び14条の5の新医薬品の再審査に関する内容と同様の規定は，再生医療等製品においても23条の29第1項〜第7項及び23条の30に記載されている．

3）医薬品・再生医療等製品の再評価制度

再評価制度は，すでに承認されたすべての医薬品又は再生医療等製品について，現時点での医学・薬学等の学問水準における評価方法で，**品質，有効性及び安全性を見直す**制度である．

（医薬品の再評価）第14条の6　第14条の承認を受けている者は，厚生労働大臣が薬事・食品衛生審議会の意見を聴いて医薬品の範囲を指定して再評価を受けるべき旨を公示したときは，その指定に係る医薬品について，厚生労働大臣の再評価を受けなければならない．
2　厚生労働大臣の再評価は，再評価を行う際に得られている知見に基づき，前項の指定に係る医薬品が第14条第2項第三号イからハまでのいずれにも該当しないことを確認することにより行う．
3　第1項の公示は，再評価を受けるべき者が提出すべき資料及び提出期限を併せ行うものとする．
4　第1項の指定に係る医薬品が厚生労働省令で定める医薬品であるときは，再評価を受けるべき者が提出する資料は，厚生労働省令で定める基準に従って収集され，かつ，作成されたものでなければならない．
5　第2項の規定による確認においては，再評価を受けるべき者が提出する資料に基づき，第1項の指定に係る医薬品の品質，有効性及び安全性に関する調査を行うものとする．この場合において，同項の指定に係る医薬品が前項に規定する厚生労働省令で定める医薬品であるときは，あらかじめ，当該医薬品に係る資料が同項の規定に適合するかどうかについての書面による調査又は実地の調査を行うものとする．
6　第4項に規定する厚生労働省令で定める医薬品につき再評価を受けるべき者，同項に規定する資料の収集若しくは作成の委託を受けた者又はこれらの役員若しくは職員は，正当な理由なく，当該資料の収集又は作成に関しその職務上知り得た人の秘密を漏らしてはならない．これらの者であった者についても，同様とする．

i）再評価の対象と時期

- **再評価の対象**となるものは，**過去に製造販売の承認を受けた医薬品（体外診断用医薬品を除く）及び再生医療等製品**である．再生医療等製品にも医薬品の再評価と同様の規定がある（第23条の31第1項〜第6項）．ただし，条件及び期限付きで承認された再生医療等製品は，本制度の対象ではない．
- 見直しが必要となった医薬品又は再生医療等製品について，厚生労働大臣が範囲を指定したものについて行われる．
- **厚生労働大臣が，薬事・食品衛生審議会の意見を聴いて**医薬品等の**範囲を指定し，公示**する．
- 公示されると，該当する医薬品又は再生医療等製品の製造販売の承認を受けている者は，再評価を受けなければならない．
［公示の内容］
①医薬品又は再生医療等製品の範囲
②再評価を受けるべき者が提出する資料
③提出期限
- 再審査は，承認の際に指定される1回であるが，再評価はすべての医薬品又は再生医療等製品の製造販売承認の見直しを行うため，厚生労働大臣が既製品の中から範囲を指定し，公示を行ったときに受けなければならない．
- 再評価の資料は，**GPSP**に従い収集・作成する．

●再評価の方法，調査内容，添付資料，守秘義務，機構による調査等については，再審査の場合と同様である．

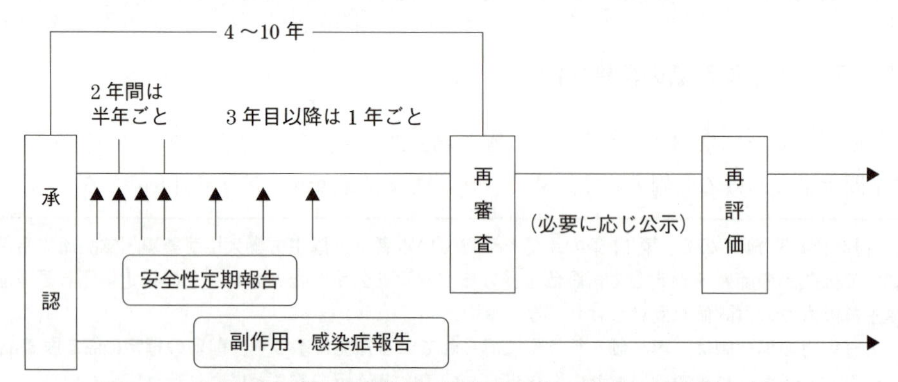

図 8.11　医療用医薬品の製造販売後調査と再審査・再評価の流れ

（令和2年厚生労働白書をもとに作成）

ii）品質再評価

医療用医薬品のうち，内用固形製剤については，医薬品の品質を保証することを目的とした「品質再評価」を行う．品質再評価では，先発医薬品（標準製剤）の溶出試験法の条件・規格等を設定し，後発医薬品について先発医薬品との同等性を確認する．品質再評価の結果及びその進捗状況については，「医療用医薬品品質情報集」(日本版オレンジブック）に公表されている．

4）医療機器・体外診断用医薬品の使用成績評価制度

（使用成績評価）第23条の2の9第1項　厚生労働大臣が薬事・食品衛生審議会の意見を聴いて指定する医療機器又は体外診断用医薬品につき第23条の2の5の承認を受けた者又は当該承認を受けている者は，当該医療機器又は体外診断用医薬品について，厚生労働大臣が指定する期間（次項において「調査期間」という．）を経過した日から起算して3月以内の期間内に申請して，厚生労働大臣の使用成績に関する評価を受けなければならない．

2 ～ 5　条文省略

6　第1項の指定に係る医療機器又は体外診断用医薬品につき第23条の2の5の承認を受けた者は，厚生労働省令で定めるところにより，当該医療機器又は体外診断用医薬品の使用の成績に関する調査その他厚生労働省令で定める調査を行い，その結果を厚生労働大臣に報告しなければならない．

7　条文省略

●医療機器は，その特性上，短期間に改善・改良が行われることが多く，再審査制度及び再評価制度を適用することは現状に合致していない面があった．そこで，厚生労働大臣の承認を受けた医療機器及び体外診断用医薬品については，従来の再審査制度及び再評価制度を廃止し，**「使用成績評価」制度**が新設された（2014（平成26）年11月25日施行）．**使用成績評価の対象**は，**厚生労働大臣が指定する医療機器又は体外診断用医薬品**で，製品の特性に応じて調査期間を設定して使用成績に関する調査を行い，その有効性及び安全性を確認することが義務づけられた．

●厚生労働大臣が指定する医療機器としては，新医療機器として承認された埋植型医療機器（ペースメーカー，人工心臓など）のように長期間にわたり体内に留置される製品で，生命維持の目的で使用されるリスクの高いものが対象となる．

- 使用成績評価は，厚生労働大臣が指定する期間（調査期間）内に当該医療機器又は体外診断用医薬品の不具合によるものと疑われる疾病，障害もしくは死亡又はその使用によるものと疑われる感染症その他の使用成績等についての調査を行う（則 114 条の 43）．
- 使用成績評価に添付すべき資料は，医療機器及び体外診断用医薬品の承認申請に添付する資料の規定に準ずる（8 章 f，表 8.7 参照）．
- 使用成績評価に係る資料は，医療機器 GPSP に従い収集・作成する．
- 使用成績に関する評価は，医療機器及び体外診断用医薬品の製造販売の承認（法 23 の 2 の 5-2）の承認の拒否要件のいずれにも該当しないことを確認しなければならない（法 23 の 2 の 9-3）．
- 医薬品の安全性定期報告制度（p.209 参照）と同様に，医療機器又は体外診断用医薬品においても，承認の際に厚生労働大臣が指示した日から起算して 1 年ごとに，その期間満了後 2 月以内に使用成績等に関する調査及び結果等を報告しなければならない（法 23 の 2 の 9-6，則 114 の 43-2）．

5）副作用等情報収集評価提供システム

医薬品医療機器等法では，医薬品又は再生医療等製品の製造販売の承認を受けた者に対しは，再審査及び再評価を，医療機器又は体外診断用医薬品の製造販売の承認を受けた者に対しては，使用成績評価を義務づけているが，医薬部外品及び化粧品の製造販売業者等ならびに医薬品等を実際に使用する医薬関係者に対しても副作用等の報告を義務づけ，安全対策を講じている．現在わが国の副作用等の情報収集・評価・提供は，**副作用・感染症報告制度**として図 8.12 に示す体制がとられている．また，厚生労働省は，機構との連携及び薬事・食品衛生審議会に副作用等の状況を報告し，必要があれば諮問するほかに，国際間の情報交換等を行い，医薬品等の安全対策の確保を図っている．

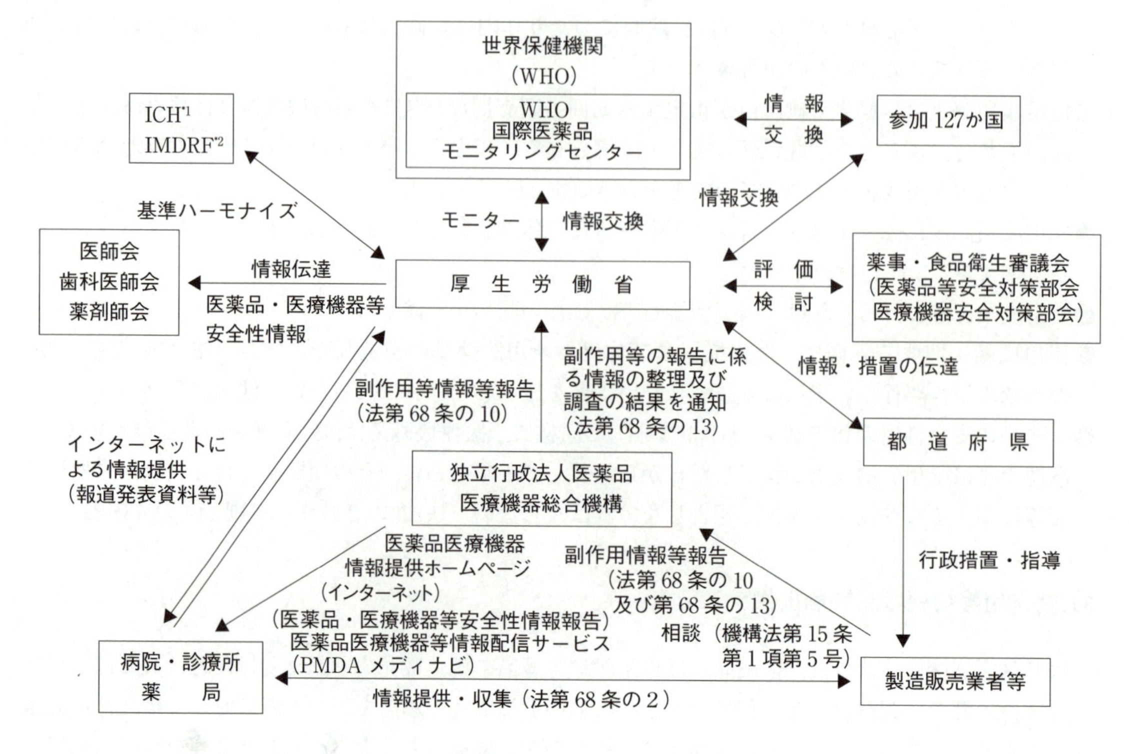

図 8.12　副作用等報告制度の概略
（令和 2 年厚生労働白書より一部改変して引用）

i）企業報告制度

（副作用等の報告）第 68 条の 10　医薬品，医薬部外品，化粧品，医療機器若しくは再生医療等製品の製造販売業者又は外国特例承認取得者は，その製造販売をし，又は第 19 条の 2，第 23 条の 2 の 17 若しくは第 23 条の 37 の承認を受けた医薬品，医薬部外品，化粧品，医療機器又は再生医療等製品について，当該品目の副作用その他の事由によるものと疑われる疾病，障害又は死亡の発生，当該品目の使用によるものと疑われる感染症の発生その他の医薬品，医薬部外品，化粧品，医療機器又は再生医療等製品の有効性及び安全性に関する事項で厚生労働省令で定めるものを知ったときは，その旨を厚生労働省令で定めるところにより厚生労働大臣に報告しなければならない．

● **「企業報告制度」**は，**医薬品，医薬部外品，化粧品，医療機器もしくは再生医療等製品の製造販売業者等が**，その製造販売をし，又は承認を受けた医薬品，医薬部外品，化粧品，医療機器又は再生医療等製品について，当該品目の副作用によるものと疑われる疾病，障害又は死亡の発生，当該品目の使用によるものと疑われる感染症の発生その他医薬品等の有効性及び安全性に関する事項について，省令（則 228 の 20）で定めるものを知ったときから，**15 日**又は**30 日以内**にその旨を**厚生労働大臣に報告しなければならない**．近年，薬用化粧品による重大な副作用報告事例が発生したことを踏まえ，2014（平成 26）年 4 月 1 日より，医薬部外品及び化粧品についても，これまで報告を求めてきた研究報告に加えて，個別の副作用症例について報告することが義務づけられた．いずれの対象物においても，その重篤度に応じて，15 日又は 30 日以内にその旨を報告しなければならないこととした．

（副作用等報告）規則第228条の20

医薬品の製造販売業者又は外国製造医薬品等特例承認取得者は，その製造販売し，又は承認を受けた医薬品について，次の各号に掲げる事項を知ったときは，各号に定める期間内にその旨を厚生労働大臣に報告しなければならない．

一　次に掲げる事項　**15日**

イ　死亡の発生のうち，当該医薬品の副作用によるものと疑われるもの

ロ　死亡の発生のうち，当該医薬品と成分が同一性を有すると認められる外国で使用されている医薬品（以下「外国医薬品」という．）の副作用によるものと疑われるものであって，かつ，当該医薬品の添付文書又は容器若しくは被包に記載された使用上の注意（以下「使用上の注意等」という．）から予測することができないもの又は当該医薬品の使用上の注意等から予測することができるものであって，次のいずれかに該当するもの

(1) 当該死亡の発生数，発生頻度，発生条件等の傾向（以下「発生傾向」という．）を当該医薬品の使用上の注意等から予測することができないもの

(2) 当該死亡の発生傾向の変化が保健衛生上の危害の発生又は拡大のおそれを示すもの

ハ　次に掲げる症例等の発生のうち，当該医薬品又は外国医薬品の副作用によるものと疑われるものであって，かつ，当該医薬品の使用上の注意等から予測することができないもの又は当該医薬品の使用上の注意等から予測することができるものであって，その発生傾向を予測することができないもの若しくはその発生傾向の変化が保健衛生上の危害の発生又は拡大のおそれを示すもの（ニ及びホに掲げる事項を除く．）

(1) 障害

(2) 死亡又は障害につながるおそれのある症例

(3) 治療のために病院又は診療所への入院又は入院期間の延長が必要とされる症例（(2) に掲げる事項を除く．）

(4) 死亡又は (1) から (3) までに掲げる症例に準じて重篤である症例

(5) 後世代における先天性の疾病又は異常後世代における先天性の疾病又は異常

ニ　医薬品，医療機器等の品質，有効性及び安全性の確保等に関する法律関係手数料令第7条第1項第一号イ (1) に規定する既承認医薬品と有効成分が異なる医薬品として法第14条第1項の承認を受けたものであって，承認のあった日後2年を経過していないものに係るハ (1) から (5) までに掲げる症例等の発生のうち，当該医薬品の副作用によるものと疑われるもの

ホ　ハ (1) から (5) までに掲げる症例等の発生のうち，当該医薬品の副作用によるものと疑われるものであって，当該症例等が市販直後調査により得られたもの（ニに掲げる事項を除く．）

ヘ　当該医薬品の使用によるものと疑われる感染症による症例等の発生のうち，当該医薬品の使用上の注意等から予測することができないもの

ト　当該医薬品又は外国医薬品の使用によるものと疑われる感染症による死亡又はハ (1) から (5) までに掲げる症例等の発生（ヘに掲げる事項を除く．）

チ　外国医薬品に係る製造，輸入又は販売の中止，回収，廃棄その他保健衛生上の危害の発生又は拡大を防止するための措置の実施

二　次に掲げる事項　**30日**

イ　前号ハ (1) から (5) までに掲げる症例等の発生のうち，当該医薬品の副作用によるものと疑われるもの（前号ハ，ニ及びホに掲げる事項を除く．）

ロ　当該医薬品若しくは外国医薬品の副作用若しくはそれらの使用による感染症によりがんその他の重大な疾病，障害若しくは死亡が発生するおそれがあること，当該医薬品若しくは外国医薬品の副作用による症例等若しくはそれらの使用による感染症の発生傾向が著しく変化したこと又は当該医薬品が承認を受けた効能若しくは効果を有しないことを示す研究報告

三　次に掲げる医薬品の副作用によるものと疑われる症例等の発生（死亡又は第一号ハ (1) から (5) までに掲げる事項を除く．）のうち，当該医薬品の使用上の注意等から予測することができないもの　次に掲げる医薬品の区分に応じて次に掲げる期間ごと

イ　法第14条の4第1項第一号に規定する新医薬品及び法第14条の4第1項第二号の規定により厚生労働大臣が指示した医薬品　第63条第3項に規定する期間

ロ　イに掲げる医薬品以外の医薬品　　当該医薬品の製造販売の承認を受けた日等から1年ごとにその期間の満了後2月以内
2 ～ 5　（医療機器，再生医療等製品，医薬部外品又は化粧品についての条文省略）

ii）医薬品・医療機器等安全性情報報告制度

第68条の10第2項　薬局開設者，病院，診療所若しくは飼育動物診療施設の開設者又は医師，歯科医師，薬剤師，登録販売者，獣医師その他の医薬関係者は，医薬品，医療機器又は再生医療等製品について，当該品目の副作用その他の事由によるものと疑われる疾病，障害若しくは死亡の発生又は当該品目の使用によるものと疑われる感染症の発生に関する事項を知った場合において，保健衛生上の危害の発生又は拡大を防止するため必要があると認めるときは，その旨を厚生労働大臣に報告しなければならない．

- **「医薬品・医療機器等安全性情報報告制度」**は，2003（平成15）年に法制化された．**すべての医療機関や薬局等の医薬関係者**は，医療現場等において日常，医薬品，医療機器又は再生医療等製品を実際に使用することにより発生する健康被害等の情報（副作用情報，感染症情報，不具合情報）を，**直接，厚生労働大臣に報告しなければならない**．報告された情報は，専門的観点から分析・評価され，必要な安全対策を講じるとともに，広く医薬関係者等に情報提供することで，市販後安全対策の確保を図る．医薬品・医療機器等安全性情報報告制度は，医薬関係者が医薬品等の副作用等を厚生労働大臣に直接報告することにより，副作用等の発生を迅速に収集し，企業が把握していない副作用等を検知する観点から重要なものである．
- 医薬部外品又は化粧品についても，医薬関係者からの情報提供を得るため，重篤な副作用等が発生した場合には，医薬品の報告書様式（医療用医薬品，要指導医薬品及び一般用医薬品に分けられている）とは別に，化粧品・医薬部外品安全性情報報告書の様式に作成することとなった（平成26年6月12日薬食発0612第1号）．さらに，一般用医薬品及び要指導医薬品を含めた医薬品の副作用・感染症等については，報告書に機構による救済制度（9章参照）に関する欄を設け，本制度に患者が請求予定か救済制度の対象外か等の選択肢が追加されている．

表8.9　副作用等の報告（法68条の10，則228の20）のまとめ

	企業報告制度	医薬品・医療機器等安全性情報報告制度
報告対象物	医薬品，医薬部外品，化粧品，医療機器，再生医療等製品	医薬品，医療機器，再生医療等製品（化粧品*，医薬部外品*）
報告義務者	医薬品，医薬部外品，化粧品，医療機器もしくは再生医療等製品の製造販売業者又は外国特例承認取得者	薬局・病院・診療所・飼育動物診療所施設の開設者，医師，歯科医師，薬剤師，登録販売者，獣医師その他の医薬関係者
報告義務の発生	製造販売をし，又は承認を受けた医薬品等について，当該品目の副作用その他の事由によるものと疑われる疾病・障害・死亡の発生，当該品目の使用によるものと疑われる感染症の発生その他の医薬品等の有効性及び安全性に関する事項のうち省令（則228の20）で定めるものを知ったとき．	当該品目の副作用その他の事由によるものと疑われる疾病，障害もしくは死亡の発生又は当該品目の使用によるものと疑われる感染症の発生に関する事項を知った場合において，保健衛生上の危害の発生又は拡大を防止するため必要があると認めるとき．
報　告	いずれもその重篤度に応じて15又は30日以内に，その旨を厚生労働大臣に報告しなければならない．また，有害な作用等が発生するおそれがあることを示す研究報告を知ったときは，いずれも厚生労働大臣に30日以内に報告しなければならない．	その旨を厚生労働大臣に報告しなければならない．

* 医薬品・医療機器安全性情報報告制度は，医薬品，医療機器又は再生医療等製品を対象としたものだが，医薬部外品及び化粧品についても，健康被害等の情報が得られた場合には，医薬関係者は化粧品・医薬部外品安全性情報報告書に記載し，報告する（平成26年6月12日付薬食発0612第1号厚生労働省医薬食品局長通知）．

iii）WHO国際医薬品モニタリング制度

WHO（World Health Organization）世界保健機関による国際医薬品監視制度は，1968年に発足し，わが国は1972（昭和47）年から参加している．WHOの国際医薬品モニタリングセンターでは，各国から報告された情報を解析し，参加国にフィードバックしている（図8.12）．

iv）その他

- **「緊急安全性情報（イエローレター）」**：特に重要かつ緊急に安全対策上の措置を要する情報については，**厚生労働省の指示により当該製造販売業者が，各医療機関等に配布**することになっている．黄色用紙に赤枠を付け，「緊急安全性情報」の文字を赤枠・黒字で記載してある．
- **「安全性速報（ブルーレター）」**：上記の緊急安全性情報に準じ，一般的な使用上の注意の改定情報よりも迅速な安全対策措置をとる場合に出される．青色用紙に「安全性速報」の文字を黒枠，黒字で記載してある．
- 厚生労働省では，副作用等の情報を収集し，以下の情報を提供している．
  - ① **医薬品・医療機器等安全性情報**：収集された副作用等の情報のうち，重要なものについては定期的に「医薬品・医療機器等安全性情報」を発行し，医薬関係者などにフィードバックする．
  - ② **厚生労働省緊急安全性情報**：特に重要かつ緊急な情報については，全国の医療機関等にファクシミリにより直接伝達する．
  - ③ **医薬品医療機器情報提供ホームページ**：機構との連携により，医薬品・医療機器に関する最新情報は承認後速やかにインターネットを介して提供されている（http://www.info.pmda.go.jp）．
  - ④ **医薬品医療機器情報配信サービス（PMDAメディナビ）**：機構から登録された医療関係者に対し，

緊急安全性情報，使用上の注意の改訂，回収情報，医薬品リスク管理計画の掲載等の情報を速やかにメールで提供するサービス．

6) GPSP 省令

医薬品の GPSP 省令の内容は，以下のとおりである．条文は省略する．

1. 本省令は，再審査及び再評価の申請に添付する資料の信頼性を確保するため，製造販売業者等が行う製造販売後の調査及び試験の業務に関する事項を定めたものである．
2. 定義

製造販売後調査等	医薬品の製造販売業者等が医薬品の品質，有効性及び安全性に関する情報の収集，確認又は検証のために行う使用成績調査又は製造販売後臨床試験をいう．
使用成績調査	製造販売後調査等のうち，製造販売業者等が，診療において，医薬品を使用する患者の条件を定めることなく，副作用による疾病等の種類別の発現状況ならびに品質，有効性及び安全性に関する情報の検出又は確認を行う調査をいう．
特定使用成績調査	使用成績調査のうち，製造販売業者等が，診療において，小児，高齢者，妊産婦，腎機能障害又は肝機能障害を有する患者，医薬品を長期に使用する患者その他医薬品を使用する条件が定められた患者における副作用による疾病等の種類別の発現状況ならびに品質，有効性及び安全性に関する情報の検出又は確認を行う調査をいう．
製造販売後臨床試験	製造販売後調査等のうち，製造販売業者等が，治験もしくは使用成績調査の成績に関する検討を行った結果得られた推定等を検証し，又は診療においては得られない品質，有効性及び安全性に関する追加の情報を収集するため，医薬品について医薬品医療機器等法第 14 条第 1 項（製造販売の承認）又は第 19 条の 2 第 1 項（外国製造医薬品の製造販売の承認）の承認に係る用法，用量，効能及び効果に従い行う試験をいう．

3. 製造販売後調査等業務手順書の作成
   ・使用成績調査，製造販売後臨床試験に関する手順
4. 製造販売後調査等管理責任者の設置義務
   ・製造販売後調査等管理責任者は，販売部門に属する者であってはならない．
   ・製造販売後調査等基本計画書の作成，保存，改定
   ・製造販売後調査等業務手順書及び製造販売後調査等基本計画書（医薬品リスク管理計画書を作成した時は，医薬品リスク管理計画書）に基づき，使用成績調査実施計画書，製造販売後臨床試験実施計画書その他製造販売後調査等を行うために必要な事項を文書により定める
   ・使用成績調査又は製造販売後臨床の概要が記載された医薬品リスク管理計画書を作成した場合は，製造販売後調査等基本計画書の作成・保存は不要
   ・必要があると認めるときは，製造販売業者等に文書により意見を述べ，保存する．
5. 製造販売後調査等
   ・製造販売後調査等管理責任者が行う業務
   ・製造販売業者等が製造販売後調査等管理責任者に行わせる記録の作成・保存
6. 使用成績調査（医薬品リスク管理計画書を作成した時は，医薬品リスク管理計画書）
   ・使用成績調査の実施にあたり，製造販売業者等は，製造販売後調査等管理責任者又は製造販売業者等が指定する者に行わせなければならない．
   ・製造販売業者等は，使用成績調査の目的を十分に果たしうる医療機関に対し，当該使用成績調査の契約を文書により行い，これを保存しなければならない．

7. 製造販売後臨床試験
  ・製造販売後臨床試験の実施にあたり，製造販売業者等は，製造販売後調査等管理責任者又は製造販売業者等が指定する者に行わせなければならない．
  ・実施においては，GCP 省令第 56 条の例（再審査等の資料の基準）による．
8. 製造販売後調査等管理責任者又は製造販売業者等が指定する者は，製造販売後調査業務について定期的に自己点検を行う．
9. 製造販売業者等は，製造販売後調査等業務に従事する者に対して，製造販売後調査等業務に関する教育訓練を計画的に行う．
10. 製造販売後調査等業務の委託
11. 製造販売後調査等業務に係る記録の保存
  ・再審査又は再評価に係る記録 ⟶ 終了した日から 5 年間保存

GPSP は，医療機器及び再生医療等製品についても，医薬品に準じた規定がある．
（医療機器においては，再審査・再評価を使用成績評価に置き換えて準用）

7）医薬関係者の情報提供等

（情報の提供等）第 68 条の 2　医薬品，医療機器若しくは再生医療等製品の製造販売業者，卸売販売業者，医療機器卸売販売業者等（医療機器の販売業者又は貸与業者のうち，薬局開設者，医療機器の製造販売業者，販売業者若しくは貸与業者若しくは病院，診療所若しくは飼育動物診療施設の開設者に対し，業として，医療機器を販売し，若しくは授与するもの又は薬局開設者若しくは病院，診療所若しくは飼育動物診療施設の開設者に対し，業として，医療機器を貸与するものをいう．次項において同じ．），再生医療等製品卸売販売業者（再生医療等製品の販売業者のうち，再生医療等製品の製造販売業者若しくは販売業者又は病院，診療所若しくは飼育動物診療施設の開設者に対し，業として，再生医療等製品を販売し，又は授与するものをいう．次項において同じ．）又は外国特例医薬品等承認取得者，外国特例医療機器等承認取得者若しくは外国特例再生医療等製品承認取得者（以下「外国特例承認取得者」と総称する．）は，医薬品，医療機器又は再生医療等製品の有効性及び安全性に関する事項その他医薬品，医療機器又は再生医療等製品の適正な使用のために必要な情報（第 63 条の 2 第 1 項 2 号の規定による指定がされた医療機器の保守点検に関する情報を含む．次項において同じ．）を収集し，及び検討するとともに，薬局開設者，病院，診療所若しくは飼育動物診療施設の開設者，医薬品の販売業者，医療機器の販売業者，貸与業者若しくは修理業者，再生医療等製品の販売業者又は医師，歯科医師，薬剤師，獣医師その他の医薬関係者に対し，これを提供するよう努めなければならない．
2　薬局開設者，病院，診療所若しくは飼育動物診療施設の開設者，医薬品の販売業者，医療機器の販売業者，貸与業者若しくは修理業者，再生医療等製品の販売業者又は医師，歯科医師，薬剤師，獣医師その他の医薬関係者は，医薬品，医療機器若しくは再生医療等製品の製造販売業者，卸売販売業者，医療機器卸売販売業者等，再生医療等製品卸売販売業者又は外国特例承認取得者が行う医薬品，医療機器又は再生医療等製品の適正な使用のために必要な情報の収集に協力するよう努めなければならない．
3　薬局開設者，病院若しくは診療所の開設者又は医師，歯科医師，薬剤師その他の医薬関係者は，医薬品，医療機器及び再生医療等製品の適正な使用を確保するため，相互の密接な連携の下に第 1 項の規定により提供される情報の活用（第 63 条の 2 第 1 項第 2 号の規定による指定がされた医療機器の保守点検の適切な実施を含む．）その他必要な情報の収集，検討及び利用を行うことに努めなければならない．

●上記規定は，医薬品，医療機器又は再生医療等製品を適正に使用し，その有効性及び安全性を確保するための努力義務規定である．

第1項　〈医薬品，医療機器及び再生医療等製品の情報提供〉

医薬品・医療機器・再生医療等製品の製造販売業者，卸売販売業者，外国特例承認取得者等は，医薬品，医療機器及び再生医療等製品の有効性及び安全性に関する情報その他適正使用のために必要な情報等を収集し，医薬関係者に提供するよう努めなければならない．

第2項　〈医薬関係者の情報収集への協力〉

医薬関係者は，第1項の情報提供者に対して，医薬品，医療機器及び再生医療等製品の適正な使用のために必要な情報の収集に協力するよう努めなければならない．

第3項　〈医薬関係者の連携と情報活用〉

医薬関係者は，医薬品，医療機器及び再生医療等製品の適正な使用のため，相互に連携して提供された情報の活用その他必要な情報の収集，検討及び利用を行うことに努めなければならない．

8) 危害の防止（企業責務の強化と医薬関係者による協力）（法68の9）

自社製品の使用によって保健衛生上の危害が発生し，又は拡大するおそれがあると知ったとき，医薬品等の製造販売業者は，これを防止するために，必要な措置（廃棄，回収，販売の停止，情報の提供等）を講じなければならない．

- 医薬関係者*は，製造販売業者等が行う必要な措置の実施に協力するように努めなければならない．
- 医薬関係者*は，医薬品，医療機器，再生医療等製品について医薬品・医療機器等安全性情報報告制度による副作用等の報告義務がある（法68条の10−2）．

---

*医薬関係者：薬局開設者，病院・診療所・飼育動物診療施設の開設者，医薬品・医薬部外品・化粧品の販売業者，医療機器の販売業者・貸与業者・修理業者，再生医療等製品の販売業者，医師，歯科医師，薬剤師，獣医師，その他の医療関係者

9) 回収の報告（法68の11）

医薬品等の製造販売業者等が**自主的に回収に着手**したとき → その事実を省令（則228の22）で定めるところにより，速やかに**厚生労働大臣に報告**しなければならない（厚生労働大臣が不良医薬品等に関する情報を早期に把握し，保健衛生上の危害の発生又は拡大を防止するため）．

- この規定は，自主回収の報告義務であり，行政命令を受けて回収に着手したときは含まない．

Checkpoint

承認審査システム	医薬品等の製造販売の承認申請に添付すべき資料は，GLP，GCP及び資料が調査あるいは試験の結果に基づき正確に作成されていること等でなければならない．	
	優先審査	希少疾病用医薬品，希少疾病用医療機器及び希少疾病用再生医療等製品は，承認審査又は調査を優先して行う．
	原薬等登録原簿（マスターファイル制度）	・製造業者（原薬メーカー等）の知的財産としての製造データ等を保護する． ・医薬品等の製造販売の承認審査の効率化及び迅速化を図る． ・厚生労働大臣は，機構に原薬等に係る登録等の業務を行わせることができる．

<table>
<tr><td rowspan="11">承認後の安全対策</td><td rowspan="4">再審査制度</td><td>対　象</td><td>新医薬品及び新再生医療等製品</td></tr>
<tr><td>医薬品の再審査期間</td><td>① 希少疾病用医薬品：10 年
② 新有効成分含有医薬品：8 年
③ 先駆的医薬品：6 － 8 年
④ 特定用途用医薬品，新効能医薬品，新用法・用量医薬品：6 年未満
⑤ その他の医薬品：6 年</td></tr>
<tr><td>医薬品の再審査に添付する資料</td><td>① 使用成績に関する資料
② 効能，効果，安全性に関し，承認後に得られた資料.
③ 医療用医薬品については，安全性定期報告の際に提出した資料の概要.
④ 資料は，GPSP に従って収集・作成する.</td></tr>
<tr><td>安全性定期報告</td><td>新医療用医薬品の製造販売業者は，再審査期間中，通常，承認後 2 年間は半年ごと，それ以降は 1 年ごとに副作用の状況等に関する調査報告義務がある.</td></tr>
<tr><td rowspan="2">再評価制度</td><td>対　象</td><td>・承認を受けているすべての医薬品及び再生医療等製品.
・見直し等が必要となった場合に，厚生労働大臣が範囲を指定し，公示する.</td></tr>
<tr><td>添付する資料</td><td>再審査の資料に準ずる.</td></tr>
<tr><td rowspan="2">使用成績評価</td><td>対　象</td><td>新医療機器及び新体外診断用医薬品</td></tr>
<tr><td>添付する資料</td><td>承認申請に添付する資料に準ずる.</td></tr>
<tr><td rowspan="2">副作用等の報告義務</td><td>企業報告制度</td><td>・報告者：医薬品，医薬部外品，化粧品，医療機器，再生医療等製品の製造販売業者又は外国特例承認取得者
・当該品目によると疑われる副作用又は感染症等の発生を知ったときには，定められた期間内に厚生労働大臣に報告する義務がある.</td></tr>
<tr><td>医薬品・医療機器等安全性情報報告制度</td><td>・報告者：すべての病院，診療所，薬局等の医薬関係者
・医薬品，医療機器又は再生医療等製品によると疑われる副作用又は感染症等の発生を知ったときには，保健衛生上の危害の発生又は拡大を防止する必要があると認めるときは，厚生労働大臣に報告する義務がある.</td></tr>
<tr><td colspan="2">医薬品の製造販売後の調査及び試験の実施の基準（GPSP）</td><td>・再審査，再評価の申請に必要な資料の信頼性を確保するために，製造販売業者等が行う調査等に関する事項を定めたもの.
・医薬品の品質，有効性及び安全性に関する情報の収集等のために，使用成績調査又は条件の定められた特定患者に対しては特定使用成績調査を行う.
・製造販売後臨床試験の実施は，GCP に準ずる.</td></tr>
<tr><td rowspan="2">危害の防止</td><td colspan="2">医薬品等の製造販売業者等</td><td>承認を受けた製品の使用による保健衛生上の被害が発生・拡大のおそれ⇒廃棄・回収・販売の停止・情報の提供等</td></tr>
<tr><td colspan="2">薬局開設者，病院等の開設者，医師，薬剤師等</td><td>承認を受けた製品の使用による保健衛生上の被害が発生・拡大のおそれ⇒製造販売業者等が行う必要な措置の実施に協力する努力義務</td></tr>
<tr><td>回収の報告</td><td colspan="2">医薬品等の製造販売業者等</td><td>自主的に製品の回収に着手したとき（命令を受けた場合を除く.）⇒その旨を厚生労働大臣に報告する義務がある</td></tr>
</table>

問　題

問 1　新有効成分含有医薬品の承認申請書に添付すべき資料には，製造方法に関する資料は含まれていない.(97 改)

問 2　新有効成分含有医薬品の承認に係る審査報告書は，独立行政法人医薬品医療機器総合機構が依頼した大学や医療機関の専門家が作成する.（97 改）

問 3　新有効成分含有医薬品の承認に係る提出資料の信頼性を調査するため，治験を実施した医療機関に対して現地調査が行われる場合がある.（97 改）

問 4　新有効成分含有医薬品は，薬事・食品衛生審議会の意見を聴いて，厚生労働大臣が承認する.（97 改）

問 5　希少疾病用医薬品の製造販売承認にかかる審査について,他のものに優先して行うことができる.（100 改）

問 6　国は，希少疾病用医薬品の試験研究を促進するために必要な資金の確保に努める.（100 改）

問 7　国は，希少疾病用医薬品の試験研究を促進するために税制上の措置を講じる.（100 改）

問 8　希少疾病用医薬品の製造所における製造管理又は品質管理の方法が基準に適合しているかの調査について，他のものに優先して行うことができる.（100 改）

問 9　希少疾病用医薬品は，再評価制度の対象から除外する.（100 改）

問 10　承認を受けずに製造販売できる医薬品がある.（102）

問 11　医療上特にその必要性が高いと認められる医薬品は，承認審査が優先して行われる.（102 改）

問 12　原薬等登録原簿に収められている原薬等を原材料とする場合は，登録されていることを証する書面をもって承認申請の資料の一部にすることができる.（102）

問 13　国民の生命及び健康に重大な影響を与えるおそれがある疾病のまん延などを防止するために緊急に必要な医薬品の場合は，特例的に承認される制度がある.（102）

問 14　医薬品の製造販売業者は，承認事項の一部を変更しようとする場合，厚生労働省令で定める軽微な変更であれば，その内容を記録して保存することでそれを行うことができる.（102 改）

問 15　医薬品製造販売業者は，自社製品について知り得たすべての副作用症例について 15 日以内に報告する義務がある.（97）

問 16　医療機関に勤務する薬剤師以外の薬剤師には，副作用報告に関する義務はない.（97）

問 17　すべての病院の開設者は，副作用による保健衛生上の危害の拡大を防止するため必要があると認めるときは，その副作用の報告を義務づけられている.（97）

問 18　卸売販売業者には，医薬品の安全性情報を医療関係者に提供するよう努める義務はない.（97）

問 19　自ら調剤を行わない薬局の開設者には，副作用報告に関する法律上の義務はない.（97）

問 20　医薬品の再評価制度は，当該医薬品の承認時の医学・薬学の水準に基づいて評価が行われる.（98 改）

問 21　医薬品の再評価制度は，臨床試験の実施を必要とする場合がある.（98 改）

問 22　新有効成分含有医薬品は，通常，承認から 8 年後に再評価の対象となる.（98 改）

問 23　希少疾病用医薬品は再評価制度の対象にならない.（98 改）

問 24　製造販売業者が提出した再評価制度の資料の調査は,独立行政法人医薬品医療機器総合機構が行う.(98 改)

問 25　処方箋医薬品の再審査にあたり，申請資料が GVP に適合しているかが調査される.（99 改）

問 26　医薬品の製造販売業者は，医薬品の副作用に関する情報を入手してから，副作用の重篤度に応じて，15 日又は 30 日以内に厚生労働大臣へ報告する必要がある.（99 改）

問 27　医薬品の製造販売業者は，病院での副作用症例の情報収集業務を他社に委託できない.（99）

問 28　病院の医師が厚生労働大臣に対し副作用報告をした場合，被疑薬の製造販売業者は厚生労働大臣に対

解答・解説

問 1　×　医薬品の承認申請書に添付する資料には，製造方法に関する資料が含まれている．

問 2　×　審査報告書は，独立行政法人医薬品医療機器総合機構において審査チームによる審査が行われ，作成される．

問 3　○　機構は，医薬品の承認申請に際し添付された資料が，GCP に従って収集，作成されたものであるか，実地調査を行うことがある．

問 4　○　記述のとおり．

問 5　○　希少疾病用医薬品及び先駆的医薬品等に対し，製造販売の承認かかる審査について，優先審査を行うことができる．

問 6　○　記述のとおり．

問 7　○　記述のとおり．希少疾病用医薬品等の製造販売業者は，税制上の優遇措置が受けられる．

問 8　○　承認要件における製造所の GMP 適合性調査について優先して行うことができる．

問 9　×　希少疾病用医薬品が再評価から除外されることはない．

問10　○　厚生労働大臣が基準を定めて指定する医薬品や体外診断用医薬品は，承認を受けずに製造販売できる．

問11　○　希少疾病用医薬品及び先駆的医薬品等に対し，優先審査を行うことができる．

問12　○　原薬等登録原簿（マスターファイル制度）により，製造業者の知的財産としての製造データ等について，承認申請を行う製造販売業者等から保護することができる．

問13　○　特例承認として適用される．

問14　×　医薬品に関しては，製造販売の承認事項の一部を変更する場合，承認又は届出が必要となる．

問15　×　医薬品製造販売業の副作用等の報告義務（企業報告制度）は，その重篤度により 15 日又は 30 日以内に行わなければならない．（法 68 の 10，則 228 条の 20）

問16　×　すべての医療機関及び薬局の医薬関係者は，副作用等に関する事項を知った場合において，保健衛生上の危害の発生又は拡大を防止するための必要があると認めたときは，厚生労働大臣に報告する義務がある．（法 68 の 10）

問17　○　問 16 解説参照

問18　×　医薬品の製造販売業者，卸売業者等は，医薬品の有効性及び安全性に関する情報その他適正使用のために必要な情報を医薬関係者に提供するよう努めなければならい．

問19　×　問 16 解説参照

問20　×　再評価制度は，現時点での医学・薬学等の水準に基づいて見直しを行う．（法 14 条の 6）

問21　○　医薬品の再評価制度では，臨床試験（製造販売後臨床試験）を必要とする場合がある．

問22　×　再評価は，厚生労働大臣が必要と認めた場合に医薬品の範囲を指定して実施される．（法 14 条の 6）

問23　×　希少疾病用医薬品は，再評価の対象である．

問24　○　独立行政法人医薬品医療機器総合機構は，厚生労働大臣の委託により，医薬品等の製造販売の承認，再審査及び再評価に係る申請書類の調査を行う．

問25　×　再審査及び再評価の申請書類については，その信頼性を確保するため GPSP を遵守しなければならない．そのため，GPSP（必要に応じて GLP，GCP）に適合しているかが調査される．

問26　○　記述のとおり．医薬品の製造販売業者は，副作用の重篤度に応じて，15 日又は 30 日以内に厚生労働大臣へ報告する義務がある．

問27　×　製造販売業者は，製造販売後の安全管理業務を他社に委託することができる．

問28　×　病院の医師等の医療関係者が厚生労働大臣に対し副作用報告をした場合であっても，被疑薬の製

し副作用を報告する必要はない.(99)

問 29 病院の薬剤師は,製造販売業者の副作用症例の情報収集業務に協力するよう努める必要がある.(99)

問 30 病院開設者は,院内で発生したすべての重篤な副作用症例を管轄の保健所長に対し報告する必要がある.(99)

問 31 医薬品の製造販売業者は,その製造販売した医薬品の副作用によるものと疑われる症例等で厚生労働省令で定めるものを知ったときは,その旨を厚生労働大臣(情報の整理を独立行政法人医薬品医療機器総合機構(PMDA)に行わせることとした場合は,PMDA)に報告しなければならない.(100)

問 32 再審査制度とは,過去に承認された医薬品について,現時点での医学・薬学等の学問レベルで,有効性,安全性等を再確認するものである.(100)

問 33 医薬品リスク管理計画(RMP)は,開発段階から安全対策を実施することで,製造販売後の医薬品の安全性の確保を図ることを目的とするものである.(100)

問 34 再評価制度とは,新医薬品の承認後一定の期間を定めて,有効性,安全性等の確認を行うものである.(100)

問 35 市販直後調査とは,医薬関係者への適正使用のための情報提供や医薬関係者からの副作用情報の収集について,PMDA が実施するものである.(100)

複 合 問 題

問 1 後発医薬品を対象としていない制度はどれか.1つ選べ.(98)

1 再審査制度
2 再評価制度
3 副作用・感染症報告制度
4 医薬品・医療機器等安全性情報報告制度
5 医薬品副作用被害救済制度

問 2 以下の略語のうち,医薬品の開発段階から安全対策を実施することで,製造販売後の医薬品の安全性の確保を図ることを目的とするのはどれか.1つ選べ.(105)

1 DPC
2 EBM
3 IRB
4 RMP
5 SDG

問 3 すでに承認されている医薬品について,その時点での知見に基づいて承認の可否を見直す制度はどれか.1つ選べ.(101)

1 使用成績調査
2 医薬品リスク管理
3 薬価改定
4 再評価
5 製造販売後臨床試験

問 4 医薬品の使用によって健康被害が生じた場合に,医療従事者が厚生労働大臣(情報の整理を独立行政法人医薬品医療機器総合機構(PMDA)に行わせることとした場合には,PMDA)に提出するのはどれか.1つ選べ.(101)

1 インシデント報告書

造販売業者は副作用の報告をしなければならない．

問29　○　薬局開設者，病院開設者，医師，薬剤師等の医療関係者は，製造販売業者が行う必要な情報の収集に協力するよう努めなければならない．

問30　×　病院開設者，薬局開設者，医師，薬剤師等の医薬関係者は，副作用の発生を知り，保健衛生上の危害の発生又は拡大を防止するため必要があると認めるときは，その旨を厚生労働大臣に報告しなければならない．

問31　○　記述のとおり．（法68条の10，法68条の13）

問32　×　過去に承認された医薬品について，現時点での医学・薬学等の学問レベルで，有効性，安全性等を再確認するのは，再評価制度である．

問33　○　記述のとおり．

問34　×　新医薬品の承認後一定の期間を定めて，有効性，安全性等の確認を行うのは，再審査制度である．

問35　×　市販直後調査は，医薬品の製造販売業者が実施するものである．

解答・解説

問 1　解答　1

再審査制度は，新医薬品及び一部を除く新再生医療等製品が対象となる．後発医薬品は，新医薬品に該当しないため，再審査の対象外である．

問 2　解答　4

RMP（医薬品リスク管理計画）：GVPに基づき，医薬品製造販売業者がRMPを作成し，承認申請の際に提出することが義務づけられている．

問 3　解答　4

再評価についての記載である．

問 4　解答　5

医薬品安全性情報報告書とは，医薬関係者が医薬品による副作用と疑われる疾病や感染症の発生について，保健衛生上の危害の発生又は拡大を防止するために必要があると認められた場合に報告する報告書のこと．

2　プレアボイド報告書
3　DIニュース
4　安全性速報
5　医薬品安全性情報報告書

問 5　添付文書の「警告」や「禁忌」に追加する情報を迅速に伝達するために，厚生労働省の指示の下に製造販売業者が作成する文書はどれか．1つ選べ．(103)
1　医療用医薬品製品情報概要
2　イエローレター
3　医薬品安全対策情報
4　医薬品・医療機器等安全性情報
5　医薬品インタビューフォーム

実践問題

問 1　医薬品による危害の発生又は拡大の防止のために定められている施策に関する記述のうち，正しいのはどれか．2つ選べ．(101)
1　患者が，直接PMDAに副作用を報告する制度はない．
2　医薬品の製造販売業者は，その製造販売をしている医薬品について，副作用等を知ったときは，内容にかかわらず30日以内に厚生労働大臣に報告しなければならない．
3　国は，医薬品の使用による保健衛生上の危害の発生及び拡大の防止のための施策を策定しなければならない．
4　薬剤師は，医薬品の製造販売業者が行う適正な使用のために必要な情報の収集に協力するよう努めなければならない．
5　都道府県知事は，医薬品による保健衛生上の危害の発生又は拡大を防止するため必要があると認められるときは，製造販売業者に対して，当該医薬品の販売の一時停止を命ずることができる．

問 2　医薬品の副作用との因果関係が否定できない死亡症例が短期間に複数報告されたことから，注意喚起がなされた．このような安全性情報を迅速に周知するために用いられる手段として適切なのはどれか．2つ選べ．(104改)
1　安全性速報（ブルーレター）
2　医薬品インタビューフォーム
3　医薬品リスク管理計画（RMP）
4　医薬品医療機器情報配信サービス（PMDAメディナビ）
5　定期的ベネフィット・リスク評価報告

問 3　医薬品の安全対策の充実には，幾つかの薬害が関わっている．サリドマイドが引き起こした薬害が契機となって整備された制度として適切なのはどれか．1つ選べ．(104)
1　副作用報告制度
2　再審査制度
3　医薬品リスク管理計画制度
4　感染症定期報告制度

問 5　解答　2

イエローレター（緊急安全性情報）は，特に重要かつ緊急に安全対策上の措置を要する情報について，厚生労働省の指示などにより，当該製造販売業者が作成し，各医療機関等に配布することとなっている．

解答・解説

問 1　解答　3，4

1　×　独立行政法人医薬品医療機器総合機構にオンライン又は郵送で副作用を報告することができるシステムが運用されている．

2　×　医薬品の製造販売業者は，副作用の重篤度に応じて，15 日又は 30 日以内に厚生労働大臣へ報告する義務がある．

3　○　記述のとおり．国の責務．

4　○　記述のとおり．薬局開設者，病院開設者，医師，薬剤師等の医療関係者は，製造販売業者が行う必要な情報の収集に協力するよう努めなければならない．

5　×　販売等の一時停止命令は緊急命令であり，厚生労働大臣の権限で行われる．

問 2　解答　1，4

1　○　安全性速報（ブルーレター）は，保健衛生上の危害の発生，拡大の防止のため，迅速な安全対策措置をとる場合に当該製造販売業者が作成し，医療機関等に配布する．

2　×　医薬品インタビューフォームは，添付文書の内容の補完するために製造販売業者が作成する資料である．

3　×　医薬品リスク管理計画（RMP）は，開発段階から安全対策を実施することで，製造販売後の医薬品の安全性の確保を図ることを目的とするものであり，安全性情報を迅速に周知する手段ではない．

4　○　医薬品医療機器情報配信サービス（PMDA メディナビ）は，医薬品医療機器総合機構が登録された医療関係者に対し，医薬品等の安全性情報などを速やかにメールで提供するサービスである．

5　×　定期的ベネフィット・リスク評価報告（PBRER）は，医薬品の製造販売業者が当該医薬品と同一成分を製造販売している諸国の企業から安全性情報を収集し，分析した結果をまとめた報告書である．

問 3　解答　1

サリドマイドよる薬害を契機として，医薬品の承認申請時には，生殖・発生毒性試験の実施が義務づけられた．また，副作用報告制度もついても開始された．

5　市販直後調査制度

問 4　30歳女性．甲状腺機能亢進症に対し，チアマゾールで外来治療中に，無顆粒球症が発生し死亡に至った．なお，併用薬はない．この病院で安全管理を担当している薬剤師が取るべき対応として，法令上適切なのはどれか．2つ選べ．（104改）

1　製造販売業者には副作用等の報告義務があるので，副作用情報収集に積極的に協力した．

2　無顆粒球症は添付文書に記載されている既知の副作用なので，製造販売業者が行う情報収集には協力する必要はないと考えた．

3　医薬関係者には死亡日から15日以内に報告する義務があるため，直ちに死亡例について医薬品医療機器総合機構宛てに報告した．

4　この副作用の発生に対しては，保健衛生上の危害の発生の防止又は拡大を防止するため，医薬品医療機器総合機構宛てに報告した上で，その調査に協力することとした．

5　医療機関には記録の保管義務があるため，副作用が生じた原因，その状況などについて記録を作成して，1年間保存した．

問 4　解答　1，4

1　○　記述のとおり．病院に勤める薬剤師を含む医薬関係者は，医薬品等の製造販売業者が行う医薬品等の適正な使用のために必要な情報の収集に協力するよう努めなければならない．

2　×　添付文書の記載の有無に関わらず，医薬関係者は，情報収集に協力するよう努めなければならない．

3　×　製造販売業者が行う企業報告制度には，報告に期限が設けられているが，医薬関係者が行う医薬品・医療機器等安全性情報報告には，期限が設けられていない．

4　○　記述のとおり．

5　×　医療機関には，副作用に関する記録等の保管についての法的な義務はない．

h 流通の適正化（医薬品の取扱い）

1）毒薬・劇薬，処方箋医薬品の取扱い

ⅰ）毒薬・劇薬の表示

（表示）第44条　毒性が強いものとして厚生労働大臣が薬事・食品衛生審議会の意見を聴いて指定する医薬品（以下「毒薬」という.）は，その直接の容器又は直接の被包に，黒地に白枠，白字をもって，その品名及び「毒」の文字が記載されていなければならない.

2　劇性が強いものとして厚生労働大臣が薬事・食品衛生審議会の意見を聴いて指定する医薬品（以下「劇薬」という.）は，その直接の容器又は直接の被包に，白地に赤枠，赤字をもって，その品名及び「劇」の文字が記載されていなければならない.

3　前2項の規定に触れる毒薬又は劇薬は，販売し，授与し，又は販売若しくは授与の目的で貯蔵し，若しくは陳列してはならない.

① 毒薬・劇薬の定義と範囲

・**毒薬** → 毒性が強いものとして厚生労働大臣が薬事・食品衛生審議会の意見を聴いて指定する医薬品

・**劇薬** → 劇性が強いものとして厚生労働大臣が薬事・食品衛生審議会の意見を聴いて指定する医薬品

・毒薬及び劇薬は，規則204条－別表第3に具体的に定められている.（別表・略）

② 毒薬・劇薬のおおむねの指定の基準

ア　急性毒性の強いもの（LD_{50} mg/kg）

イ　慢性毒性の強いもの

ウ　安全域が狭いと認められるもの

エ　中毒量と薬用量が極めて接近しているもの

オ　副作用の発現率の高いもの，又はその程度の重篤なもの

カ　蓄積作用の強いもの

キ　薬用量において激しい薬理作用を呈するもの

③ 毒薬・劇薬の表示

・毒薬及び劇薬は，その取扱いによって危害発生のおそれがあるので，これを防止するための**表示の義務規定**があり，この規定に触れる毒薬又は劇薬は，販売し，授与し，又は販売もしくは授与の目的で貯蔵し，もしくは陳列してはならない.

毒薬
→ 直接の容器・直接の被包に，黒い地に白い枠をもって，白字で品名と「毒」の文字を記載

劇薬
→ 直接の容器・直接の被包に，白い地に赤い枠をもって，赤字で品名と「劇」の文字を記載

図 8.13　毒薬・劇薬の表示例

ii）毒薬・劇薬の開封販売の制限

> （開封販売等の制限）第 45 条　店舗管理者が薬剤師である店舗販売業者及び医薬品営業所管理者が薬剤師である卸売販売業者以外の医薬品の販売業者は，第 58 条（封）の規定によって施された封を開いて，毒薬又は劇薬を販売し，授与し，又は販売若しくは授与の目的で貯蔵し，若しくは陳列してはならない．

●**店舗（医薬品営業所）管理者が薬剤師でない店舗販売業者，卸売販売業者は，毒薬又は劇薬の開封販売等はできない**．

iii）毒薬・劇薬の交付相手による譲渡手続きの違い

薬局開設者や医薬品の販売業者等が，毒薬・劇薬を販売する場合，①と②の方法がある．

①文書の交付が必要な場合

> （譲渡手続）第 46 条　薬局開設者又は医薬品の製造販売業者，製造業者若しくは販売業者（第 3 項及び第 4 項において「薬局開設者等」という．）は，毒薬又は劇薬については，譲受人から，その品名，数量，使用の目的，譲渡の年月日並びに譲受人の氏名，住所及び職業が記載され，厚生労働省令で定めるところにより作成された文書の交付を受けなければ，これを販売し，又は授与してはならない．

●薬局開設者等（薬局開設者・医薬品の製造販売業者・製造業者・販売業者）が毒薬又は劇薬を譲渡（販売又は授与）するとき

→ **譲受人**から次の事項を記載した**文書の交付を受けなければならない**

ア 品名　イ 数量　ウ 使用の目的　エ 譲渡の年月日　オ 譲受人の氏名・住所・職業
カ 譲受人の署名又は記名押印（則 205）

②文書の交付が不要な場合

> 第 46 条第 2 項　薬剤師等に対して，その身分に関する公務所の証明書の提示を受けて毒薬又は劇薬を販売し，又は授与するときは，前項の規定を適用しない．薬剤師等であって常時取引関係を有するものに販売し，又は授与するときも，同様とする．

●**薬剤師，薬局開設者，**医師及び病院等の開設者等が身分に関する公務所の証明書を提出又はこれらの者で，常時取引関係のある者 → **文書の交付が不要**

③ 文書の交付を電磁的方法で代替する場合

> 第46条第3項　第1項の薬局開設者等は，同項の規定による文書の交付に代えて，政令で定めるところにより，当該譲受人の承諾を得て，当該文書に記載すべき事項について電子情報処理組織を使用する方法その他の情報通信の技術を利用する方法であって厚生労働省令で定めるものにより提供を受けることができる．この場合において，当該薬局開設者等は，当該文書の交付を受けたものとみなす．

●文書の交付は，相手方の承諾を得て，電磁的方法で代替できる．「書面の交付等に関する情報通信の技術の利用のための関係法律の整備に関する法律」(いわゆるIT一括法）において見直しが行われた．（承諾を得る方法 → 令63，情報通信の技術を利用する方法 → 則206）

④ 文書の保存期間

> 第46条第4項　第1項の文書及び前項前段に規定する方法が行われる場合に当該方法において作られる電磁的記録（電子的方式，磁気的方式その他人の知覚によっては認識することができない方式で作られる記録であって電子計算機による情報処理の用に供されるものとして厚生労働省で定めるものをいう．）は，当該交付又は提供を受けた薬局開設者等において，当該毒薬又は劇薬の譲渡の日から2年間，保存しなければならない．

●譲渡文書及び電磁的記録 → 譲渡の日から**2年間保存**

iv）毒薬・劇薬の交付の制限

> （交付の制限）第47条　毒薬又は劇薬は，14歳未満の者その他安全な取扱いをすることについて不安があると認められる者には，交付してはならない．

●交付禁止の相手方 → ① **14歳未満の者**　② 安全な取扱いに不安があると認められる者

v）毒薬・劇薬の貯蔵及び陳列の制限

> （貯蔵及び陳列）第48条　業務上毒薬又は劇薬を取り扱う者は，これを他の物と区別して，貯蔵し，又は陳列しなければならない．
> 2　前項の場合において，毒薬を貯蔵し，又は陳列する場所には，かぎを施さなければならない．

●業務上毒薬又は劇薬を取り扱う者 → 他の物と区別して貯蔵・陳列
●**毒薬 → 施錠義務がある**（**劇薬にはない**）．

vi）処方箋医薬品等の取扱い

> （処方せん医薬品の販売）第49条　薬局開設者又は医薬品の販売業者は，医師，歯科医師又は獣医師から処方せんの交付を受けた者以外の者に対して，正当な理由なく，厚生労働大臣の指定する医薬品を販売し，又は授与してはならない．
> 　ただし，薬剤師等に販売し，又は授与するときは，この限りでない．
> 2　薬局開設者又は医薬品の販売業者は，その薬局又は店舗に帳簿を備え，医師，歯科医師又は獣医師から処方せんの交付を受けた者に対して前項に規定する医薬品を販売し，又は授与したときは，厚生労働省令で定めるところにより，その医薬品の販売又は授与に関する事項を記載しなければならない．
> 3　薬局開設者又は医薬品の販売業者は，前項の帳簿を，最終の記載の日から2年間，保存しなければならない．

●医薬品として承認されているもののうち，医師等の処方箋に基づいて使用すべきもの
⇒ 耐性菌が生じやすい，重篤な副作用がある等で，患者の状態を把握し適切に使用する必要があ

る医薬品等 → ① 専門家以外の者の取扱いの禁止　② 医薬品の指定
③ 販売等の制限　④ 記帳義務と記録の保存を規定

処方せん医薬品の指定基準（平成17年2月10日付け薬食発210001号「処方せん医薬品の指定について」抜粋）
以下に該当するもの
① 医師等の診断に基づき，治療方針が検討され，耐性菌を生じやすい，又は使用方法が難しい等のため，患者の病状や体質等に応じて適切に選択されなければ，安全かつ有効に使用できない医薬品
② 重篤な副作用等の恐れがあるため，その発現の防止のために，定期的な医学的検査を行う等により，患者の状態を把握する必要がある医薬品
③ 併せ持つ興奮作用，依存性等のため，本来の目的以外の目的に使用される恐れがある医薬品
これらの医薬品は医師等の処方せんに基づく使用に限定し，どのような事情があっても薬局等で処方せんなしの販売は禁止．（正当な理由*がある場合を除く．）
処方せん医薬品に指定されたものについては「第1種製造販売業」の許可，処方せん医薬品以外の医薬品については「第2種医薬品製造販売業」の許可を受けた者でなければ，業として医薬品を製造販売することはできない．

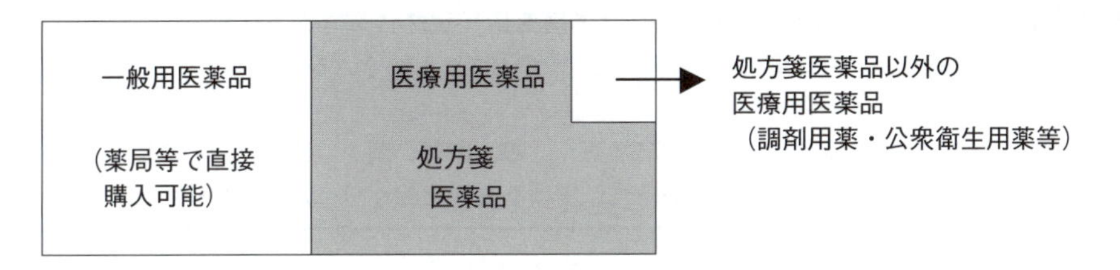

図 8.14　処方箋医薬品の範囲

●薬局開設者又は医薬品販売業者 → 医師等から処方箋の交付を受けた者以外の者に対して，正当な理由*（大規模災害時等）なく，処方箋医薬品を販売し，又は授与してはならない．
例外 → 薬剤師，薬局開設者，医師等もしくは病院等の開設者

*正当な理由（平成17年・薬食発330016号「処方せん医薬品の取扱いについて」抜粋）
薬事法第49条第1項に規定する正当な理由とは，次に掲げる場合によるものであり，この場合においては，医師等の処方せんなしに販売を行っても差支えないものであること．
① 大規模災害時等において，医師等の受診が困難な場合，又は医師等のからの処方せんの交付が困難な場合に，患者に対し，必要な処方せん医薬品を販売する場合
② 地方自治体の実施する医薬品の備蓄のために，地方自治体に対し，備蓄に係る処方せん医薬品を販売する場合
③ 市町村が実施する予防接種のために，市町村に対し，予防接種に係る処方せん医薬品を販売する場合
④ 助産師が行う臨時応急の手当等のために，助産師の開設者に対し，臨時応急の手当等に必要な処方せん医薬品を販売する場合
⑤ 救急救命士が行う救急救命処置のために，救命救急士が配置されている消防署等の設置者に対し，救命救急処置に必要な処方せん医薬品を販売する場合
⑥ 船員法施行規則第53条第1項の規定に基づき，船舶に医薬品を備え付けるために，船長の発給する証明書をもって，同項に規定する処方せん医薬品を船舶所有者に販売する場合
⑦ 医学，歯学，薬学，看護学等の教育研究のために，教育・研究機関に対し，当該機関の行う教育・研究に必要な処方せん医薬品を販売する場合
⑧ 在外公館の職員等の治療のために，在外公館の医師等の診断に基づき，当該職員に対し，必要な処方せん医薬品を販売する場合
⑨ その他①から⑧に準じる場合
なお，①の場合にあっては，可能な限り医師等による薬局等への販売指示に基づき，④，⑤及び⑧の場合にあっては，医師等による書面での薬局等への販売指示をあらかじめ受けておくなどする必要があること．このうち，④及び⑤については，販売毎の指示は必要ではなく，包括的な指示で差し支えない．

また，⑥に規定する船長の発給する証明書については，昭和41年5月13日付け薬発296号「船員法施行規則の一部改正及びこれに伴う船舶備付け要指示医薬品の取扱いについて」の別紙様式に準じて取り扱われたいこと．

●薬局開設者又は薬品の販売業者 → 薬局又は店舗に帳簿を備え，処方箋医薬品の販売又は授与に関する記録を記載（上記の例外の場合は，記載の必要はない）

●帳簿 → 最終の記載の日から**2年間保存**（記録は，処方箋の保存で替えられる）

（処方せん医薬品の譲渡に関する帳簿）規則第209条　法第49条第2項の規定により，同条第1項に規定する医薬品の販売又は授与に関して帳簿に記載しなければならない事項は，次のとおりとする．

一　品名　　二　数量　　三　販売又は授与の年月日　　四　処方せんを交付した医師，歯科医師又は獣医師の氏名及びその者の住所又はその者の勤務する病院若しくは診療所若しくは家畜診療施設の名称及び所在地　　五　譲受人の氏名及び住所

第49条第1項の規定に基づき厚生労働大臣の指定する医薬品（平成17年告示24号）

次に掲げる医薬品（専ら疾病の診断に使用されることが目的とされている医薬品であって，人の身体に直接使用されることのないものを除く.）

一　放射性医薬品　　二　麻薬　　三　向精神薬　　四　覚せい剤　　五　覚せい剤原料

六　特定生物由来製品　　七　注射剤（前各号に掲げるものを除く.）　以下，略

2）容器，添付文書等への表示事項

ｉ）医薬品の直接の容器・被包への記載事項

①直接容器等への記載事項

（直接の容器等の記載事項）第50条　医薬品は，その直接の容器又は直接の被包に，次に掲げる事項が記載されていなければならない．ただし，厚生労働省令で別段の定めをしたときは，この限りでない．

一　製造販売業者の氏名又は名称及び住所

二　名称（日本薬局方に収められている医薬品にあっては日本薬局方において定められた名称，その他の医薬品で一般的名称があるものにあっては，その一般的名称）

三　製造番号又は製造記号

四　重量，容量又は個数等の内容量

五　日本薬局方に収められている医薬品にあっては，「日本薬局方」の文字及び日本薬局方において直接の容器又は直接の被包に記載するように定められた事項

六　要指導医薬品にあっては，厚生労働省令（規則209条の2）で定める事項

七　一般用医薬品にあっては，第36条の7第1項に規定する区分ごとに，厚生労働省令（規則209条の3）で定める事項

八　第41条第3項の規定によりその基準が定められた体外診断用医薬品にあっては，その基準において直接の容器又は直接の被包に記載するように定められた事項

九　第42条第1項の規定によりその基準が定められた医薬品にあっては，貯法，有効期間その他その基準において直接の容器又は直接の被包に記載するように定められた事項

十　日本薬局方に収められていない医薬品にあっては，その有効成分の名称（一般的名称があるものにあっては，その一般的名称）及びその分量（有効成分が不明のものにあっては，その本質及び製造方法の要旨）

十一　習慣性があるものとして厚生労働大臣の指定する医薬品にあっては，「注意－習慣性あり」の文字

十二　前条第1項の規定により厚生労働大臣の指定する医薬品にあっては，「注意－医師等の処方箋により使

用すること」の文字
十三　厚生労働大臣が指定する医薬品にあっては，「注意－人体に使用しないこと」の文字
十四　厚生労働大臣の指定する医薬品にあっては，その使用の期限
十五　前各号に掲げるもののほか，厚生労働省令で定める事項（規則210条）

●すべての医薬品に記載すべき事項

→ ア 製造販売業者の氏名又は名称及び住所　　イ 名称
ウ 製造番号又は製造記号　　エ 重量，容量又は個数等の内容量

●医薬品により記載すべき事項

・日本薬局方収載医薬品 →「日本薬局方」の文字及び局方で定められた事項
・要指導医薬品 → 原則，黒枠の中に黒字で「要指導医薬品」の文字を記載（則209の2）

（要指導医薬品の表示）　規則第209条の2　法第50条第六号の厚生労働省令で定める事項は，「要指導医薬品」の文字とする．
2　前項の文字は黒枠の中に黒字で記載しなければならない．ただし，その直接の容器又は直接の被包の色と比較して明瞭に判読できない場合は，白枠の中に白字で記載することができる．
3　第1項の文字については，工業標準化法（昭和24年法律第185号）に基づく日本工業規格（以下「日本興業規格」という．Z八三〇五に規定する八ポイント以上の大きさの文字を用いなければならない．ただし，その直接の容器又は直接の被包の面積が狭いため当該文字を明瞭に記載することができない場合は，この限りでない．

・一般用医薬品 → 法第36条の7第1項に規定する区分に応じ，第1類医薬品，第2類医薬品，第3類医薬品の字句を記載（則209の3：略）
・基準が定められた体外診断用医薬品（法41－3）及び医薬品（法42）
→ 貯法，有効期間その他基準で定められた事項
・日本薬局方に収められていない医薬品 → 有効成分の名称あるいは一般的名称・分量
・習慣性があるものとして厚生労働大臣の指定する医薬品 →「注意 — 習慣性あり」の文字
・処方箋医薬品 →「注意 — 医師等の処方箋により使用すること」の文字
・厚生労働大臣の指定する医薬品（亜硝酸アミル，アスコルビン酸始め48種及び第14条又は19条の2の規定に基づく承認事項として有効期間が定められている医薬品）→ 使用の期限
（昭55厚告166号（平成26年11月21日最終改正））
・省令で定める事項（則210）

（直接の容器等の記載事項）　規則第210条　法第50条第十五号の厚生労働省令で定める事項は，次のとおりとする．
一　専ら他の医薬品の製造の用に供されることを目的として医薬品の製造販売業者又は製造業者に販売し，又は授与される医薬品（以下「製造専用医薬品」という．）にあっては，「製造専用」の文字
二　法第19条の2第1項の承認を受けた医薬品にあっては，外国製造医薬品等特例承認取得者の氏名及びその住所地の国名並びに選任外国製造医薬品等製造販売業者の氏名及び住所
三　法第23条の2の17第1項の承認を受けた体外診断用医薬品にあっては，外国製造医療機器等特例承認取得者の氏名及びその住所地の国名並びに選任外国製造医療機器等製造販売業者の氏名及び住所
四　基準適合性認証を受けた指定高度管理医療機器等（体外診断用医薬品に限る．）であって本邦に輸出されるものにあっては，外国製造医療機器等特例認証取得者の氏名及びその住所地の国名並びに選任外国製造指定高度管理医療機器等製造販売業者の氏名及び住所
五　法第31条（配置販売品目）に規定する厚生労働大臣の定める基準（配置販売品目基準）に適合するもの以外の一般用医薬品にあっては，「店舗専用」の文字
六　第二類医薬品のうち，特別の注意を要するものとして厚生労働大臣が指定するもの（以下「指定第二類医薬品」という．）にあっては，枠の中に「2」の数字

② 記載面積が狭いものの表示の特例（法50のただし，省令で別段の定めをしたとき（則211：略）

直接の容器又は直接の被包の面積が狭いため記載事項（法50の各号）を明瞭に記載することができない医薬品

ア　**2mL以下のアンプル**又はこれと同等の大きさの直接の容器又は直接の被包に収められた医薬品

イ　2～10 mLのアンプル・ガラス等の容器に直接印刷されているものに収められた医薬品

⇒ 第50条に掲げる記載事項が外部の容器又は外部の被包に記載されている場合には，略式文字で代用又は省略することができる．

・省略できる記載事項

ア　製造番号又は製造記号　　イ 重量，容量又は個数等の内容量

ウ　有効成分の名称（又は一般的名称）・分量

エ　「注意 ― 人体に使用しないこと」の文字　オ 使用の期限　カ「店舗専用」の文字

・略式文字で代用できる記載事項

ア　製造販売業者の氏名又は名称及び住所 → 製造販売業者の略名等

イ　**「日本薬局方」の文字 →「日局」又は「J・P」の文字**

ウ　「注意 ― 習慣性あり」の文字 →「習慣性」の文字

エ　「注意 ― 医師等の処方箋により使用すること」の文字 →「要処方」の文字

オ　外国製造医薬品等特例承認取得者の氏名等 → 外国製造医薬品等特例承認者取得者の略名等

③ 内容量を個数で表示できる医薬品でかつ6個以下のものの表示の特例（則212：略）

包装を開かないで容易に知ることができるものは，個数等の内容量（法50－4）の記載が不要

④ 調剤専用医薬品に関する表示の特例（分割販売する場合）(則216：略)

薬局開設者又は卸売販売業者が，薬局開設者に，その直接の容器又は直接の被包を開き，分割販売する場合，分割販売される医薬品の直接の容器又は直接の被包に

ア　「調剤専用」の文字

イ　分割販売を行う者の氏名又は名称

ウ　分割販売を行う薬局又は営業所の名称及び所在地

の記載があるものは，略式文字で代用又は省略することができる．

・省略できる記載事項

ア　日本薬局方において直接の容器又は直接の被包に記載するように定められた事項（有効期間を除く．）

イ　医薬品の基準（法42－1）の規定によって定められた基準において直接の容器又は直接の被包に記載するよう定められた事項（有効期間を除く．）

ウ　有効成分の名称（又は一般的名称）・分量

エ　「注意 ― 人体に使用しないこと」の文字

・略式文字で代用できる記載事項（記載面積が狭いものの表示の特例に同じ）

ii）外部容器・被包への記載

第51条 医薬品の直接の容器又は直接の被包が小売りのために包装されている場合において，その直接の容器又は直接の被包に記載された第44条（表示）第1項（毒薬）若しくは第2項（劇薬）又は前条（直接の容器等の記載事項）各号に規定する事項が外部の容器又は外部の被包を透かして容易に見ることができないときは，その外部の容器又は外部の被包にも，同様の事項が記載されていなければならない．

●記載事項が外部の容器・被包を透かして容易に見ることができないとき
→ その外部の容器又は外部の被包にも，同様の記載事項が必要

iii）添付文書等の記載事項

（添付文書等の記載事項）第52条 医薬品は，これに添付する文書又はその容器若しくは被包（以下この条において「添付文書等」という．）に，当該医薬品に関する最新の論文その他により得られた知見に基づき，次に掲げる事項（次項及び次条において「添付文書等記載事項」という．）が記載されていなければならない．ただし，厚生労働省令で別段の定めをしたときは，この限りでない．
一 用法，用量その他使用及び取扱い上の必要な注意
二 日本薬局方に収められている医薬品にあっては，日本薬局方においてこれに添付文書等に記載するように定められた事項
三 第41条第3項の規定によりその基準が定められた体外診断用医薬品にあっては，その基準において添付文書等に記載するように定められた事項
四 第42条（医薬品等の基準）第1項の規定によりその基準が定められた医薬品にあっては，その基準において添付文書等に記載するように定められた事項
五 前各号に掲げるもののほか，厚生労働省令で定める事項
2 薬局開設者，医薬品の製造販売業者若しくは製造業者又は卸売販売業者が，体外診断用医薬品を薬剤師，薬局開設者，医薬品の製造販売業者若しくは製造業者，卸売販売業者，医師，歯科医師，若しくは獣医師又は病院，診療所若しくは飼育動物診療施設の開設者に販売し，又は授与する場合において，その販売し，又は授与する時に，次の各号のいずれにも該当するときは，前項の規定にかかわらず，当該体外診断用医薬品は，添付文書等に，添付文書等記載事項が記載されていることを要しない．
一 当該体外診断用医薬品の製造販売業者が，当該体外診断用医薬品の添付文書等記載事項について，厚生労働省令（規則216の3）で定めるところにより，電子情報処理組織を使用する方法その他の情報通信の技術を利用するにあって厚生労働省令（規則216の4）で定めるものにより提供しているとき
二 当該体外診断用医薬品を販売し，又は授与しようとする者が，添付文書等に添付文書等記載事項が記載されていないことについて，厚生労働省令で定めるところにより，当該診断用医薬品を購入し，又は譲り受けようとする者の承諾を得ているとき（規則216の5）

●添付文書又は容器若しくは被包（以下，「添付文書等」という．）は，当該医薬品に関する最新の論文，知見に基づいた情報で記載されていなければならないが，**添付文書又は容器・被包のどちらかに記載されていればよい**．
- ア **用法，用量その他使用及び取扱い上の必要な注意**
- イ 局方収載品は，局方で添付文書又は容器・被包に記載するよう定められた事項
- ウ 基準が定められた医薬品（法42－1）・体外診断用医薬品（法41－3）は，基準で添付文書又は容器・被包に記載するように定められた事項

●体外診断用医薬品は，薬局開設者若しくは薬剤師等に販売等する場合，次に該当するときは添付文書等に添付文書等記載事項が記載されていなくてもよい．（則216の3，216の4，216の5：略）

ア 機構のホームページに，添付文書等記載事項の入手方法が記載されていること
イ 使用する薬局開設者等に，添付文書等記載事項が記載された文書等の提供を求められた場合に，速やかに提供を行うこと
ウ 添付文書等記載事項の変更を行った場合，速やかにその旨の情報提供を行うこと
エ 購入者等に対し，あらかじめ書面又は電磁的方法で販売者等が承諾を得ていること

iv）添付文書等記載事項の届出等

> （添付文書等記載事項の届出等） 第52条の2 医薬品の製造販売業者は，厚生労働大臣が指定する医薬品の製造販売をするときは，あらかじめ，厚生労働省令で定めるところにより，当該医薬品の添付文書等記載事項のうち使用及び取扱い上の必要な注意その他の厚生労働省令で定めるものを厚生労働大臣に届け出なければならない．これを変更しようとするときも，同様とする．
> 2 医薬品の製造販売業者は，前項の規定による届出をしたときは，直ちに，当該医薬品の添付文書等記載事項について，電子情報処理組織を使用する方法その他の情報通信の技術を利用する方法であって厚生労働省令で定めるものにより公表しなければならない．

●**医薬品の製造販売業者は，厚生労働大臣が指定する医薬品を製造販売（変更しようとするときも同様）する場合，あらかじめ**，当該医薬品の名称及び使用及び取扱い上の必要な注意事項（則216の6）を書面又は電磁的方法により，**厚生労働大臣（機構とする）に届出なければならない**．

⇒ 厚生労働大臣が指定する医薬品とは

→ 平成26年 厚告320号（1．薬局医薬品（体外診断用医薬品，承認を要しない大臣の指定医薬品，薬局製造販売医薬品を除く），2．要指導医薬品）

> （添付文書等届出事項） 規則第216条の6 法第52条の2第1項の規定により，同条第1項に規定する医薬品の製造販売業者は，当該医薬品の添付文書等記載事項のうち，次に掲げるものを，書面又は電磁的方法により厚生労働大臣に届け出るものとする．
> 一 当該医薬品の名称
> 二 当該医薬品に係る使用及び取扱い上の必要な注意
> 2 法第52条の2第1項の規定による届出の受理に係る事務を行わせることとした場合における前項の規定の適用については，同項中「厚生労働大臣」とあるのは，「機構」とする．

●**届出後，直ちに**，当該医薬品の添付文書等記載事項を機構のホームページを使用する方法で**公表**しなければならない．（則216の7）

> （情報通信の技術を利用する方法） 規則第216条の7 法52条の2第2項の厚生労働省令で情報通信の技術を利用する方法は，機構のホームページを使用する方法とする．

> （機構による添付文書等記載事項の届出の受理） 第52条の3 厚生労働大臣は，機構に，前条第1項の厚生労働大臣が指定する医薬品（専ら動物のために使用されることが目的とされているものを除く．次項において同じ．）について同条第1項の規定による届出の受理に係る事務を行わせることができる．
> 2 厚生労働大臣が前項の規定により機構に届出の受理に係る事務を行わせることとしたときは，前条第1項の厚生労働大臣が指定する医薬品についての同項の規定による届出をしようとする者は，同項に規定にかかわらず，厚生労働省令で定めるところにより，機構に届け出なければならない．
> 3 機構は，前項の届出を受理したときは，厚生労働省令で定めるところにより，厚生労働大臣にその旨を通知しなければならない．

●厚生労働大臣の指定する医薬品を製造販売する医薬品の製造販売業者（医療機器，再生医療等製品

についても準用される.）は，添付文書等記載事項を機構に届出し，機構は，受理後に厚生労働大臣にその旨を通知しなければならない.

v）記載留意事項

（記載留意事項）第53条　第44条第1項若しくは第2項（毒薬及び劇薬の表示）又は第50条から第52条まで（直接の容器等の記載事項）（外部容器・被包への記載）（添付文書等の記載事項）に規定する事項の記載は，他の文字，記事，図画又は図案に比較して見やすい場所にされていなければならず，かつ，これらの事項については，厚生労働省令（規則217条）の定めるところにより，当該医薬品を一般に購入し，又は使用するものが読みやすく，理解しやすいような用語による正確な記載がなければならない.

●直接の容器等の記載事項（法50）・外部容器・被包への記載（法51）・添付文書等の記載事項（法52）の記載 → 他の文字に比べて見やすい場所に記載，かつ，読みやすく，理解しやすいような用語による正確な記載

（添付文書等の記載）規則第217条　法の規定により医薬品に添付文書等に記載されていなければならない事項は，特に明瞭に記載されていなければならない.
2　日本薬局方に収められている医薬品であって，添付文書等に日本薬局方で定められた名称と異なる名称が記載されているものについては，日本薬局方で定められた名称は，少なくとも他の名称と同等程度に明瞭に記載されていなければならない.

●添付文書等記載事項は，明瞭に記載されていなければならない．また，日本薬局方収載医薬品については，日本薬局方で定められた名称は少なくとも他の名称と同等程度に明瞭に記載されていなければならない.

（邦文記載）規則第218条　法第50条から第52条までに規定する事項の記載は，邦文でされていなければならない.

●直接の容器等の記載事項（法50）・外部容器・被包への記載（法51）・添付文書等の記載事項（法52）の記載 → **邦文で記載**

vi）記載禁止事項

（記載禁止事項）第54条　医薬品は，これに添付する文書，その医薬品又はその容器若しくは被包（内袋を含む.）に，次に掲げる事項が記載されていてはならない.
一　当該医薬品に関し虚偽又は誤解を招くおそれのある事項
二　第14条（医薬品，医薬部外品及び化粧品の製造販売の承認），第19条の2（外国製造医薬品等の製造販売の承認），第23条の2の5（医療機器及び体外診断用医薬品の製造販売の承認）又は第23条の2の17（（外国製造医療機器等の製造販売の承認）の承認を受けていない効能，効果又は性能（第14条第1項，第23条の2の5第1項又は第23条の2の23第1項の規定により厚生労働大臣がその基準を定めて指定した医薬品にあっては，その基準において定められた効能，効果又は性能を除く.）
三　保健衛生上危険がある用法，用量又は使用期間

●添付文書・その医薬品・容器・被包（内袋を含む）に，
ア　虚偽・誤解を招く恐れのある事項
（例）（製品の酸化防止剤として承認の場合）「有効成分　L-アスコルビン酸」
イ　承認を受けていない効能・効果

ウ　保健衛生上危険な用法・用量・使用期間

が記載されていてはならない．

3）製造・販売等の禁止規定

i）表示違反医薬品等の販売・授与等の禁止

（販売，授与等の禁止）第55条　第50条から前条までの規定に触れる医薬品は，販売し，授与し，又は販売若しくは授与の目的で貯蔵し，若しくは陳列してはならない．ただし，厚生労働省令で別段の定めをしたときは，この限りでない．

2　第13条の3第1項（医薬品等外国製造業者の認定）の認定若しくは第23条の2の4第1項（医療機器等外国製造業者の登録）の登録を受けていない製造所（外国にある製造所に限る．）において製造された医薬品，第13条（製造業の許可）第1項若しくは第6項（許可区分の変更の許可）若しくは第23条の2の3第1項（医療機器又は体外用診断医薬品の製造業の登録）の規定に違反して製造された医薬品又は第14条（医薬品，医薬部外品及び化粧品の製造販売の承認）第1項（品目ごとの承認）若しくは第13項（承認事項の一部変更の承認）（第19条の2第5項において準用する場合を含む．），第19条の2（外国製造医薬品等の製造販売の承認）第4項，第23条の2の5第1項（医療機器及び体外診断用医薬品の製造販売の承認）若しくは第15項（承認事項の一部変更の承認）（第23条の2の17第5項において準用する場合を含む．），第23条の2の17（外国製造医療機器等の製造販売の承認）第4項若しくは第23条の2の23（指定高度管理医療機器等の製造販売の認証）第1項若しくは第7項（認証事項の一部変更の認証）の規定に違反して製造販売をされた医薬品についても，前項と同様とする．

●直接の容器等の記載事項（法50），外部容器等の記載事項（法51），添付文書等の記載事項（法52），添付文書等記載事項の届出等（法52の2），記載場所と記載方法（法53），記載禁止事項（法54）に規定されている内容に触れる不正表示医薬品（医薬部外品，化粧品は，51条，52条第1項及び53条から57条まで，医療機器は52条の3から55条まで，再生医療等製品は51条，52条の3から55条までと57条，57条の2第1項及び58条が準用される）は，販売及び授与等が禁止されている．

ii）模造に係る医薬品の販売・製造等の禁止

（模造に係る医薬品の販売，製造等の禁止）法55条の2　模造に係る医薬品は，販売し，授与し，又は販売若しくは授与の目的で製造し，輸入し，貯蔵し，若しくは陳列してはならない．

iii）品質不良医薬品の販売・製造等の禁止

（販売，製造等の禁止）第56条　次の各号のいずれかに該当する医薬品は，販売し，授与し，又は販売若しくは授与の目的で製造し，輸入し，貯蔵し，若しくは陳列してはならない．

一　日本薬局方に収められている医薬品であって，その性状又は品質が日本薬局方で定める基準に適合しないもの

二　第41条第3項の規定によりその基準が定められた体外診断用医薬品であって，その性状，品質又は性能がその基準に適合しないもの

三　第14条，第19条の2，第23条の2の5若しくは第23条の2の17の承認を受けた医薬品又は第23条の2の23の認証を受けた体外診断用医薬品であって，その成分若しくは分量（成分が不明のものにあっては，その本質又は製造方法）又は性状，品質若しくは性能がその承認又は認証の内容と異なるもの（第

14条第14項（第19条の2第5項において準用する場合を含む.）又は第23条の2の5第16項（第23条の2の17第5項において準用する場合を含む.）又は第23条の2の23第8項の規定に違反していないものを除く.）
四　第14条第1項又は第23条の2の5第1項の規定により厚生労働大臣が基準を定めて指定した医薬品であって，その成分若しくは分量（成分が不明のものにあっては，その本質又は製造方法）又は性状，品質若しくは性能がその基準に適合しないもの
五　第42条（医薬品等の基準）第1項の規定によりその基準が定められた医薬品であって，その基準に適合しないもの
六　その全部又は一部が不潔な物質又は変質若しくは変敗した物質から成っている医薬品
七　異物が混入し，又は付着している医薬品
八　病原微生物その他疾病の原因となるものにより汚染され，又は汚染されているおそれがある医薬品
九　着色のみを目的として，厚生労働省令で定めるタール色素以外のタール色素が使用されている医薬品

●何人も性状，品質若しくは性能が基準に適合しない医薬品（医薬部外品，化粧品についても準用される）及び体外診断用医薬品を販売，製造してはならない.

iv）容器等不良医薬品等の販売・製造等の禁止

（販売，製造等の禁止）第57条　医薬品は，その全部若しくは一部が有毒若しくは有害な物質からなっているためにその医薬品を保健衛生上危険なものにするおそれがある物とともに，又はこれと同様のおそれがある容器若しくは被包（内袋を含む.）に収められていてはならず，また，医薬品の容器又は被包は，その医薬品の使用方法を誤らせやすいものであってはならない.
2　前項の規定に触れる医薬品は，販売し，授与し，又は販売若しくは授与の目的で製造し，輸入し，貯蔵し，若しくは陳列してはならない.

●容器，被包が不良であるために，保健衛生上危険なものになる等のおそれがある医薬品（医薬部外品，化粧品，再生医療等製品についても準用される）の製造，販売，授与等が禁止されている.

v）医薬品の陳列等

（陳列等）第57条の2　薬局開設者又は医薬品の販売業者は，医薬品を他の物と区別して貯蔵し，又は陳列しなければならない.
2　薬局開設者又は店舗販売業者は，要指導医薬品及び一般用医薬品（専ら動物のために使用されることが目的とされているものを除く.）を陳列する場合には，厚生労働省令（規則218の3）で定めるところにより，これらを区別して陳列しなければならない.
3　薬局開設者，店舗販売業者又は配置販売業者は，一般用医薬品を陳列する場合には，厚生労働省令（規則218の4）で定めるところにより，第一類医薬品，第二類医薬品又は第三類医薬品の区分ごとに，陳列しなければならない.

●薬局開設者，店舗販売業者は，医薬品を他の物と区別して陳列し，かつ，要指導医薬品と一般用医薬品と混在させないように陳列（則218の3）しなければならない.

また，薬局開設者，店舗販売業者，配置販売業者は，**一般用医薬品を第一類，第二類，第三類の区分ごとに陳列**（則218の4）しなければならない.

（要指導医薬品及び一般用医薬品の陳列）　規則第218条の3　薬局開設者又は店舗販売業者は，法第57条の2第2項の規定により，要指導医薬品及び一般用医薬品を次に掲げる方法により陳列しなければならない.
一　要指導医薬品を陳列する場合には，要指導医薬品陳列区画の内部の陳列設備に陳列すること．ただし，

鍵をかけた陳列設備その他医薬品を購入し，若しくは譲り受けようとする者又は医薬品を購入し，若しくは譲り受けた者若しくはこれらの者によって購入され，若しくは譲り受けられた医薬品を使用する者が直接手の触れられない陳列設備に陳列する場合は，この限りでない．
二　要指導医薬品及び一般用医薬品を混在させないように陳列すること．

（一般用医薬品の陳列）規則第218条の4　薬局開設者又は店舗販売業者は，法第57条の2第3項の規定により，一般用医薬品を次に掲げる方法により陳列しなければならない．
一　第一類医薬品を陳列する場合には，第一類医薬品陳列区画の内部の陳列設備に陳列すること．ただし，鍵をかけた陳列設備その他医薬品を購入し，若しくは譲り受けようとする者又は医薬品を購入し，若しくは譲り受けた者若しくはこれらの者によって購入され，若しくは譲り受けられた医薬品を使用する者が直接手の触れられない陳列設備に陳列する場合は，この限りでない．
二　指定第二類医薬品を陳列する場合には，薬局等構造設備規則第1条第1項第十二号又は第2条第十一号に規定する情報を提供するための設備から7メートル以内の範囲に陳列すること．ただし，鍵をかけた陳列設備に陳列する場合又は指定第二類医薬品を陳列する陳列設備から1.2メートル以内の範囲に医薬品を購入し，若しくは譲り受けようとする者又は医薬品を購入し，若しくは譲り受けた者若しくはこれらの者によって購入され，若しくは譲り受けられた医薬品を使用する者が進入することができないよう必要な措置が採られている場合は，この限りでない．
三　第一類医薬品，第二類医薬品及び第三類医薬品を混在させないように陳列すること．
四　配置販売業者は，第一類医薬品，第二類医薬品及び第三類医薬品を混在させないように配置しなければならない．

●第一類医薬品の陳列

→ 第一類医薬品陳列区画の内部の陳列設備，又は**鍵をかけた陳列設備か購入者等の手の届かない陳列設備**

●指定第二類医薬品の陳列

→ 情報を提供するための設備から7メートル以内の範囲に陳列，又はかぎをかけた陳列設備に陳列か指定第二類医薬品を陳列する陳列設備から1.2メートル以内の範囲に購入者が進入できないよう措置が採られている．

●第一類医薬品，第二類医薬品又は第三類医薬品の陳列

→ 薬局開設者及び店舗販売業者は，**混在させない**

→ 配置販売業者は，混在させないように配置

vi）封

（封）第58条　医薬品の製造販売業者は，医薬品の製造販売をするときは，厚生労働省令（規則219条）で定めるところにより，医薬品を収めた容器又は被包に封を施さなければならない．ただし，医薬品の製造販売業者又は製造業者に販売し，又は授与するときは，この限りでない．

●封の規定 → **医薬品と再生医療等製品（58条準用）のみ**で，医薬部外品，化粧品及び医療機器にはない．

例外 → 製造専用医薬品等

（封）規則第219条　法第58条に規定する封は，封を開かなければ医薬品を取り出すことができず，かつ，その封を開いた後には，容易に原状に復することができないように施さなければならない．

vii）医薬部外品の取扱い

> （直接の容器等の記載事項）第59条　医薬部外品は，その直接の容器又は直接の被包に，次に掲げる事項が記載されていなければならない．ただし，厚生労働省令で別段の定めをしたときは，この限りでない．
> 一　製造販売業者の氏名又は名称及び住所
> 二　「医薬部外品」の文字
> 三　第2条第2項第二号又は第三号に規定する医薬部外品にあっては，それぞれ厚生労働省令で定める文字
> 四　名称（一般的名称があるものにあっては，その一般的名称）
> 五　製造番号又は製造記号
> 六　重量，容量又は個数等の内容量
> 七　厚生労働大臣の指定する医薬部外品にあっては，有効成分の名称（一般的名称があるものにあっては，その一般的名称）及びその分量
> 八　厚生労働大臣の指定する成分を含有する医薬部外品にあっては，その成分の名称
> 九　第2条第2項第二号に規定する医薬部外品のうち厚生労働大臣が指定するものにあっては，「注意－人体に使用しないこと」の文字
> 十　厚生労働大臣の指定する医薬部外品にあっては，その使用の期限
> 十一　第42条第2項の規定によりその基準が定められた医薬部外品にあっては，その基準において直接の容器又は直接の被包に記載するように定められた事項
> 十二　前各号に掲げるもののほか，厚生労働省令で定める事項

●第八号の厚生労働大臣の指定する成分を含有する医薬部外品（その成分の名称の表示義務）
→ 平成12年 厚告332号（平成21年2月6日改正）（人体に直接使用されるもの140種，人体に直接使用されないもの42種）

●第十号の厚生労働大臣の指定する医薬部外品（使用の期限の表示義務）
→ 昭和55年 厚告166号（アスコルビン酸始め15種及び第14条又は第19条の2の規定に基づく承認事項として有効期間が定められている医薬部外品）

viii）化粧品の取扱い

> （直接の容器等の記載事項）第61条　化粧品は，その直接の容器又は直接の被包に，次に掲げる事項が記載されていなければならない．ただし，厚生労働省令で別段の定めをしたときは，この限りでない．
> 一　製造販売業者の氏名又は名称及び住所
> 二　名称
> 三　製造番号又は製造記号
> 四　厚生労働大臣の指定する成分を含有する化粧品にあっては，その成分の名称
> 五　厚生労働大臣の指定する化粧品にあっては，その使用の期限
> 六　第42条第2項の規定によりその基準が定められた化粧品にあっては，その基準においてその直接の容器又は直接の被包に記載するように定められた事項
> 七　前各号に掲げるもののほか，厚生労働省令で定める事項

●第四号の厚生労働大臣の指定する成分を含有する化粧品（その成分の名称の表示義務）
→ 平成12年 厚告332号（化粧品の成分 — 配合されている成分）

●第五号の厚生労働大臣の指定する化粧品（使用の期限の表示義務）
→ 昭和55年　厚告166号（1. アスコルビン酸，そのエステル若しくはそれらの塩類又は酵素を含有する化粧品　2. 前号に掲げるもののほか，製造又は輸入後適切な保存条件の

もとで3年以内に性状及び品質が変化するおそれのある化粧品)

ix) 医療機器の取扱い

① 直接の容器等の記載事項

(直接の容器等の記載事項) 第63条　医療機器は，その医療機器又はその直接の容器若しくは直接の被包に，次に掲げる事項が記載されていなければならない．ただし，厚生労働省令で別段の定めをしたときは，この限りでない．

一　製造販売業者の氏名又は名称及び住所
二　名称
三　製造番号又は製造記号
四　厚生労働大臣の指定する医療機器にあっては，重量，容量又は個数等の内容量
五　第41条第3項の規定によりその基準が定められた医療機器にあっては，その基準においてその医療機器又はその直接の容器若しくは直接の被包に記載するように定められた事項
六　第42条第2項の規定によりその基準が定められた医療機器にあっては，その基準においてその医療機器又はその直接若しくは直接の被包に記載するように定められた事項
七　厚生労働大臣の指定する医療機器にあっては，その使用の期限
八　前各号に掲げるもののほか，厚生労働省令で定める事項

2　前項の医療機器が特定保守管理医療機器である場合においては，その医療機器に，同項第一号から三号まで及び第八号に掲げる事項が記載されていなければならない．ただし，厚生労働省令で別段の定めをしたときは，この限りでない．

●四号の厚生労働大臣の指定する医療機器
　→ 平成17年 厚告21号 (エックス線フィルム，縫合糸，歯科用金属等10種)

●七号の厚生労働大臣の指定する医療機器
　→ 昭和55年 厚告166号 (エックス線フィルム，承認事項として有効期限が定められている医療機器)

② 添付文書等の記載事項

(添付文書等の記載事項) 第63条の2　医療機器は，これに添付する文書又はその容器若しくは被包 (以下この条文において「添付文書等」という．) に当該医療機器に関する最新の論文その他により得られた知見に基づき，次に掲げる事項 (次項及び次条において「添付文書等記載事項」という．) が記載されていなければならない．ただし，厚生労働省令で別段の定めをしたときは，この限りでない．

一　使用方法その他使用及び取扱い上の必要な注意
二　厚生労働大臣の指定する医療機器にあっては，その保守点検に関する事項
三　第41条第3項の規定によりその基準が定められた医療機器にあっては，その基準において添付文書等に記載するように定められた事項
四　第42条第2項の規定によりその基準が定められた医療機器にあっては，その基準において添付文書等に記載するように定められた事項
五　前各号に掲げるもののほか，厚生労働省令で定める事項

2　医療機器の製造販売業者，製造業者，販売業者又は貸与業者が，医療機器を医療機器の製造販売業者，製造業者，販売業者若しくは貸与業者，医師，歯科医師若しくは獣医師又は病院，診療所若しくは飼育動物診療施設の開設者に販売し，貸与し若しくは授与し，又は医療機器プログラムをこれらの者に電気通信回線を通じて提供する時に，次の各号のいずれにも該当するときは，前項の規定にかかわらず，当該医療機器は，添付文書等記載事項が記載されていることを要しない．

一　当該医療機器の製造販売業者が，当該体医療機器の添付文書等記載事項について，厚生労働省令 (規則227) で定めるところにより，電子情報処理組織を使用する方法その他の情報通信の技術を利用する方法で

あって厚生労働省令（規則227の2）で定めるものにより提供しているとき．
二　当該医療機器を販売し，貸与し，若しくは授与し，又は医療機器プログラムをこれらの者に電気通信回線を通じて提供しようとする者が，添付文書等に添付文書記載事項が記載されていないことについて，厚生労働省令（規則227の3）で定めるところにより，当該医療機器を購入し，借り受け，若しくは譲り受け，又は電気通信回線を通じて提供を受けようとする者の承諾を得ているとき．

●医療機器の製造販売業者等や医療機器プログラムを電気通信回線を通じて提供する者は，省令で定める方法（機構のホームページを使用：(則227の2：略)）で提供（則227：略）する，あるいはあらかじめ書面等で購入者等から承諾（則227の3：略）を得ている場合は，添付文書等記載事項の記載が不要である．

③ 添付文書等記載事項の届出等

（添付文書等記載事項の届出等）　第63条の3　医療機器の製造販売業者は，厚生労働大臣が指定する医療機器の製造販売をするときは，あらかじめ，厚生労働省令で定めるところにより，当該医療機器の添付文書等記載事項のうち使用及び取扱い上の必要な注意その他の厚生労働省令で定めるものを厚生労働大臣に届け出なければならない．これを変更しようとするときも，同様とする．
2　医療機器の製造販売業者は，前項の規定による届出をしたときは，直ちに，当該医療機器の添付文書等記載事項について，電子情報処理組織を使用する方法その他の情報通信の技術を利用する方法であって厚生労働省令で定めるものにより公表しなければならない．

●厚生労働大臣が指定する医療機器の製造販売業者（変更しようとするときも同様）は，厚生労働大臣の指定する医薬品の製造販売業者と同様，あらかじめ，当該医療機器の名称及び使用及び取扱い上の必要な注意事項（則227の4：略）を書面又は電磁的方法により，厚生労働大臣（機構とする）に届出なければならない．
●厚生労働大臣が指定する医療機器：平成26年　厚告320号（特定高度管理医療機器（高度管理医療機器のうち，特別の注意を要するものとして大臣の指定するもの））

④ 品質不良医療機器の販売・製造等の禁止

（販売，製造等の禁止）第65条　次の各号のいずれかに該当する医療機器は，販売し，貸与し，授与し，若しくは販売，貸与若しくは授与の目的で製造し，輸入し，貯蔵し，若しくは陳列し，又は医療機器プログラムにあっては電気通信回線を通じて提供してはならない．
一　第41条第3項の規定によりその基準が定められた医療機器であって，その性状，品質又は性能がその基準に適合しないもの
二　第23条の2の5若しくは第23条の2の17の厚生労働大臣の承認を受けた医療機器又は第23条の2の23の認証を受けた医療機器であって，その性状，品質又は性能がその承認又は認証の内容と異なるもの（第23条の2の5第16項（第23条の2の17第5項において準用する場合を含む．）又は第23条の2の23第8項の規定に違反していないものを除く．）
三　第42条第2項の規定によりその基準が定められた医療機器であって，その基準に適合しないもの
四　その全部又は一部が不潔な物質又は変質若しくは変敗した物質から成っている医療機器
五　異物が混入し，又は付着している医療機器
六　病原微生物その他疾病の原因となるものにより汚染され，又は汚染されているおそれがある医療機器
七　その使用によって保健衛生上の危険を生ずるおそれがある医療機器

●性状，品質，性能が基準に適合していない医療機器，承認と異なる，汚染のおそれ等がある医療機器は，販売及び授与等が禁止されている．

x）再生医療製品の取扱い

① 直接の容器等の記載事項

（直接の容器等の記載事項）　第65条の2　再生医療等製品は，その直接の容器又は直接の被包に，次に掲げる事項が記載されていなければならない．ただし，厚生労働省令で別段の定めをしたときは，この限りでない．
一　製造販売業者の氏名又は名称及び住所
二　名称
三　製造番号又は製造記号
四　再生医療等製品であることを示す厚生労働省令（規則228条の2）で定める表示
五　第23条の26第1項（条件及び期限付き承認）(第23条の37第5項において準用する場合を含む.）の規定により条件及び期限を付した第23条の25（再生医療等製品の製造販売の承認）又は第23条の37（外国製造再生医療等製品の製造販売の承認）の承認を与えられている再生医療等製品にあっては，当該再生医療等製品であることを示す厚生労働省令（規則228条の3）で定める表示
六　厚生労働大臣の指定する再生医療等製品にあっては，重量，容量又は個数等の内容量
七　第41条第3項の規定によりその基準が定められた再生医療等製品にあっては，その基準においてその直接の容器若しくは直接の被包に記載するように定められた事項
八　第42条第1項の規定によりその基準が定められた再生医療等製品にあっては，その基準においてその直接の容器又は直接の被包に記載するように定められた事項
九　使用の期限
十　前各号に掲げるもののほか，厚生労働省令（規則228条の4）で定める事項

●**再生（指定再生）医療等製品 → 白地に黒枠，黒字をもって「再生等」あるいは「指定再生等」の文字を記載**（則228条の2：略）

●再生医療等製品が均質でない，効能等が推定されるものである等として条件及び期限付きで承認(法23条の26）された再生医療等製品は，**白地に黒枠，黒字をもって「条件・期限付」の文字を記載**する．（則228条の3：略）

●人の血液を有効成分とする再生医療等製品・指定再生医療等製品は，原材料である採取された血液の国名及び献血・非献血の別を表示する．（則228条の4：略）

●再生医療等製品の原料となる細胞を提供した者の氏名その他の適切な識別を表示する．

●再生医療等製品の表示の特例（則228の5：略）として，記載面積が狭いため記載事項を明瞭に記載することができない再生医療等製品は，医薬品に関する表示の特例（則211）の2mL以下のアンプル等への表示と同様に製造販売業者の略名あるいは内容量，使用の期限が省略できる．

② 添付文書等の記載事項

（添付文書等の記載事項）　第65条の3　再生医療等製品は，これに添付する文書又はその容器若しくは被包（以下この条において「添付文書等」という.）に当該再生医療等製品に関する最新の論文その他により得られた知見に基づき，次に掲げる事項（次条において「添付文書等記載事項」という.）が記載されていなければならない．ただし，厚生労働省令で別段の定めをしたときは，この限りでない．
一　用法，用量，使用方法その他使用及び取扱い上の必要な注意
二　再生医療等製品の特性に関して注意を促すための厚生労働省令で定める事項
三　第41条第3項の規定によりその基準が定められた再生医療等製品にあっては，その基準において添付文書等に記載するように定められた事項

四　第42条第1項の規定によりその基準が定められた再生医療等製品にあっては，その基準において添付文書等に記載するように定められた事項
五　前各号に掲げるもののほか，厚生労働省令（規則228条の6）で定める事項

●再生医療等製品の添付文書等への記載事項については，医薬品等と同様に最新の論文，知見に基づいて記載された使用及び取扱い上の必要な注意事項等が記載されていなければならない．

●遺伝子組換え技術，原材料等のうち人その他の植物を除く生物の成分・部位等の名称及び適正に使用するための必要事項を記載しなければならない．

また，指定再生医療等製品は，原材料に由来する感染症を完全に排除することができない旨が記載されていなければならない．（則228条の6：略）

③ 添付文書等記載事項の届出

（添付文書等記載事項の届出）　第65条の4　再生医療等製品の製造販売業者は，再生医療等製品の製造販売をするときは，あらかじめ，厚生労働省令で定めるところにより，当該再生医療等製品の添付文書等記載事項のうち使用及び取扱い上の必要な注意その他の厚生労働省令で定めるものを厚生労働大臣に届け出なければならない．これを変更しようとするときも，同様とする．
2　再生医療等製品の製造販売業者は，前項の規定による届出をしたときは，直ちに，当該再生医療等製品の添付文書等記載事項について，電子情報処理組織を使用する方法その他の情報通信の技術を利用する方法であって厚生労働省令で定めるものにより公表しなければならない．

●再生医療等製品の製造販売業者は，医薬品等と同様に添付文書等記載事項のうち，あらかじめ当該再生医療等製品の名称及び使用及び取扱い上の必要な注意事項（則228条の7）を文書又は電磁的方法により，厚生労働大臣（機構とする．）に届出なければならない．

また，届出後，直ちに機構のホームページを使用して公表しなければならない．（則228条の8：略）

④ 品質等不良再生医療等製品の販売・製造等の禁止

（販売，製造等の禁止）　第65条の6　次の各号のいずれかに該当する再生医療等製品は，販売し，授与し，又は販売，授与の目的で製造し，輸入し，貯蔵し，若しくは陳列してはならない．
一　第41条第3項の規定によりその基準を定められた再生医療等製品であって，その性状，品質又は性能がその基準に適合しないもの
二　第23条の25又は第23条の37の厚生労働大臣の承認を受けた再生医療等製品であって，その性状，品質又は性能（第23条の26第1項（第23条の37第5項において準用する場合を含む．）の規定により条件及び期限を付したものについては，これらを有すると推定されるものであること）がその承認の内容と異なるもの（第23条の25第10項（第23条の37第5項において準用する場合を含む．）の規定に違反していないものを除く．）
三　第42条第1項の規定によりその基準が定められた再生医療等製品であって，その基準に適合しないもの
四　その全部又は一部が不潔な物質又は変質若しくは変敗した物質から成っている再生医療等製品
五　異物が混入し，又は付着している再生医療等製品
六　病原微生物その他疾病の原因となるものにより汚染され，又は汚染されているおそれがある再生医療等製品

●再生医療等製品の販売，製造等の禁止については，その性状，品質又は性能が基準に適合しないものや変質あるいは汚染されている恐れがあるもの等医薬品等と同様に製造，販売等が禁止されている．

xi）医薬品等の広告

（誇大広告等）　第66条　何人も，医薬品，医薬部外品，化粧品，医療機器又は再生医療等製品の名称，製造方法，効能，効果又は性能に関して，明示的であると暗示的であるとを問わず，虚偽又は誇大な記事を広告し，記述し，又は流布してはならない．

2　医薬品，医薬部外品，化粧品，医療機器又は再生医療等製品の効能，効果又は性能について，医師その他の者がこれを保証したものと誤解されるおそれがある記事を広告し，記述し，又は流布することは，前項に該当するものとする．

3　何人も，医薬品，医薬部外品，化粧品，医療機器又は再生医療等製品に関して堕胎を暗示し，又はわいせつにわたる文書又は図画を用いてはならない．

●医薬品，医薬部外品，化粧品，医療機器又は再生医療等製品に関して，次の事項の広告等をしてはならない．

ア　虚偽又は誇大な記事

（例）「食品成分なので副作用がなく，安心です．」

イ　医師等がこれを保障したものと誤解されるおそれのある記事

ウ　堕胎を暗示し，又はわいせつにわたる文書又は図画を用いたもの

（特定疾病用の医薬品及び再生医療等製品の広告の制限）　第67条　政令で定めるがんその他の特定疾病に使用されることが目的とされている医薬品又は再生医療等製品であって，医師又は歯科医師の指導の下に使用されるのでなければ危害を生ずるおそれが特に大きいものについては，厚生労働省令で，医薬品又は再生医療等製品を指定し，その医薬品又は再生医療等製品に関する広告につき，医療関係者以外の一般人を対象とする広告方法を制限する等，当該医薬品又は再生医療等製品の適正な使用の確保のために必要な措置を定めることができる．

2　厚生労働大臣は，前項に規定する特殊疾病を定める政令について，その制定又は改廃に関する閣議を求めるには，あらかじめ，薬事・食品衛生審議会の意見を聴かなければならない．ただし，薬事・食品衛生審議会が軽微な事項と認めるものについては，この限りでない．

●医師等の指導のもとで使用しなければ危害を生ずるおそれが大きいがんなどの特定疾病に使用される医薬品，再生医療等製品は，政令で，**がん，肉腫，白血病**（令64条：略）が規定され，また使用される医薬品としてアクチノマイシンC及びその製剤等（則228の10の別表5：略）が指定され，**医療関係者以外の一般人**を対象とする**広告方法が制限**されている．

（承認前の医薬品，医療機器及び再生医療等製品の広告の禁止）　第68条　何人も，第14条第1項，第23条の2の5第1項，第23条の2の23第1項又は第23条の25第1項に規定する医薬品，医療機器及び再生医療等製品であって，まだ第14条第1項，第19条の2第1項，第23条の2の5第1項，第23条の2の17第1項，第23条の25第1項若しくは第23条の37第1項の承認又は第23条の2の23第1項の認証を受けていないものについて，その名称，製造方法，効能，効果又は性能に関する広告をしてはならない．

承認前の医薬品，医薬部外品，化粧品（大臣指定の成分を含有），医療機器，体外診断用医薬品及び再生医療等製品，認証前の指定高度管理医療機器は，申請内容がそのまま承認又は認証される保障はなく，広告すれば嘘偽になるおそれがあるため**広告を禁止している**．

・治験の広告（治験実施に当たっての被験者の募集）は，治験薬の名称や治験記号等を表示しなければ，広告とは判断されないので，この方法で被験者の募集は差し支えない．（平成11年6月医薬監通知）

Checkpoint

毒薬・劇薬	直接の容器・被包の記載	毒薬⇒黒地に白わく，白字で品名及び「毒」の文字 劇薬⇒白地に赤わく，赤字で品名及び「劇」の文字
	交付の制限	14 歳未満の者，安全な取扱いをすることに不安を認める者
	貯　蔵	毒薬⇒他の物と区別し，かぎを施す 劇薬⇒他の物と区別（かぎの規定なし）
	開封販売	薬局・店舗管理者が薬剤師である店舗販売業者・医薬品営業所管理者が薬剤師である卸売販売業者
	譲渡手続き	① 譲受人が一般消費者⇒署名又は記名押印のある文書の交付を受ける（譲渡の日から 2 年間保存） ② 譲受人が医薬関係者⇒文書の交付は不要，公務所発行の証明書の提示を受ければよい ③ 譲受人が常時取引関係の医薬関係者⇒文書の交付及び証明書の提示とも不要
処方箋医薬品	販　売	① 譲受人が一般消費者：帳簿に記載　2 年間保存 ② 譲受人が医薬関係者：帳簿に記載不要 ☆処方箋なしに販売の正当な理由→大規模災害時等
医薬品の直接の容器等の記載事項		① 製造販売者の氏名，名称，住所　② 名称　③ 製造番号又は製造記号 ④ 重量，容量又は個数等の内容量等 ⑤ 局方収載品は「日本薬局方」の文字　⑥要指導医薬品は「要指導医薬品」の文字　⑦ 貯法，有効期間等の基準に定められた事項　⑧局方未収載品は，有効成分の名称等　⑨「注意―習慣性あり」,「注意―医師等の処方箋により使用すること」等の文字　⑩ 使用の期限（大臣指定のアスコルビン酸等） ☆表示の特例⇒2 mL 以下のアンプル等記載面積の狭いもの（日局，JP 等）
再生医療等製品の直接の容器等の記載事項		① 製造販売業者の氏名，名称，住所　② 名称　③ 製造番号又は製造記号 ④ 白地に黒枠，黒字をもって記載する「再生等」,「指定再生等」の文字 ⑤条件及び期限付承認のものは，白地に黒枠，黒字をもって記載する「条件・期限付」の文字　⑥ 重量，容量，個数等の内容量（大臣指定のもの） ⑦ 品質，貯法等の基準に定められた事項　⑧ 使用の期限 ⑨ 原材料である採取された血液の国名及び献血・非献血の別を表示等
医薬品の添付文書等（添付文書・容器・被包）への記載事項（化粧品，医薬部外品，医療機器，再生医療等製品も同様な規制）		最新の論文，知見に基づき記載　① 用法，用量その他使用上の注意　② 局方収載品の局方に記載するよう定められた事項　③ 基準が定められた体外診断用医薬品及び医薬品の記載するよう定められた事項　⇒添付文書，容器，被包のいずれかに記載 体外診断用医薬品→機構のホームページで提供あるいは書面等で購入者等の承諾を得ているときは，添付文書等への記載が不要
医薬品，医療機器，再生医療等製品の添付文書等記載事項の届出等		医薬品，医療機器，再生医療等製品の製造販売業者は，大臣指定の医薬品・医療機器，再生医療等製品を製造販売（変更も同様）する場合，あらかじめ，名称及び使用及び取扱い上の必要な注意事項を書面等により，大臣（機構）に届出なければならない. 届出後，直ちに，当該医薬品の添付文書等記載事項を機構のホームページを使用する方法で公表
記載禁止事項		虚偽又は誤解を招くおそれのある事項，承認を受けていない効能等
医薬品の陳列		① 医薬品は他の物と区別　② 要指導医薬品と一般用医薬品を混在させない ③ 第一類，第二類，第三類医薬品を混在させない ④ 第一類は購入者の手の届かない陳列設備等
封		医薬品・再生医療等製品のみ規定，例外：製造専用文字
医薬品等の広告の制限，禁止		誇大広告，特殊疾病用医薬品･再生医療等製品（がん，肉腫及び白血病）の広告，承認前の医薬品等の広告

問 題

問 1 劇薬には，その直接の容器又は被包に，白地に赤枠，赤字をもって，その品名及び「劇」の文字が記載されていなければならない．(94)

問 2 毒薬には，その直接の容器又は直接の被包に，白地に黒枠，黒字をもって，その品名及び「毒」の文字を記載する．(98，103 改，105 改)

問 3 薬局開設者は，封を開いて毒薬を販売することができる．(94 改，103)

問 4 薬局開設者は，常時取引関係を有する薬剤師に対して劇薬を販売する場合，法で定められた事項が記載された文書を受け取る必要はない．(103)

問 5 毒薬又は劇薬は，16 歳未満の者には交付してはならない．(103)

問 6 病院又は診療所において，劇薬を貯蔵する場所にはかぎを施さなければならない．(94 改，98 改，103)

問 7 業務上劇薬を取り扱う者は，貯蔵する場所に「医薬品」及び「劇」の文字を表示しなければならない．(99)

問 8 薬剤師に対しては，直接の容器又は直接の被包に「毒」の文字が記載されていない毒薬であっても，販売することができる．

問 9 薬局開設者が，隣家の高校生から日本薬局方塩酸 100 mL を購入したいとの申し出に，日頃から顔見知りで人物をよく分かっているので，文書の交付を受けずに販売した．(92)

問 10 薬局開設者が安全な取扱いをすることに不安がない者と認めたが，年齢が 16 歳だったので日本薬局方塩酸 100 mL の販売を断った．(92)

問 11 薬局開設者が，日本薬局方塩酸 100 mL の販売に際し 500 mL 入容器しかなく，それを開封して分割販売することは禁じられているとして，販売を断った．(92)

問 12 劇薬を処方箋に基づいて調剤したが，この薬剤を患者に交付する場合，患者から医薬品医療機器等法で定める文書を受け取らなければならない．(86 改)

問 13 薬局開設者は，処方箋医薬品の販売又は授与した帳簿を，最終の記載の日から 3 年間保存しなければならない．(99)

問 14 体外診断用医薬品は，処方箋医薬品として指定される．(99)

問 15 正当な理由があれば，処方箋を受けた者以外に対して，処方箋医薬品を販売又は授与することができる．(99)

問 16 日本薬局方に収められている医薬品の直接の容器又は直接の被包には，原則として，「日局」の文字が記載されていなければならない．(84)

問 17 日本薬局方に収められていない医薬品の直接の容器又は直接の被包には，原則として有効成分の名称及びその分量が記載されていなければならない．(84)

問 18 医薬品の直接の容器又は直接の被包に，厚生労働大臣の指定する医薬品にあっては，その使用の期限を記載することが義務付けられている．(84 改，97 改)

問 19 医薬品の直接の容器等には，「医薬品」の文字を記載しなければならない．

問 20 アスコルビン酸製剤の直接の容器又は直接の被包には「注意－経時変化あり」の文字を記載しなければならない．(86)

問 21 医薬品は，その直接の容器又は直接の被包に，効能又は効果が記載されていなければ販売してはならない．(90)

問 22 医薬品の直接の容器又は直接の被包に，用法，用量その他使用及び取扱い上の必要な注意は記載されていなくてもよい．(97 改)

問 23 輸入医薬品の添付文書に記載しなければならない事項は，邦文でなくてもよい．(84)

解答・解説

問 1　○　劇薬は，白地に赤枠，赤字をもって，その品名及び「劇」の文字である．（法 44 条）

問 2　×　毒薬は，黒地に白枠，白字をもって，その品名及び「毒」の文字が記載されていなければならない．（法 44 条）

問 3　○　薬局開設者・店舗管理者が薬剤師である店舗販売業者及び営業所管理者が薬剤師である卸売販売業者の医薬品販売業者は開封して販売できる．（法 45 条）

問 4　○　薬局開設者等常時取引のある者は，文書の交付は不要である．（法 46 条 2 項）

問 5　×　毒薬又は劇薬は，14 歳未満の者その他安全な取扱いをすることによって不安があると認められる者には，交付してはならない．（法 47 条）

問 6　×　病院・診療所であっても業務上毒薬又は劇薬を取り扱う者は，これを他の物と区別して，貯蔵，陳列しなければならない．また，毒薬を貯蔵，陳列する場所には，かぎは施さなければならない．（法 48 条）

問 7　×　毒薬・劇薬は，貯蔵及び陳列する場所への表示の義務はない．（法 48 条）

問 8　×　法 44 条に定められた記載の表示のない毒薬・劇薬は，何人も販売することはできない．（法 44 条 3 項）

問 9　×　一般消費者が譲受人の場合には，毒薬，劇薬の販売に際し，譲受人からその品名，数量，使用の目的，譲渡年月日，譲受人の氏名，住所等が記載された文書の交付が必要である．（法 46 条 1 項）

問10　×　毒薬又は劇薬の交付の制限要件は，14 歳未満の者である．（法 47 条）

問11　×　薬局は，毒薬，劇薬の開封販売が認められている．（法 45 条）

問12　×　調剤された薬剤は，医薬品医療機器等法上の医薬品に該当しないので，劇薬の譲渡手続きの適用は受けない．

問13　×　処方箋医薬品の販売等を記録した帳簿の保存は，2 年間である．（法 49 条 3 項）

問14　×　体外診断用医薬品については，処方箋医薬品として指定されない．処方箋医薬品は，指定基準により耐性菌が生じやすい，使用方法が難しい等に該当するものが指定される．

問15　○　大規模災害時等に医師等への受診，医師等からの処方箋の交付が困難な場合は，正当な理由とされ，医師等の処方箋なしに販売を行ってもよい．（法 49 条 1 項）

問16　×　原則は，「日局」の文字ではなく，「日本薬局方」の文字を記載する．なお，容器が 2 mL 以下のアンプル等では，「日局」，「J・P」と簡略化できる．（法 50 条五号）

問17　○　日本薬局方外医薬品については，有効成分の名称・分量は，直接の容器等への記載事項である．（法 50 条十号）

問18　×　使用の期限を記載しなければならない医薬品は，厚生労働大臣が指定するアスコルビン酸等の医薬品のみである．（法 50 条十四号）

問19　×「医薬品」の文字は，直接の容器・被包に必要な記載事項ではない．記載事項が必要なものは，「医薬部外品」である．（法 50 条，59 条二号）

問20　×　アスコルビン酸製剤（3 年以内に変質する医薬品）の直接の容器・被包の記載事項は，「注意－経時変化あり」の記載ではなく，使用の期限が記載される．（法 50 条十四号）

問21　×　効能・効果は，直接の容器・被包への必要な記載事項ではない．また，添付文書等の記載事項としても定められていないが，添付文書に記載されていることが多い．（法 50 条，52 条）

問22　○　用法，用量その他使用及び取扱い上の必要な注意事項は，直接の容器・被包に記載する規定はない．添付文書等への記載事項である．（法 50 条，52 条一号）

問23　×　法 50 条（直接の容器等の記載事項）から法 52 条（添付文書等の記載事項）までに規定する事項の

問 24　医療機器は，その直接の容器又は直接の被包に「医療機器」の文字を記載しなくてもよい．

問 25　化粧品の製造販売業者は，化粧品の製造販売するときは，化粧品を収めた容器又は被包に封を施さなければならない．

問 26　広告の内容については，あらかじめ厚生労働大臣の許可を受けなければならない．(99)

問 27　製造方法に関する広告は，規制されない．(99)

問 28　医薬関係者向けの専門誌には，医薬品医療機器等法に基づいて指定されたがんの治療薬の広告を掲載できる．(104)

問 29　医薬関係者向けの専門誌には，承認される前の医薬品の広告を掲載ができる．(104)

問 30　放送事業者や出版社は，医師が医薬品の効能・効果を保証する記事を広告できる．(104)

記載は，邦文で記載されていなければならない．（則218条）

問24　○　「医療機器」の文字は，直接の容器・被包に必要な記載事項ではないが，高度管理医療機器，管理医療機器，一般医療機器の別は表示しなければならない．（法63条八号）

問25　×　封を施さなければならないのは，医薬品と再生医療等製品のみで，医薬部外品，化粧品，医療機器にはこのような規定はない．（法58条）

問26　×　広告に対する許可制度はない．

問27　×　製造方法が，虚偽又は誇大であれば規制の対象となる．（法66条）

問28　○　がん，肉腫，白血病は，特殊疾病に指定され，これらの医薬品は，医療関係者以外への広告方法が制限されている．（法67条，令64条，則第228条の10,）

問29　×　承認前の医薬品は，申請内容がそのまま承認される保証はなく，広告すれば虚偽になるおそれがあるため広告が禁止されている．（法68条）

問30　×　医薬品等の効能・効果について，医師その他の者がこれを保証したものと誤解される恐れがある記事を広告してはならない．（法66条2項）

i 生物由来製品の特例

生物由来製品は，原材料の汚染に由来する感染症の発症に特段の注意が必要であり，このため，原材料の採取・製造から製造販売後に至る各段階において，一般の医薬品等における各種基準に加え，付加的な基準等により，一層の安全の確保を図り，感染症の危険性を減少させることと，発症した場合，早急な安全対策が実施できるよう特例を定めたものである．

[生物由来製品の主な特徴]

1. 未知の感染性因子を含有している可能性が否定できない場合がある．
2. 不特定数の人や動物から採取されている場合，感染因子混入のリスクが高い．
3. 感染因子の不活化処理等に限界がある場合がある．

1) 生物由来製品

（定義）第2条第10項　この法律で「生物由来製品」とは，人その他の生物（植物を除く.）に由来するものを原料又は材料として製造をされる医薬品，医薬部外品，化粧品又は医療機器のうち，保健衛生上特別の注意を要するものとして，厚生労働大臣が薬事・食品衛生審議会の意見を聴いて指定するものをいう．

●**生物由来製品**とは人その他の生物（**植物を除く.**）の細胞，組織等に由来する原料又は材料を用いた製品のうち，保健衛生上特別の注意を要するもの（a 節参照）

（例）ワクチン，遺伝子組換え製剤，動物成分抽出製剤等

2) 特定生物由来製品

（定義）第2条第11項　この法律で「特定生物由来製品」とは，生物由来製品のうち，販売し，貸与し，又は授与した後において当該生物由来製品による保健衛生上の危害の発生又は拡大を防止するための措置を講ずることが必要なものであって，厚生労働大臣が薬事・食品衛生審議会の意見を聴いて指定するものをいう．

●**特定生物由来製品**とは生物由来製品の中でも，製品における感染症の発生リスクが理論的にも，かつ，経験的にもより高いもの（a 節参照）

（例）輸血用血液製剤・血液凝固因子等の**血液製剤**，人胎盤抽出物等

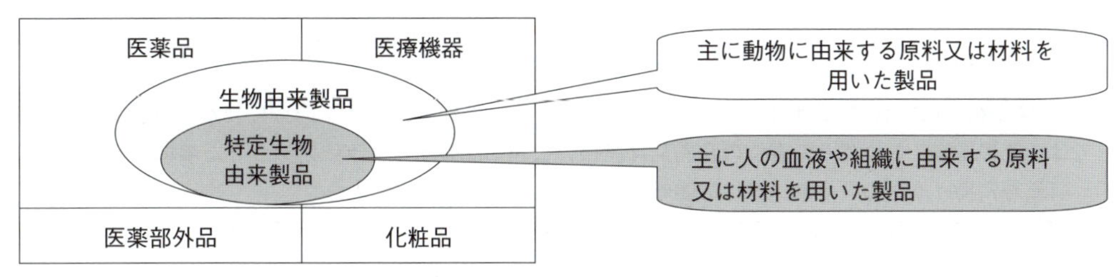

図 8.15　生物由来製品・特定生物由来製品の概念

3) 製造販売業者における付加的安全対策

i）製造管理者の設置と承認

（生物由来製品の製造管理者）第 68 条の 16　第 17 条（医薬品等総括製造販売責任者等の設置）第 3 項及び第 5 項並びに第 23 条の 2 の 14（医療機器等総括製造販売責任者等の設置）第 3 項及び第 5 項の規定にかかわらず，生物由来製品の製造業者は，当該生物由来製品の製造については，厚生労働大臣の承認を受けて自らその製造を実地に管理する場合のほか，その製造を実地に管理させるために，製造所（医療機器又は体外診断用医薬品たる生物由来製品にあっては，その製造工程のうち第 23 条の 2 の 3 第 1 項に規定する設計，組立て，滅菌その他の厚生労働省令で定めるものをするものに限る.）ごとに，厚生労働大臣の承認を受けて，医師，細菌学的知識を有する者その他の技術者を置かなければならない.

2　前項に規定する生物由来製品の製造を管理する者については，第 7 条（薬局の管理）第 3 項及び第 8 条（管理者の義務）第 1 項の規定を準用する．この場合において，第 7 条第 3 項中「その薬局の所在地の都道府県知事」とあるのは，「厚生労働大臣」と読み替えるものとする.

●生物由来製品の製造業者は製造所ごとに，大臣の承認を受けて，自らその製造を実地に管理する以外は，**生物由来製品の製造管理者（医師，細菌学的知識を有する者等）**を置かなければならない.

・生物由来製品製造管理者の対象

ア　医師，医学の学位を持つ者

イ　歯科医師であって細菌学を専攻した者

ウ　細菌学を専攻し修士課程を修めた者

エ　大学等で微生物学の講義及び実習を受講し，修得した後，3 年以上生物由来製品若しくはそれと同等の保健衛生上の注意を要する医薬品，医療機器等の製造等に関する経験を有する者

●製造管理者は，薬局の管理者の兼業禁止（法 7 － 3）と管理者の義務（法 8 － 1）が準用され，同一施設において生物由来製品以外の製品を取り扱う者は，当該製造管理者又は責任技術者との兼務が認められる.

ii）直接の容器等への記載

（直接の容器等の記載事項）第 68 条の 17　生物由来製品は，第 50 条各号（直接の容器等の記載事項），第 59 条各号，第 61 条各号又は第 63 条第 1 項各号に掲げる事項のほか，その直接の容器又は直接の被包に，次に掲げる事項が記載されていなければならない．ただし，厚生労働省令で別段の定めをしたときは，この限りでない.

一　生物由来製品（特定生物由来製品を除く.）にあっては，生物由来製品であることを示す厚生労働省令（規則 230）で定める表示

> 二　特定生物由来製品にあっては，特定生物由来製品であることを示す厚生労働省令（規則 231）で定める表示
> 三　第 68 条の 19 において準用する第 42 条第 1 項の規定によりその基準が定められた生物由来製品にあっては，その基準においてその直接の容器又は直接の被包に記載するように定められた事項
> 四　前三号に掲げるもののほか，厚生労働省令（規則 233）で定める事項

●生物由来製品については，法 50（医薬品）・法 59（医薬部外品）・法 63 − 1（医療機器）の各号で定めるところの直接の容器等への記載事項以外に次のものを記載しなければならない．

・**生物由来製品 → 白地に黒枠, 黒字をもって「生物」の文字**を製造番号又は製造記号（省略不可）と併せて表示すること．（則 230，232：略）

・**特定生物由来製品 → 白地に黒枠, 黒字をもって「特生物」の文字**を製造番号又は製造記号（省略不可）と併せて表示すること．（則 231，232：略）
→ 人の血液成分を使用している場合は，血液が採取された国名，採取方法（献血・非献血の別）を記載すること．（則 233：略）

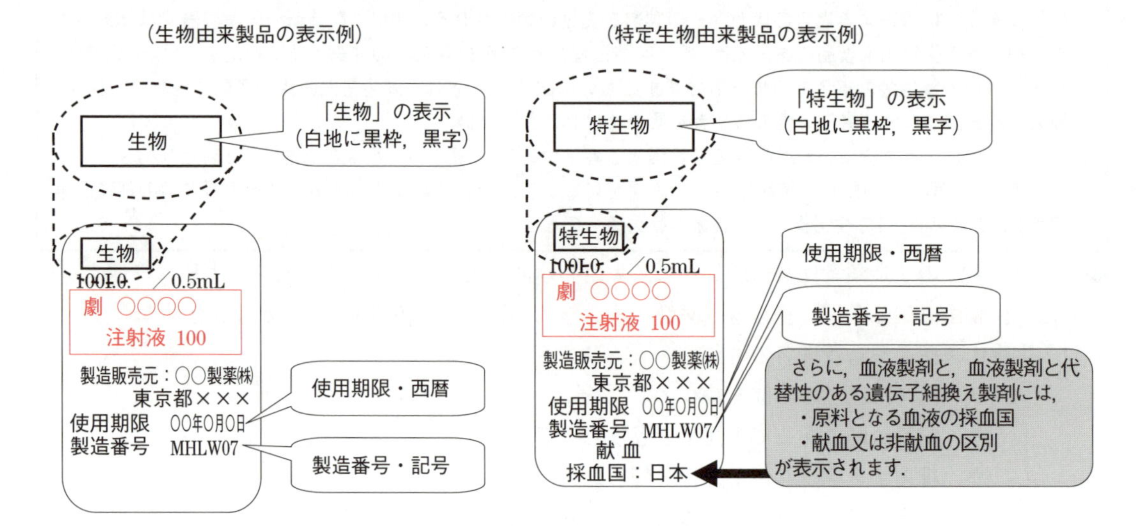

図 8.16　生物由来製品・特定生物由来製品の表示例

iii）添付文書への追加記載事項

> （添付文書等の記載事項）第 68 条の 18　生物由来製品は，第 52 条第 1 項各号（第 60 条又は第 62 条において準用する場合を含む．）又は第 63 条の 2 第 1 項各号に掲げる事項のほか，これに添付する文書又はその容器若しくは被包に，次に掲げる事項が記載されていなければならない．ただし，厚生労働省令で別段の定めをしたときは，この限りでない．
> 一　生物由来製品の特性に関して注意を促すための厚生労働省令（規則 234）で定める事項
> 二　次条において準用する第 42 条第 1 項の規定によりその基準が定められた生物由来製品にあっては，その基準においてこれに添付する文書又はその容器若しくは被包に記載するように定められた事項
> 三　前二号に掲げるもののほか，厚生労働省令（規則 234）で定める事項

●生物由来製品の添付文書等への記載事項として，生物由来製品の特性に関して注意を促すため，医薬品又は医療機器の添付文書等の記載事項（法 52 又は法 63 の 2）に加え，次に掲げる事項が記載

されていなければならない．

・生物由来製品及び特定生物由来製品

　①「生物由来製品」又は「特定生物由来製品」の文字

　②遺伝子組換え技術を応用している旨

　③生物由来成分の名称

　④原材料に用いられる生物の部位等の名称

　⑤血液採取国の国名及び採血方法（献血又は非献血の別）

　⑥その他適正使用のための必要事項

・特定生物由来製品のみ（②～⑤平成15.5.15医薬発0516005号）

　①感染症リスク（感染症を完全に排除することができない旨）

　②感染症伝播防止のための安全対策の概要

　③最小限の使用

　④使用の対象者への説明

　⑤使用の対象者の記録・保存

（生物由来製品の添付文書等への記載事項）規則第234条　法第68条の18第一号及び第三号の規定により生物由来製品に添付文書等に記載されていなければならない事項は，次のとおりとする．

一　遺伝子組換え技術を応用して製造される場合にあっては，その旨

二　当該生物由来製品の原料又は材料のうち，人その他の生物に由来する成分の名称

三　当該生物由来製品の原材料である人その他の生物の部位等の名称（当該人その他生物の名称を含む．）

四　その他当該生物由来製品を適正に使用するために必要な事項

2　特定生物由来製品にあっては，その添付文書等に，前項に掲げる事項のほか，原材料に由来する感染症を完全に排除することはできない旨が記載されていなければならない．

ⅳ）原材料取扱い段階・製造段階での付加的安全対策

法第68条の19において，準用する法42－1は，「厚生労働大臣は，保健衛生上特別の注意を要する医薬品又は再生医療等製品（生物由来製品と読み替える．）につき，薬事・食品衛生審議会の意見を聴いて，その製法，性状，品質，貯法等に関し，必要な基準を設ける．」であり，特定生物由来製品の原材料採取方法等について，品質等基準に付加的な基準を設けている．

（例）細胞・組織等の採取に際してのドナースクリーニング（問診，ウイルス検査等），必要な衛生管理設備や採取方法等
（「生物由来原料基準」平成15年5月20日　厚生労働省告示第210号）

・原材料段階での原材料の記録の保管

（例）特定生物由来製品又は人血液由来原料は30年間，生物由来製品又は細胞組織医薬品は10年間，それぞれ有効期間に加算する．

・製造段階での構造設備や製造管理・品質管理の方法（GMP）

（例）原材料の受入・保管区域を他の区域から区分する．細胞・組織等が交叉汚染を起こさないような方法で保管する等

v）販売，製造等の禁止

（販売，製造等の禁止）第68条の20　前条において準用する第42条第1項の規定により必要な基準が定められた生物由来製品であって，その基準に適合しないものは，販売し，貸与し，授与し，又は販売，貸与若しくは授与の目的で製造し，輸入し，貯蔵し，若しくは陳列してはならない．

4）医療機関等における付加的安全対策

i）特定生物由来製品取扱医療関係者の義務（特定生物由来製品のみ）

（特定生物由来製品取扱医療関係者による特定生物由来製品に係る説明）第68条の21　特定生物由来製品を取り扱う医師その他の医療関係者（以下，「特定生物由来製品取扱医療関係者」という．）は，特定生物由来製品の有効性及び安全性その他特定生物由来製品の適正な使用のために必要な事項について，当該特定生物由来製品の使用の対象者（動物への使用にあっては，その所有者又は管理者．第68条の9において同じ．）に対し適切な説明を行い，その理解を得るよう努めなければならない．

●特定生物由来製品取扱医療関係者（特定生物由来製品を取り扱う医師その他の医療関係者）

→ 患者に対し書面等により適切な説明を行い，その理解を得るように努めなければならない．ただし，使用の対象者（患者）が理解の能力に欠くこと等により理解を得ることが困難なときは，その親権を行う者，配偶者，後見人に対し，適切な説明を行い，その理解を得るよう努めることで差し支えない．

（特定生物由来製品の使用にあたり使用の対象者に説明する必要な事項）

① 疾病の治療又は予防のため，当該特定生物由来製品の使用が必要であること．
② 当該特定生物由来製品が人その他の生物に由来するものを原料又は材料としており，そのことに由来する感染症に対する安全対策が講じられてはいるものの，そのリスクを完全に排除することができないこと．
③ 当該特定生物由来製品の使用に際し，薬局・病院・診療所において，使用の対象者の氏名・住所を記録・保存すること．
④ この記録は，当該特定生物由来製品の使用により感染症等が発生し必要な措置を講ずる場合，使用の対象者の利益になるときに限り，製品の製造販売業者等へ提供することがあること．

ii）医療機関等における使用の記録と保存

（生物由来製品に関する記録及び保存）第68条の22第3項

3　特定生物由来製品取扱医療関係者は，その担当した特定生物由来製品の使用の対象者の氏名，住所その他厚生労働省令（規則237）で定める事項を記録するものとする．

（特定生物由来製品の記録に関する事項）規則第237条　法第68条の22第3項の厚生労働省令で定める事項は，次のとおりとする．

一　特定生物由来製品の使用の対象者の氏名及び住所
二　特定生物由来製品の名称及び製造番号又は製造記号
三　特定生物由来製品の使用の対象者に使用した年月日
四　前三号に掲げるもののほか，特定生物由来製品に係る保健衛生上の危害の発生又は拡大を防止するために必要な事項

製品名：　○○○○注射液１００

記録する情報：
製品名
患者の氏名，住所
製品番号（製造記号）
投与日

患者氏名	住所	製造番号	投与（調剤）日	投与量
愛知太郎	東京都千代田区霞が関1-1	MHLW07	H20.7.30	100I.U.

患者氏名	住所	製造番号	投与（調剤）日	投与量

患者氏名	住所	製造番号	投与（調剤）日	投与量

図 8.17　記載様式の例

（記録の保存）　規則第 240 条第 2 項
2　薬局の管理者又は病院，診療所若しくは動物診療施設の管理者は，法第 68 条の 22 第 3 項に規定する特定生物由来製品に関する記録を，その使用した日から起算して少なくとも 20 年間，これを保存しなければならない．

●**特定生物由来製品に関する記録**：**薬局，病院・診療所等の管理者は，**使用日から少なくとも**20 年間保存**しなければならない．

iii）薬局・病院・診療所・飼育動物診療施設の管理者の義務（特定生物由来製品のみ）

（生物由来製品に関する記録及び保存）　第 68 条の 22 第 4 項
4　薬局の管理者又は病院，診療所若しくは飼育動物診療施設の管理者は，前項の規定による記録を適切に保存するとともに，特定生物由来製品につき第 14 条若しくは第 23 条の 2 の 5 の承認を受けた者，選任外国製造医薬品等製造販売業者，選任外国製造医療機器等製造販売業者又は第 6 項の委託を受けた者（以下この条において「特定生物由来製品承認取得者等」という．）からの要請に基づいて，当該特定生物由来製品の使用による保健衛生上の危害の発生又は拡大を防止するための措置を講ずるために必要と認められる場合であって，当該特定生物由来製品の使用の対象者の利益になるときに限り，前項の規定による記録を当該特定生物由来製品承認取得者等に提供するものとする．

薬局・病院・診療所等の管理者
→ 薬局・病院・診療所に所属する各特定医療関係者が作成した記録を適切に保存する．
→ 使用の対象者の利益になる場合に限り，特定生物由来製品の承認取得者等からの要請に基づき，記録（少なくとも**20 年間保存**）を承認取得者等に提供する．

5）販売又は貸与業者における付加的安全対策

（生物由来製品に関する記録及び保存）第 68 条の 22 第 2 項
2　生物由来製品の販売業者又は貸与業者は，薬局開設者，生物由来製品の製造販売業者，販売業者若しくは貸与業者又は病院，診療所若しくは飼育動物診療施設の開設者に対し，生物由来製品を販売し，貸与し，又は授与したときは，その譲り受け，又は借り受けた者に係る前項の厚生労働省令で定める事項に関する情報を当該生物由来製品承認取得者等に提供しなければならない．

●生物由来製品の販売業者・貸与業者は製品の納入記録（情報）を作成し，承認取得者等に提供しなければならない．

（特定生物由来製品に関する記録及び保存）第68条の22第5項　特定生物由来製品の販売業者又は貸与業者は，前二の規定による記録及び保存の事務が円滑に行われるよう，当該特定生物由来製品取扱医療関係者又は薬局の管理者若しくは病院，診療所若しくは飼育動物診療施設の管理者に対する説明その他の必要な協力を行わなければならない．

特定生物由来製品の販売業者・貸与業者は記録・保存が円滑に行われるよう，特定生物由来製品取扱医療関係者又は薬局・病院等の各管理者に対する説明，その他必要な協力を行う．

6）製造販売業者（生物由来製品の承認取得者）による納入記録と保存

（生物由来製品に関する記録及び保存）第68条の22第1項　生物由来製品につき第14条（医薬品，医薬部外品及び化粧品の製造販売の承認）若しくは第23条の2の5（医療機器及び体外診断用医薬品の製造販売の承認）の承認を受けた者，選任外国製造医薬品等製造販売業者又は選任外国製造医療機器等製造販売業者（以下この条及び次条において「生物由来製品承認取得者等」という．）は，生物由来製品を譲り受け，又は借り受けた薬局開設者，生物由来製品の製造販売業者，販売業者若しくは貸与業者又は病院，診療所若しくは飼育動物診療施設の開設者の氏名，住所その他の厚生労働省令で定める事項を記録し，かつ，これを適切に保存しなければならない．

製造販売後，感染因子の混入が判明した場合，その時点で可能な遡及調査等を速やかに講ずることを可能とするため，生物由来製品承認取得者等は，製品の薬局開設者等の譲受人又は貸与した人の氏名，住所その他を記録し，適切に保存しなければならない．

生物由来製品承認取得者等の記録の保存期間

- **特定生物由来製品・人血液成分を含む生物由来製品** → 出荷日から起算して**30年間**
- 人血液成分以外の生物由来製品 → 出荷日から起算して**10年間**

7）感染症定期報告

（生物由来製品に関する感染症定期報告）　第68条の24　生物由来製品の製造販売業者，**外国製造医薬品等特例承認取得者又は外国製造医療機器等特例承認取得者**は，厚生労働省令（規則241）で定めるところにより，その製造販売をし，又は第19条の2若しくは第23条の2の17の承認を受けた生物由来製品若しくは当該生物由来製品の原料若しくは材料による感染症に関する最新の論文その他により得られた知見に基づき当該生物由来製品を評価し，その成果を厚生労働大臣に定期的に報告しなければならない．

2　厚生労働大臣は，毎年度，前項の規定による報告の状況について薬事・食品衛生審議会に報告し，必要があると認めるときは，その意見を聴いて，生物由来製品の使用による保健衛生上の危害の発生又は拡大を防止するために必要な措置を講ずるものとする．

3　厚生労働大臣は，前項の報告又は措置を行うに当たっては，第1項の規定による報告に係る情報の整理又は当該報告に関する調査を行うものとする．

感染症対策には，製造販売業者に対して，企業報告制度（法68の4の10（副作用等の報告））があるが，さらに感染症対策を綿密に行うため，生物由来製品の製造販売業者等は，省令（則241）で定めるところにより，当該製品やその原材料の感染症に関する**最新の論文**，**最新の情報**等で得られた知見に基づき当該製品を評価し，その成果を**厚生労働大臣に定期的に報告**しなければならない．

（感染症定期報告）規則241条　法第68条の24第1項の規定に基づき，生物由来製品の製造販売業者，外国医薬品等特例承認取得者若しくは外国医療機器等特例承認取得者又は外国製造医薬品等選任製造販売業者若しくは外国製造医療機器等選任製造販売業者は，その製造販売をし，又は承認を受けた生物由来製品について，次に掲げる事項を厚生労働大臣に報告しなければならない.

一　当該生物由来製品の名称　　二　承認番号及び承認年月日　　三　調査期間

四　当該生物由来製品の出荷数量

五　当該生物由来製品の原材料若しくは原料若しくは材料に係る人その他の生物と同じ人その他の生物又は当該生物由来製品について報告された，人その他の生物から人に感染すると認められる疾病についての研究報告

六　当該生物由来製品又は外国で使用されている物であって当該生物由来製品の成分（当該生物由来製品に含有され，又は製造工程において使用されている人その他の生物に由来するものに限る.）と同一性を有すると認められる人その他の生物に由来する成分を含有し，若しくは製造工程において使用している製品（以下「当該生物由来製品等」という．以下この項において同じ.）によるものと疑われる感染症の種類別発生状況及び発生症例一覧

七　当該生物由来製品等による保健衛生上の危害の発生若しくは拡大の防止又は当該生物由来製品の適正な使用のために行われた措置

八　当該生物由来製品の安全性に関する当該報告を行う者の見解

九　当該生物由来製品の添付文書

十　当該生物由来製品等の品質，有効性及び安全性に関する事項その他当該生物由来製品の適正な使用のために必要な情報

2　前項の報告は，当該生物由来製品の製造販売の承認を受けた日等から6月（厚生労働大臣が指定する生物由来製品にあっては，厚生労働大臣が指定する期間）ごとに，その期間の満了後1月以内に行わなければならない．ただし，邦文以外で記載されている当該報告に係る資料の翻訳を行う必要がある場合においては，その期間の満了後2月以内に行わなければならない.

●厚生労働大臣（機構とする（則242））への**感染症定期報告の対象となる医薬品・医薬部外品・化粧品・医療機器の範囲は，法第2条第10項に規定する「生物由来製品」すべてである.**

●報告の頻度は**年2回**（製品の製造販売の承認を受けた日等から6月ごと）である.

参考文献

1) 厚生労働省，「医療関係者のための改正薬事法・血液法説明資料について」
www.mhlw.go.jp/qa/iyaku/yakujihou/index.html

Checkpoint

生物由来製品	人や生物（植物以外の動物の細胞・組織等）に由来する原材料を使用して製造される医薬品等のうち，厚生労働大臣が薬事・食品衛生審議会の意見を聴いて指定するもの 表示 → 白地に黒枠，黒字で「生物」の文字
特定生物由来製品	生物由来製品のうち，特段の措置を講ずることが必要なもので，厚生労働大臣が薬事・食品衛生審議会の意見を聴いて指定するもの 表示 → 白地に黒枠，黒字で「特生物」の文字
製造管理者の設置	製造所ごとに，厚生労働大臣の承認を受けて，医師，細菌学的知識を有する者
生物由来製品の添付文書等への追加事項	①「生物由来製品」又は「特定生物由来製品」の文字 ② 遺伝子組み換え技術を応用している旨 ③ 生物由来成分の名称 ④ 原材料に用いられる生物の部位等の名称 ⑤ 血液採取国の国名及び採血方法（献血又は非献血の別） ⑥ その他適正使用のための必要事項

<table>
<tr><td>特定生物由来製品の添付文書等への追加事項</td><td colspan="4">① 感染症のリスク（感染症を完全に排除できない旨）
② 感染伝播防止のための安全対策
③ 最小限の使用
④ 使用の対象者への説明
⑤ 使用の対象者への記録・保存</td></tr>
<tr><td>特定生物由来製品取扱医療関係者の記録事項</td><td colspan="4">① 使用の対象者の氏名及び住所
② 名称及び製造番号又は製造記号
③ 使用年月日
④ その他特定生物由来製品に係る保健衛生上の危害の発生又は拡大を防止するために必要な事項</td></tr>
<tr><td rowspan="4">記録の保存期間</td><td colspan="2">製品の種類</td><td>医療機関</td><td>製造販売業者</td></tr>
<tr><td colspan="2">特定生物由来製品</td><td>20 年</td><td>30 年</td></tr>
<tr><td rowspan="2">生物由来製品</td><td>人血液成分以外の成分</td><td>—</td><td>10 年</td></tr>
<tr><td>人血液成分を含む場合</td><td>—</td><td>30 年</td></tr>
<tr><td>感染症定期報告</td><td colspan="4">最新の論文，知見に基づき評価し，厚生労働大臣に年 2 回（6 か月ごとに）報告</td></tr>
</table>

問　題

問 1　薬局の管理者は，特定生物由来製品の使用に関する記録を，その使用した日から起算して少なくとも 5 年間，保存しなければならない．(91)

問 2　生物由来製品の製造業者は，当該生物由来製品の製造を実地に管理させるために，製造所ごとに，専任の薬剤師を置かなければならない．(91)

問 3　生物由来製品の製造販売業者は，当該製品等による感染症に関する最新の論文等に基づき当該製品を評価し，その成果を厚生労働大臣に定期的に報告しなければならない．(91)

問 4　生物由来製品には，医療機器は含まれない．(90)

問 5　特定生物由来製品は，医薬品の製造販売事業者の申請に基づいて，厚生労働大臣が指定する．(95)

問 6　厚生労働大臣は，生物由来製品について，その製法，性状，品質，貯法等に関する基準を定めることができる．(95)

問 7　生物由来製品の承認取得者は，生物由来製品を譲り受けた病院の開設者の氏名等の記録を出荷の日から 20 年間保存しなければならない．(95)

問 8　ヒト乾燥硬膜の使用により発現した疾患であって，医薬品医療機器等法の品質，有効性及び安全性の確保等に関する法律に生物由来製品に関する規定が設けられる契機となった疾患は，クロイツフェルト・ヤコブ病である．(99 改)

複 合 問 題

問 1　特定生物由来製品について，直接の容器又は直接の被包に記載しなければならない「特生物」に表示方法はどれか .1 つ選べ．(104)

1　白地に赤枠，赤字
2　白地に赤枠，黒字
3　白地に黒枠，黒字
4　白地に黒枠，赤字
5　赤地に白地（枠なし）

解答・解説

問 1　×　薬局や医療機関の管理者は，特定生物由来製品取扱医療関係者が作成した特定生物由来製品の使用の記録を，使用日から起算して少なくとも 20 年間保存しなければならない．（法 68 条の 22 第 3 項，則 240 条 2 項）

問 2　×　生物由来製品の製造業者は，製造所ごとに，厚生労働大臣の承認を受けた製造管理者（医師，細菌学的知識を有する者等）を置かなければならない．（法 68 条の 16）

問 3　○　生物由来製品の製造販売業者が，定期的に報告しなければならない感染症定期報告制度のことである．（法 68 条の 24，則 241 条）

問 4　×　生物由来製品とは，人又は動物の細胞，組織等に由来する原材料を用いて製造される医薬品・医薬部外品・化粧品医療機器等のうち，保健衛生上特別の注意を要するものとして，厚生労働大臣が薬事・食品衛生審議会の意見を聴いて指定するものをいう．（法 2 条 10 項）

問 5　×　厚生労働大臣が，薬事・食品衛生審議会の意見を聴いて特定生物由来製品指定する．（法 2 条 11 項）

問 6　○　厚生労働大臣が，薬事・食品衛生審議会の意見を聴いて，その製法等に関し生物由来原料基準が定められている．（法 42 条）

問 7　×　記録の保存は，特定生物由来製品又は人の血液を原料とする生物由来製品は，出荷の日から起算して少なくとも 30 年間，生物由来製品は 10 年間である．（法 68 条の 22，則 240 条 1 項）

問 8　○　設問のとおりである．（クロイツフェルト・ヤコブ病は，異常プリオン蛋白が脳に蓄積して神経細胞を破壊する致死的な病気で，プリオン病とも呼ばれる．）

解答・解説

問 1　解答　3

生物由来製品は，白地に黒枠，黒字をもって「生物」，特定生物由来製品も白地に黒枠，黒字をもって「特生物」の文字を表示する．（法 68 条の 17 第 1 号，2 号，則 230，231 条）

j 監　督

1) 立入検査

i) 厚生労働大臣権限の業許可の遵守事項確認のための立入検査等（法 69 − 1）

厚生労働大臣又は知事 → 製造販売業者等*が，医薬品，医療機器等の品質，有効性及び安全性の確保等に関する法律の規定に基づく命令（製造販売業の許可に付随する GQP・GVP 等）を遵守しているかどうかを確かめるために必要があると認めるとき

→ その製造販売業者等に対して必要な報告をさせ，又は当該職員（薬事監視員）に工場，事務所等に立ち入らせ構造設備・帳簿書類等を検査させ，従業員等に質問させることができる．

*製造販売業者等とは，

医薬品・医薬部外品・化粧品・医療機器・再生医療等製品（以下，「医薬品等」という．）の製造販売業者・製造業者

医療機器の修理業者

医薬品・医薬部外品・化粧品，医療機器・体外診断用医薬品，再生医療等製品の製造販売業者から製造販売後安全管理に係る業務のうち省令で定めるものの委託を受けた者

特定医療機器承認取得者等・再生医療等製品・生物由来製品承認取得者等から記録又は保存の委託を受けた者

原薬を製造する者で原薬等登録原簿の登録を受けた者

ii) 知事等権限の業許可の遵守状況確認のための立入検査等（法 69 − 2）

知事等（市長又は区長）*は，医薬品又は医療機器の販売業者等**が，薬局開設許可等に付随する業務の遵守事項を確認するために必要と認めるときは，その販売業者等に対して必要な報告をさせ，又は当該職員（薬事監視員）に，薬局・店舗・事務所等に立ち入り，構造設備・帳簿書類等を検査させ，従業員等に質問させることができる．

*　知事等：店舗が保健所設置市又は特別区にある店舗販売業は市長又は区長

**販売業者等：薬局開設者，医薬品販売業者，高度管理医療機器・管理医療機器の販売業者・貸与業者，再生医療等製品の販売業者

iii) 不良医薬品等の発見・排除のための立入検査等（法 69 − 5）

厚生労働大臣，知事（市長又は区長）が，必要と認めるとき → 薬局開設者等に対して必要な報告をさせ，又は当該職員（薬事監視員）に，医薬品等を業務上取り扱う場所に立ち入り，その構造設備・帳簿書類を検査させ，従業員等に質問させ，不良な製品等に該当する疑いのある物を**試験に必要な最少分量に限り収去***させることができる．

*収去：ある物を一定の場所から取り去ること．行政処分としての収去は行政当局が法に基づいて試験・検査のため食品や医薬品等を必要限度において強制的に採取すること．収去するときは，相手方に，収去証を交付しなければならない．（則 245）

厚生労働大臣又は知事は，必要があると認めるとき，登録認証機関*に対して，基準適合性認証の

業務又は経理の状況に関し報告させ，又は当該職員に登録認証機関の事務所に立ち入り，帳簿書類その他の物件を検査させ，関係者に質問させることができる．

*登録認証機関：大臣が基準を定めて指定する管理医療機器又は体外診断用医薬品の製造販売の認証を行う大臣の登録を受けた者

iv）薬事監視員

（薬事監視員）　第76条の3
第69条第1項から第4項（立入検査・質問・収去）まで，第70条第2項（廃棄・回収等），第76条の7（廃棄等）第2項又は第76条の8（指定薬物の店舗等への立入検査等）第1項に規定する当該職員の職権を行わせるため，厚生労働大臣，都道府県知事，保健所を設置する市の市長又は特別区の区長は，国，都道府県，保健所を設置する市又は特別区の職員のうちから，薬事監視員を命ずるものとする．

- 薬事監視員の資格（令68）→ 薬剤師，医師，歯科医師又は獣医師の他，薬学，医学等に関する専門の課程を修了した者及び1年以上薬事に関する行政事務に従事した者で，薬事監視について十分の知識経験を有するもの
- 当該職員（薬事監視員）は，立入検査・質問・収去に際して，**身分を示す証明書**を携帯し，関係人の請求があったとき → 薬事監視員身分証明書を**掲示**しなければならない．（法69 − 6）
- 立入検査等の権限は，犯罪捜査のために認められたものではない．（法69 − 7）

2）緊急命令措置

i）厚生労働大臣の緊急命令（法69の3）

既に販売されている医薬品・医薬部外品・化粧品・医療機器・再生医療等製品（以下，「医薬品等」という．）の安全性に疑問が生じ学問的結論を待つまでの間，販売等を一時停止することが保健衛生上の危害の発生又は拡大を防止するため必要不可欠であるときに発動される．

応急措置には，**廃棄・回収命令**（法70），**承認の取消し**（法74の2）及び緊急安全性情報（イエローレター）等による**緊急の情報の伝達の指示**，広報機関を利用した一般へのPRがある．

ii）廃棄・回収命令（法70）

厚生労働大臣又は知事等は，医薬品等を業務上取り扱う者に対して，次の違反事例の場合に廃棄・回収その他公衆衛生上の危険の発生を防止するに足りる措置を採るべきことを命ずることができる．

	医薬品等の業務上取扱者に，廃棄・回収等の措置を採るべきことを命ずる場合	根拠法令
①	検定の規定に違反する医薬品・再生医療等製品，医療機器・医療機器プログラム	43条1項
②	毒劇薬の表示規定・表示違反品の販売等の禁止規定・品質不良等の販売・製造等の禁止規定に違反する医薬品等	44条3項，55条等
③	認証取消し等の規定により製造販売の認証を取り消された指定高度管理医療機器等（高度管理医療機器・管理医療機器，体外診断用医薬品）	23条の4
④	承認の取消し等の規定により製造販売の承認を取り消された医薬品・医薬部外品・化粧品，医療機器・体外診断用医薬品，再生医療等製品	74条の2

⑤	特例認証の取消し等の規定により製造販売の特例承認を取り消された医薬品等	75条の3，14条の3第1項
⑥	不良な原材料若しくは材料	70条1項

●その命令に従わないとき又は緊急の必要があるとき，大臣又は知事等は，当該職員に命令した物を廃棄させ，回収させ，その他の必要な処分をさせることができる．

3）検査命令（法71）

厚生労働大臣又は知事は，必要あると認めるとき → 医薬品等の製造販売業者又は医療機器の修理業者に対し，指定する者の検査を受けるべきことを命ずることができる．

・厚生労働大臣の指定検査機関 → ① 国立医薬品食品衛生研究所　② 国立感染症研究所
・知事の指定検査機関 → ③ 都道府県の衛生研究所等

4）改善命令

i）構造設備改善命令（法72）

厚生労働大臣又は知事等は，医薬品等の製造販売業者に対して，品質管理の方法等次の基準に適合しない場合，品質管理等の方法の改善を命じ，又は改善を行うまでの間その業務の全部もしくは一部の停止を命ずることができる．

72条	命令者	対象者	次の基準等に適合しない場合
1項	厚生労働大臣	医薬品等の製造販売業者	品質管理(GQP)又は製造販売後安全管理の方法(GVP)(12条の2第一号又は二号)
2項	厚生労働大臣	医薬品等の製造販売業者，輸出用の医薬品等の製造業者	製造管理・品質管理の方法（GMP）(14条2項四号)，又は製品が販売・製造等の禁止規定（56条・65条・68条の20）に該当
3項	厚生労働大臣又は知事	医薬品等の製造販売業者，医療機器の修理業者	製造所の構造設備→製造業の許可の規定（13条4項一号・23条の22第4項一号，又は製品が販売・製造等の禁止規定（56条・65条の6・68条の20）に該当
4項	知事・市長・区長	薬局開設者，医薬品の販売業者，高度管理・管理医療機器の販売・貸与業者・再生医療等製品の販売業者	薬局開設等の許可の基準（5条一号，26条第2項一号等），又は製品が販売・製造等の禁止規定（56条・65条・68条の6，68条の20）に該当

ii）業務体制の整備命令（法72の2）

命令者	対象者	次の省令で定める基準に適合しない場合	命令の内容
知事（市長又は区長）	薬局開設者，店舗販売業者，配置販売業者	薬局（5条二号），店舗（26条2項二号），配置（30条2項一号）の「薬局並びに店舗販売業及び配置販売業の業務を行う体制を定める省令」の基準	当該省令の基準に適合するよう業務の体制（薬剤師の員数等）を整備することを命ずる

iii）医療の選択支援のために行う薬局情報の虚偽報告等に対する是正命令（法72の3）

薬局開設者が，医療の選択支援のために行う薬局に関する情報（法8の2）を報告せず，又は虚偽の報告をしたとき，知事は，期間を定めて，当該薬局開設者に対し，その報告を行い，又はその内容を是正すべきことを命ずることができる．

5）医薬品等総括製造販売責任者等の変更命令（法73）

医薬品等総括製造販売責任者・薬局の管理者等が，法令・処分に違反する行為があった，又は不適当であると認めるとき → 厚生労働大臣又は知事は，**医薬品等の製造販売業者・薬局開設者等に対し，医薬品等総括製造販売責任者・管理者等の変更を命ずることができる**．

命令者	対象者	違反等の事由	命令の内容
厚生労働大臣	医薬品等総括製造販売責任者，医療機器等総括製造販売責任者，再生医療等製品総括製造販売責任者，医薬品製造管理者，医薬部外品等責任技術者，医療機器責任技術者，体外診断用医薬品製造管理者，再生医療等製品製造管理者，医療機修理責任技術者	法令・処分に違反する行為があったとき，又はその者が総括製造販売責任者・管理者・責任技術者として不適当であると認めるとき	総括製造販売責任者・管理者・責任技術者の変更
知事（市長又は区長）	薬局の管理者，店舗管理者，区域管理者・医薬品営業所管理者，医療機器の販売業・貸与業の管理者，再生医療等製品営業管理者		

6）承認・許可の取消し

i）承認の取消し等（法74の2）

医薬品等の製造販売の承認（法14，法23の2の5，法23の25）を与えた医薬品等が承認拒否事由（法14－2－三イからハまで，法23－25－2－三イからハまで）のどれかに該当するようになったと認めるとき，厚生労働大臣は，**薬事・食品衛生審議会の意見を聴いて，その承認を取り消さなければならない．**

- 製造販売の承認を与えた事項の一部に，保健衛生上必要があれば → 厚生労働大臣は，変更を命ずることができる．
- 製造販売の承認を受けた者が次の各号のいずれかに該当する場合 → 厚生労働大臣は承認を取り消し，又は承認事項の一部について変更を命ずることができる．

①	製造販売業の許可の有効期間の規定（12条2項，23条の20第2項）→ その効力が失われたとき 許可の取消し等の規定（75条1項）→ 製造販売業等の許可が取り消されたとき
②	GMP適用品が，製造所における製造管理又は品質管理の基準（GMP）適合について，承認取得後の有効期間内に，大臣の書面調査又は実施調査の受入義務規定（14条6項，23条の2の5第6項，8項，23条の25第6項）に違反したとき
③	再審査又は再評価（14条の4第1項，14条の6第1項，23条の29第1項）を受けなければならない場合において → 期限までに資料を提出しない，虚偽の記載をした資料又は基準に適合しない資料を提出したとき

④	改善命令等の規定（72条2項）による命令に従わないとき
⑤	許可等の条件規定（23条の26第1項，79条1項）により医薬品等の製造販売承認（14条，23条の2の5，23条の25）の承認に附された条件に違反したとき
⑥	医薬品等の製造販売に承認の規定（14条，23条の2の5，23条の25）による承認を受けたのに，正当な理由なく引き続き3年間製造販売しないとき

ⅱ）許可の取消し・業務の停止（法75）

命令者	対象者	違反等の事由	命令の内容
厚生労働大臣	医薬品等の製造販売業者，製造業者（医療機器・体外診断用医薬品を除く.*），医療機器の修理業者	この法律・命令に違反する行為があったとき，又はこれらの者が申請者の欠格事由の規定に該当するに至ったとき	許可を取り消し，又は期間を定めてその業務の全部又は一部の停止
知事（市長又は区長）	薬局開設者，医薬品の販売業者，高度管理医療機器・特定保守管理医療機器・管理医療機器の販売・貸与業者，再生医療等製品の販売業者		

●医療機器・体外診断用医薬品の製造業者が許可の取消し等と同様に違反する行為があった場合は登録の取り消し，又は期間を定めてその業務の全部又は一部の停止を命ずることができる（法75の2）

Checkpoint

立入検査等	厚生労働大臣 知事	医薬品等の製造販売業者等	医薬品，医療機器等の品質，有効性及び安全性の確保等に関する法律に基づく命令・指示遵守確認のため必要があると認めるとき ⇒必要な報告をさせ，薬事監視員を工場・薬局等に立入らせ，構造設備・帳簿書類等を検査させ，従業員等に質問させる．不良な製品等に該当する疑いのある物を試験に必要な最小分量に限り収去できる
	知事等	薬局開設者，医薬品又は医療機器の販売業者等	
緊急命令	厚生労働大臣	医薬品等による保健衛生上の危害の発生・拡大を防止するため必要があるとき ⇒販売・授与・貸与の一時停止命令・その他応急措置を命ずる	

<table>
<tr><td>廃棄・回収命令等</td><td>厚生労働大臣
知事</td><td colspan="2">表示違反医薬品等・不良医薬品等・承認を取り消された医薬品等・不良な原料⇒廃棄・回収・その他公衆衛生上の危害発生防止の措置を命ずる</td></tr>
<tr><td>検査命令</td><td>厚生労働大臣
知事</td><td>製造販売業者
医療機器の修理業者</td><td>必要があると認めるとき⇒製品について指定検査機関での検査命令</td></tr>
<tr><td rowspan="2">改善命令</td><td>厚生労働大臣
知事</td><td>製造販売業者等
製造業者，修理業者</td><td>GQP・GVP・GMPに適合しない場合，管理の方法，構造の改善命令，改善が行うまでの使用禁止命令</td></tr>
<tr><td>知事等</td><td>薬局開設者，医薬品販売業者等</td><td>構造設備が，薬局開設許可基準等に適合しない場合等⇒構造設備の改善命令</td></tr>
<tr><td>業務体制の整備命令</td><td>知事等</td><td>薬局開設者，店舗販売業者，配置販売業者</td><td>「薬局並びに店舗販売業及び配置販売業の業務を行なう体制を定める省令」の基準に適合しない⇒当該基準（薬剤師の員数等）に適合するよう命ずる</td></tr>
<tr><td>承認の取消し命令</td><td>厚生労働大臣</td><td>製造販売業者（製造販売の承認を与えた医薬品等）</td><td>承認拒否事由のいずれかに該当⇒薬事・食品衛生審議会の意見を聴いてその承認の取消し
再審査・再評価に際し，期限までに資料を提出しない，虚偽の資料等⇒承認取消し命令，一部変更命令</td></tr>
<tr><td rowspan="2">許可の取消し等</td><td>厚生労働大臣</td><td>製造販売業者等</td><td rowspan="2">この法律・命令に違反する行為があったとき・申請者の欠格事由の規定に該当⇒許可の取消し命令，期間を定めて業務停止（全部・一部）命令</td></tr>
<tr><td>知事等</td><td>薬局開設者等</td></tr>
<tr><td>登録の取消し等</td><td>厚生労働大臣</td><td>医療機器，体外診断用医薬品の製造業者</td><td>この法律・命令に違反する行為があったとき・申請者の欠格事由の規定に該当⇒登録の取消し命令，期間を定めて業務停止（全部・一部）命令</td></tr>
</table>

（注）知事等：知事，市長，区長

問　題

問 1　国の薬事監視員が，医薬品製造業者の製造所に立入検査したところ，構造設備が厚生労働省令で定める基準に適合せず，そのために異物が混入した医薬品を製造し，販売していることが判明したので，厚生労働大臣は当該医薬品の廃棄命令及び当該製造所の製造管理者の解雇を命令した．(81)

問 2　再審査の対象となる医薬品が承認拒絶事由に該当するに至ったと認めるときは，厚生労働大臣がその承認を取り消す．(85)

問 3　薬局において薬事に関する実務に従事する薬剤師の員数が厚生労働省令で定める基準に達しなくなった場合に，都道府県知事が増員を命ずる．(85)

問 4　医薬品による保健衛生上の危害の発生を防止するため必要があると認めるときに，薬事監視員がその販売の一時停止を決定する．(85)

問 5　薬事監視員は，病院の調剤所への立入検査を行うことができる．(86)

問 6　医薬品の製造販売業者が，医薬品医療機器等法の品質，有効性及び安全性の確保等に関する法律に違反した行為を行ったときは，その製造販売業の許可は必ず取り消される．(93 改)

問 7　医薬品の製造販売業者が，承認を受けた医薬品を正当な理由がなく引き続き 3 年間製造販売しないときは，その承認を取り消されることがある．(93)

問 8　製造販売の承認を受けた医薬品が，医薬品医療機器等法の品質，有効性及び安全性の確保等に関する法律に定める承認の拒否事由のいずれかに該当したときは，その承認は必ず取り消される．(93 改)

問 9　厚生労働大臣は，必要があると認めるときは，当該職員に，医薬品の製造工場に立ち入り，帳簿書類を検査させ，必要に応じその書類を収去させることができる．

解答・解説

問 1　×　当該医薬品の廃棄命令，製造管理者の変更命令を製造業者に発することはできるが，製造管理者の解雇命令はできない．（法 70 条 2 項，法 73 条）

問 2　○　医薬品が承認拒絶事由（法 14 条 2 項三号イ～ハ）に該当するようになったときは，薬事・食品衛生審議会の意見を聴いて，厚生労働大臣はその承認を取り消さなければならない．（法 74 条の 2）

問 3　○　薬局開設者は，取扱処方箋数の届出等（令 2 条）を知事に行う義務があり，知事は「薬局並びに店舗販売業及び配置販売業の業務を行う体制を定める省令」の基準に基づき増員を命ずることができる．（法 72 条の 2）

問 4　×　医薬品等による保健衛生上の危害の発生は，全国的な問題であり業者等に応急の措置を採るべきことを命ずることができるのは，厚生労働大臣である．（法 69 条の 3）

問 5　○　医薬品等を業務上取り扱う場所には，立入検査することができる．（法 69 条 4 項）

問 6　×　厚生労働大臣は，医薬品等の製造販売業者が，医薬品医療機器等法の品質，有効性及び安全性の確保等に関する法律及び薬事関係法規に違反したときは，その製造販売業の許可を取り消すことができるが，必ず取り消さなければならないことはない．（法 75 条 1 項）

問 7　○　厚生労働大臣は，承認を受けた医薬品等について，正当な理由がなく引き続き 3 年間製造販売していないときは，その承認の取り消しを命ずることができる．（法 74 条の 2 第 3 項六号）

問 8　○　問 2 と同じ

問 9　×　立入検査において収去できるのは，違反の疑いのあるものを試験のための必要な最小分量である．（法 69 条 4 項）

k 指定薬物の取扱い

いわゆる合法ドラッグ，脱法ドラッグ，違法ドラッグと呼ばれたものは危険ドラッグと名称を変え規制されることになった．その多くは指定薬物（本章 a 節）を含有する．

1) 指定薬物の製造等の禁止

第 76 条の 4 **指定薬物は**，疾病の診断，治療又は予防の用途及び人の身体に対する危害の発生を伴うおそれがない用途として厚生労働省令で定めるもの（以下この条及び次条において「医療等の用途」という）以外の用途に供するために**製造**し，**輸入**し，**販売**し，**授与**し，**所持**し，**購入**し，若しくは**譲り受け**，又は**医療等の用途以外の用途に使用してはならない**.

- **指定薬物は**医療用以外の用途で，**製造，輸入，販売，使用，所持**等をしてはならない.
- 指定薬物の多くは麻薬類似のデザイナードラッグであることから，**包括規制**として薬物の基本骨格を定め，特定な位置に結合する置換基を変えた一連の物質群を一括して規制している．違法ハーブに含まれる**合成カンナビノイド**はその代表的な薬物である．1,300 種以上の化学物質が指定されているが，植物系薬物として 1 種，サルビア・デビノラムも指定されている．国内での危害発生が明確になり，麻薬及び向精神薬取締法で規定する麻薬に移項するものがある．

2) 指定薬物の広告の制限

第 76 条の 5 指定薬物については，医事若しくは薬事又は自然科学に関する記事を掲載する医薬関係者等（医薬関係者又は自然科学に関する研究に従事する者をいう）向けの新聞又は雑誌により行う場合その他主として指定薬物を医療等の用途に使用する者を対象として行う場合を除き，何人も，その**広告を行ってはならない**.

- 指定薬物は「医療等の用途」に使用する場合を除き，広告を行ってはならない.

3) 指定薬物である疑いがある物品の検査等

第 76 条の 6 厚生労働大臣又は都道府県知事は，**指定薬物又は指定薬物と同等以上に精神毒性を有する蓋然性が高い物である疑いがある物品を発見した場合**において，保健衛生上の危害の発生を防止するため必要があると認めるときは，厚生労働省令で定めるところにより，当該物品を貯蔵し，若しくは陳列している者又は製造し，輸入し，販売し，若しくは授与した者に対して，当該物品が指定薬物であるかどうか及び当該物品が指定薬物でないことが判明した場合にあっては，当該物品が指定薬物と同等以上に精神毒性を有する蓋然性が高い物であるかどうかについて，**厚生労働大臣若しくは都道府県知事又は厚生労働大臣若しくは都道府県知事の指定する者**の**検査を受けるべきことを命ずる**ことができる.

2 前項の場合において，厚生労働大臣又は都道府県知事は，厚生労働省令で定めるところにより，同項の検査を受けるべきことを命ぜられた者に対し，同項の**検査を受け，第 4 項前段，第 6 項（第一号に係る部分に限る.）又は第 7 項の規定による通知を受けるまでの間**は，当該物品及びこれと同一の物品を製造し，輸入し，販売し，授与し，販売若しくは授与の目的で陳列し，又は広告してはならない旨を併せて命ずることができる.

●指定薬物である疑いのある物品及び指定薬物と同等以上に精神毒性を有する蓋然性が高い物である疑いがある物品が対象とされている．

●指定薬物である疑いのある物品等の製造，販売等の行為が放置された場合に，保健衛生上の危害の発生を未然に防ぐために定められている．

●指定薬物である疑いのある物品等の検査は命令書により行われ，検査を受けるもの者は，その申請書を提出しなければならない．検査は，国立衛生研究所，地方衛生研究所等で検査命令書の記載に従い行われる．結果通知を受けるまでの間は，販売等は禁止される．

4）指定薬物等である疑いがある物品の製造等の広域的な禁止

第76条の6の2　厚生労働大臣は，前条第二項の規定による命令をしたとき又は同条第三項の規定による報告を受けたときにおいて，当該命令又は当該報告に係る命令に係る物品のうちその生産及び流通を広域的に規制する必要があると認める物品について，これと名称，形状，包装その他厚生労働省令で定める事項からみて同一のものと認められる物品を製造し，輸入し，販売し，授与し，販売若しくは授与の目的で陳列し，又は広告することを禁止することができる．

●指定薬物である疑いのある物品と実質的に同一と認められる物品を規制する．

5）指定薬物の廃棄・回収等

第76条の7　厚生労働大臣又は都道府県知事は，第76条の4の規定に違反して貯蔵され，若しくは陳列されている指定薬物又は同条の規定に違反して製造され，輸入され，販売され，若しくは授与された指定薬物について，当該指定薬物を取り扱う者に対して，廃棄，回収その他公衆衛生上の危険の発生を防止するに足りる措置を採るべきことを命ずることができる．

2　厚生労働大臣又は都道府県知事は，前項の規定による命令を受けた者がその命令に従わない場合であって，公衆衛生上の危険の発生を防止するため必要があると認めるときは，当該職員に，同項に規定する物を廃棄させ，若しくは回収させ，又はその他の必要な処分をさせることができる．

6）立入検査，麻薬取締官及び麻薬取締員による職権の行使

第76条の8　厚生労働大臣又は都道府県知事は，この章の規定を施行するため必要があると認めるときは，厚生労働省令で定めるところにより，指定薬物若しくはその疑いがある物品若しくは指定薬物と同等以上に精神毒性を有する蓋然性が高い物である疑いがある物品を貯蔵し，陳列し，若しくは広告している者又は指定薬物若しくはこれらの物品を製造し，輸入し，販売し，授与し，貯蔵し，陳列し，若しくは広告した者に対して，必要な報告をさせ，又は当該職員に，これらの者の店舗その他必要な場所に立ち入り，帳簿書類その他の物件を検査させ，関係者に質問させ，若しくは指定薬物若しくはこれらの物品を，試験のため必要な最少分量に限り，収去させることができる．

2　前項の規定による立入検査，質問及び収去については第69条第6項の規定を，前項の規定による権限については同条第7項の規定を準用する．

第76条の9　厚生労働大臣又は都道府県知事は，第76の7第2項又は前条第1項に規定する当該職員の職権を麻薬取締官又は麻薬取締員に行わせることができる．

●立入は，薬事監視員に加わえ，麻薬取締官及び麻薬取締員が行い，帳簿書類の閲覧，関係者への質

問，**疑わしい物品の収去**を行う．収去した場合には相手側に収去証を交付する．

7）指定手続の特例

第76条の10　厚生労働大臣は，第2条第15項の指定をする場合であって，**緊急を要し**，**あらかじめ薬事・食品衛生審議会の意見を聴くいとまがないとき**は，当該手続を経ないで同項の指定をすることができる．
2　前項の場合において，厚生労働大臣は，速やかに，その指定に係る事項を薬事・食品衛生審議会に報告しなければならない．

●**緊急指定**を行う必要があるときは，**薬事・食品衛生審議会の意見を聴くことなく**，厚生労働大臣は指定薬物を指定することができる．

1 希少疾病用医薬品，希少疾病用医療機器及び希少疾病用再生医療等製品の指定等

希少疾病用医薬品，希少疾病用医療機器及び希少疾病用再生医療等製品の定義については本章 a 節に記載した．

1）指定等

> 第 77 条の 2　**厚生労働大臣は**，次の各号のいずれにも該当する医薬品，医療機器又は再生医療等製品につき，製造販売をしようとする者（本邦に輸出されるものにつき，外国において製造等をする者を含む）から申請があったときは，**薬事・食品衛生審議会**の意見を聴いて，当該申請に係る医薬品，医療機器又は再生医療等製品を希少疾病用医薬品，希少疾病用医療機器又は希少疾病用再生医療等製品として**指定する**ことができる．
> 一　その用途に係る対象者の数が本邦において厚生労働省令で定める**人数に達しないこと**．
> 二　申請に係る医薬品，医療機器又は再生医療等製品につき，製造販売の承認が与えられるとしたならば，その用途に関し，特に優れた使用価値を有することとなる物であること．
> 2　厚生労働大臣は，前項の規定による指定をしたときは，その旨を**公示する**ものとする．

●希少疾病用医薬品，希少疾病用医療機器又は希少疾病用再生医療等製品の指定基準
① 本邦における対象者数が**5 万人未満**である（施行規則第 251 条）
② 医療上，特にその**必要性が高い**
③ **開発の可能性が高い**

2）研究開発促進の支援措置

> （**資金の確保**）第 77 条の 3　国は，前条第 1 項各号のいずれにも該当する医薬品，医療機器及び再生医療等製品の**試験研究を促進するのに必要な資金の確保**に努めるものとする．
> （**税制上の措置**）第 77 条の 4　国は，租税特別措置法で定めるところにより，希少疾病用医薬品，希少疾病用医療機器及び希少疾病用再生医療等製品の試験研究を促進するため必要な措置を講ずるものとする．

●希少疾病用医薬品等の研究開発が受けられる優遇措置

医薬基盤研究所によるもの：開発に必要な**試験研究費への助成金の交付**，当該試験研究に関する**指導・助言**，試験研究費に対する**税制上の特別措置**（税額控除の認定）

厚生労働省，独立行政法人医薬品医療機器総合機構によるもの：**優先的な治験相談，優先審査の実施，再審査期間の延長**

3）試験研究等の中止，指定の取消し等

（試験研究等の中止の届出）第77条の5　第77条の2第1項の規定による指定を受けた者は，当該指定に係る希少疾病用医薬品，希少疾病用医療機器又は希少疾病用再生医療等製品の試験研究又は製造若しくは輸入を中止しようとするときは，あらかじめ，その旨を厚生労働大臣に届け出なければならない．

（指定の取消し等）第77条の6　厚生労働大臣は，前条の規定による届出があったときは，第77条の2第1項の規定による指定を取り消さなければならない．

2　厚生労働大臣は，次の各号のいずれかに該当するときは，指定を取り消すことができる．

一　希少疾病用医薬品，希少疾病用医療機器又は希少疾病用再生医療等製品が第77条の2第1項各号のいずれかに該当しなくなつたとき．

二　指定に関し不正の行為があったとき．

三　正当な理由なく希少疾病用医薬品，希少疾病用医療機器又は希少疾病用再生医療等製品の試験研究又は製造販売が行われないとき．

四　指定を受けた者についてこの法律その他薬事に関する法令で政令で定めるもの又はこれに基づく処分に違反する行為があったとき．

3　厚生労働大臣は，前2項の規定により指定を取り消したときは，その旨を公示するものとする．

m　動物用医薬品の取扱い

動物専用の医薬品，医薬部外品，医療機器及び再生医療等製品は，農林水産大臣が所轄権限者である．人と動物に兼用される医薬品は，以下の条文は適用されない．

1）動物用医薬品及び動物用再生医療等製品の使用の規制

第83条の4　農林水産大臣は，動物用医薬品又は動物用再生医療等製品であって，適正に使用されるのでなければ対象動物の肉，乳その他の食用に供される生産物で人の健康を損なうおそれのあるものが生産されるおそれのあるものについて，薬事・食品衛生審議会の意見を聴いて，農林水産省令で，その動物用医薬品又は動物用再生医療等製品を使用することができる対象動物，対象動物に使用する場合における使用の時期その他の事項に関し使用者が遵守すべき基準を定めることができる．

2　前項の規定により遵守すべき基準が定められた動物用医薬品又は動物用再生医療等製品の使用者は，当該基準に定めるところにより，当該動物用医薬品又は動物用再生医療等製品を使用しなければならない．ただし，獣医師がその診療に係る対象動物の疾病の治療又は予防のためやむを得ないと判断した場合において，農林水産省令で定めるところにより使用するときは，この限りでない．

3　農林水産大臣は，前2項の規定による農林水産省令を制定し，又は改廃しようとするときは，厚生労働大臣の意見を聴かなければならない．

- 対象動物とは牛，馬，豚，鶏，うずら，ミツバチの他，養殖魚介類（鰻，ドジョウ，鯉，ハマチ，エビ，ハマグリ，アサリなど）をいう．
- 使用された医薬品を含む動物の肉，乳等を食用としたため，人の健康が損なわれる場合が想定される．その場合には，農林水産大臣は薬事・食品衛生審議会の意見を聴いて，基準を定めることができる．

●獣医師が対象動物の疾病の治療，予防のためにやむを得ないと判断した場合には，基準どおりでなくても，農林水産省令で定める範囲で使用することができる.

Checkpoint

指定薬物の取扱い	指定薬物は医療用途以外に製造，輸入，販売，使用，所持，貯蔵，陳列，広告を行ってはならない
指定薬物の疑いのある物品の検査	厚生労働大臣又は都道府県知事は ① 指定薬物の疑いのある物品の検査を命じることができる ② また，検査結果が出るまで，販売等を禁止させることもできる
指定薬物の廃棄，立入検査	厚生労働大臣又は都道府県知事は ① 指定薬物の取扱者に廃棄，回収等を命じることができる ② その取扱者が上記命令に従わないときは当該職員に廃棄，回収等を行わせることができる ③ 当該職員に指定薬物あるいはその疑いのある物品を販売している店舗に立入調査させることができる
希少疾病用医薬品の指定基準	① 患者（感染症疾病予防薬においては承認時の見込者）の数が5万人に達しない重篤な疾病に使用 ② 医療上，特にその必要性が高い．替わりになる適切な医薬品がない．有効性や安全性が著しく高い ③ 開発の可能性が高いもの
希少疾病用医薬品の研究開発促進	希少疾病用医薬品の研究開発促進のため，国は必要な資金の確保を行い，税制上の措置を講じる
動物用医薬品の取扱い	① 動物専用の医薬品，医薬部外品，医療機器は，農林水産大臣が所轄権限者である ② 獣医師が対象動物の疾病の治療，予防のためにやむを得ないと判断した場合には，農林水産省令で定める範囲で使用することができる

問　題

問 1　指定薬物は，麻薬及び向精神薬取締法に基づき，厚生労働大臣が指定する．(101 改)
問 2　指定薬物の販売を行う際には，指定薬物販売業の許可を得る必要がある．(101 改)
問 3　大麻は，指定薬物に該当しない．(101)
問 4　希少疾病用医薬品の指定が取り消されたときは，その旨は公示されない．(101 改)

問 5　希少疾病用医薬品の試験研究は中止することができない．(102 改)

問 6　希少疾病用医薬品は，用途に関し，特に優れた使用価値があるものである．(104 改)

問 7　希少疾病用医薬品は，他の医薬品に優先して承認審査を受けられる．(105 改)

複 合 問 題

問 1　(法規・制度・倫理)
学校薬剤師のAさんは学校長から，社会問題になっている違法ドラッグについて助言してほしいと頼まれたので，薬事法における指定薬物の規制を確認した．指定薬物に関する記述のうち，正しいのはどれか．2つ選べ．(99 改)
1　中枢神経系の興奮若しくは抑制又は幻覚の作用を有している蓋然性が高く，身体に使用された場合に保健衛生上の危害の発生のおそれがある物が，指定薬物に指定される．
2　指定薬物は，いかなる場合でも製造し，輸入し，販売し，授与し，又は販売若しくは授与の目的で貯蔵してはならない．
3　指定薬物は，有害性が高いと認められた場合，自動的に麻薬としての規制も受ける．
4　厚生労働大臣は，緊急を要する場合，薬事・食品衛生審議会の意見を聴かずに指定薬物を指定することができる．

問 2　(法規・制度・倫理)
希少疾病用医薬品の指定の条件において，我が国におけるその用途に係る対象者数として規定されているのはどれか．1つ選べ．(99 改)
1　5,000 人未満
2　10,000 人未満
3　50,000 人未満
4　100,000 人未満
5　200,000 人未満

解答・解説

問 1　×　指定薬物は，薬事・食品衛生審議会の意見を聴いて，厚生労働大臣が指定する．（法第2条第15項）
問 2　×　指定薬物販売業という許可は規定されていない．（法第25条）
問 3　○　大麻は，大麻取締法で規制されているので，指定薬物には該当しない．
問 4　×　厚生労働大臣は，指定したとき，指定を取り消したときには，それぞれその旨を公示するものとされている．（法第77条の2）
問 5　×　希少疾病用医薬品の試験研究を中止しようとするときは，あらかじめ，厚生労働大臣に届け出なければならない．（法第77条の5）
問 6　○　希少疾病用医薬品は，本邦における対象者数が5万人未満で，その用途に関し，特に優れた使用価値を有することとなる物であることとされている．（法第77条の2）
問 7　○　できるだけ早く医療の現場に提供できるよう，優先して承認審査が行われる．（法第14条第7項）

解答・解説

問 1　解答　1，4
1　設問のとおりである．（法第2条第15項）
2　厚生労働省令で定められた「医療等の用途」には使用できる．（法76条の4）
3　麻薬としての規制は，麻薬取締法によって行われる．
4　緊急を要する場合は，薬事・食品衛生審議会の意見を聴く手続きを経ないで指定することができるが，速やかに報告しなければならない．（法76条の10）

問 2　解答　3
医薬品，医療機器等の品質，有効性及び安全性の確保等に関する法律施行規則第251条において，
「法第77条の2第1項第1号に規定する厚生労働省令で定める人数は，5万人とする．ただし，当該医薬品，医療機器又は再生医療等製品の用途が難病の患者に対する医療等に関する法律（平成26年法律第50号）第5条第1項に規定する指定難病である場合は，同項に規定する人数とする．」
と定められている．

9章　医薬品医療機器総合機構法

a　救済制度

1) 発足の経緯と救済制度の目的

1961（昭和36）年に国民皆保険制度が発足してからは，国民が医療機関を利用する機会が増加し，医薬品の使用も増加した．それに伴い，医薬品の副作用による重大な健康被害も多発した．過去における代表的な薬害事例を表に示す（表9.1）．キノホルムによる薬害事件を契機に，国は長期間を要する民事裁判の間にも医薬品による副作用で苦しんでいる被害者を迅速に救済するために，「医薬品副

表9.1　代表的な薬害事例

事　例	概　要
サリドマイド訴訟	鎮静催眠剤として販売されたサリドマイド*は，妊婦のつわり防止薬にも使用されたため，胎芽症の新生児が生まれた．これを契機に，新医薬品の承認申請時には，生殖・発生毒性試験（催奇形性試験）の実施が義務づけられた． [提訴　1963（昭和38）年，和解　1974（昭和49）年]
スモン訴訟	整腸剤のキノホルムを服用したことにより，スモン［亜急性脊髄視神経症 Subacute Myelo-Optico-Neuropathy（SMON）］に罹患した．これを契機に，医薬品副作用被害救済基金が設立された． [提訴　1971（昭和46）年，和解　1979（昭和54）年]
HIV訴訟	米国で採血された血液を原料として製造された非加熱の血液凝固因子製剤の投与により，血友病治療の患者等が，血液製剤に混入していたHIV（human immunodeficiency virus, エイズウイルス）に感染した．これを契機に，感染症症例報告が義務づけられた． [提訴　1989（平成元）年，和解　1996（平成8）年]
CJD訴訟	脳外科手術において，CJD（Creutzfeldt-Jakob Disease，クロイツフェルト・ヤコブ病）の病原体に汚染されたヒト乾燥硬膜（医療機器）の移植を受けた患者が罹患した．これを契機に，感染症定期報告が義務づけられ，さらに機構において，生物由来製品感染等救済制度が設立された． [提訴　1996（平成8）年，和解　2002（平成14）年]

*サリドマイドは，1962年に販売停止となり，国内での製造販売は行われていなかった．その後，米国では，1998年にサリドマイドがハンセン病に伴う炎症の治療薬として認可され，2006年には多発性骨髄腫の治療薬としての適用が認められた．日本でも，健康被害再発防止の観点から厳格な安全管理と適正使用を条件に，2008（平成20）年10月16日にサリドマイド製剤が多発性骨髄腫の適応症で希少疾病用医薬品として再び承認された．

作用被害救済基金法」[1979（昭和54）年] を制定した．その後，法律の名称を「医薬品副作用被害救済・研究振興調査機構法」と改め，さらに医薬品医療機器審査センター及び財団法人医療機器センターの一部の業務を統合し, 2004（平成16）年から現在の「独立行政法人医薬品医療機器総合機構法」（以下，機構法）の制定に基づき，独立行政法人医薬品医療機器総合機構［PMDA（Pharmaceuticals and Medical Devices Agency）以下，機構］の設立に至った．本法律から，従来の許可医薬品による健康被害の救済制度の他に許可生物由来製品により生じた健康被害を対象とする制度が設けられた．また，「薬事法の一部を改正する法律」が，2013（平成25）年11月27日に公布され，2014（平成26）年11月25日から「医薬品，医療機器等の品質，有効性及び安全性の確保等に関する法律（以下，医薬品医療機器等法）」として施行され，機構法においても，許可再生医療等製品が副作用救済給付及び感染救済給付の対象に追加されることとなった．

2）機構法の目的及び機構の目的

（目的）第1条　この法律は，独立行政法人医薬品医療機器総合機構の名称，目的，業務の範囲等に関する事項を定めることを目的とする．

（機構の目的）第3条　独立行政法人医薬品医療機器総合機構（以下「機構」という．）は，許可医薬品等の副作用又は許可生物由来製品等を介した感染等による健康被害の迅速な救済を図り，並びに医薬品等の品質，有効性及び安全性の向上に資する審査等の業務を行い，もって国民保健の向上に資することを目的とする．

機構は，次の業務を行うことにより，国民保健の向上に貢献することを目的としている．

① 許可医薬品等の副作用又は許可生物由来製品等を介した感染等による健康被害に対して，迅速な救済を図る．（医薬品副作用被害救済制度，生物由来製品感染等被害救済制度，受託給付業務）
② 医薬品等の品質，有効性及び安全性の向上に資する審査等の業務を行う．
③ 医薬品等を安全かつ安心して使用するための安全対策業務を行う．

3）副作用等の定義

ⅰ）医薬品等の定義及び医薬品に関する定義

（定義）第4条　この法律（第6項及び第8項を除く．）において「医薬品」とは，医薬品，医療機器等の品質，有効性及び安全性の確保等に関する法律（昭和35年法律第百四十五号）第2条第1項に規定する医薬品であって，専ら動物のために使用されることが目的とされているもの以外のものをいう．

5　この法律（第9項を除く．）において「再生医療等製品」とは，医薬品，医療機器等の品質，有効性及び安全性の確保等に関する法律第2条第9項に規定する再生医療等製品であって，専ら動物のために使用されることが目的とされているもの以外のものをいう．

6　この法律において「許可医薬品」とは，医薬品，医療機器等の品質，有効性及び安全性の確保等に関する法律第2条第1項に規定する医薬品（同法第14項に規定する体外診断用医薬品を除く．）であって，同法第12条第1項の規定による医薬品の製造販売業の許可を受けて製造販売をされたもの（同法第14条第1項に規定する医薬品にあっては，同条又は同法第19条の2の規定による承認を受けて製造販売をされたものに限る．）をいう．ただし，次に掲げる医薬品を除く．

一　がんその他の特殊疾病に使用されることが目的とされている医薬品であって，厚生労働大臣の指定するもの

二　専ら動物のために使用されることが目的とされている医薬品その他厚生労働省で定める医薬品
9　この法律において「許可再生医療等製品」とは，医薬品，医療機器等の品質，有効性及び安全性の確保等に関する法律第2条第9項に規定する再生医療等製品であって，同法第23条の20第1項の規定による再生医療等製品の製造販売業の許可を受けて製造販売されたもの（同法第23条の25又は第23条の37の規定による承認を受けて製造販売されたものに限る.）をいう.
10　この法律において「許可医薬品等の副作用」とは，許可医薬品又は許可再生医療等製品（がんその他の特殊疾病に使用されることが目的とされている再生医療等製品であって厚生労働大臣の指定するもの及び専ら動物のために使用されることが目的とされている再生医療等製品を除く．以下「副作用救済給付に係る許可再生医療等製品」という.）が適正な使用目的に従い適正に使用された場合においてもその許可医薬品又は副作用救済給付に係る許可再生医療等製品により人に発現する有害な反応をいう.

●許可医薬品とは，医薬品，医療機器等の品質，有効性及び安全性の確保等に関する法律（以下，医薬品医療機器等法）に基づき製造販売業の許可を受けて製造販売された医薬品（体外診断用医薬品を除く）をいう（6項）.
- 医師の処方箋により調剤された薬剤は，医薬品医療機器等法上の医薬品ではないが，処方された個々の医薬品が許可医薬品であれば，本救済給付の対象となる.
- 薬局製造販売医薬品，一般用医薬品又は要指導医薬品は，許可医薬品に該当する.
- 治験薬，無許可又は未承認の医薬品は，許可医薬品に該当しない.
- 医薬品医療機器等法に基づき製造販売された許可医薬品であれば，再審査終了前であっても本救済給付の対象となる.

●ただし，次に掲げる医薬品を除く.

[除外医薬品]

① がんその他特殊疾病に使用されることが目的とされている医薬品であって，厚生労働大臣の指定するもの.

厚生労働大臣の指定する医薬品（令和2年9月25日時点）：アクチノマイシンC，フルオロウラシル，シスプラチン，インターフェロンアルファ，インターフェロンベータ，インターフェロンガンマ，ゲフィチニブ，シクロホスファミド等216種．抗悪性腫瘍剤，免疫抑制剤，インターフェロン製剤などを含む．これらの医薬品は，使用により相当の頻度で重い副作用の発生が予想されるが，代わりの治療方法がないために使用が避けられず，副作用を受忍せざるを得ないと認められる医薬品を除外医薬品として規定した.

② 専ら動物のために使用されることが目的とされる医薬品その他省令（則1）で定める医薬品.
- 動物用医薬品
- 製造専用医薬品
- 輸出用医薬品
- 殺虫剤，殺鼠剤（人の身体に直接使用されることのないもの）
- 殺菌消毒剤（人の身体に直接使用されることのないもの）
- 体外診断用医薬品
- コロジオン，焼セッコウ，ピロキシリン，ロジン等その他材料，用法及び用途がこれらに類似する医薬品
- アラビアゴム（末），トウモロコシデンプン，親水軟膏，白色ワセリン等の製剤原料

（厚生労働省令で定める許可医薬品に該当しない医薬品）規則第1条　独立行政法人医薬品医療機器総合機構法（以下「法」という.）第4条第6項第二号の厚生労働省令で定める医薬品は，次のとおりとする.
一　専らねずみ，はえ，蚊，のみ等の駆除又は防止のために使用されることが目的とされている医薬品であって，人の身体に直接使用されることのないもの
二　専ら殺菌消毒に使用されることが目的とされている医薬品であって，人の身体に直接使用されることのないもの
三　専ら疾病の診断その他これに類似する用途に使用されることが目的とされている医薬品であって，人の身体に直接使用されることのないもの
四　コロジオン，焼セッコウ，ピロキシリン，ロジンその他材料，用法及び用途がこれらに類似する医薬品
五　前各号に掲げるもののほか，別表に掲げる医薬品（アラビアゴム等100種・省略）

●許可医薬品等の副作用とは，許可医薬品又は許可再生医療等製品が適正な使用目的に従い適正に使用された場合においても，その許可医薬品等により人に発現する有害な反応をいう（10項）.

ii）生物由来製品に関する定義

（定義）第4条
7　この法律（次項を除く.）において「生物由来製品」とは，医薬品，医療機器等の品質，有効性及び安全性の確保等に関する法律第2条第10項に規定する生物由来製品であって，専ら動物のために使用されることが目的とされているもの以外のものをいう.
8　この法律において「許可生物由来製品」とは，医薬品，医療機器等の品質，有効性及び安全性の確保等に関する法律第2条第10項に規定する生物由来製品であって，同法第12条第1項の規定による医薬品，医薬部外品若しくは化粧品の製造販売業の許可又は同法第23条の二第1項の規定による医療機器の製造販売業の許可を受けて製造販売されたもの（同法第14条第1項に規定する医薬品，医薬部外品又は化粧品にあっては同条又は同法第19条の2の規定による承認を受けて製造販売をされたものに限り，同法第23条の2の5第1項に規定する医療機器にあっては同条又は同法第23条の2の17の規定による承認を受けて製造販売されたものに限る.）をいう．ただし，次に掲げる生物由来製品を除く.
一　特殊疾病に使用されることが目的とされている生物由来製品であって，厚生労働大臣の指定するもの
二　専ら動物のために使用されることが目的とされている生物由来製品その他厚生労働省令で定める生物由来製品
11　この法律において「許可生物由来製品等を介した感染等」とは，許可生物由来製品又は許可再生医療等製品（特殊疾病に使用されることが目的とされている再生医療等製品であって厚生労働大臣の指定するもの及び専ら動物のために使用されることが目的とされている再生医療等製品を除く．以下「感染救済給付に係る許可再生医療等製品」という.）が適正な使用目的に従い適正に使用された場合においても，その許可生物由来製品又は感染救済給付に係る許可再生医療等製品の原料若しくは材料に混入し，又は不着した次に掲げる感染症の病原体に当該許可生物由来製品又は感染救済給付に係る許可再生医療等製品の使用の対象者が感染することその他許可生物由来製品又は感染救済給付に係る許可再生医療等製品に起因する健康被害であって厚生労働省令で定めるものをいう.
一　感染症の予防及び感染症の患者に対する医療に関する法律（平成10年法律第百十四号）第6条第1項に規定する感染症
二　人から人に伝染し，又は動物から人に感染すると認められる疾病であって，既に知られている感染症の疾病とその病状又は治療の効果が明らかに異なるもの（前号に掲げるものを除く.）

●許可生物由来製品とは，医薬品医療機器等法に規定する生物由来製品であって，医薬品医療機器等法の規定による医薬品，医薬部外品もしくは化粧品の製造販売業の許可又は医薬品医療機器等法の規定による医療機器の製造販売業の許可を受けて製造販売されたものをいう（8項）.
ただし，次に掲げる生物由来製品を除く（除外生物由来製品）.

① 特殊疾病に使用されることが目的とされている生物由来製品であって，厚生労働大臣の指定するもの.

② 専ら動物のために使用されることが目的とされる医薬品その他省令で定める生物由来製品.

いずれも，医薬品副作用被害救済制度と同様の除外規定が適用される.

●許可生物由来製品等を介した感染等とは，次の ① 及び ② をいう（11 項).

① 許可生物由来製品又は感染救済給付に係る許可再生医療等製品が適正な使用目的に従い，適正に使用された場合においても，その製品の原料又は材料に混入（付着）した感染症の病原体に使用者が感染すること.

㋐ 一類～五類感染症，指定感染症及び新感染症（結核を除くすべての感染症のこと．感染症法 6 条 1 項)

㋑ ㋐ 以外の，人から人に伝染する又は動物から人に感染すると認められる疾病であって，既に知られている感染性の疾病とその病状又は治療の効果が明らかに異なるもの.

② その他生物由来製品に起因する健康被害であって省令（則 2) で定めるもの.

㋒ 許可生物由来製品が適正な使用目的に従い，適正に使用された場合においても，その製品の原料又は材料に混入（付着）した感染症の病原体に使用者が感染すること（㋐及び㋑を除く).

㋓ ㋐ ～ ㋒ の一次感染者の配偶者や子などが，その事実を知らずに同じ感染症に二次感染すること.

（厚生労働省令で定める許可生物由来製品又は感染救済給付に係る許可再生医療等製品に起因する健康被害）規則第 2 条　法第 4 条第 11 項の厚生労働省令で定める健康被害は，次のとおりとする.

一　許可生物由来製品又は法第 4 条第 11 項に規定する感染救済給付に係る許可再生医療等製品（以下「感染救済給付に係る許可再生医療等製品」という.）が適正な使用目的に従い適正に使用された場合においても，その許可生物由来製品又は感染救済給付に係る許可再生医療等製品の原料又は材料に混入し，又は付着した感染症の病原体に当該許可生物由来製品又は感染救済給付に係る許可再生医療等製品の使用の対象者が感染すること（法第 4 条第 11 項各号に掲げる感染症の病原体に当該許可生物由来製品又は感染救済給付に係る許可再生医療等製品の使用の対象者が感染することを除く.）

二　許可生物由来製品等を介した感染等による健康被害（法第 4 条第 11 項各号又は前号に規定するものに限る.（以下この号において「第一次健康被害」という.）を受けた者（以下「第一次健康被害者」という.）の配偶者（届出をしていないが，事実上婚姻関係と同様の事情にある者を含む.）又は子その他これらに準ずる者が当該第一次健康被害者を介することその他これに準ずる事由により当該第一次健康被害の原因となった感染症の病原体に感染すること（これらの者が感染した当時，第一次健康被害者が当該第一次健康被害を受けた事実を知らなかった場合その他これに準ずる場合に限る).

[参考] 感染症の予防及び感染症の患者に対する医療に関する法律第 6 条（定義）　この法律において「感染症」とは，一類感染症，二類感染症，三類感染症，四類感染症，五類感染症，新型インフルエンザ等感染症，指定感染症及び新感染症をいう.（以下省略）

4）医薬品副作用被害救済業務

i）副作用救済給付業務

（業務の範囲）第15条　機構は，第3条の目的を達成するため，次の業務を行う．
一　許可医薬品等の副作用による健康被害の救済に関する次に掲げる業務
　イ　許可医薬品等の副作用　　医薬品の副作用による疾病，障害又は死亡につき，医療費，医療手当，障害年金，障害児養育年金，遺族年金，遺族一時金及び葬祭料の給付（以下「副作用救済給付」という．）を行うこと．
　ロ　次条第1項第一号及び第二号に掲げる給付の支給を受ける者並びに同項第三号に掲げる給付の支給を受ける者に養育される同号に規定する18歳未満の者について保健福祉事業を行うこと．
　ハ　拠出金を徴収すること．
　ニ　イからハまでに掲げる業務に附帯する業務を行うこと．

●許可医薬品等を適正に使用したにもかかわらず発生した副作用（法4-10「許可医薬品等の副作用」の定義に基づく）による疾病，障害又は死亡に対し，副作用救済給付を行う．

ii）給付の請求・支給の決定・給付の種類・給付の対象外

（副作用救済給付）第16条　副作用救済給付は，次の各号に掲げる区分に応じ，それぞれ当該各号に定める者に対して行うものとし，副作用救済給付を受けようとする者の請求に基づき，機構が支給を決定する．
　一　医療費及び医療手当　許可医薬品等の副作用による疾病について政令で定める程度の医療を受ける者
　二　障害年金　許可医薬品等の副作用により政令で定める程度の障害の状態にある18歳以上の者
　三　障害児養育年金　許可医薬品等の副作用により政令で定める程度の障害の状態にある18歳未満の者を養育する者
　四　遺族年金又は遺族一時金　許可医薬品等の副作用により死亡した者の政令で定める遺族
　五　葬祭料　許可医薬品等の副作用により死亡した者の葬祭を行う者
2　副作用救済給付は，前項の規定にかかわらず，次の各号のいずれかに該当する場合は，行わない．
　一　その者の許可医薬品等の副作用による疾病，障害又は死亡が予防接種法の規定による予防接種を受けたことによるものである場合
　二　その者の許可医薬品等の副作用による疾病，障害又は死亡の原因となった許可医薬品又は副作用救済給付に係る許可再生医療等製品について賠償の責任を有する者があることが明らかな場合
　三　その他厚生労働省令で定める場合（規則3条）
3　副作用救済給付の額，請求の期限，支給方法その他副作用救済給付に関し必要な事項は，政令で定める．

●**副作用救済給付の請求は**，健康被害を受けた**本人**（死亡の場合は，その遺族のうち最優先順位の者）**が直接，機構に**対して行い，**機構が支給を決定**する．請求の際には，治療を行った医師の診断書等の書類を提出する．
●副作用救済給付の種類は，医療費・医療手当・障害年金・障害児養育年金・遺族年金・遺族一時金・葬祭料である（表9.2参照）．
●医療費と医療手当は，**入院を要すると認められる場合で，外来で治療可能な軽微なものは対象にならない**（令3）．入院が必要と認められる場合であっても，諸事情によりやむを得ず自宅療養を行っている場合でも，給付の対象となる．
●障害年金と障害児養育年金は，許可医薬品等の副作用により日常生活が著しく制限される程度の障

表 9.2　副作用救済給付の種類，内容及び請求の期限

給付の種類		内　容	請求の期限
疾病について医療を受けた場合	医療費	疾病の治療に要した費用（医療保険適用時は，自己負担額に相当する額）について実費補償する．	支給の対象となる費用の支払が行われたときから5年以内．
	医療手当	疾病の治療に伴う医療費以外の費用の負担分を支給する． ・通院の場合（入院相当程度の通院治療を受けた場合） 1か月のうち3日以上　月額37,000円 1か月のうち3日未満　月額35,000円 ・入院の場合 1か月のうち8日以上　月額37,000円 1か月のうち8日未満　月額35,000円 ・入院と通院がある場合　月額37,000円	請求に係る医療が行われた日の属する月の初日から5年以内．
一定程度の障害の場合	障害年金	一定程度の障害の状態にある18歳以上の人の生活補償等を目的として支給する． ・1級の場合 年額2,809,200円（月額234,100円） ・2級の場合 年額2,247,600円（月額187,300円）	請求期限はない．
	障害児養育年金	一定程度の障害の状態にある18歳未満の人を養育する人に対して支給する． ・1級の場合 年額878,400円（月額73,200円） ・2級の場合 年額703,200円（月額58,600円）	請求期限はない．
死亡した場合	遺族年金	生計維持者が死亡した場合に，その遺族の生活の立て直し等を目的に支給する．（10年間を限度とする．ただし，死亡した本人が障害年金を受けていた場合，その期間が7年未満のときは10年からその期間を引いた期間が給付期間となり，7年以上のときは3年間の給付となる） 年額2,457,600円（月額204,800円）	死亡のときから5年以内．ただし，死亡前に医療費等他の支給決定があった場合には，死亡のときから2年以内．
	遺族一時金	生計維持者以外の人が死亡した場合に，その遺族に対する見舞等を目的に支給する．　7,372,800円	遺族年金と同じ．
	葬祭料	死亡した人の葬祭を行うことに伴う出費に着目して支給する． 209,000円	遺族年金と同じ．

（令和2年4月1日現在）

害の状態となった場合に支給する．

- 障害年金及び障害児養育年金以外の給付には，請求期限がある（表9.2参照）．
- 許可医薬品であっても，次の場合には副作用救済給付を行わない．

［給付の対象外］

① 予防接種法の規定による予防接種を受けたことによる副作用（任意接種による健康被害については，機構法の対象となる）．
② 副作用の原因となった医薬品について，明らかな損害賠償責任があるもの．
③ 救命のためにやむを得ず通常の使用量を超えて許可医薬品等を使用したことによる健康被害で，その発生があらかじめ認識されていた等の場合（則3）．

iii）疾病・障害の判定

（判定の申出）第17条　機構は，前条第1項の規定による支給の決定につき，副作用救済給付の請求のあった者に係る疾病，障害又は死亡が，許可医薬品等の副作用によるものであるかどうかその他医学的薬学的判定を要する事項に関し，厚生労働大臣に判定を申し出るものとする．
2　厚生労働大臣は，前項の規定による判定の申出があったときは，薬事・食品衛生審議会の意見を聴いて判定を行い，機構に対し，その結果を通知するものとする．

- 機構は，給付を行うに当たり，健康被害が許可医薬品等の副作用によるものか又は適切に許可医薬品等が使用されていたかなどの**医学的薬学的判断**については，**厚生労働大臣に判定**の申出を行う．
- 機構からの申出を受けて**厚生労働大臣は，薬事・食品衛生審議会の意見を聴いて判定**を行い，機構に通知する．その判定結果に基づき，機構において支給の可否を決定する（図9.1参照）．
- 機構は，健康被害の原因となった許可医薬品（**原因許可医薬品等**）の製造販売業者，使用又は診断した医療施設等に対して，疾病・障害等の判定に必要な資料の提出を求めることができる．資料の提出を求められた者は，遅滞なく提出する努力義務がある（法23，24）．
- 機構はホームページにおいて，救済給付の支給の事例，健康被害の原因となった許可医薬品等の薬効及び器官別分類等の情報を掲載し，一般の人及び医療関係者に本制度を広く周知するための取組みを行っている（ http://www.pmda.go.jp ）．
- 副作用救済給付の請求件数は，増加傾向にあるものの（令和元年度の請求件数；1,590，支給件数；1,285，支給額；24.67億円），一般国民の本制度の認知率は，いまだに低い現状である（令和元年度調査：本救済制度を知らない一般国民；69.8％，看護師；37.0％，医師；8.1％，薬剤師；3.4％）．

iv）副作用救済給付の中止等

（副作用救済給付の中止等）第18条　機構は，副作用救済給付を受けている者に係る疾病，障害又は死亡の原因となった許可医薬品又は副作用救済給付の係る許可再生医療等製品について賠償の責任を有する者があることが明らかとなった場合には，以後副作用救済給付は行わない．
2　機構は，副作用救済給付に係る疾病，障害又は死亡の原因となった許可医薬品又は副作用救済給付の係る許可再生医療等製品について賠償の責任を有する者がある場合には，その行った副作用救済給付の価額の限度において，副作用救済給付を受けた者がその者に対して有する損害賠償の請求権を取得する．

すでに機構の救済給付を受けている者でも，その賠償責任者が明らかになった場合，以後は，機構による給付は行われず，その賠償責任を有する者が負担する．すでに給付済みの分は，機構と賠償責任を有する者との間で清算するので，健康被害者は，機構に救済給付を返還する必要はない．

v）拠出金の徴収

（副作用拠出金）第19条　各年4月1日において医薬品，医療機器等の品質，有効性及び安全性の確保等に関する法律第12条第1項の規定による許可医薬品の製造販売業の許可を受けている者（第4条第6項各号に掲げる医薬品のみの製造販売をしている者を除く．以下「許可医薬品製造販売業者」という．）又は同法第23条の20第1項の規定による許可再生医療等製品の製造販売業の許可を受けている者（副作用救済給付に係る許可再生医療等製品以外の許可再生医療等製品のみの製造販売をしている者を除く．以下「副作用拠出金に係る許可再生医療等製品製造販売業者」という．）は，機構の第15条第1項第一号に掲げる業務（以下「副作用救済給付業務」という．）に必要な費用に充てるため，各年度（毎年4月1日から翌年3月31日までをいう．以下同じ．），機構に対し，拠出金を納付しなければならない．

2　前項の拠出金（以下「副作用拠出金」という．）の額は，許可医薬品製造販売業者又は副作用拠出金に係る許可再生医療等製品製造販売業者（以下「許可医薬品製造販売業者等」という．）が製造販売をした許可医薬品又は副作用救済給付に係る許可再生医療等製品の前年度における総出荷数量を基礎として厚生労働省令で定めるところにより算定される算定基礎取引額に拠出金率を乗じて得た額（その額が政令で定める額に満たないときは，当該政令で定める額）とする．

3　前項の拠出金率（以下この条において「副作用拠出金率」という．）は，機構が定める．

（4～6項　条文略）

7　機構が前年度において副作用救済給付の支給を決定した者の係る疾病，障害又は死亡の原因となった許可医薬品又は副作用救済給付に係る許可再生医療等製品（以下この項において「原因許可医薬品等」という．）の製造販売をした許可医薬品製造販売業者等の副作用拠出金の額は，第2項の規定による額に，機構が前年度に支給した副作用救済給付のうち，当該許可医薬品製造販売業者等が製造販売をした原因許可医薬品等によるものの現価に相当する額を基礎として厚生労働省令で定める算定方法により算定した額を加えた額とする．

8　副作用拠出金の納期限，延納その他副作用拠出金の納付に関し必要な事項は，政令で定める．

- **許可医薬品製造販売業者等**は，機構に救済給付の財源となる**副作用拠出金の納付義務**がある．ただし，救済の対象外となる医薬品（除外医薬品）又は副作用救済給付に係る許可再生医療等製品以外の許可再生医療等製品のみの製造販売をしている者を除く（1項）．
- 許可医薬品製造販売業者は，医療用医薬品だけではなく，一般用医薬品，要指導医薬品又は薬局製造販売医薬品の製造販売業許可を受けている場合も拠出金を納付する義務がある．
- 副作用拠出金には，**一般拠出金**と**付加拠出金**がある．許可医薬品製造販売業者等は，製造販売した許可医薬品又は副作用救済給付に係る許可再生医療等製品の前年度における出荷額に応じて一般拠出金を納付する．さらに，**原因許可医薬品等**を製造販売した許可医薬品製造販売業者等は，**一般拠出金の他に付加拠出金を納付**する（7項）．

vi）国の補助金

（補助金）第34条　政府は，政令で定めるところにより，特定の許可医薬品等の副作用又は特定の許可生物由来製品等を介した感染等による健康被害の救済を円滑に行うため特に必要があると認めるときは，機構に対し，副作用救済給付又は感染救済給付に要する費用の一部を補助することができる．

●国は機構に対して事務費の一部を補助している.

医薬品副作用被害救済制度（生物由来製品感染等被害救済制度を含む）の仕組みを図 9.1 に示す.

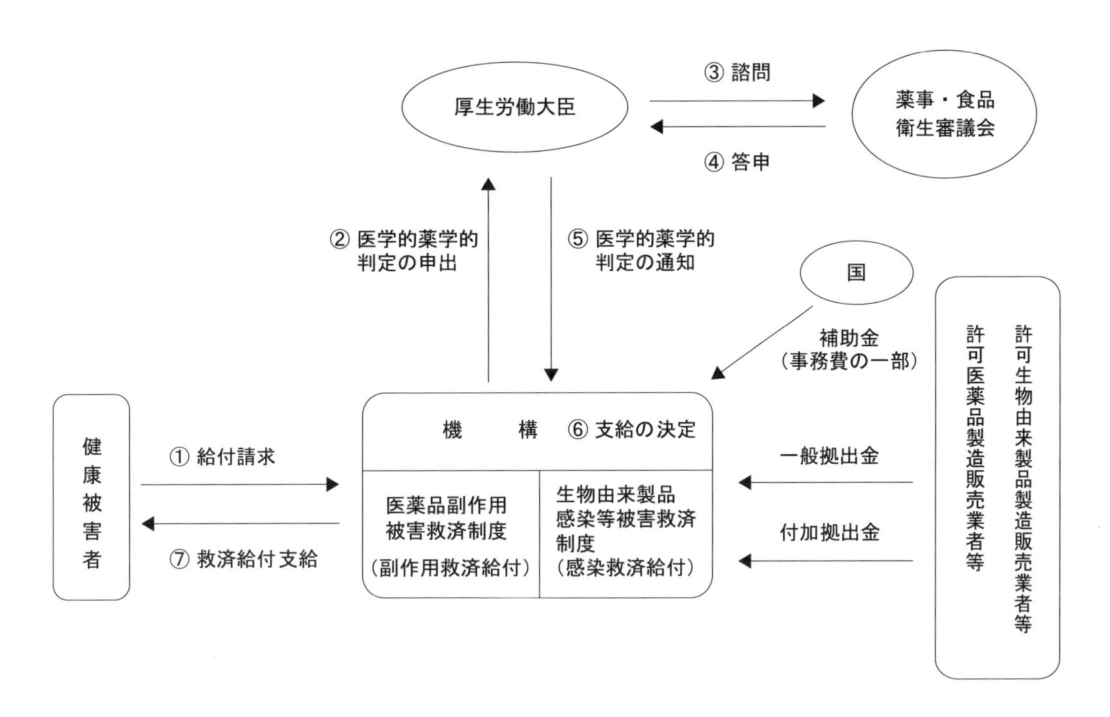

図 9.1　救済給付業務の流れ

5）生物由来製品感染等救済業務

i）感染救済給付業務

（業務の範囲）第 15 条第 1 項第二号　許可生物由来製品等を介した感染等による健康被害の救済に関する次に掲げる業務

イ　許可生物由来製品等を介した感染等による疾病，障害又は死亡につき，医療費，医療手当，障害年金，障害児養育年金，遺族年金，遺族一時金及び葬祭料の給付（以下「感染救済給付」という.）を行うこと.

ロ　第 20 条（感染救済給付）第 1 項第一号及び第二号に掲げる給付の支給を受ける者並びに同項第三号に掲げる給付の支給を受ける者に養育される同号に規定する 18 歳未満の者について保健福祉事業を行うこと.

ハ　拠出金を徴収すること.

ニ　イからハまでに掲げる業務に附帯する業務を行うこと.

●許可生物由来製品等を介した感染等による疾病，障害又は死亡について，感染救済給付を行う.

●生物由来製品は，その性質上，感染等のリスクを完全に排除することはできない．そこで，許可生物由来製品による健康被害についても，より迅速な救済を行うために，医薬品副作用被害救済制度とは別に新たに生物由来製品感染等救済制度が設けられ，2004（平成 16）年 4 月 1 日以降に使用された許可生物由来製品等によって生じた感染等による健康被害についても救済給付を行うこととした．さらに，2014（平成 26）年 11 月 25 日からは，医薬品医療機器等法に再生医療等製品が新たに規定されたことにより，感染救済給付に係る許可再生医療等製品による健康被害も給付の対象となった.

ii）給付の請求・支給の決定・給付の種類・給付の対象外

●感染救済給付の支給の決定，給付の種類，医学的薬学的判定の申出，給付の対象外ならびに給付の中止等は，副作用救済給付の規定を準用する（法 20）.

●**許可生物由来製品製造販売業者又は感染救済給付の対象となる許可再生医療等製品の製造販売業者**は，**感染拠出金の納付義務**がある．前年度における出荷額に応じて一般拠出金を納付する．健康被害の原因となった許可生物由来製品等（原因許可生物由来製品等）を製造販売した製造販売業者は，一般拠出金の他に付加拠出金を納付する（法 21）．感染救済給付業務の流れも，副作用救済給付業務と同様である（図 9.1 参照）.

6）受託業務

i）スモン被害者に対する受託業務

機構は，関係製薬企業及び国からの委託を受けて，裁判上の和解が成立したスモン患者に対し，健康管理手当及び介護費用の支払業務を行っている.

ii）血液製剤による HIV 感染者に対する受託給付業務

機構は，（財）友愛福祉財団からの委託を受け，血液製剤に混入した HIV により感染した HIV 感染者の調査研究事業及び健康管理費用の支給を行っている．二次，三次感染者も対象となる.

iii）特定 C 型肝炎ウイルス感染者に対する救済業務

機構は，2008 年 1 月 16 日から，「特定フィブリノゲン製剤及び特定血液凝固第Ⅸ因子製剤による C 型肝炎感染者を救済するための給付金の支給に関する特別措置法」に基づく給付金の支給等の業務を開始している.

b　その他の業務

機構が行う承認審査関連業務及び安全対策業務等は，医薬品医療機器等法における医薬品等の製造販売の承認審査，再審査，再評価，使用成績評価，副作用等の報告制度等と密接に関連しており（8 章 f，g 参照），医薬品等の品質，有効性及び安全性に関わる重要な業務である.

1）医薬品等の審査関連業務

医薬品医療機器等法に基づく行政庁の委託を受けて機構が行う業務（法 15 より抜粋）

① 製造業許可に係る調査
② 製造販売の承認審査・調査業務
③ 製造販売の届出受理

④医療機器又は体外診断用医薬品の基準適合証の交付又は返還の受付
⑤指定高度管理医療機器等の基準適合性認証業務
⑥（医薬品及び再生医療等製品の）再審査及び再評価に係る調査
⑦（医療機器及び体外診断用医薬品の）使用成績評価に係る調査
⑧治験計画に係る調査・届出受理業務
⑨原薬等登録原簿（マスターファイル）登録業務
⑩民間において行われる治験等承認の申請に必要な資料の作成に関する指導及び助言
⑪上記業務に係る手数料の徴収

2）安全対策業務

（業務の範囲）第15条1項五号
ハ　医薬品等の品質，有効性及び安全性に関する情報を収集し，整理し，及び提供し，並びにこれらに関し相談に応じることその他医薬品等の品質，有効性及び安全性の向上に関する業務を行うこと．（ロに掲げる業務及び厚生労働省の所管する他の独立行政法人の業務に属するものを除く．）
ホ　ハに掲げる業務（これに附帯する業務を含み，政令で定める業務を除く．）に係る拠出金を徴収すること．
ヘ　イからホまでに掲げる業務に附帯する業務を行うこと．

●医薬品等の品質，有効性及び安全性に関する情報の収集，解析及び情報提供．
●消費者などからの医薬品等についての相談．
●医薬品，医療機器又は再生医療等製品の製造販売業の許可を受けている者（許可医薬品の製造販売業者だけではない）は，機構の安全対策業務に必要な費用に充てるため，各年度，機構に対して**安全対策等拠出金**（救済制度の拠出金とは異なる）を納付しなければならない（法22）．
●機構は，副作用拠出金，感染拠出金又は安全対策等拠出金徴収のため必要があるときは，許可医薬品製造販売業者等，許可生物由来製品製造販売業者等又は医薬品等製造販売業者に対し，資料を提出させることができる．提出を求められた者は，遅滞なく，これを提出しなければならない（法23）．

3）立入検査等業務

第15条2項　機構は，前項の業務のほか，次の業務を行う．
一　医薬品，医療機器等の品質，有効性及び安全性の確保等に関する法律第23条の16第5項の規定による政令で定める検査及び質問又は同法第69条の2第1項若しくは第2項若しくは第80条の5第1項の規定による政令で定める立入検査，質問及び収去
二　遺伝子組換え生物等の使用等の規制による生物の多様性の確保に関する法律（平成15年法律第九十七号）第32条第1項（機構等による遺伝子組換え生物等の使用等をしている場所への立入検査等）の規定による立入り，質問，検査及び収去

●厚生労働大臣は，機構に，動物専用以外の医薬品等について製造販売業者等に対して，立入検査，質問及び収去させることができる．
●遺伝子組換え生物等の使用者等に対しても，同様に立入検査，質問及び収去させることができる．

Checkpoint

<table>
<tr><td>機構の目的</td><td colspan="2">① 許可医薬品等の副作用及び許可生物由来製品等を介した感染等による健康被害の迅速な救済を図る.
② 医薬品等の品質，有効性及び安全性の向上に資する審査等の業務を行う.
③ 医薬品等を安全・安心に使用するための安全対策業務を行う.</td></tr>
<tr><td>機構の業務内容</td><td colspan="2">① 許可医薬品等の副作用による健康被害の救済に関する副作用被害救済業務.
② 許可生物由来製品等を介した感染等による健康被害の救済に関する感染等被害救済業務.
③ スモン被害者，血液製剤によるHIV感染者及び特定C型肝炎ウイルス感染被害者等既発生被害に対する救済受託業務.
④ 医薬品等の品質，有効性及び安全性の向上に資する承認審査関連業務.
⑤ 医薬品等の品質，有効性及び安全性に関する情報の収集，提供等の安全対策関連業務.
⑥ 医薬品等の立入検査業務.</td></tr>
<tr><td rowspan="5">定　義</td><td>医薬品・再生医療等製品・生物由来製品</td><td>それぞれ医薬品医療機器等法に規定するものであるが，動物専用のものは除く.</td></tr>
<tr><td>許可医薬品（許可生物由来製品，許可再生医療等製品）</td><td>医薬品医療機器等法に規定する医薬品（生物由来製品，再生医療等製品）であって，医薬品医療機器等法に基づく製造販売業の許可を受けて製造販売されたもの（除外品を含まない）.</td></tr>
<tr><td>除外医薬品（許可医薬品に含まれないもの）</td><td>① がんその他特殊疾病に使用されることが目的とされる医薬品であって，厚生労働大臣の指定するもの.
② 動物専用医薬品，製造専用医薬品，輸出用医薬品，殺虫剤・殺鼠剤，殺菌消毒剤，体外診断用医薬品，その他（コロジオン・焼セッコウ等，乳糖・ワセリン等の製剤原料）.</td></tr>
<tr><td>許可医薬品等の副作用</td><td>許可医薬品又は許可再生医療等製品が適正な使用に従い，適正に使用された場合においても，その許可医薬品等により人に発現する有害な反応.</td></tr>
<tr><td>許可生物由来製品等を介した感染等</td><td>許可生物由来製品又は許可再生医療等製品が適正な使用に従い，適正に使用された場合においても，その製品の原料又は材料に混入し，又は付着した感染症の病原体に使用者が感染することその他許可生物由来製品等に起因する健康被害であって省令で定めるもの.</td></tr>
</table>

問　題

問 1　医薬品副作用被害救済制度は，医薬品を適正に使用したにも関わらず発生した副作用による健康被害を救済する制度である.（97改）

問 2　医薬品副作用被害の救済は，医療費や障害年金などの給付によって行われる.（97）

問 3　医薬品副作用被害の救済給付金は，国の補助金で賄われている.（97改）

問 4　医薬品副作用被害救済給付の申請は，独立行政法人医薬品医療機器総合機構に対して行う.（97改）

問 5　輸血用血液製剤などの生物由来製品を介した感染による健康被害は，医薬品副作用被害救済制度の救済対象ではない.（97改）

問 6　副作用被害救済制度は，添付文書に記載されている用法・用量に従わずに使用した場合，救済の対象とならないことがある.（99改）

問 7　副作用被害救済制度には，葬祭料の支給に関する規定はない.（99）

許可医薬品等による副作用救済給付業務	救済給付の対象医薬品	病院，診療所，薬局等で投薬又は調剤された薬剤が，許可医薬品であれば対象となる．薬局等で購入した一般用医薬品，要指導医薬品，薬局製造販売医薬品も対象となる．
	給付の行われない場合	・予防接種法による予防接種による健康被害． ・当該許可医薬品の賠償責任者が明白である場合． ・救命目的で通常の量を超えて使用し，あらかじめ健康被害の発生が認識されていた場合．
	救済給付の請求	健康被害者本人（死亡の場合はその遺族）．
	医学的薬学的判定	健康被害が当該許可医薬品によるものかどうかの判定は，機構が厚生労働大臣に判定を申し出て，大臣が薬事・食品衛生審議会の意見を聴いて判定する．
	救済給付可否の決定	機構が行う．

解答・解説

問 1　○　医薬品副作用被害救済制度は，許可医薬品又は許可再生医療等製品を適正な使用目的で適正に使用したにも関わらず発生した入院が必要な程度の健康被害について救済給付を行う．

問 2　○　救済給付の種類には，医療費，医療手当，障害年金，障害児養育年金，遺族年金，遺族一時金，葬祭料がある．

問 3　×　救済給付の財源は，許可医薬品製造販売業者等からの拠出金であり，国の補助金は救済給付の事務費の一部に充てられている．

問 4　○　救済給付の申請は，独立行政法人医薬品医療機器総合機構に対して行う．

問 5　○　許可生物由来製品による健康被害には，生物由来製品感染等被害救済制度が適用される．

問 6　○　医薬品副作用被害救済制度は，許可医薬品又は許可再生医療等製品を適正な使用目的で適正に使用したにも関わらず発生した入院が必要な程度の健康被害について救済給付を行う．

問 7　×　救済給付の種類には，医療費，医療手当，障害年金，障害児養育年金，遺族年金，遺族一時金，葬祭料がある．

問 8　副作用被害救済の請求があった場合，対象となる疾病等が医薬品の副作用によるものであるかどうか等の医学的薬学的判定については厚生労働大臣が行う．(99)

問 9　副作用被害救済制度において，医薬品の副作用による疾病について医療費及び医療手当が支給されるには，必ず入院治療が行われる必要がある．(99 改)

問 10　副作用被害救済制度において，医薬品の副作用によって障害が残った場合，障害年金は障害の程度にかかわらず，一律決まった額が支給される．(99 改)

問 11　医薬品副作用被害救済制度は，キノホルムによるスモン(SMON) が制度発足の契機となった．(101 改)

問 12　治験薬による健康被害も医薬品副作用被害救済制度の救済対象となる．(101 改)

問 13　予防接種法の規定による定期の予防接種で生じた健康被害は，医薬品副作用被害救済制度の救済対象とならない．(101 改)

問 14　医薬品副作用被害救済制度は，健康被害の程度によらず，救済される制度である．(101 改)

複 合 問 題

問 1　医薬品副作用被害救済制度発足の直接の契機となった薬害事案はどれか．1つ選べ．(98)

1　ペニシリンによるショック
2　キノホルムによるスモン（SMON）
3　ソリブジンとフルオロウラシル系抗がん剤の併用による骨髄抑制
4　血液製剤による C 型肝炎ウイルス感染
5　血液製剤による HIV 感染

問 2　医薬品副作用被害救済制度における副作用救済給付の対象として，誤っているのはどれか．1つ選べ．(102)

1　医療費
2　医療手当
3　障害年金
4　休業保障
5　葬祭料

問 3　以下の医薬品によって健康被害が生じた場合，医薬品副作用救済制度の救済対象となり得るのはどれか．2つ選べ．(98)

1　家族の他の者に処方された抗生物質
2　薬局製造販売医薬品
3　在宅医療のために処方された麻薬
4　国内では開発中のため海外から個人輸入した降圧薬

問 4　独立行政法人医薬品医療機器総合機構法において規定されている副作用被害救済給付の対象となるのはどれか．2つ選べ．なお，いずれの場合も入院を要する程度の健康被害とする．(104)

1　副作用の原因となった許可医薬品について，賠償責任者が不明である場合
2　救命のためやむをえず通常の使用量を超えて許可医薬品を使用したことにより生じた副作用で，その発生があらかじめ認識されていた場合
3　任意に予防接種を受けたことにより副作用が生じた場合
4　抗悪性腫瘍剤のアクチノマイシン D を使用したことにより副作用が生じた場合

問 8　○　救済給付の支給に係る医学的薬学的判定は，厚生労働大臣が薬事・食品衛生審議会に諮問して行い，独立行政法人医薬品医療機器総合機構が救済給付の可否を決定する.

問 9　×　副作用被害救済給付は，副作用により入院を要する程度の療養が必要とするが，必ずしも入院が必要ということではなく，居宅での療養においても救済対象となる場合がある.

問10　×　障害の程度により，1級の障害と2級の障害に分類され，等級により給付される額が異なる.

問11　○　記述のとおり.

問12　×　医薬品副作用被害救済制度の救済対象は許可医薬品等であり，治験薬は許可医薬品ではないため，救済の対象外である.

問13　○　予防接種法により健康被害への救済給付が定められているため，医薬品副作用被害救済制度の救済対象とはならない.

問14　×　医薬品副作用被害救済制度のうち，医療費等については，入院を必要とする程度以上の健康被害に対して，救済給付が行われる.

解答・解説

問 1　解答　2

キノホルムによるスモン（亜急性脊椎視神経末梢神経障害：SMON）を契機に発足した.

問 2　解答　4

医薬品副作用被害救済制度における副作用救済給付の対象として，休業補償はない.

問 3　解答　2，3

薬局製造販売医薬品及び処方された麻薬は許可医薬品である．家族の他の者に処方された抗生物質は，不適切な使用に該当し救済の対象とならない．国内で開発中の薬物で個人輸入した降圧薬は，未承認の医薬品に該当し救済の対象とならない.

問 4　解答　1，3

1　賠償責任者が不明である場合は，対象となる.
2　救命のため，あらかじめ副作用が起こる可能性が認識されて使用された場合は，対象外である.
3　任意に予防接種を受けたことにより，副作用が生じた場合は対象となる．予防接種法に規定される予防接種は，対象外である.
4　厚生労働大臣が指定する抗がん剤等の使用により発生した副作用は対象外である.

実践問題

問 1　女性から購入した一般用医薬品の外箱に表示された「医薬品副作用被害救済制度」について質問された．この制度の説明として正しいのはどれか．2つ選べ．(100 改)

1　救済の内容としては，医療費，医療手当，障害年金などの給付があります．
2　医療用医薬品も対象となりますが，一部，この制度の対象とならないものもあります．
3　副作用被害が生じた場合，担当医師が独立行政法人医薬品医療機器総合機構（PMDA）に対して，医療費等の給付の請求を行うことになります．
4　製造販売業者の賠償責任が明らかな健康被害が生じた場合でも，この制度による救済が行われることがあります．
5　海外で買ってきた，外国でのみ製造販売承認を受けた医薬品もこの制度の対象となります．

問 2　患者の家族から医薬品副作用被害救済制度についての質問を受けた．この制度の説明のうち，正しいのはどれか．2つ選べ．(105)

1　医療用医薬品は，どれでも救済給付の対象になります．
2　救済給付の可否は，製造販売業者が決定します．
3　救済給付を受けるためには，患者本人等による給付申請が必要です．
4　症状や程度にかかわらず，給付額は一定です．
5　入院治療を受けていても，救済給付が受けられない場合があります．

解答・解説

問 1　解答　1，2

1　○　救済給付として，医療費，医療手当，障害年金，障害児養育年金，遺族年金，遺族一時金，葬祭料がある.

2　○　医療用医薬品であっても厚生労働大臣が指定する抗がん剤や免疫抑制剤等は，許可医薬品から除外される.

3　×　担当医師ではなく，健康被害者本人又はその家族（遺族）が給付の申請を行う.

4　×　賠償責任を有する者が明らかな場合は，副作用救済給付は行われない.

5　×　外国でのみ製造販売承認を受けた医薬品は許可医薬品でないため，対象外である.

問 2　解答　3，5

1　×　医療用医薬品であっても厚生労働大臣が指定する抗がん剤や免疫抑制剤等は，許可医薬品から除外されるため，副作用被害救済制度の対象外となる.

2　×　救済給付の支給に係る医学的薬学的判定は，厚生労働大臣が薬事・食品衛生審議会に諮問して行い，独立行政法人医薬品医療機器総合機構が救済給付の可否を決定する.

3　○　救済給付を受けるための申請は，健康被害者本人又はその家族（遺族）が行う.

4　×　副作用等の被害の程度や症状に応じて給付額が異なる.

5　○　入院治療を受けていても，入院治療を必要とする程度の症状であると認められなければ，救済の対象とはならない.

10章　麻薬等の取締法

a　麻薬及び向精神薬取締法

1）麻薬及び向精神薬取締法の目的

（目的）第1条　この法律は，麻薬及び向精神薬の輸入，輸出，製造，製剤，譲渡し等について必要な取締りを行うとともに，麻薬中毒者について必要な医療を行う等の措置を講ずること等により，麻薬及び向精神薬の濫用による保健衛生上の危害を防止し，もって公共の福祉の増進を図ることを目的とする．

●2つの目的

①麻薬・向精神薬の輸入，輸出，製造，譲渡しなどの取締りを行う．

②麻薬中毒者に必要な医療等の措置を講ずる．

●モルヒネをはじめとする麻薬は，癌患者などの疼痛緩和のための鎮痛剤として，また，鎮咳剤としてなくてはならない医薬品になっている．しかしその一方で，強い精神的及び身体的依存性があり，犯罪などの社会的な害悪を引き起こすことが多いため，厳格な規制と管理のもとで取り扱う必要がある．さらに近年，乱用が増加してきた向精神薬についても取締りを行う必要が生じてきた．そこで，平成2年，それまでの麻薬取締法に，向精神薬を組み込んだ麻薬及び向精神薬取締法が公布された．

2）麻薬に関する取締り

ⅰ）規制対象物質

（用語の定義）第2条　この法律において次の各号に掲げる用語の意義は，それぞれ当該各号に定めるところによる．

一　麻薬　別表第1に掲げる物をいう．

二　あへん　あへん法に規定するあへんをいう．

三　けしがら　あへん法に規定するけしがらをいう．

四　麻薬原料植物　別表第2に掲げる植物をいう．

五　家庭麻薬　別表第1第七十六号イに規定する物をいう．

麻　薬（別表第1に掲げる物）

局方収載の主な麻薬

オキシコドン塩酸塩，エチルモルヒネ塩酸塩，ペチジン塩酸塩，**コカイン塩酸塩**，**モルヒネ塩酸塩**，フェンタニルクエン酸塩，**コデインリン酸塩**，**ジヒドロコデインリン酸塩**等

局方収載の麻薬製剤

モルヒネ塩酸塩錠，モルヒネ塩酸塩注射液，**アヘン・トコン散**，アヘンチンキ，**コデインリン酸塩散 10 %**，**ジヒドロコデインリン酸塩散 10 %**，モルヒネ・アトロピン注射液，ペチジン塩酸塩注射液等

局方収載以外の主な麻薬

ジアセチルモルヒネ（**ヘロイン**），***N*–アリルノルモルヒネ**（**ナロルフィン**），**リゼルギン酸ジエチルアミド**（**リゼルギド**，**LSD**），**6–ジメチルアミノ–4, 4–ジフェニル–3–ヘプタノン**（**メサドン**），3, 4–メチレンジオキシメタンフェタミン（MDMA），2–(2–クロロフェニル)–2–(メチルアミノ)シクロヘキサノン（ケタミン），サイロシン，サイロシビン，テバイン等

指定薬物から麻薬に移行した薬物〈通称〉(施行日)

フェネチルアミン系：1–（4–メトキシフェニル）–*N*–メチルプロパン–2–アミン〈PMMA〉(平成25年3月)

カチノン系：1–フェニル–2–(ピロリジン–1–イル) ペンタン–1–オン〈α–PVP〉(平成25年3月)

トリプタミン系：*N*, *N*–ジアリル–5–メトキシトリプタミン〈5–MeO–DALT〉(平成25年3月)

合成カンナビノイド：[1–(5–フルオロペンチル)–1*H*–インドール–3–イル](4–メチルナフタレン–1–イル) メタノン〈MAM2201〉(平成25年5月)

あへん

あへん法で規制され，麻薬及び向精神薬取締法による麻薬には該当しない．

ケシの液汁が凝固したもの及びこれに加工を施したもの(医薬品として加工を施したものを除く)をいう．

けしがら

あへん法に規定するけしがら

ケシの麻薬を抽出することができる部分（種子を除く.）をいう．

麻薬原料植物（別表第2に掲げる植物）

エリスロキシロン・コカ・ラム（和名 コカ）

エリスロキシロン・ノヴォグラナテンセ・ヒエロン（和名 ジャワコカ）

パパヴェル・ブラクテアツム・リンドル（和名 ハカマオニゲシ）

サイロシビン・サイロシン及びその塩類を含有するきのこ類

＊　麻薬をつくり出すケシは麻薬原料植物ではあるが，あへん法により規制されていて麻薬原料植物の対象にはなっていない．また，ハカマオニゲシがあへん法ではなく，麻薬原料植物の対象になっているのは，麻薬のテバインを含有しているためである．

家庭麻薬（別表第1第76号イに規定する物）

千分中十分以下のコデイン，ジヒドロコデイン又はこれらの塩類を含有する物であって，これら以外の麻薬を含有しないもの．

コデインリン酸塩散 1 %，**ジヒドロコデインリン酸塩散 1 %**

＊　家庭麻薬は鎮咳剤成分として，一般医薬品のかぜ薬などに配合されている．

＊　コデインリン酸塩散 10 %，及びジヒドロコデインリン酸塩散 10 %は麻薬になる．

ii）取扱者と取扱施設

（用語の定義）第2条
八　麻薬取扱者　麻薬輸入業者，麻薬輸出業者，麻薬製造業者，麻薬製剤業者，家庭麻薬製造業者，麻薬元卸売業者，麻薬卸売業者，麻薬小売業者，麻薬施用者，麻薬管理者及び麻薬研究者をいう．
九　麻薬営業者　麻薬施用者，麻薬管理者及び麻薬研究者以外の麻薬取扱者をいう．

麻薬取扱者

麻薬取扱者		免許権者	業務内容	2条
麻薬営業者	麻薬輸入業者	厚生労働大臣	麻薬を輸入することを業とする者	十
	麻薬輸出業者		麻薬を輸出することを業とする者	十一
	麻薬製造業者		麻薬を製造すること（麻薬を精製すること，及び麻薬に化学的変化を加えて他の麻薬にすることを含む.）を業とする者	十二
	麻薬製剤業者		麻薬を製剤すること（麻薬に化学的変化を加えないで他の麻薬にすることをいう．ただし調剤を除く.），又は麻薬を小分けすること（他人から譲り受けた麻薬を分割して容器に収めることをいう.）を業とする者	十三
	家庭麻薬製造業者		家庭麻薬を製造することを業とする者	十四
	麻薬元卸売業者		麻薬卸売業者に麻薬を譲り渡すことを業とする者	十五
	麻薬卸売業者	都道府県知事	麻薬小売業者，麻薬診療施設の開設者又は麻薬研究施設の設置者に麻薬を譲り渡すことを業とする者	十六
	麻薬小売業者		麻薬施用者の麻薬を記載した処方せん（以下「麻薬処方せん」という.）により調剤された麻薬を譲り渡すことを業とする者	十七
麻薬施用者			疾病の治療の目的で，業務上麻薬を施用し，もしくは施用のため交付し，又は麻薬を記載した処方せんを交付する者	十八
麻薬管理者			麻薬診療施設で施用され，又は施用のため交付される麻薬を業務上管理する者	十九
麻薬研究者			学術研究のため，麻薬原料植物を栽培し，麻薬を製造し，又は麻薬，あへんもしくはけしがらを使用する者	二十

取扱施設

麻薬取扱施設	業務内容	2条
麻薬業務所	麻薬取扱者が業務上又は研究上麻薬を取り扱う店舗，製造所，製剤所，薬局，病院，診療所，飼育動物診療施設及び研究施設　ただし，同一の都道府県に2以上ある場合は，主たる場所とする.	二十一
麻薬診療施設	麻薬施用者が診療に従事する病院等	二十二
麻薬研究施設	麻薬研究者が研究に従事する研究施設	二十三

麻薬中毒・中毒者

麻薬中毒・中毒者	内　容	2条
麻薬中毒	麻薬，大麻又はあへんの慢性中毒	二十四
麻薬中毒者	麻薬中毒の状態にある者	二十五

iii）麻薬取扱者に関する免許

麻薬取扱者に関する免許の資格要件（法3）

麻薬取扱者	免許権者	資格要件	免許の申請
麻薬輸入業者	厚生労働大臣	医薬品の製造販売業者	地方厚生局長経由で厚生労働大臣に申請
麻薬輸出業者	厚生労働大臣	医薬品の製造販売業者 医薬品の販売業者（自ら薬剤師又は薬剤師を使用するもの）	
麻薬製造業者	厚生労働大臣	医薬品の製造販売業者	
麻薬製剤業者	厚生労働大臣	医薬品の製造業者	
家庭麻薬製造業者	厚生労働大臣	医薬品の製造業者	地方厚生局長に申請
麻薬元卸売業者	厚生労働大臣	薬局開設者及び医薬品の販売業者（自ら薬剤師又は薬剤師を使用する者）	
麻薬卸売業者	都道府県知事		麻薬業務所の所在地を管轄する都道府県知事に申請
麻薬小売業者	都道府県知事	**薬局開設者**	
麻薬施用者	都道府県知事	**医師・歯科医師・獣医師**	
麻薬管理者	都道府県知事	**医師・歯科医師・獣医師・薬剤師**	
麻薬研究者	都道府県知事	学術研究研究上，麻薬原料植物を栽培し，麻薬を製造し，又は麻薬，あへん若しくはけしがらを使用することを必要とする者	

次に該当する者には，免許を与えないことができる．（法3－3）

一　免許を取り消され，取り消しの日から3年を経過していない者

二　罰金以上の刑に処せられ，その執行が終り，又は執行を受けることがなくなった後，3年を経過していない者

三　薬事又は医事に関する法律に違反のあった日から2年を経過していない者

四　心身の障害により麻薬取扱者の業務を適正に行うことができない者として厚生労働省令で定めるもの（精神の機能の障害）

五　麻薬中毒者又は覚醒剤の中毒者

六　法人又は団体にあっては，業務を行う役員のうち上記に該当する者があるもの

> （免許の有効期間）第5条　麻薬取扱者の免許の有効期間は，**免許の日からその日の属する年の翌々年の12月31日**までとする．

麻薬取扱者の免許は毎回新規に免許を受けるものであり，更新するものではない．

免許証の記載事項の変更届（法9）

麻薬取扱者は，免許証の記載事項に変更を生じたときは，**15日以内**に厚生労働大臣あるいは都道府県知事（免許権者）に免許証を添えてその旨を届け出なければならない．

iv）禁止行為

> （禁止行為）第12条　**ジアセチルモルヒネ**，その塩類又はこれらのいずれかを含有する麻薬（以下「ジアセチルモルヒネ等」という．）は，何人も，輸入し・輸出し・製造し・製剤し・小分けし・譲り渡し・譲り受け・交付し・施用し・所持し・又は廃棄してはならない．ただし，麻薬研究施設の設置者が厚生労働大臣の許可を受けて，譲り渡し，譲り受け，又は廃棄する場合及び麻薬研究者が厚生労働大臣の許可を受けて，研究のため，製造し，製剤し，小分けし，施用し，又は所持する場合は，この限りでない．

> 2　何人も，あへん末を輸入し，又は輸出してはならない．
> 3　麻薬原料植物は，何人も，栽培してはならない．但し，麻薬研究者が厚生労働大臣の許可を受けて，研究のため栽培する場合は，この限りでない．
> 4　何人も，第1項の規定により禁止されるジアセチルモルヒネ等の施用を受けてはならない．

●ジアセチルモルヒネ（ヘロイン）は，"麻薬の中の麻薬"といわれるように，他の麻薬と比較すると有害作用が著しく強く，特に中毒になりやすい．そのうえ禁断症状が激しく，治療も困難であることから，以下の①と②の場合を除き，何人もその取扱いが禁止されている．ただし，**輸出輸入は何人もできない**．また，麻薬施用者であってもジアセチルモルヒネは施用できない．

① 麻薬研究施設の設置者が厚生労働大臣の許可を受けてする譲渡・譲受・廃棄

② 麻薬研究者が厚生労働大臣の許可を受けてする研究用の製造・製剤・小分け・施用・所持

＊　第2項で，輸出，又は輸入が禁止されているのはあへん末であり，あへんではないことに注意する．あへんについてはあへん法において規制されている．

＊　第3項の麻薬原料植物（コカ，ジャワコカ，ハカマゲシ）は麻薬研究者が厚生労働大臣の許可を受けて栽培する以外は，何人も栽培できない．ただし，ケシは麻薬原料植物に入らない．

v）輸入と輸出

輸入（法13，14）

麻薬輸入業者でなければ，麻薬（ジアセチルモルヒネ，あへん末を除く）を輸入してはならない．ただし，**厚生労働大臣（地方厚生局長）の許可**を受けて，**自己の疾病の治療のために携帯**して輸入する場合はこの限りでない．

麻薬輸入業者は麻薬を輸入するときは，そのつど厚生労働大臣の許可を受けなければならない．

輸出（法17，18）

麻薬輸出業者でなければ，麻薬を輸出してはならない．ただし，**厚生労働大臣（地方厚生局長）の許可**を受けて，**自己の疾病の治療のために携帯**して輸出する場合はこの限りでない．

麻薬輸出業者は麻薬を輸出するときは，そのつど厚生労働大臣の許可を受けなければならない．

vi）製造と製剤

製造（法20，21）

麻薬製造業者でなければ，麻薬（ジアセチルモルヒネを除く）を製造してはならない．ただし，麻薬研究者が麻薬を研究のため製造する場合は，この限りでない．

麻薬製造業者，麻薬製剤業者又は家庭麻薬製造業者でなければ，家庭麻薬を製造してはならない．ただし，麻薬研究者が研究のため製造する場合は，この限りでない．

麻薬製造業者，麻薬製剤業者又は家庭麻薬製造業者が，麻薬又は家庭麻薬を製造しようとするときは，**半期（1月～6月　7月～12月）**ごとに，製造しようとする品名，数量ならびに製造のために使用する麻薬，あへん，けしがらの品名，数量について厚生労働大臣の許可を受けなくてはならない．

製剤（法 22, 23）

麻薬製造業者，麻薬製剤業者でなければ，麻薬を製剤してはならない．ただし，麻薬研究者が研究のため製剤する場合は，この限りでない．

麻薬製造業者，麻薬製剤業者が麻薬を製剤しようとするときは，厚生労働大臣の許可を受けなくてはならない．

麻薬の製造と製剤

	麻薬を製造	麻薬を製剤	家庭麻薬を製造
麻薬製造業者	○	○	○
麻薬製剤業者	×	○	○
家庭麻薬製造業者	×	×	○

※　製造は，厚生労働大臣の許可を受けて半期ごとに行う．

〈例外〉**麻薬研究者が研究のために製造，製剤をする場合**

vii）譲渡と譲受

譲渡

（譲渡し）第24条　麻薬営業者でなければ，麻薬を譲り渡してはならない．ただし，次に掲げる場合は，この限りでない．

一　麻薬診療施設の開設者が，施用のため交付される麻薬を譲り渡す場合

二　麻薬施用者から施用のため麻薬の交付を受け，又は麻薬小売業者から麻薬処方せんにより調剤された麻薬を譲り受けた者が，その麻薬を施用する必要がなくなった場合において，その麻薬を麻薬診療施設の開設者又は麻薬小売業者に譲り渡すとき．

三　麻薬施用者から施用のため麻薬の交付を受け，又は麻薬小売業者から麻薬処方せんにより調剤された麻薬を譲り受けた者が死亡した場合において，その相続人又は相続人に代わって相続財産を管理する者が，現に所有し，又は管理する麻薬を麻薬診療施設の開設者又は麻薬小売業者に譲り渡すとき．

2　前項ただし書の規定は，施用のため交付される麻薬が第27条第1項，第3項若しくは第4項の規定に違反して交付されるものであるか，又は麻薬処方せんが同条第3項若しくは第4項の規定に違反して交付されたものであるときは，適用しない．

3　麻薬輸入業者は，麻薬製造業者，麻薬製剤業者，麻薬元卸売業者及び麻薬卸売業者以外の者に麻薬を譲り渡してはならない．但し，家庭麻薬製造業者にコデイン，ジヒドロコデイン又はこれらの塩類を譲り渡す場合は，この限りでない．

4　麻薬輸出業者は，麻薬を輸出する場合を除くほか，麻薬を譲り渡してはならない．

5　麻薬製造業者は，麻薬輸出業者，麻薬製造業者，麻薬製剤業者，麻薬元卸売業者及び麻薬卸売業者以外の者に麻薬を譲り渡してはならない．但し，家庭麻薬製造業者にコデイン，ジヒドロコデイン又はこれらの塩類を譲り渡す場合は，この限りでない．

6　麻薬製剤業者は，麻薬輸出業者，麻薬製剤業者，麻薬元卸売業者及び麻薬卸売業者以外の者に麻薬を譲り渡してはならない．

7　家庭麻薬製造業者は，麻薬を譲り渡してはならない．

8　麻薬元卸売業者は，麻薬元卸売業者及び麻薬卸売業者以外の者に麻薬を譲り渡してはならない．

9　麻薬卸売業者は，当該免許に係る麻薬業務所の所在地の都道府県の区域内にある麻薬卸売業者，麻薬小売業者，麻薬診療施設の開設者及び麻薬研究施設の設置者以外の者に麻薬を譲り渡してはならない．

10　前各項の規定は，厚生労働大臣の許可を受けて譲り渡す場合には，適用しない．

11　麻薬小売業者は，麻薬処方せん（第27条第3項又は第4項の規定に違反して交付されたものを除く．）を所持する者以外の者に麻薬を譲り渡してはならない．

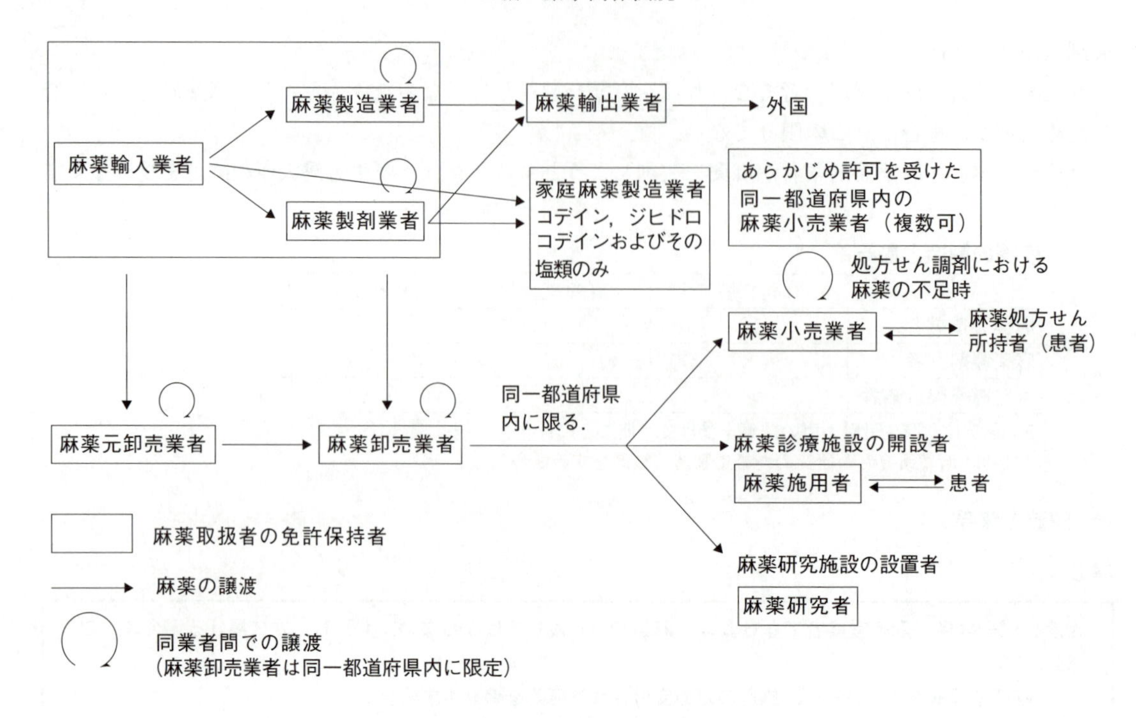

図 10.1　麻薬の譲渡・譲受

＊　麻薬は，免許を受けた麻薬取扱者ごとに譲渡・譲受相手が明確に決められ，原則として，供給者側から使用者側へ一方通行とし，単純でわかりやすくすることにより，麻薬の流出・乱用の防止を図っている．（法 24 － 3 ～ 12）

＊　**麻薬卸売業者は都道府県を越えて麻薬を譲り渡すことができない**．

＊　交付された麻薬の使用残りについては，患者又はその遺族等から麻薬診療施設の開設者，麻薬小売業者に返却する規定がある．

●麻薬診療施設間，麻薬小売業者間の麻薬の譲渡はできないが，あらかじめ同一都道府県内にある複数の麻薬小売業者が共同して麻薬小売業者間譲渡許可を都道府県知事に申請している場合に限り，麻薬の不足が生じたときは申請した麻薬小売業者間で，その不足分を譲渡・譲受できるという特例がある．（則 9 の 2）

＊　麻薬小売業者間での麻薬の譲渡しの許可は，がん患者などの疼痛等の緩和を目的とする在宅医療の推進のため，麻薬が適切かつ円滑に患者に対し提供される必要性が高まってきている．

そのような中で，麻薬小売業者が自らの麻薬の在庫不足により，急な麻薬処方せんに対応できないという問題に対応するため，麻薬が適切かつ円滑に患者に対し提供されるように設けられたものである．これ以外の薬局間の譲渡は，従来の取扱いどおり，認められていない．

> （麻薬小売業者の譲渡）第 25 条　麻薬小売業者は，麻薬処方せんを所持する者に麻薬を譲り渡すときは，当該処方せんにより調剤された麻薬以外の麻薬を譲り渡してはならない．

譲受（法 26）

麻薬営業者，麻薬診療施設の開設者又は麻薬研究施設の設置者でなければ，麻薬を譲り受けてはならない．ただし，下に掲げる場合は，この限りでない．

1　麻薬施用者から交付される麻薬を麻薬診療施設の開設者から譲り受ける場合
2　麻薬処方せんの交付を受けた者が，その処方せんにより調剤された麻薬を麻薬小売業者から譲り受ける場合

この規程は，麻薬施用者が治療以外の目的，あるいは麻薬中毒の緩和に施用することを禁じてのものである．ただし，治療の目的で交付された麻薬あるいは，これらの目的で交付された処方せんによって調剤された麻薬の場合は適用されない．

麻薬営業者，麻薬診療施設の開設者又は麻薬研究施設の設置者は定められた譲渡経路以外から麻薬を譲り受けてはならない．

譲受証及び譲渡証（法32）

麻薬営業者（麻薬小売業者を除く．次項において同じ．）は，麻薬を譲り渡す場合には，譲受人から譲受人が厚生労働省令で定めるところにより作成（押印）した**譲受証**の交付を受けた後，又はこれと引換えでなければ，麻薬を交付してはならず，かつ，麻薬を交付するときは，同時に，厚生労働省令で定めるところにより作成した**譲渡証**を麻薬の譲受人に交付しなければならない．ただし，厚生労働大臣の許可を受けて麻薬を譲り渡す場合は，この限りでない．

譲受証及び譲渡証は交付を受けた日から**2年間**保存しなければならない．

viii）施　用

施用，施用のための交付及び麻薬処方せん（法27）

次の場合を除いて，麻薬施用者でなければ，麻薬を施用し，施用のため交付し，又は麻薬を記載した処方せんを交付してはならない．

一　麻薬研究者が研究のため施用する場合
二　麻薬施用者から施用のため麻薬の交付を受けた者が，その麻薬を施用する場合
三　麻薬小売業者から麻薬処方せんにより調剤された麻薬を譲り受けた者が，その麻薬を施用する場合

（法27－3）　麻薬施用者は，疾病の治療以外の目的で，麻薬を施用し，若しくは施用のため交付し，又は麻薬を記載した処方せんを交付してはならない．

ただし，精神保健指定医が，麻薬中毒者あるいはその疑いのある者の診察を行うため***N*-アリルノルモルヒネ**（麻薬，別名**ナロルフィン**；モルヒネ拮抗薬，使用することによりモルヒネの禁断症状が現れるので麻薬中毒者の鑑定に用いられる），その塩類及びこれらを含有する麻薬，その他政令で定める麻薬を施用するときは，**この限りでない．**

（法27－4）　麻薬施用者は，麻薬又はあへんの中毒者の中毒症状を緩和するため，その他中毒の治療の目的で，麻薬を施用し，若しくは施用のため交付し，又は麻薬を記載した処方せんを交付してはならない．

ただし，麻薬中毒者医療施設（法58の8－1）において診療に従事する麻薬施用者が当該医療施設に入院している者について**6-ジメチルアミノ-4, 4-ジフェニル-3-ヘプタノン**（麻薬，別名**メサドン**：毒作用が弱いので，モルヒネの代用として用い，体内のモルヒネと置き換える，メサドン置換法），その塩類及びこれらを含有する麻薬，その他政令で定める麻薬を施用するときは，**この限りでない．**

麻薬処方せん（法 27 － 6）

麻薬施用者は，麻薬を記載した処方せんを交付するときは，その処方せん（**麻薬処方せん**）に，患者の氏名（患畜にあっては，その種類並びにその所有者又は管理者の氏名又は名称），麻薬の品名，分量，用法用量，自己の氏名，免許証の番号その他厚生労働省令（則 9 の 3）で定める事項を記載して，記名押印又は署名をしなければならない．

麻薬処方せんの記載事項

麻薬処方せんの記載事項	法　規	一般的な処方せん	法　規
患者の氏名	法 27 － 6	患者の氏名，年齢	医師法規則 21
麻薬の品名，分量，用法用量	法 27 － 6	医薬品名，分量，用法，用量	医師法規則 21
麻薬施用者の氏名，免許証の番号	法 27 － 6		
患者の住所*	則 9 の 3		
処方せんの使用期間*	則 9 の 3	処方せんの使用期間	医師法規則 21
発行の年月日	則 9 の 3	発行の年月日	医師法規則 21
麻薬業務所の名称及び所在地*	則 9 の 3	病院・診療所の名称及び所在地	医師法規則 21
麻薬施用者の記名押印又は署名	法 27 － 6	医師の住所，記名押印又は署名	医師法規則 21

* 院内処方せんでは省略できる．

ix）所　持

所持（法 28）

次の場合を除いて，**麻薬取扱者，麻薬診療施設の開設者又は麻薬研究施設の設置者**でなければ，麻薬を所持してはならない．

一　麻薬施用者から施用のため麻薬の交付を受け，又は麻薬小売業者から麻薬処方せんにより調剤された麻薬を譲り受けた者が，その麻薬を所持する場合

二　麻薬施用者から施用のため麻薬の交付を受け，又は麻薬小売業者から麻薬処方せんにより調剤された麻薬を譲り受けた者が死亡した場合において，その相続人が，現に所有し又は管理する麻薬を所持するとき

この規定は，麻薬施用者が治療以外の目的，あるいは麻薬中毒の緩和，治療の目的で交付された麻薬あるいは，これらの目的で交付された処方せんによって調剤された麻薬の場合は適用されない．

家庭麻薬製造業者は，コデイン，ジヒドロコデイン及びこれらの塩類以外の麻薬を所持してはならない．

麻薬の所持の規制

麻薬を所持できる者	**麻薬取扱者・麻薬診療施設の開設者・麻薬研究施設の設置者**
上記の例外	・麻薬施用者から施用のため麻薬の交付を受けた者 ・麻薬小売業者から麻薬処方せんにより調剤された麻薬を譲り受けた者 ・これらの者が死亡した場合の相続人又は相続財産管理者 （ただし，疾病治療目的以外・麻薬中毒の緩和目的による所持は禁止）
家庭麻薬製造業者	コデイン，ジヒドロコデイン及びこれらの塩類のみ

x）廃　棄

> （廃棄）第29条　麻薬を廃棄しようとする者は，麻薬の品名及び数量並びに廃棄の方法について都道府県知事に届け出て，当該職員の立会いの下に行わなければならない．ただし，麻薬小売業者又は麻薬診療施設の開設者が，厚生労働省令で定めるところにより，麻薬処方せんにより調剤された麻薬を廃棄する場合は，この限りでない．

麻薬の廃棄の方法

届出方法	廃棄する麻薬の状態	届出内容	廃棄の方法
事前届	古くなった麻薬・使用しなくなった麻薬・調剤ミスした麻薬・汚染した麻薬	麻薬を廃棄しようとする者は，事前に，麻薬の品名・数量・廃棄の方法について都道府県知事（管轄の保健所又は薬事衛生事務所）に「麻薬廃棄届」を届出	当該職員立会いのもとで廃棄する．麻薬帳簿には，廃棄に立会った当該職員が署名・押印する．この手続きによる廃棄は原則として薬局内で行う．
事後届	患者やその遺族から服用する必要がなくなったために返却された麻薬	廃棄後30日以内に「調剤済麻薬廃棄届」を管轄の保健所又は薬事衛生事務所（都道府県知事）に提出する．（法35－2）	麻薬小売業者又は麻薬診療施設の開設者自らが薬局等の職員の立会いのもとで，麻薬を焼却・放流等の回収が困難な方法によって廃棄する．（則10の2）
届出不要	注射剤等の施用残液	廃棄届の必要ない．	麻薬管理者の責任で廃棄する．

xi）取扱い

証紙による封かん（法30）

麻薬輸入業者，麻薬製造業者又は麻薬製剤業者は，麻薬を譲り渡すときは，その容器又は直接の被包を政府発行の証紙で封を施さなければならない．

麻薬小売業者を除く麻薬営業者は，政府発行の証紙で封を施されたままでなければ麻薬を譲り渡してはならない．

麻薬施用者又は麻薬小売業者は，封を施されたまま，麻薬を交付し，又は麻薬を譲り渡してはならない．

この規定は，厚生労働大臣の許可（法24－11）を受けて譲り渡す場合には適用しない．

容器及び被包の記載（法31）

麻薬営業者（麻薬小売業者を除く）は，その容器及び容器の直接の被包に「㊮」の記号及び次の事項が記載されている麻薬以外の麻薬を譲り渡してはならない．

ただし，厚生労働大臣の許可（法24－11）を受けて麻薬を譲り渡す場合は，この限りでない．

一　輸入，製造，製剤又は小分けの年月日

二　成分たる麻薬の品名及び分量又は含量

三　その他厚生労働省令で定める事項

＊　麻薬は医薬品であるので，医薬品としての表示も必要である．

麻薬診療施設及び麻薬研究施設の麻薬の管理（法33）

二人以上の麻薬施用者が診療に従事する麻薬診療施設の開設者は，**麻薬管理者**を一人置かなければならない．ただし，その開設者が麻薬管理者である場合は，この限りでない．

麻薬管理者（麻薬管理者のいない麻薬診療施設にあっては麻薬施用者）又は麻薬研究者は，当該麻薬診療施設又は麻薬研究施設において施用し，若しくは施用のため交付し，又は研究のため自己が使用する麻薬をそれぞれ管理しなければならない．

麻薬施用者は，麻薬管理者の管理する麻薬以外の麻薬を当該麻薬診療施設において施用し，施用のため交付してはならない．

保管（法 34）

麻薬取扱者は，その所有し，又は管理する麻薬を，その業務所内で保管しなければならない．

保管は，麻薬以外の医薬品（覚醒剤は除く．）と区別し，かぎをかけた堅固な設備内に貯蔵して行わなければならない．

事故及び廃棄の届出（法 35）

麻薬取扱者は，その所有し又は管理する麻薬につき，滅失，盗取，所在不明，その他の事故が生じたときは，すみやかにその麻薬の品名及び数量その他事故の状況を明らかにするため必要な事項を，麻薬輸入業者，麻薬輸出業者，麻薬製造業者，麻薬製剤業者，家庭麻薬製造業者又は麻薬元卸売業者にあっては**厚生労働大臣**に，麻薬卸売業者麻薬小売業者，麻薬施用者，麻薬管理者又は麻薬研究者にあっては**都道府県知事**に届け出なければならない．

xii）記　録

麻薬小売業者の帳簿（法 38）

麻薬小売業者は，麻薬業務所に帳簿を備え，これに次に掲げる事項を記載しなければならない．

一　譲り受けた麻薬の品名及び数量ならびにその年月日

二　譲り渡した麻薬（コデイン，ジヒドロコデイン，エチルモルヒネ及びこれらの塩類を除く．）の品名及び数量ならびにその年月日

三　第 35 条第 1 項の規定により（事故等を）届け出た麻薬の品名及び数量

四　廃棄した麻薬の品名及び数量ならびにその年月日

帳簿は最終記載の日から**2 年間**保存しなければならない．

＊　麻薬小売業者を除く麻薬営業者の帳簿（法 37），　麻薬管理者の帳簿（法 39）

xiii）届　出

届出（法 45，46）

麻薬元卸売業者，麻薬卸売業者は，**半期ごと**に，期間満了後 15 日以内に次の事項を厚生労働大臣，又は都道府県知事（免許申請先）に届け出なければならない．

一　期初に所有した麻薬の品名又は数量並びに容器の容量及び数

二　その期間中に譲り渡し，又は譲り受けた麻薬の品名及び数量並びに容器の容量及び数

三　期末に所有した麻薬の品名及び数量並びに容器の容量及び数

＊　麻薬製造業者，麻薬製剤業者，家庭麻薬製造業者の届出（法 44）

麻薬小売業者の届出（法 47）

麻薬小売業者は，**毎年 11 月 30 日まで**に，次の事項を都道府県知事に届け出なければならない．

1　前年の 10 月 1 日に所有した麻薬の品名及び数量

2　前年の10月1日からその年の9月30日までの間に譲り渡し又は譲り受けた麻薬の品名及び数量
3　その年の9月30日に所有した麻薬の品名及び数量
*　麻薬管理者の届出（法48）

xiv）**広　告**（法29の2）

麻薬に関する広告は，何人も，医薬関係者等を対象として行う場合のほか，行ってはならない．

3）向精神薬に関する取締り

i）規制対象物質

（用語の定義）第2条
六　向精神薬　別表第3に掲げる物をいう．
七　麻薬向精神薬原料　別表第4に掲げる物をいう．

向精神薬（別表第3に掲げる物）

第一種（濫用の恐れが高く，濫用された場合に受ける健康被害の大きいもの）
セコバルビタール，メクロカロン，フェネチリン，メチルフェニデート，メタカロン，フェンメトラジン等

第二種（濫用の恐れ，及び濫用された場合の健康の被害が中程度のもの）
ブタルビタール，グルテチミド，ペントバルビタール，アモバルビタール，ブプレノルフィン，シクロバルビタール，ペンタゾシン，フルニトラゼパム等

第三種（比較的濫用の恐れ及び濫用された場合の健康の被害が少ないもの）
フェノバルビタール，ジアゼパム，トリアゾラム，オキサゾラム，マジンドール，クロバザム，ニトラゼパム，クロチアゼパム，クロルジアゼポキシド，クロナゼパム等

●向精神薬の用途
睡眠薬：ペントバルビタール，セコバルビタール，フェノバルビタール，ニトラゼパム，トリアゾラム
精神安定剤：ジアゼパム，オキサゾラム，クロチアゼパム，クロルジアゼポキシド
鎮痛薬：ペンタゾシン，ブプレノルフィン
抗てんかん薬：クロバザム，クロナゼパム
精神賦活薬：メチルフェニデート
食欲抑制：マジンドール

麻薬向精神薬原料（別表第4に掲げる物）

N-アセチルアントラニル酸及びその塩類，アセトン，アントラニル酸及びその塩類，
イソサフロール，サフロール，過マンガン酸カリウム，エチルエーテル，
エルゴタミン及びその塩類，エルゴメトリン及びその塩類，ピペリジン及びその塩類，
無水酢酸，リゼルギン酸及びその塩類，ピペロナール，
3,4-メチレンジオキシフェニル-2-プロパノン

これらのいずれかを含有するもの

＊　下線が付いたものは特定麻薬向精神薬原料

ii）取扱者と取扱施設

（用語の定義）第２条

二十六　向精神薬取扱者　向精神薬輸入業者，向精神薬輸出業者，向精神薬製造製剤業者，向精神薬使用業者，向精神薬卸売業者，向精神薬小売業者，病院等の開設者及び向精神薬試験研究施設設置者をいう．

二十七　向精神薬営業者　病院等の開設者及び向精神薬試験研究施設設置者以外の向精神薬取扱者をいう．

向精神薬取扱者及び取扱施設

向精神薬取扱者・取扱施設		免許権者	業務内容	2条
向精神薬営業者	向精神薬輸入業者	厚生労働大臣	向精神薬を輸入することを業とする者	二十八
	向精神薬輸出業者		向精神薬を輸出することを業とする者	二十九
	向精神薬製造製剤業者		向精神薬を製造すること（精製，化学的変化を加え他の向精神薬にすることを含む.），向精神薬を製剤すること（化学的変化を加えないで他の向精神薬にすること．調剤を除く.），又は向精神薬を小分けすることを業とする者	三十
	向精神薬使用業者		向精神薬に化学的変化を加え向精神薬以外の物にすることを業とする者	三十一
	向精神薬卸売業者	都道府県知事	向精神薬取扱者（向精神薬輸入業者を除く.）に向精神薬を譲り渡すことを業とする者	三十二
	向精神薬小売業者		**向精神薬を記載した処方せん（向精神薬処方せん）により調剤された向精神薬を譲り渡すことを業とする者**	三十三
向精神薬試験研究施設設置者			向精神薬試験研究施設（学術研究又は試験検査のため向精神薬を製造し，又は使用する施設）の設置者	三十四
向精神薬営業所			向精神薬営業者が業務上向精神薬を取り扱う店舗，製造所，製剤所及び薬局	三十五

厚生労働省令で定める構造設備の基準（則15）

向精神薬を製造し，製剤しもしくは小分けする場所，向精神薬を貯蔵する場所又は向精神薬に化学的変化を加える場所は，コンクリート，板張り又はこれに準ずる構造で，これらの場所にかぎをかける設備があること．

iii）向精神薬取扱者に関する免許と登録

（免許）第50条　向精神薬輸入業者，向精神薬輸出業者，向精神薬製造製剤業者又は向精神薬使用業者の免許は**厚生労働大臣**が，向精神薬卸売業者又は向精神薬小売業者の免許は**都道府県知事が，それぞれ向精神薬営業所ごとに行う．**

（免許の有効期間）第50条の２　向精神薬輸入業者，向精神薬輸出業者，向精神薬製造製剤業者又は向精神薬使用業者の免許の有効期間は，免許の日から**５年**とし，向精神薬卸売業者又は向精神薬小売業者の免許の有効期間は，免許の日から**６年**とする．

＊　上記の免許は毎回新規に受けるものであり，更新ではない．

（登録）第50条の5　向精神薬試験研究施設設置者の登録は，国の設置する向精神薬試験研究施設にあっては，厚生労働大臣が，その他の向精神薬試験研究施設にあっては，都道府県知事が，それぞれ向精神薬試験研究施設ごとに行う．

向精神薬取扱者及び取扱施設の免許，登録

向精神薬取扱者・取扱施設		免許・登録の別	免許（法50）・登録（法50－5）	有効期間（法50－2）
向精神薬営業者	向精神薬輸入業者	免許	**厚生労働大臣（営業所ごとに）**	**免許の日から5年**
	向精神薬輸出業者	免許		
	向精神薬製造製剤業者	免許		
	向精神薬使用業者	免許		
	向精神薬卸売業者	免許	**都道府県知事（営業所ごとに）**	**免許の日から6年**
	向精神薬小売業者	免許		
向精神薬試験研究施設設置者		登録	国の施設は厚生労働大臣，その他は都道府県知事（施設ごとに）	期限なし
病院等の開設者は，向精神薬取扱者ではあるが，免許制下にない．				

＊　免許証記載事項の変更が生じたときの届出の期限は，麻薬の場合は15日以内であるが，向精神薬の場合は**30日以内**である．（法50の4）

薬局開設者・医薬品卸売販売業者の特例（みなし免許）（法50の26）

薬局開設者は，向精神薬小売業者及び向精神薬卸売業者の免許を受けた者と，医薬品の卸売販売業の許可を受けた者は，向精神薬卸売業者の免許を受けた者とみなされる．

iv）輸入と輸出

（輸入）第50条の8　次に掲げる者でなければ向精神薬を輸入してはならない．
一　**向精神薬輸入業者**
二　本邦に入国する者のうち，**自己の疾病の治療の目的で向精神薬を携帯**して輸入する者であって，厚生労働省令で定めるもの
三　向精神薬試験研究施設設置者であって，学術研究又は試験検査のため向精神薬を輸入するもの
四　その他厚生労働省令で定める者　（則28）

＊　厚生労働省令で携帯輸入できる向精神薬の品名及び数量が定められている．その数量を超えて携帯輸入する場合は，携帯して輸入することが自己の疾病の治療に特に必要であることを証する書類が必要である．（則27，別表1）

輸入の許可（法50の9）

・向精神薬輸入業者は，第一種向精神薬を輸入しようとするときは，そのつど**厚生労働大臣の許可**を受けなければならない．

・向精神薬輸入業者が第二種向精神薬を輸入したときは，輸出者の作製した輸出届出書を10日以内に厚生労働大臣に届け出なければならない．

・向精神薬輸入業者が第三種向精神薬を輸入するときは特に規定はない．

（輸出）第50条の11　次に掲げるものでなければ向精神薬を輸出してはならない．
一　向精神薬輸出業者
二　本邦から出国する者のうち，自己の疾病の治療の目的で向精神薬を携帯して輸出する者であって厚生労働省令で定めるもの
三　向精神薬試験研究施設設置者であって，学術研究又は試験検査のため向精神薬を使用する者に向精神薬を輸出するもの
四　その他厚生労働省令で定める者

＊　二，四については輸入の場合とほぼ同様である．（則30，31）

輸出の許可（法50の12）

向精神薬輸出業者は，第一種向精神薬を輸入しようとするときは，そのつど厚生労働大臣の許可を受けなければならない．

v）製　造

（製造等）第50条の15　向精神薬製造製剤業者でなければ，向精神薬を製造し，製剤し，又は小分けしてはならない．ただし，次に掲げる場合は，この限りでない．
一　向精神薬試験研究施設（その設置者が第五十条の五第一項の登録を受けているものに限る．次項において同じ．）において学術研究又は試験検査に従事する者が，学術研究又は試験検査のため製造し，製剤し，又は小分けする場合
二　その他厚生労働省令で定める場合　（則35）
2　向精神薬製造製剤業者又は向精神薬使用業者でなければ，向精神薬に化学的変化を加えて向精神薬以外の物にしてはならない．ただし，向精神薬試験研究施設において学術研究又は試験検査に従事する者が，学術研究又は試験検査のため行う場合は，この限りでない．

vi）譲渡と譲受

（譲渡し等）第50条の16　向精神薬営業者（向精神薬使用業者を除く．）でなければ，向精神薬を譲り渡し，又は譲り渡す目的で所持してはならない．ただし，次に掲げる場合は，この限りでない．
一　病院等の開設者が，施用のため交付される向精神薬を譲り渡し，又は譲り渡す目的で所持する場合
二　向精神薬試験研究施設設置者が，向精神薬を他の向精神薬試験研究施設設置者に譲り渡し，又は譲り渡す目的で所持する場合
三　その他厚生労働省令で定める場合
2　向精神薬輸入業者，向精神薬製造製剤業者及び向精神薬卸売業者は，向精神薬営業者（向精神薬輸入業者を除く．），病院等の開設者及び向精神薬試験研究施設設置者以外の者に向精神薬を譲り渡してはならない．ただし，向精神薬製造製剤業者及び向精神薬卸売業者が，向精神薬輸入業者から譲り受けた向精神薬を返品する場合その他厚生労働省令（則36－2）で定める場合は，この限りでない．
3　向精神薬輸出業者は，向精神薬を輸出する場合を除くほか向精神薬を譲り渡してはならない．ただし，向精神薬営業者から譲り受けた向精神薬を返品する場合その他厚生労働省令（則36－3）で定める場合は，この限りでない．

4　向精神薬小売業者は，向精神薬処方せんを所持する者以外の者に向精神薬を譲り渡してはならない．ただし，向精神薬営業者から譲り受けた向精神薬を返品する場合その他厚生労働省令（則 36 − 4）で定める場合は，この限りでない．

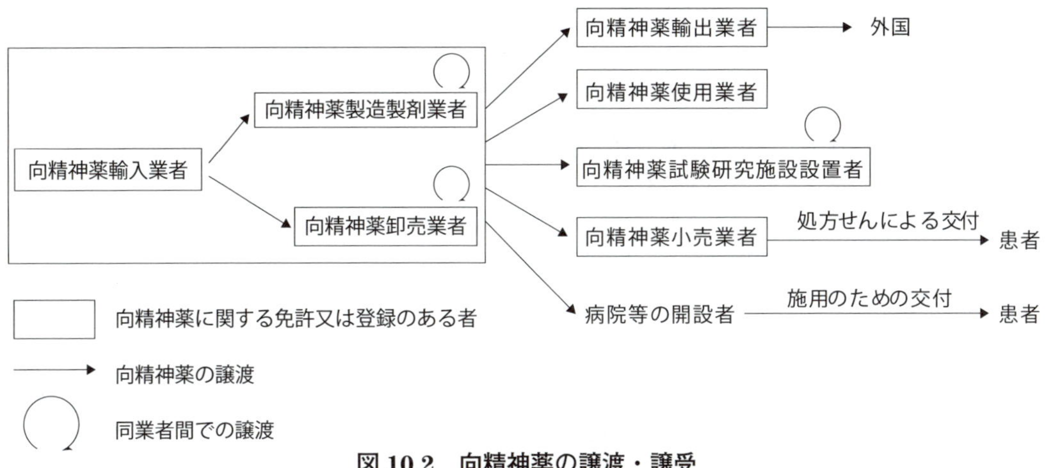

図 10.2　向精神薬の譲渡・譲受

＊　第三号　厚生労働省令で定める場合とは，病院等の開設者が向精神薬卸売業者等に返品する場合や，病院等の開設者から施用のため交付される向精神薬を譲り受けた者，又は，向精神薬小売業者から向精神薬処方せんにより調剤された向精神薬を譲り受けた者が，その施用の必要がなくなったので返品する場合などをいう．

（向精神薬小売業者の譲渡し）第 50 条の 17　向精神薬小売業者は，向精神薬処方せんを所持する者に向精神薬を譲り渡すときは，当該向精神薬処方せんにより調剤された向精神薬以外の向精紳薬を譲り渡してはならない．

vii）取扱い

（容器及び被包の記載）第 50 条の 19　向精神薬営業者（向精神薬小売業者を除く．）は，その容器及び容器の直接の被包に「㊐」の記号及び次に掲げる事項（以下この条において「記載事項」という．）が記載されている向精神薬以外の向精神薬を譲り渡してはならない．ただし，その容器の面積が狭いため記載事項を明りょうに記載することができない場合その他厚生労働省令で定める場合（則 37）において，その容器又は容器の直接の被包に，厚生労働省令で定めるところにより，記載事項が簡略化されて記載されている向精神薬を譲り渡すときは，この限りでない．

一　成分たる向精神薬の品名及び分量又は含量

二　その他厚生労働省令で定める事項

＊　厚生労働省令で定める記載事項（則 38）：向精神薬製造製剤業者又は向精神薬輸入業者の氏名及び住所

（向精神薬取扱責任者）第 50 条の 20　向精神薬営業者は，向精神薬営業所ごとに，向精神薬取扱責任者を置かなければならない．

ただし，向精神薬営業者が，自ら向精神薬取扱責任者となって管理する向精神薬営業所については，この限りでない．

薬局開設の許可を受けた者は，向精神薬卸売業者及び向精神薬小売業者の免許を受けた者とみなす．

また，医薬品卸売販売業の許可を受けた者は，向精神薬卸売業者の免許を受けた者とみなす．(法50の26)

保管等（則40）

1　向精神薬取扱者は，向精神薬を向精神薬営業所，病院等又は向精神薬試験研究施設内で保管しなければならない．

2　保管は，向精神薬に関する業務を行う者が，**実地に盗難の防止につき必要な注意をする場合を除き，かぎをかけた設備内で行わなければならない．**

3　向精神薬取扱者は，所有する向精神薬を廃棄するときは，**焼却その他向精神薬を回収することが困難な方法**で行わなければならない．

4　向精神薬営業者は，常時取り引き関係にない者に向精神薬を譲り渡すときは，その相手方が，向精神薬の譲り渡しが禁止されている者でないことを確認しなければならない．

（事故の届出）第50条の22　向精神薬取扱者は，その所有する向精神薬につき，滅失，盗取，所在不明その他の事故が生じたときは，厚生労働省令で定めるところにより，速やかにその向精神薬の品名及び数量その他事故の状況を明らかにするために必要な事項を，向精神薬輸入業者，向精神薬輸出業者，向精神薬製造製剤業者，向精神薬使用業者又は厚生労働大臣の登録に係る向精神薬試験研究施設設置者にあっては**厚生労働大臣**に，向精神薬卸売業者，向精神薬小売業者，病院等の開設者又は都道府県知事の登録に係る向精神薬試験研究施設設置者にあっては**都道府県知事**に届け出なければならない．

＊　届け出なければならない事故にあった向精神薬の量（則41）

ⅷ）記録と届出

記録（法50の23－2）

向精神薬小売業者，病院等の設置者の記録義務は次のとおりである．

第一種及び第二種向精神薬を譲渡，譲受，廃棄したときは，その品名，数量，年月日，譲受，譲渡の相手方の氏名又は名称・住所を記録し，その記録を記録の日から**2年間保存**しなければならない．ただし，第三種向精神薬，向精神薬処方せんを所持する者に譲り渡した向精神薬，その他省令（則42）で定める向精神薬については適用されない．

記録を要しない向精神薬（則42）

病院等の開設者が，施用のため向精神薬を譲り渡した場合，向精神薬小売業者が向精神薬処方せんにより調剤した向精神薬を譲り渡した場合等は記録の対象から除外される．

届出（法50の24－2）

向精神薬試験研究施設の設置者は**毎年2月末日まで**に前年中に輸入，輸出，製造した向精神薬の品名，数量，並びに輸入，輸出した場合は，その相手国の名称を厚生労働大臣又は都道府県知事（登録申請先）に届出なければならない．

＊　向精神薬小売業者，病院等の開設者及び向精神薬卸売業者には届出の規定はない．

ⅸ）広　告

広告（法50の18）

向精神薬の広告については麻薬の規定（一般人に対する広告禁止）が適用される．

Checkpoint

法の目的	① 麻薬・向精神薬の輸入，輸出，製造，譲渡しなどの取締りを行う． ② 麻薬中毒者に必要な医療等の措置を講ずる．
規制対象物質	麻薬（別表第1に掲げる物）：モルヒネ，ジアセチルモルヒネ，コカイン，リゼルギン酸ジエチルアミド（リゼルギド，LSD），3,4-メチレンジオキシメタンフェタミン（MDMA）等 家庭麻薬（非麻薬）：1％以下のコデイン，ジヒドロコデイン又はその塩類を含んでいて，その他の麻薬を含有しないもの … コデインリン酸塩散1％，ジヒドロコデインリン酸塩散1％ 麻薬中毒（者）：麻薬，大麻，あへんの慢性中毒（者）
向精神薬（別表第3に掲げる物）	第一種向精神薬（濫用の恐れが高いもの）：メチルフェニデート，セコバルビタール等 第二種向精神薬（濫用の恐れが中程度のもの）：ブプレノルフィン，ペンタゾシン等 第三種向精神薬（比較的濫用の恐れが少ないもの）：トリアゾラム，ジアゼパム等
取扱者と取扱施設	麻薬取扱者：麻薬輸入業者，麻薬輸出業者，麻薬製造業者，麻薬製剤業者，家庭麻薬製造業者，麻薬元卸売業者，麻薬卸売業者，麻薬小売業者，麻薬施用者，麻薬管理者，麻薬研究者 麻薬小売業者…麻薬施用者の麻薬を記載した処方せん（麻薬処方せん）により調剤された麻薬を譲り渡すことを業とする者（薬局開設者） 麻薬施用者…疾病の治療の目的で，業務上麻薬を施用し，もしくは施用のため交付し，又は麻薬を記載した処方せんを交付する者（医師・歯科医師・獣医師） 麻薬管理者…麻薬診療施設で施用され，又は施用のため交付される麻薬を業務上管理する者（医師・歯科医師・獣医師・薬剤師） 免許の有効期間：免許の日からその日の属する年の翌々年の12月31日まで
	向精神薬取扱者：向精神薬輸入業者，向精神薬輸出業者，向精神薬製造製剤業者，向精神薬使用業者，向精神薬卸売業者，向精神薬小売業者，病院等の開設者，向精神薬試験研究施設設置者 向精神薬使用業者…向精神薬に化学的変化を加え向精神薬以外の物にすることを業とする者 向精神薬小売業者…向精神薬を記載した処方せん（向精神薬処方せん）により調剤された向精神薬を譲り渡すことを業とする者 みなし免許：薬局開設者は，向精神薬小売業者及び向精神薬卸売業者の免許を受けた者と，医薬品一般販売業者は，向精神薬卸売業者の免許を受けた者とみなされる．
禁止行為	ジアセチルモルヒネ（ヘロイン）… 輸入，輸出，製造，製剤，施用，所持，交付，譲渡，譲受，廃棄が禁止 〈特例〉 ① 麻薬研究施設の設置者が厚生労働大臣の許可を受けてする譲渡・譲受・廃棄 ② 麻薬研究者が厚生労働大臣の許可を受けてする研究用の製造・製剤・小分け・施用・所持
輸入と輸出	【麻薬】 ・麻薬輸入業者，麻薬輸出業者が，そのつど厚生労働大臣の許可を受けて行う輸入，輸出以外は禁止 〈例外〉厚生労働大臣の許可を受けて，自己の疾病治療のための携帯輸出入は可能 ※　ジアセチルモルヒネ（ヘロイン）又はアヘン末は何人も輸出入禁止 【向精神薬】 ・向精神薬輸入業者，向精神薬輸出業者が第一種向精神薬を輸入，輸出するときは，そのつど厚生労働大臣の許可を受けなければならない． 〈例外〉厚生労働省令で定めるものであって，自己の疾病治療のための携帯輸出入は可能

<table>
<tr><td>製造と製剤</td><td>【麻薬】
<table><tr><td></td><td>麻薬を製造</td><td>麻薬を製剤</td><td>家庭麻薬を製造</td></tr><tr><td>麻薬製造業者</td><td>○</td><td>○</td><td>○</td></tr><tr><td>麻薬製剤業者</td><td>×</td><td>○</td><td>○</td></tr><tr><td>家庭麻薬製造業者</td><td>×</td><td>×</td><td>○</td></tr></table>※　半期ごとに，厚生労働大臣の許可を受けて製造
〈例外〉麻薬研究者が研究のために製造，製剤をする場合</td></tr>
<tr><td>譲渡と譲受</td><td>【麻薬】
麻薬取扱者ごとに譲渡・譲受相手が明確に決められている．
※　譲渡人，譲受人は譲渡証，譲受証を交付し合う．(2 年間保存)
※　厚生労働大臣の許可を受ければ規定された譲渡先以外の者に譲渡できる．
※　麻薬処方せん…麻薬施用者の氏名，免許証の番号，及び患者の住所も記載する．
※　麻薬小売業者間譲渡許可を受けて，在庫の不足時に限り，同一都道府県内にある麻薬小売業者間で譲渡できる．
【向精神薬】
向精神薬営業者（向精神薬使用者を除く．）でなければ，向精神薬を譲渡できない．
向精神薬小売業者：向精神薬処方せんを所持する者にのみ譲渡できる．</td></tr>
<tr><td>施　用</td><td>【麻薬】
① 原則…麻薬施用者は疾病の治療以外の目的で麻薬を施用してはならない．
〈例外〉N-アリルノルモルヒネ（ナロルフィン）〈中毒の鑑定〉
② 原則…麻薬施用者は中毒者に対して麻薬を施用してはならない．
〈例外〉メサドン〈中毒の緩和〉</td></tr>
<tr><td>所　持</td><td>【麻薬】
麻薬取扱者でなければ麻薬を所持できない．
〈例外〉調剤された麻薬を所持する場合
※　家庭麻薬製造業者…コデイン，ジヒドロコデイン以外の麻薬を所持できない．</td></tr>
<tr><td>廃　棄</td><td>【麻薬】
原則：あらかじめ都道府県知事に届出後，当該職員の立会いの下に廃棄
〈例外〉調剤された麻薬―廃棄後，都道府県知事に届出（30 日以内）
麻薬を含む注射剤の施用残液―麻薬管理者の責任で廃棄（届出不要）
【向精神薬】
回収が困難な方法で廃棄（許可，届出不要）</td></tr>
<tr><td>証紙による封かん</td><td>【麻薬】
・麻薬輸入業者，麻薬製造業者，麻薬製剤業者…容器等に証紙で封を施して譲渡．
・麻薬営業者（麻薬小売業者以外）…封を施したまま譲渡．
・麻薬小売業者，麻薬施用者…封を開けて譲渡．</td></tr>
<tr><td>容器及び被包の記載</td><td>【麻薬】
麻薬営業者（小売業者を除く）は，容器等に次の事項を記載しなければ譲渡できない．
・「(麻)」の記号
・輸入，製造年月日
・麻薬成分の品名，分量，含量
・厚生労働省令で定める事項
【向精神薬】
向精神薬営業者（小売業者を除く）は，容器等に次の事項を記載しなければ譲渡できない．
・「(向)」の記号
・成分たる向精神薬の品名，分量，含量
・向精神薬製造製剤業者等の氏名，住所</td></tr>
</table>

管　理	【麻薬】 麻薬管理者 麻薬管理者を置かなければならない場所 ・麻薬施用者の2人以上いる診療施設 ・開設者が管理者とならない場合 【向精神薬】 向精神薬取扱責任者 向精神薬取扱責任者：営業者が営業所ごとに設置
保　管	【麻薬】 他の医薬品（覚醒剤を除く）と区別してかぎをかけた堅固な設備内に保管 【向精神薬】 盗難防止につき必要な注意をしている場合を除きかぎをかけた設備内に保管
事故の届出	【麻薬】 滅失，盗取，所在不明等が生じたときは，すみやかに厚生労働大臣又は都道府県知事（免許申請先）に届出 【向精神薬】 政令で定める量以上の事故…すみやかに厚生労働大臣（局長），都道府県知事（免許，登録申請先）に届出
記　録	【麻薬】 麻薬小売業者は麻薬業務所ごとに帳簿を備え，必要事項を記載し，最終記載日から2年間保存しなければならない． 【向精神薬】 向精神薬小売業者，病院等の設置者は第一種，及び第二種向精神薬を譲渡，譲受，廃棄したときは，必要事項を記録し，その記録を記録の日から2年間保存しなければならない． ただし，病院等の開設者が，施用のため向精神薬を譲り渡した場合，向精神薬小売業者が向精神薬処方せんにより調剤した向精神薬を譲り渡した場合等は記録の対象から除外される．
届　出	【麻薬】 麻薬営業者（麻薬小売業者を除く.）…半期ごとに必要事項を厚生労働大臣，都道府県知事（免許申請先）に届出 麻薬小売業者，麻薬管理者，麻薬研究者…毎年11月30日までに都道府県知事に届出 【向精神薬】 向精神薬試験研究施設の設置者は毎年2月末日までに前年中に輸入，輸出，製造した向精神薬の品名，数量，並びに輸入，輸出した場合は，その相手国の名称を厚生労働大臣又は都道府県知事（登録申請先）に届出なければならない． 向精神薬小売業者，病院等の開設者には届出の規定はない．
広　告	【麻薬】【向精神薬】 医薬関係者に対してする場合以外禁止

問　題

≪麻薬≫

問 1　麻薬及び向精神薬取締法で規制される麻薬はどれか．1つ選べ．(98)
　1　オキサゾラム　　2　メタンフェタミン　　3　ブプレノルフィン
　4　フェニルプロパノールアミン　　5　コカイン

問 2　都道府県知事の免許を受けることが必要なのはどれか．1つ選べ．(104)
　1　麻薬製剤業者　　2　麻薬輸出業者　　3　麻薬輸入業者
　4　麻薬小売業者　　5　麻薬製造業者

問 3　麻薬小売業者の免許を受けている薬局における麻薬（ジアセチルモルヒネを除く）の取扱いのうち，事前に許可を受ける必要があるのはどれか．1つ選べ．(101)
　1　家庭麻薬の廃棄　　2　同一都道府県内の麻薬卸売業者からの購入
　3　麻薬処方箋に基づく調剤　　4　同一都道府県内の薬局間での譲渡・譲受
　5　調剤済麻薬の廃棄

問 4　患者が亡くなったので，その家族から当該薬局で調剤した以下の薬剤を処分してほしいと申し出があった．当該薬局で廃棄する場合に都道府県知事に届け出なければならない医薬品はどれか．1つ選べ．(97)
　1　コデインリン酸塩散 1%　　2　アミオダロン塩酸塩錠　　3　フェンタニル貼付剤
　4　メチルフェニデート塩酸塩錠　　5　トリアゾラム錠

問 5　ジヒドロコデインリン酸塩を 10% 含有する散剤は家庭麻薬に該当する．(103)

問 6　麻薬を用いた研究を行うには，都道府県知事から麻薬研究者の免許を受けなければならない．(103)

問 7　麻薬研究者が研究用の麻薬を製造する場合は，その都度，都道府県知事の許可が必要である．(99)

問 8　家庭麻薬製造業者は，特段の許可を受けることなくコデイン，ジヒドロコデイン及びその塩類を麻薬製剤業者に譲り渡すことができる．(99)

問 9　保険薬局におけて処方せんにより麻薬を調剤する場合は，麻薬小売業者の免許は不要でる．(97)

問 10　ジアセチルモルヒネを輸入する場合，その都度，都道府県知事の許可を得なければならない．(103)

問 11　治療のため，麻薬を施用中の患者が外国に旅行する場合，麻薬の輸出ができないため処方変更が必要になる．(103)

問 12　麻薬処方せんには，麻薬施用者の免許証の番号が記載されていなければならない．(103)

問 13　麻薬を購入する時は，麻薬譲渡証を麻薬卸売業者から受け取り，麻薬譲受証を麻薬卸売業者に渡す．(97)

問 14　麻薬帳簿は，最終記載の日から 3 年間保管する．(97)

問 15　麻薬小売業者間譲渡許可を受けた場合，麻薬の在庫不足で調剤することができない場合に限り，その不足分を 麻薬小売業者 A と麻薬小売業者 B の間で譲渡・譲受することが可能となる．(97)

問 16　麻薬小売業者間譲渡許可を受けるためには，麻薬小売業者 A と麻薬小売業者 B の麻薬業務所が同一の

解答・解説

≪麻薬≫

問 1　解答　5

1. オキサゾラムは第三種向精神薬，2. メタンフェタミンは覚醒剤，3. ブプレノルフィンは第二種向精神薬，4. フェニルプロパノールアミンは覚醒剤原料（ただし，50% 以下を含有するものを除く.），5. コカインは麻薬である.

問 2　解答　4

麻薬製剤業者，麻薬輸出業者，麻薬輸入業者，麻薬製造業者の免許権者は厚生労働大臣（ただし，権限が委任されている場合は地方厚生局長）であり，麻薬小売業者の免許権者は都道県知事である（法 3).

問 3　解答　4

麻薬小売業者間の麻薬の譲渡はできないが，事前に同一都道府県内にある複数の麻薬小売業者が共同して麻薬小売業者間譲渡許可を申請している場合に限り，麻薬の不足が生じたときは申請した麻薬小売業者間で，その不足分を譲渡・譲受できるという特例がある（規則 9 の二）. 4 以外は，麻薬小売業者の免許を受けた薬局で，事前の許可を受けることなく行うことができる.

ただし，5 は廃棄後，30 日以内に調剤済廃棄届を都道府県知事に提出しなければならない.

問 4　解答　3

患者等から服用する必要がなくなったために譲り受けた麻薬は，廃棄後 30 日以内に調剤済麻薬廃棄届を都道府県知事に提出しなければならない（法 35-2).

1. コデインリン酸塩散 1%　は家庭麻薬，2　アミオダロン塩酸塩錠は毒薬，3　フェンタニル貼付剤は麻薬，4　メチルフェニデート塩酸塩錠は第一種向精神薬，5. トリアゾラム錠は第三種向精神薬である.

問 5　×　ジヒドロコデインリン酸塩を 10% 含有する散剤は，家庭麻薬ではなく，麻薬である. 家庭麻薬とは，コデイン，ジヒドロコデイン又はこれらを含油する塩類を，千分中十分（1%）以下を含有するもので，これら以外の麻薬を含有しないものである.

問 6　○　麻薬研究者とは，都道府県知事の免許を受けて，学術研究のため，麻薬原料植物を栽培し，麻薬を製造し，又は麻薬，あへん若しくはけしがらを使用する者をいう（法 3-2-九).

問 7　×　麻薬研究者が研究用の麻薬を製造する場合は，その都度，許可を受ける必要はない. 麻薬製造業者，麻薬製剤業者又は家庭麻薬製造業者が，麻薬又は家庭麻薬を製造しようとするときは，半期（1 月～6 月　7 月～12 月）ごとに，厚生労働大臣の許可を受けなくてはならない（法 21).

問 8　×　家庭麻薬製造業者は，麻薬を譲り渡してはならない（法 24-7). ただし，コデイン，ジヒドロコデイン及びその塩類が 1% 以下であり，家庭麻薬に該当する場合には譲渡することができる.

問 9　×　保険薬局において処方せんにより麻薬を調剤する場合は，都道県知事より麻薬小売業者の免許を受けなければならない.

問 10　×　ジアセチルモルヒネ，あへん末，覚醒剤については，何人も輸出，輸入が禁止されている（法 12).

問 11　×　自己の疾病の治療のため，麻薬を携帯して出国（輸出）や入国（輸入）する場合は，厚生労働大臣の許可を受けて行うことができる（法 13，17).

問 12　○　麻薬施用者は，麻薬を記載した処方せん（麻薬処方せん）を交付するときは，麻薬施用者の免許証の番号は必要な記載事項の 1 つである（法 27-6).

問 13　○　法 32 条

問 14　×　麻薬帳簿は，薬局開設者が備え，最終記載の日から，これを 2 年間保管することが義務付けられている（法 39-3).

問 15　○　問 3 解説参照

問 16　×　問 3 解説参照

都道府県内にある必要はない．(97)

問 17　麻薬小売業者間譲渡許可の申請書は，共同して地方厚生（支）局長に提出しなければならない．(97)

問 18　麻薬小売業者間譲渡許可を受けた後は，麻薬小売業者 A が麻薬小売業者 B との間で譲渡・譲受を行った麻薬については，品名，数量等を麻薬帳簿に記載する必要はない．(97)

問 19　薬局業務を廃止するので，不要となった麻薬を都道府県知事に届け出ることなく廃棄した．(98)

問 20　薬局に在庫していた麻薬の有効期限が切れたので，都道府県知事に麻薬廃棄届を提出し，保健所職員の立会いの下で廃棄した．(98)

問 21　薬局において調剤中に破損した麻薬を管理薬剤師が薬局の他の職員の立会いの下，焼却処分した．(98)

問 22　患者の家族から不要となった麻薬が薬局に返却されたので，品質に問題がないことを確認して再使用した．(98)

問 23　ファクシミリにより薬局に送信された麻薬処方せんの内容に基づきオキシコドン塩酸塩徐放錠を調製したが，患者が受け取りに来なかったので，再使用した．(98)

問 24　指定薬物は麻薬及び向精神薬取締法に基づき，厚生労働大臣が指定する．(101)

問 25　麻薬は，指定薬物に含まれる．(103)

問 26　薬剤師が行う薬物乱用防止教室において，薬物乱用とは，何回も繰り返して薬物を使用することであると説明する．(105)

≪向精神薬≫

問 27　薬局開設者が，都道県知事に別段の申し出をしない限り，免許を受けたとみなされるのはどれか．1つ選べ．(105)

1　向精神薬輸入業者　2　向精神薬輸出業者　3　向精神薬製造製剤業者
4　向精神薬使用業者　5　向精神薬小売業者

問 28　薬局で向精神薬を取扱う場合，法令に基づいて届出が必要とされているのはどれか．1つ選べ．なお，薬局は，向精神薬営業者に関して別段の申し出はしていないものとする．(102)

1　処方箋に基づく譲渡　2　他の薬局への譲渡　3　向精神薬卸売業者からの譲受
4　廃棄　5　一定量以上の減失，盗取等の事故

問 29　向稍神薬は，第一種及び第二種向精神薬の 2 種類に分類される．(103)

問 30　向精神薬卸売業者は，免許を受けた業務所が所在する都道府県外の向精神薬小売業者に向精神薬を譲り渡すことができない．(103)

問 31　向精神薬を用いて動物実験等の研究を行う施設の設置者の登録は，地方厚生（支）局長又は都道府県知事が行う．(99)

問 32　薬局開設者は，辞退を申し出ない限り，向精神薬卸売販売業及び向精神薬小売 業の免許を受けた者とみなされる．(103)

問 33　海外旅行をする際，向精神薬を携帯するには，地方厚生（支）局長の許可が必要である．(99)

問 34　向精神薬取扱者が，向精神薬を廃棄する場合には，届出は不要である．(103)

問 17　×　麻薬小売業者間譲渡許可の申請書は，申請する麻薬小売業者が共同して都道府県知事に提出しなければならない．2016 年（平成 28 年）4 月 1 日より許可権限が地方厚生（支）局長から都道府県知事に委譲された（規則 9 の二 -2）．

問 18　×　麻薬小売業者は，麻薬業務所に帳簿を備え，（他の麻薬業務所から譲り受けた麻薬も含め，）譲り受けた麻薬の品名及び数量並びにその年月日等を記載し，2 年間保存しなければならない（法 38）．

問 19　×　不要になった麻薬，有効期限が切れたた麻薬，調剤中に破損した麻薬を廃棄しようとする者は，事前に，麻薬の品名・数量・廃棄の方法について都道府県知事に麻薬廃棄届を提出して，当該職員の立会いの下に行わなければならない（法 29）．

問 20　○　問 19 解説参照

問 21　×　問 19 解説参照

問 22　×　患者の家族から，患者が死亡したため返却された麻薬のように調剤済みの麻薬については，麻薬小売業者又は麻薬診療施設の開設者自らが薬局等の職員の立会いのもとで回収不可能な方法で廃棄し，廃棄後 30 日以内に調剤済麻薬廃棄届を所在地の都道府県知事に提出しなければならない．再使用はしない（法 35–2）．

問 23　○　患者に処方薬を渡す前であり，調剤済みとなっていないことから再使用もできる．

問 24　×　指定薬物は，麻薬及び向精神薬取締法ではなく，医薬品医療機器等法に基づき，厚生労働大臣が薬事・食品衛生審議会の意見を聴いて指定する．

問 25　×　麻薬は麻薬及び向精神薬取締法によって規制されるので，指定薬物には含まれない．

問 26　×　薬物を社会的規範から逸脱した目的や方法により使うことを薬物乱用といい，1 回の使用であっても薬物乱用であることを説明する．

≪向精神薬≫

問 27　解答　5

みなし免許　医薬品医療機器等法に基づき薬局開設者の免許を受けると，辞退を申し出ない限り，向精神薬卸売販売業及び向精神薬小売 業の免許を受けた者とみなされる（法 50 の二十六）．

問 28　解答　5

向精神薬小売業者は，その所有する向精神薬につき，滅失，盗取，所在不明その他の事故が生じたときは，厚生労働省令で定めるところにより，速やかにその向精神薬の品名及び数量その他事故の状況を明らかにするために必要な事項を都道府県知事に届け出なければならない（法 50 の二十二）．

問 29　×　向稍神薬は，その乱用の危険性と乱用されたときの健康被害の大きさから第一種向精神薬，第二種向精神薬，及び第三種向精神薬の 3 種類に分類されている．

問 30　×　向精神薬卸売業者は，免許を受けた業務所が所在する都道府県外の向精神薬小売業者に向精神薬を譲り渡すことはできる．なお，麻薬卸売業者は，当該免許に係る麻薬業務所の所在地の都道府県外の麻薬小売業者に麻薬を譲り渡すことはできない（法 24–9）．

問 31　○　向精神薬試験研究施設設置者の登録は，国の設置する向精神薬試験研究施設設にあっては，厚生労働大臣（地方厚生（支）局長）が，その他の向精神薬試験研究施設にあっては都道府県知事が，それぞれ向精神薬試験研究施設ごとに行う（法 50 の 5）．

問 32　○　問 27 解説参照

問 33　×　患者は自己の疾病の治療の目的で向精神薬を携帯して入国又は出国する場合，定められている量超える量の向精神薬を携帯して入国又は出国する場合には，地方厚生（支）局長の許可ではなく，医師の証明書が必要である（法 50 の 8–2，11–2）．

問 34　○　向精神薬取扱者が，向精神薬を廃棄する場合には，届出や立ち合いの義務はない．焼却その他，

問 35 向精神薬を調剤する際には，都道府県知事の免許を受けた医師の処方せんであることの確認が必要である．(103)

問 36 向精神薬輸出業者が第一種向精神薬を輸出する際には，その都度，地方厚生（支）局長の許可が必要である．(99)

複 合 問 題

問 1 メチルフェニデート塩酸塩錠に当てはまり，かつ，トリアゾラム錠に当てはまらないのはどれか．1つ選べ．(97)

1 保管は，業務に従事する者が実地に盗難防止に必要な注意をしている場合以外は，鍵をかけた施設内で行わなければならない．
2 廃棄は，焼却，酸・アルカリ等による分解，希釈，他の薬剤との混合等，回収が困難な方法で行わなければならない．
3 卸売業者から譲り受けたときは，品名（販売名）・数量，譲り受けの年月日，譲り受けの相手方の営業所等の名称・住所を記録し，2年間保存しなければならない．
4 一定数量以上の盗難，紛失等が生じたときは，速やかに都道府県知事に届け出なければならない．

問 2 医療用麻薬は，不正流通による乱用を未然に防止するため，法律で薬局においても厳格な管理が求められている．調剤のために麻薬を取り扱う薬局に関する記述のうち，正しいのはどれか．1つ選べ．(98)

1 厚生労働大臣から麻薬小売業者の免許を取得しなければならない．
2 麻薬の譲り受け，保管，交付等の管理を行う薬剤師は，都道府県知事から麻薬管理者の免許を取得しなければならない．
3 覚醒剤原料は，麻薬と一緒に麻薬保管庫内に保管することができる．
4 麻薬卸売業者からの麻薬の購入は，同一都道府県内にある麻薬卸売業者に限定される．
5 麻薬処方せんは，調剤済みとなった日から5年間，保存しなければならない．

問 3 50歳男性．がんによる疼痛を緩和する目的で，在宅にてオキシコドン塩酸塩水和物徐放錠と非ステロイド性抗炎症薬で治療を行っている．疼痛はコントロールできており，重篤な副作用もみられなかった．昨晩より突発性の疼痛が発現したとの訴えが主治医にあり，今回，オキシコドン塩酸塩水和物散が臨時追加投与されることとなった．

オキシコドンは麻薬として規制されている．麻薬に関する規制のうち，正しいのはどれか．2つ選べ．(100)

1 薬局の開設者は，特段の申し出がない限り，麻薬小売業者の免許を受けた者とみなされる．
2 麻薬小売業者が麻薬処方せんを受け付ける場合は，麻薬施用者の医師免許番号が記載されていることを確認しなければならない．

回収困難な方法により廃棄する.

問35　×　医師が向精神薬を施用する際は，都道府県知事の免許を受ける必要はない.　医師が麻薬を施用する際は，都道府県知事から麻薬施用者の免許を取得しなければならない.

問36　○　向精神薬輸出業者が第一種向精神薬を輸出する際には，その都度，厚生労働大臣（地方厚生（支）局長）の許可を受けなければならい．なお，向精神薬輸出業者が第二種向精神薬を輸出する際には，厚生労働大臣への届け出が必要であり，第三種向精神薬を輸出する際は特に規定はない（法50の十二）.

解答・解説

問 1　解答　3

メチルフェニデート塩酸塩錠は第一種向精神薬であり，トリアゾラム錠は第三種向精神薬である.

1　×　向精神薬はその分類にかかわらず，保管は業務に従事する者が実地に盗難防止に必要な注意をしている場合以外，鍵をかけた施設内で行わなければならない（規則40–2).

2　×　向精神薬はその分類にかかわらず，廃棄は回収が困難な方法で行わなければならない（規則40–3).

3　○　第一種向精神薬及び第二種向精神薬を卸売業者から譲り受けたときは，必要事項を帳簿に記録し，その帳簿を2年間保存しなければならない．しかし，第三種向精神薬はこのような帳簿への記録は不要である（法50の23–2).

4　×　向精神薬はその分類にかかわらず，薬局において一定数量以上の盗難，紛失等が生じたときは，速やかに都道府県知事に届け出なければならない（法50の二十二).

問 2　解答　4

1　×　麻薬小売業者とは，都道府県知事の免許を受けて，麻薬施用者の麻薬処方せんにより調剤された麻薬を譲り渡すことを業とする者をいう（法2–17).

2　×　麻薬診療施設で施用され，又は施用のため交付される麻薬を業務上管理する者を麻薬管理者といい，都道府県知事の免許が必要である（法2–19)．薬局においては麻薬小売業者が麻薬を譲り受け，保管，交付等の管理は当該薬局の管理者が行うため，麻薬管理者は不要である.

3　×　麻薬は，麻薬以外の医薬品（覚醒剤を除く.）と区別し，かぎをかけた堅固な設備内で貯蔵しなければならない（法34–2)．したがって，覚醒剤原料は，麻薬と一緒に麻薬保管庫内に保管することはできない.

4　○　麻薬卸売業者は，当該免許に係る麻薬業務所の所在地がある都道府県の区域内にある麻薬卸売業者，麻薬小売業者，麻薬診療施設の開設者及び麻薬研究施設の設置者以外の者に麻薬を譲り渡してはならない（法24–9).

5　×　薬局の開設者は，当該薬局で調剤済みとなった処方せん（麻薬処方せんも含む.）を，調剤済みとなった日から3年間，保存しなければならない（薬剤師法第27条).

問 3　解答　3，5

1　×　薬局の開設者は，向精神薬小売業者及び向精神薬卸売業者の免許を受けと者とみなされるが，麻薬小売業者の免許を受けた者とはみなされない.

2　×　麻薬小売業者が麻薬処方せんを受け付ける場合は，麻薬施用者の免許者番号が記載されていることを確認しなければならない（法27–6).

3　○　法35

4　×　麻薬小売業者は，麻薬処方せんを所持する者以外の者に麻薬を譲り渡してはならない（法24–11)．ただし，都道府県知事から麻薬小売業者間譲渡許可を受けて，麻薬を譲渡する場合はこの限りではない（規則9の2).

3 麻薬小売業者は，麻薬の滅失等の事故が生じたときは，すみやかに都道府県知事に届け出なければならない.

4 麻薬小売業者は，特段の許可なく，別の麻薬小売業者に麻薬を譲渡することができる.

5 麻薬小売業者は，年に 1 回，1 年間に譲渡，譲受した麻薬の品名及び数量を都道府県知事に届け出なければならない.

問 4 麻薬診療施設における麻薬の管理者に関する記述として，正しいのはどれか．2つ選べ.（102）

1 2 人以上の麻薬施用者が診療に従事する麻薬診療施設の開設者は，当該麻薬診療施設に麻薬管理者を置かなければならない.

2 管理している麻薬を廃棄する際には，廃棄してから 30 日以内に厚生労働大臣に届け出なければならない.

3 麻薬の滅失や盗取等の事故が発生した場合における，麻薬管理者が行う品名及び数量等の届け出先は，厚生労働大臣である.

4 麻薬管理者は事故の届け出をした麻薬の品名及び数量を麻薬診療施設に備えた帳簿に記載しなければならない.

5 麻薬管理者の免許は，医師でなければ受けることができない.

問 5 71 歳男性．膵臓がんで入院治療していたが，本人の希望もあり退院し，自宅で緩和ケアを受けている．退院時は，以下の処方であった.（以下，前文省略）

（処方）

モルヒネ塩酸塩水和物徐放性カプセル 120 mg	
	1 回 1 カプセル（1 日 1 カプセル）
	1 日 1 回　夕食後　14 日分
モルヒネ塩酸塩水和物内用液 10 mg	1 回 2 包（10mg/ 包）
	痛いとき　20 回分（全 40 包）
酸化マグネシウム	1 回 0．5 g（1 日 0．5 g）
	1 日 1 回　就寝前　14 日分

その後，この患者が死亡し，患者の相続人から，薬剤が残っているので，薬局に返却したいとの申し出があった．確認したところ，残薬はフェンタニル貼付剤及び酸化マグネシウムであった．これらの薬剤の取扱いに関する記述のうち，正しいのはどれか．2つ選べ.（105）

1 フェンタニル貼付剤の返却には，都道府県知事の許可が必要であるため，申請するよう指導した.

2 返却されたフェンタニル貼付剤は，回収することが困難な方法で廃棄した.

3 返却されたフェンタニル貼付剤を薬局で廃棄したので，廃棄後 30 日以内に都道府県知事に届出を行った.

4 返却されたフェンタニル貼付剤は，まだ使用期限を過ぎていなかったので，仕入れをした卸売販売業者に返品した.

5 酸化マグネシウムは，まだ使用期限を過ぎていなかったので，必要に応じて相続人が服用してもよいと指導した.

5　○　麻薬小売業者は，毎年，11月30日までに，1年間に譲渡，譲受した麻薬の品名及び数量を年間麻薬譲渡・譲受届により都道府県知事に届け出なければならない（法47）．

問 4　解答　1，4

1　○　2人以上の麻薬施用者が診療に従事する麻薬診療施設の開設者は，当該麻薬診療施設に麻薬管理者を置かなければならない．ただし，その開設者が麻薬管理者である場合は，この限りでない（法33）．

2　×　麻薬を廃棄する際の届け出先は，厚生労働大臣でなく，所在地の都道府県知事である．麻薬を廃棄しようとする者は，麻薬の品名及び数量並びに廃棄の方法について都道府県知事に届け出て，当該職員の立会いの下に行わなければならない．ただし，麻薬小売業者又は麻薬診療施設の開設者が，麻薬処方せんにより調剤された麻薬を廃棄する場合は，この限りでない（法29）．

3　×　麻薬の滅失や盗取等の事故が発生した場合の麻薬管理者の届け出先は，厚生労働大臣でなく，所在地の都道府県知事である（法35）．

4　○　麻薬管理者は，麻薬診療施設に帳簿を備え，必要事項を記載しなければならない．その必要事項の1つが，所有又は管理する麻薬につき，滅失，盗取，所在不明その他の事故が生じたときに届け出た麻薬の品名及び数量である（法39–4）．

5　×　麻薬管理者の免許を受けることができるのは，医師，歯科医師，獣医師又は薬剤師である．（法3-2-8）．

問 5　解答　2，3

1　×　不要になった麻薬の返却には，許可は必要ない．

2　○　返却されたフェンタニル貼付剤は麻薬であるので，焼却・放流等の回収が困難な方法によって廃棄しなければならない（規則10の2）．

3　○　返却されたフェンタニル貼付剤を薬局で廃棄した場合には，廃棄後30日以内に都道府県知事に調剤済麻薬廃棄届を提出しなければならない（法35–2）．

4　×　調剤された麻薬は調剤済みとなっているため，再利用できないので，卸売販売業者に返品するのは不適切である．

5　×　処方された患者以外の者に，服用するように指導するのは不適切である．

b　あへん法・大麻取締法

b-1　あへん法

1) 目　的

（目的）第1条　この法律は，医療及び学術研究の用に供するあへんの供給の適正を図るため，国があへんの輸入，輸出，収納及び売渡を行い，あわせて，けしの栽培並びにあへん及びけしがらの譲渡，譲受，所持等について必要な取締を行うことを目的とする．

① あへんの供給の適正を図る→このために，けしの栽培並びにあへん，及びけしがらの譲渡，譲受，所持等について必要な取締を行う．

2) 定　義

（定義）第3条　この法律において次の各号に掲げる用語の意義は，それぞれ当該各号に定めるところによる．

一　けし　パパヴェル・ソムニフェルム・エル，パパヴェル・セティゲルム・ディーシー及びその他のけし属の植物であって，①厚生労働大臣が指定するものをいう．

二　②あへん　けしの液汁が凝固したもの及びこれに加工を施したもの（医薬品として加工を施したものを除く．）をいう．

三　③けしがら　けしの麻薬を抽出することができる部分（種子を除く．）をいう．

四　けし栽培者　けし耕作者，甲種研究栽培者及び乙種研究栽培者をいう．

五　けし耕作者　採取したあへんを国に納付する目的で，④第12条第1項の許可を受けてけしを栽培する者をいう．

六　甲種研究栽培者　あへんの採取を伴う学術研究のため，第12条第1項の許可を受けてけしを栽培する者をいう．

七　乙種研究栽培者　あへんの採取を伴わない学術研究のため，第12条第2項の許可を受けてけしを栽培する者をいう．

八，九，十　省略

① 現在のところ，指定するものはない．

② 日本薬局方には，「アヘン末」，「アヘン散」及び「アヘンチンキ」が収載されている．

③ けしがらは，けしを抽出した後のかすではないので注意すること．

④ 栽培許可証

3) 禁止行為

（国の独占権）第2条　あへんの輸入，輸出，けし耕作者及び甲種研究栽培者からの一手買取並びに麻薬製造業者及び麻薬研究施設の設置者への売渡の権能は，国に専属する．

あへんは，国（委託を受けた者）が輸入，輸出，買取及び売渡を行う．
麻薬製造業者が厚生労働大臣の許可を受けて，輸出入する，といったことはできない．
また，国が一手に買取・売渡しており，あへん卸売業者などは存在しない．

・禁止行為1：けしの栽培及びあへんの採取

（けしの栽培の禁止）第4条　けし栽培者でなければ，けしを栽培してはならない．
（あへんの採取の禁止）第5条　けし耕作者又は甲種研究栽培者でなければ，あへんを採取してはならない．

けし栽培者	けしの栽培	あへんの採取
けし耕作者	○	○
甲種研究栽培者	○	○
乙種研究栽培者	○	×

厚生労働大臣の栽培許可証*が必要（けし耕作者・甲種研究栽培者・乙種研究栽培者）

モルヒネの抽出はできない．（麻薬製造業者等の許可が必要）（けし耕作者・甲種研究栽培者）

麻薬製造業者は，あへんの採取ができない．

*　栽培許可証の有効期限は，許可の日から1年以内の9月30日まで．

・禁止行為2：あへんの輸出入，譲渡・譲受，所持

（輸入及び輸出の禁止）第6条　何人も，あへんを輸入し，又は輸出してはならない．但し，①国の委託を受けた者は，この限りでない．
2　何人も，厚生労働大臣の許可を受けなければ，けしがらを輸入し，又は輸出してはならない．
3　省略（輸出入許可の申請）
（譲渡及び譲受の禁止）第7条　②何人も，国以外の者にあへんを譲り渡し，又は国以外の者からあへんを譲り受けてはならない．
2及び3　省略（けしがらの譲り渡し，又は譲り受けに関する規定）
（所持の禁止）第8条　けし耕作者，甲種研究栽培者，麻薬製造業者，麻薬研究者又は麻薬研究施設の設置者でなければ，あへんを所持してはならない．
2～4　省略（あへんの所持）
5　省略（けしがらの所持）
（吸食の禁止）第9条　③何人も，あへん又はけしがらを吸食してはならない．
（廃棄の禁止）第10条　何人も，厚生労働大臣の許可を受けなければ，あへんを廃棄してはならない．
2　省略（廃棄許可の申請）

① あへんの輸出入は，国の委託を受けた者に限られる．
② あへんは，国以外の者には譲渡できず，また，国以外の者から譲受できない．
③ あへん又はけしがらの吸食（呼吸器又は消化器によって使うこと）は禁じられており，これに例外はない．

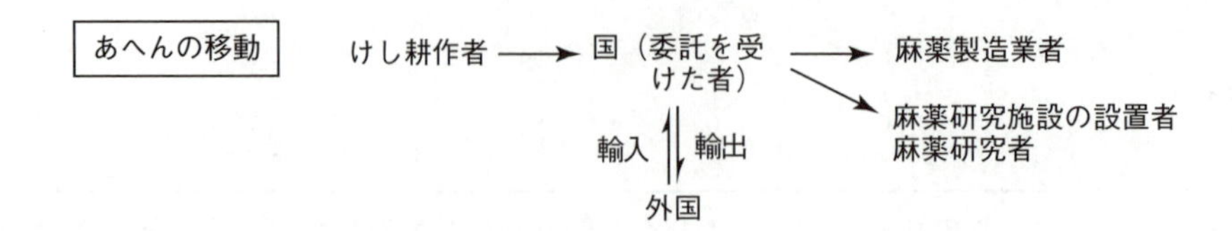

第11条～第28条　省略（栽培）

第29条～第35条　省略（収納及び売渡）

（保管）第36条　麻薬製造業者又は麻薬研究者は，その所有し，又は管理する**あへん**を，かぎをかけた**堅固な**設備内に収めて保管しなければならない．

2　麻薬製造業者又は麻薬研究者は，その所有し，又は管理する**けしがら**を，かぎをかけた設備内に収めて保管しなければならない．

あへんの保管は，麻薬及び覚醒剤と同様に，かぎをかけた堅固な設備内に収めて保管する．

けしがらは，覚醒剤原料と同様に，かぎをかけた設備内に収めて保管する．

第37条～第41条　省略（管理）

第42条～第45条　省略（監督）

第46条～第50条の3　省略（雑則）

第51条～第62条　省略（罰則）

b-2　大麻取締法

1）目　的

目的条項はない．

2）定　義

（定義）第1条　この法律で①「大麻」とは，大麻草（カンナビス・サティバ・エル）及びその製品をいう．ただし，大麻草の成熟した茎及びその製品（樹脂を除く．）並びに大麻草の種子及びその製品を除く．

（用語の定義）第2条　この法律で「**大麻取扱者**」とは，大麻栽培者及び大麻研究者をいう．

2　この法律で「**大麻栽培者**」とは，都道府県知事の免許を受けて，繊維若しくは種子を採取する目的で，大麻草を栽培する者をいう．

3　この法律で「**大麻研究者**」とは，都道府県知事の免許を受けて，大麻を研究する目的で大麻草を栽培し，又は大麻を使用する者をいう．

大麻栽培者及び大麻研究者は，**都道府県知事**から**免許**を受ける（厚生労働大臣からではない）．

免許の有効期限は，免許の日からその年の12月31日までである．（法8）

① 大麻の樹脂は除外品目から除かれているので，**大麻の樹脂は大麻**に含まれる．

3) 禁止行為

・禁止行為 1：大麻の所持，輸出入及び施用

(所持の禁止) 第3条　大麻取扱者でなければ大麻を所持し，栽培し，譲り受け，譲り渡し，又は研究のため使用してはならない.
2　この法律の規定により大麻を所持することができる者は，大麻をその所持する目的以外の目的に使用してはならない.
(禁止行為)　第4条　何人も次に掲げる行為をしてはならない.
　一　大麻を輸入し，又は輸出すること（大麻研究者が，厚生労働大臣の許可を受けて，大麻を輸入し，又は輸出する場合を除く.）.
　二　①大麻から製造された医薬品を施用し，又は施用のため交付すること.
　三　大麻から製造された医薬品の施用を受けること.
　四　省略（大麻に関する広告の禁止）
2　省略（申請の手続き）

① 大麻から製造された医薬品は施用できず，これに例外はない.

・禁止行為 2：大麻の譲渡

(譲渡の禁止) 第13条　大麻栽培者は，大麻を大麻取扱者以外の者に譲り渡してはならない.
(持出しの禁止) 第14条　大麻栽培者は，大麻をその栽培地外へ持ち出してはならない．但し，都道府県知事の許可を受けたときは，この限りでない.
(大麻栽培者) 第15条　省略
(譲渡の禁止) 第16条　大麻研究者は，大麻を他人に譲り渡してはならない．ただし，厚生労働大臣の許可を受けて，他の大麻研究者に譲り渡す場合は，この限りでない.
二　省略（申請の手続き）
(報告事項) 第17条　省略

C　覚醒剤取締法

1) 目　的

(この法律の目的) 第1条　この法律は，覚醒剤の濫用による保健衛生上の危害を防止するため，①覚醒剤及び覚醒剤原料の輸入，輸出，所持，製造，譲渡，譲受及び使用に関して必要な取締を行うことを目的とする.

① 覚醒剤及び覚醒剤原料について，必要な取締を行う.

2) 定　義

（用語の意義）第2条　この法律で「覚醒剤」とは，左に掲げる物をいう．
　一　①フェニルアミノプロパン，フェニルメチルアミノプロパン及び各その塩類
　二　前号に掲げる物と同種の覚醒作用を有する物であって②政令で指定するもの
　三　前二号に掲げる物のいずれかを含有する物
2　この法律で「覚醒剤製造業者」とは，覚醒剤を製造すること（覚醒剤を精製すること，覚醒剤に化学的変化を加え，又は加えないで他の覚醒剤にすること，及び覚醒剤を分割して容器に収めることを含む．ただし，調剤を除く．以下同じ．），及びその製造した覚醒剤を覚醒剤施用機関又は覚醒剤研究者に譲り渡すことを業とすることができるものとして，この法律の規定により指定を受けた者をいう．
3　この法律で「覚醒剤施用機関」とは，覚醒剤の施用を行うことができるものとして，この法律の規定により指定を受けた病院又は診療所をいう．
4　この法律で「③覚醒剤研究者」とは，学術研究のため，覚醒剤を使用することができ，また，厚生労働大臣の許可を受けた場合に限り覚醒剤を製造することができるものとして，この法律の規定により指定を受けた者をいう．
5　この法律で「覚醒剤原料」とは，④別表に掲げる物をいう．
6　省略（覚醒剤原料輸入業者）
7　省略（覚醒剤原料輸出業者）
8　省略（覚醒剤原料製造業者）
9　この法律で「⑤覚醒剤原料取扱者」とは，覚醒剤原料を譲り渡すことを業とすることができ，又は業務のため覚醒剤原料を使用することができるものとして，この法律の規定により指定を受けた者をいう．
10　この法律で「覚醒剤原料研究者」とは，学術研究のため，覚醒剤原料を製造することができ，又は使用することができるものとして，この法律の規定により指定を受けた者をいう．

① フェニルアミノプロパン（アンフェタミン），フェニルメチルアミノプロパン（メタンフェタミン）及び各その塩類
② 現在，指定されているものはない．
③ 医師，薬剤師等だけでなく，相当な知識を持ち，研究上必要な者に与えられる．
④ 覚醒剤取締法別表に掲げる主な覚醒剤原料

エフェドリン
メチルエフェドリン
フェニル酢酸
　これらの塩類
} 10％以下のものは，覚醒剤原料ではない．

覚醒剤原料を指定する政令に掲げる覚醒剤原料
　セレギリンとその塩類　10％以下でも覚醒剤原料である．
　フェニルプロパノールアミンとその塩類
　　50％以下のものは，覚醒剤原料ではない．

⑤ 覚醒剤原料取扱者：医薬品製造販売業者，医薬品販売業者等が該当する．薬局開設者は，覚醒剤原料取扱者の指定を受けていなくても，調剤のために医薬品である覚醒剤原料を使用できる．

3) 指定制度

覚醒剤取締法では，業務上取扱う者を指定する．一方，麻薬及び向精神薬取締法では許可制である．ただし，指定制と許可制の要件にほとんど差はない．

・覚醒剤（指定制度）

（指定の要件）第3条　覚醒剤製造業者の**指定**は製造所ごとに**厚生労働大臣**が，覚醒剤施用機関又は覚醒剤研究者の**指定**は病院若しくは診療所又は研究所ごとにその所在地の**都道府県知事**が，次に掲げる資格を有するもののうち適当と認めるものについて行う．
一　省略（覚醒剤製造業者）
二　覚醒剤施用機関については，精神科病院その他診療上覚醒剤の施用を必要とする病院又は診療所
三　覚醒剤研究者（省略）
2　①覚醒剤施用機関又は覚醒剤研究者の指定に関する基準は，厚生労働省令で定める．
第4条～第12条　省略

①覚醒剤取締法施行規則第1条
一　覚醒剤施用機関
a　精神科もしくは神経科の診療を行う病院もしくは診療所のすべて．
b　外科，整形外科，産婦人科，眼科もしくは耳鼻いんこう科の診療を行う病院もしくは診療所については，診療上覚醒剤の施用が特に必要と認められた場合のみ．
二　覚醒剤研究者にあっては，医学，薬学，化学，応用化学その他の学術研究又は試験検査の業務に従事する者であって，覚醒剤の使用が特に必要と認められるものであること．

・覚醒剤原料（指定制度）

（指定の要件）第30条の2　覚醒剤原料輸入業者若しくは覚醒剤原料輸出業者又は覚醒剤原料製造業者の**指定**は業務所又は製造所ごとに**厚生労働大臣**が，覚醒剤原料取扱者又は覚醒剤原料研究者の指定は業務所又は研究所ごとにその所在地の**都道府県知事**が，厚生労働省令の定めるところにより，次に掲げる者のうち適当と認める者について行う．
一～三　省略（覚醒剤原料輸入業者，覚醒剤原料輸出業者及び覚醒剤原料製造業者）
四　**覚醒剤原料取扱者**については，薬局開設者，医薬品製造販売業者等，医薬品販売業者その他覚醒剤原料を譲り渡すことを業としようとする者又は業務のため覚醒剤原料の使用を必要とする者
五　**覚醒剤原料研究者**については，覚醒剤原料に関し相当の知識を持ち，かつ，研究上覚醒剤原料の製造又は使用を必要とする者
（指定の取消し及び業務等の停止）第30条の3　省略
（業務の廃止等の届出）　第30条の4　省略
（指定及び届出に関する準用規定）第30条の5　省略

4）禁止及び制限

i）輸出入

覚醒剤　何人も，覚醒剤を輸入し，又は輸出してはならない．これに例外はなく，たとえ覚醒剤研究者といえども輸出入はできない．（法13）

覚醒剤原料　覚醒剤原料輸入業者（輸出業者）が厚生労働大臣の許可を受けて輸出入する場合の他は，覚醒剤原料の輸出入はできない．（法30の6）

本邦から出国又は本邦に入国する者が，厚生労働大臣の許可を受けて，自己の疾病の治療目的で携帯して医薬品である覚醒剤原料を輸出入することができる．（法30の6）

ii）所　持

・覚醒剤

> （所持の禁止）第14条　覚醒剤製造業者，覚醒剤施用機関の開設者及び管理者，覚醒剤施用機関において診療に従事する医師，覚醒剤研究者並びに覚醒剤施用機関において診療に従事する医師又は覚醒剤研究者から施用のため交付を受けた者の外は，何人も，覚醒剤を所持してはならない．
> 2　次の各号のいずれかに該当する場合には，前項の規定は適用しない．
> 一　覚醒剤製造業者，覚醒剤施用機関の管理者，覚醒剤施用機関において診療に従事する①医師又は覚醒剤研究者の業務上の補助者がその業務のために覚醒剤を所持する場合
> 二　省略（郵便，運送業者）
> 三　覚醒剤施用機関において診療に従事する医師から施用のため交付を受ける者の看護に当る者がその者のために覚醒剤を所持する場合
> 四　法令に基いてする行為につき覚醒剤を所持する場合

① 病院の薬剤師は，業務上の補助者として，覚醒剤を取扱うことがある．

薬局開設者は，覚醒剤を所持できる者として法で規定されていないため，覚醒剤を所持したり，調剤することはできない．

・覚醒剤原料

> （所持の禁止）第30条の7　次の各号に掲げる場合のほかは，何人も，覚醒剤原料を所持してはならない．
> 一～五　省略（注釈①参照）
> 六　省略（病院・飼育動物診療施設の開設者，往診医師等）
> 七　**薬局開設者**が医師，歯科医師又は獣医師の処方せんにより薬剤師が調剤した医薬品である覚醒剤原料及び当該調剤のために使用する②医薬品である覚醒剤原料を所持する場合
> 八　薬局，病院若しくは診療所において**調剤に従事する薬剤師**，**病院若しくは診療所の管理者**，病院若しくは診療所において診療に従事する**医師**若しくは歯科医師又は獣医療法第5条第2項（同法第7条第2項において準用する場合を含む．）に規定する管理者（以下「獣医師管理者」という．）若しくは飼育動物（同法第2条第1項に規定する飼育動物をいう．以下同じ．）の診療に従事する獣医師（飼育動物診療施設の開設者である獣医師及び飼育動物診療施設の開設者に使用されている獣医師に限る．以下同じ．）がその業務のため②医薬品である覚醒剤原料を所持する場合
> 九　前各号に規定する者の業務上の補助者がその業務のため覚醒剤原料を所持する場合
> 十　省略（郵便，運送業者）
> 十一，十二　省略（患者やその看護者）
> 十三　法令に基いてする行為につき覚醒剤原料を所持する場合

① 覚醒剤原料輸入業者，覚醒剤原料輸出業者，覚醒剤原料取扱者，覚醒剤原料製造業者及び覚醒剤製造業者，覚醒剤原料研究者及び覚醒剤研究者に関する規定であり，いずれも業務のために覚醒剤原料を所持できる．

② 薬局開設者や病院の管理者は，覚醒剤原料取扱者の指定を受けていない場合，**医薬品でない覚醒剤原料を所持できない**．

iii）製造の禁止及び制限

・覚醒剤

（製造の禁止及び制限）　第15条　覚醒剤製造業者がその業務の目的のために製造する場合及び覚醒剤研究者が厚生労働大臣の許可を受けて研究のために製造する場合の外は，何人も，覚醒剤を製造してはならない．
2　省略（覚醒剤研究者の製造許可，表を参照）
3　省略（覚醒剤製造業者の製造数量，表を参照）
4　覚醒剤製造業者は，前項の規定により厚生労働大臣が定めた数量をこえて，覚醒剤を製造してはならない．

麻薬と覚醒剤の比較（製造の許可）

麻薬	製造業者	半期ごとに厚生労働大臣の許可
	研究者	許可・届出不要（ジアセチルモルヒネは許可が必要）
覚醒剤	製造業者	四半期ごとに厚生労働大臣が製造数量を定める（許可不要）
	研究者	その都度，厚生労働大臣の許可

・**覚醒剤原料**（法30の8）

覚醒剤原料製造業者・覚醒剤原料料研究者は，業務のため，覚醒剤原料の製造が可能である．
また，覚醒剤製造業者・覚醒剤研究者も，覚醒剤原料の製造が可能である．

5）譲渡・譲受

・**覚醒剤の譲渡・譲受**（法17）

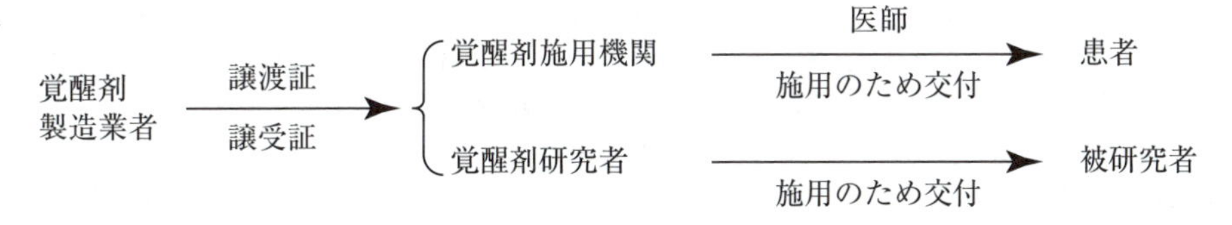

覚醒剤製造業者が譲り渡すことができるのは，上記のみであり，覚醒剤販売業者などは，存在しない．

・**覚醒剤原料の譲渡・譲受**（法30の9）

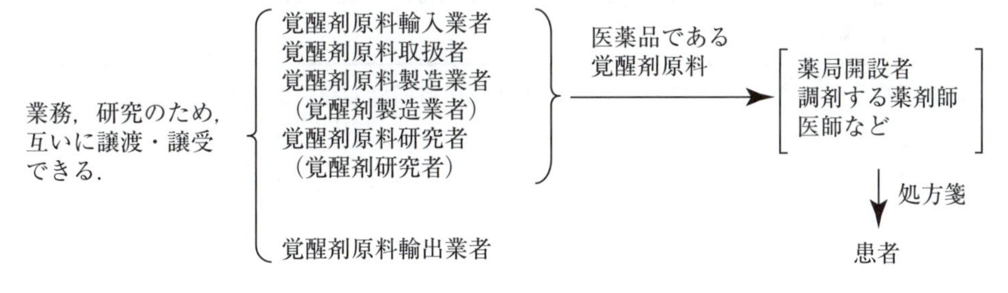

・**譲渡証・譲受証**

覚醒剤

（譲渡証及び譲受証）第18条　覚醒剤を譲り渡し，又は譲り受ける場合（覚醒剤施用機関において診療に従事する医師又は覚醒剤研究者が覚醒剤を施用のため交付する場合を除く．）には，譲渡人は厚生労働省令で定めるところにより作成した譲渡証を，譲受人は厚生労働省令で定めるところにより作成した譲受証を相手方に交付しなければならない．
2　省略（電子情報処理組織による譲渡証・譲受証）

3　省略（譲渡証・譲受証は**2年間**，保存）
4　譲渡証及び譲受証並びに前項に規定する電磁的記録は，第1項又は第2項の規定による場合のほかは，他人に譲り渡してはならない．

覚醒剤原料も類似した規定がある．

患者（被研究者）以外に譲渡する場合の証書のやりとり

麻薬	譲渡証・譲受証の交換
覚醒剤	譲渡証・譲受証の交換
覚醒剤原料	譲渡証・譲受証の交換

6）使用・施用の禁止

ｉ）使用の禁止

（省略）覚醒剤（法19），覚醒剤原料（法30の11）

ⅱ）施用の制限

・覚醒剤

（施用の制限）第20条　**覚醒剤施用機関において診療に従事する医師**は，その診療に従事している①覚醒剤施用機関の管理者の管理する覚醒剤でなければ，施用し，又は施用のため交付してはならない．
2　前項の**医師**は，②他人の診療以外の目的に覚醒剤を施用し，又は施用のため交付してはならない．
3　第1項の**医師**は，覚醒剤の中毒者に対し，③その中毒を緩和し又は治療するために覚醒剤を施用し，又は施用のため交付してはならない．
4　第1項の**医師**が覚醒剤を施用のため交付する場合においては，交付を受ける者の住所，氏名，年齢，施用方法及び施用期間を記載した書面に当該医師の署名をして，これを同時に交付しなければならない．
5（覚醒剤研究者）省略
6（申請書）省略
7　覚醒剤研究者が覚醒剤を施用のため交付する場合には，第四項の規定を準用する．
第20条の2　省略（広告の制限）

医師であれば，覚醒剤を施用できるわけではなく，覚醒剤施用機関で診療に従事していることが施用するための条件である．
①，②自己への施用を禁止し，また，何らかの方法で購入して施用することを禁止している．
③麻薬の場合，例外的に麻薬中毒に使用できる麻薬もある．（麻薬及び向精神薬取締法第27条）

覚醒剤原料については，特に規定はない．

7）取扱い関係の法規

ｉ）施用機関の管理者

・覚醒剤

（覚醒剤施用機関の管理者）第16条　覚醒剤施用機関において施用する覚醒剤の譲受に関する事務及び覚醒剤施用機関において譲り受けた覚醒剤の管理は，当該施用機関の管理者がしなければならない．
2　覚醒剤施用機関の開設者は，当該施用機関の管理者に覚醒剤の譲受に関する事務及び譲り受けた覚醒剤の管理をさせなければならない．

麻薬	施用者が2人以上の麻薬施用機関：麻薬管理者（医師，薬剤師等）
覚醒剤	施用機関の管理者

覚醒剤原料については，特に管理者を設ける必要はない．

ii）保　管

第21条（証紙による封入）　省略
第22条（保管及び保管換）　省略

	証　紙	保　管
麻薬	証紙で封	他の医薬品と区別し，かぎをかけた堅固な設備内
覚醒剤	証紙で封	かぎをかけた堅固な設備内（麻薬製造業者：保管換可）
覚醒剤原料	不要	かぎをかけた設備内

ただし，麻薬と覚醒剤は，一緒に保管できる．
保管換：覚醒剤製造業者は，製造所と覚醒剤保管営業所との間又は覚醒剤保管営業所相互の間において保管換する（所管を移す）ことができる（厚生労働大臣への届出が必要）．

第22条の2（廃棄）　省略
第23条（事故の届出）　省略

	事故の届出	廃　棄
麻薬	厚生労働大臣，都道府県知事	知事に届け出た後，当該職員の立会いの下に廃棄*
覚醒剤	同上	同上
覚醒剤原料	同上	同上**

*ただし，麻薬処方箋により調剤された麻薬は，廃棄後30日以内に都道府県知事に届け出る．
また，病院等において，輸液等を施用した残りは，麻薬管理者が他の職員立会いの下に廃棄する．
**病院等で診療に従事する医師等が施用のため交付した医薬品である覚醒剤原料又は薬剤師が調剤した医薬品である覚醒剤原料を廃棄したときは，30日以内に，必要事項を都道府県知事に届け出る．

事故（喪失（又は滅失），盗取，又は所在不明）
　製造業者等は，所在地の都道府県知事を経て厚生労働大臣に届け出る．
　麻薬小売業者，麻薬管理者，病院や覚醒剤施用機関の管理者等は，所在地の都道府県知事に届け出る．
第24条（指定の失効の場合の措置義務）省略
第25条（再指定の場合の特例）省略

8）業務に関する記録及び報告

i）記　録

・覚醒剤

（帳簿）第28条　覚醒剤製造業者，覚醒剤施用機関の管理者及び覚醒剤研究者は，それぞれその製造所若しくは覚醒剤保管営業所，病院若しくは診療所又は研究所ごとに**帳簿**を備え，左に掲げる事項を記入しなければならない．

一　製造し，譲り渡し，譲り受け，保管換し，施用し，施用のため交付し，又は研究のため使用した覚醒剤の品名及び数量並びにその年月日

二　譲渡又は譲受の相手方の氏名（法人にあってはその名称）及び住所並びに製造所若しくは覚醒剤保管営業所，覚醒剤施用機関又は研究所の名称及び所在場所

三　第23条（事故の届出）の規定により届出をした覚醒剤の品名及び数量

2　前項に規定する者は，同項の帳簿を最終の記入をした日から**2年間保存**しなければならない．

・覚醒剤原料

覚醒剤と類似した規定がある．（法30の17）

ii）報　告

・覚醒剤

① 覚醒剤製造業者は，四半期ごとに，その期間満了の後，15日以内に，所定の事項を**厚生労働大臣に報告**しなければならない．（法29）

② 覚醒剤施用機関の管理者又は覚醒剤研究者は，毎年12月15日までに，所定の事項を**都道府県知事**に報告しなければならない．（法30）

なお，覚醒剤原料については，第29条，第30条のような規定はない．

Checkpoint

あへん法	
目的	あへんの供給の適正を図るために，けしの栽培ならびにあへん及びけしがらの譲渡，譲受，所持等について必要な取締を行う．
（定義）	
けし	① パパヴェル・ソムニフェルム・エル，パパヴェル・セティゲルム・ディーシー ② その他のけし属の植物であって，厚生労働大臣が指定するもの
あへん	けしの液汁が凝固したもの及びこれに加工を施したもの（医薬品として加工を施したものを除く．）
けしがら	けしの麻薬を抽出することができる部分（種子を除く．）
けし栽培者	けし耕作者，甲種研究栽培者及び乙種研究栽培者
けし耕作者	採取したあへんを国に納付する目的で，法による許可を受けてけしを栽培する者
甲種研究栽培者	あへんの採取を伴う学術研究のため，法による許可を受けてけしを栽培する者
乙種研究栽培者	あへんの採取を伴わない学術研究のため，法による許可を受けてけしを栽培する者
（禁止行為）	
国の独占権	国が輸入，輸出，買取及び売渡を行う．
採取	けし耕作者，甲種研究栽培者
輸入・輸出	国の委託を受けた者のみ

譲渡・譲受	譲り渡し，又は譲り受ける相手は国のみ
吸食	何人も，あへん又はけしがらを吸食してはならない．
廃棄	あへんの廃棄には，厚生労働大臣の許可が必要である．
保管	かぎをかけた堅固な設備内に収めて保管する．

大麻取締法	
目的	目的条項はない．（あへん，覚醒剤と異なり，医療用に用いない．）
（定義）	
大麻	大麻草（カンナビス・サティバ・エル）及びその製品．ただし，以下のものを除く． ① 大麻草の成熟した茎及びその製品（ただし，樹脂は大麻に含まれる．） ② 大麻草の種子及びその製品
大麻取扱者	大麻栽培者及び大麻研究者（都道府県知事の免許が必要） 免許の有効期限は，免許の日からその年の12月31日まで
（禁止行為）	
所持	大麻取扱者のみ可能（目的外の所持はできない）
輸入・輸出	原則として，何人もできない． （大麻研究者が，厚生労働大臣の許可を受けた場合を除く．）
交付	何人も，大麻から製造された医薬品を施用し，又は施用のため交付することはできない．
大麻栽培者	原則として，大麻を大麻取扱者以外の者に譲り渡してはならない． 原則として，大麻をその栽培地外へ持ち出してはならない．

覚醒剤取締法	
目的	覚醒剤及び覚醒剤原料について，必要な取締を行う．
（定義）	
覚醒剤	① フェニルアミノプロパン，フェニルメチルアミノプロパン及び各その塩類 ② 覚醒作用を有する物であって政令で指定するもの ③ ①，② のいずれかを含有する物
覚醒剤製造業者	大臣の指定を受け，覚醒剤を製造し，また，それを譲り渡すことを業とする者
覚醒剤施用機関	知事の指定を受けた病院又は診療所で，覚醒剤の施用ができる． ① 精神科もしくは神経科の診療を行う病院もしくは診療所のすべて ② 外科，整形外科等の診療を行う病院等は，特に必要が認められる場合
覚醒剤研究者	知事の指定を受け，以下のことができる． ① 学術研究のため，覚醒剤を使用する． ② 厚生労働大臣の許可を受け，覚醒剤を製造する．
覚醒剤原料取扱者	知事の指定を受け，譲り渡し，また，業務のために使用することができる者 薬局開設者，医薬品製造販売業者等，医薬品販売業者など
覚醒剤原料研究者	知事の指定を受け，学術研究のために覚醒剤原料を製造し，また，業務のために使用することができる者
（輸出入・所持の禁止，制限）	
覚醒剤の輸出入	何人も，覚醒剤を輸入・輸出はできず，これに例外はない．
覚醒剤の所持	以下の者以外は，覚醒剤を所持できない． ① 覚醒剤製造業者 ② 覚醒剤施用機関の開設者，管理者や医師（医師の業務上の補助者を含む） ③ 覚醒剤研究者（業務上の補助者を含む） ④ 医師から施用のために交付を受けた患者又は看護者 （薬局の開設者や薬剤師は，覚醒剤を所持できない．）
覚醒剤原料の輸出入	大臣の許可を受けた場合の他は，覚醒剤原料の輸出入はできない．ただし，本邦から出国又は本邦に入国する者が，厚生労働大臣の許可を受けて，自己の疾病の治療目的で携帯して医薬品である覚醒剤原料を輸出入することができる．

医薬品である覚醒剤原料の所持	以下の者は，医薬品である覚醒剤原料を所持できる． ①薬局開設者が調剤の目的で ②薬局，病院もしくは診療所において，調剤に従事する薬剤師が業務のため ③医師，歯科医師等が業務のため
覚醒剤原料の所持	以下の者は，すべての覚醒剤原料を所持できる． ①覚醒剤原料輸入業者，覚醒剤原料輸出業者，覚醒剤原料取扱者 ②覚醒剤原料製造業者及び覚醒剤製造業者 ③覚醒剤原料研究者及び覚醒剤研究者
（製造の禁止，制限）	
覚醒剤製造業者	四半期ごとに厚生労働大臣が製造数量を定める．
覚醒剤研究者	その都度，大臣の許可が必要
	覚醒剤製造業者や覚醒剤研究者は，覚醒剤原料の製造も可能である．
（譲渡・譲受）	
覚醒剤	譲渡証・譲受証の交換（2年間保存），医師が施用のために交付する場合を除く．
覚醒剤原料	譲渡証・譲受証の交換（2年間保存） 薬局開設者が処方箋により薬剤師が調剤した医薬品である覚醒剤原料を当該処方箋を所持する者に譲り渡す場合を除く．
（施用の制限）	
覚醒剤	覚醒剤施用機関において診療に従事する医師は，施用し，又は施用のために交付（以下，施用（交付）と略す．）する際，以下のことを守る． ①覚醒剤施用機関の管理者の管理する覚醒剤のみを施用（交付）する． ②他人の診療以外の目的で覚醒剤を施用（交付）しない． ③覚醒剤の中毒者に対し，その中毒を緩和し，又は治療ために施用（交付）しない． ④施用のために交付する際は，法で定める事項を記載した書面に当該医師の署名をして，これを同時に交付する．
覚醒剤原料	特に規定はない．

問　題

問 1　けし耕作者は，国に納付するため，栽培したけしからあへんを採取することができる．（91改）

問 2　甲種研究栽培者は，学術研究のためにけしを栽培し，あへんを採取することができるが，さらに精製してモルヒネを製造することはできない．

問 3　「けしがら」とは，けしからあへんを採取した残りかすである．

問 4　日本薬局方「あへん末」を麻薬診療施設の開設者に譲り渡すことを業としようとする者は，あへん卸売業者の免許を受けなければならない．（87）

問 5　「あへん散」は医薬品ではないので，青少年の薬物乱用防止の対象となる物質に含まれていない．（84改）

問 6　あへんの輸入又は輸出は，国又は国の委託を受けた者のみが行うことができる．（95）

問 7　あへんを廃棄するためには，都道府県知事の許可を要する．（95）

問 8　大麻研究者は，原則として，大麻を他人に譲り渡すことは禁止されている．（95改）

問 9　何人も，大麻を輸入できず，これに例外はない．

問10　何人も，大麻から製造された医薬品を施用し，又は施用のため交付することはできず，これに例外はない．（91改）

問11　「大麻」には，大麻草の成熟した茎や大麻草から製造した樹脂は含まれない．

(証紙で封，保管)	
管理者	覚醒剤施用機関では，管理者が管理する．(覚醒剤原料には，規定なし．)
証紙で封	覚醒剤は，証紙で封をする．(覚醒剤原料には，規定なし．)
保管	覚醒剤：かぎをかけた堅固な設備内（麻薬製造業者：保管換可） 覚醒剤原料：かぎをかけた設備内
(事故の届出，廃棄)	
事故の届出	覚醒剤，覚醒剤原料とも，以下に届け出る． ① 製造業者等は，知事を経由して大臣（局長） ② 覚醒剤施用機関の管理者や薬局開設者等は，所在地の知事
廃棄	覚醒剤，覚醒剤原料とも， 知事に届け出た後，当該職員の立会いの下に廃棄する．ただし，病院等で診療に従事する医師等が施用のため交付した医薬品である覚醒剤原料又は薬剤師が調剤した医薬品である覚醒剤原料を廃棄したときは，30日以内に，必要事項を都道府県知事に届け出る．
(記録，報告)	
覚醒剤	覚醒剤製造業者，覚醒剤施用機関の管理者及び覚醒剤研究者は，帳簿を備え，業務上の必要事項を記入する．
覚醒剤原料	製造業者には，覚醒剤と類似した帳簿の規定がある． 薬局，病院，診療所の開設者には，帳簿の規定はない．

解答・解説

問 1　○　けし耕作者は，採取したあへんを国に納付する目的で厚生労働大臣の許可を受けて栽培する者である．この他，甲種研究栽培者もあへんを採取できる．(あへん法3条)

問 2　○　学術研究のために，麻薬であるモルヒネを製造できるのは，麻薬研究者である．

問 3　×　けしの麻薬を抽出することができる部分（種子を除く．）をいう．

問 4　×　あへん卸売業者は，存在しないので，このような規定はない．(麻薬及び向精神薬取締法2条の16)

問 5　×　「あへん散」は日本薬局方医薬品であり，麻薬に指定されている．また，麻薬取締法による薬物乱用防止の対象となる．(麻薬及び向精神薬取締法1条)

問 6　○　(あへん法第6条第1項)

問 7　×　何人も，厚生労働大臣（地方厚生局長に委任）の許可を受けなければ，あへんを廃棄してはならない．(あへん法第10条第1項)

問 8　○　厚生労働大臣の許可を受けて，他の大麻研究者に譲り渡す場合の他は，禁止されている．

問 9　×　大麻研究者は，厚生労働大臣の許可を受けて，大麻を輸出入できる．

問10　○　(大麻取締法4条2項)

問11　×　大麻草の成熟した茎は含まれないが，大麻草から製造した樹脂は「大麻」である．

問 12 大麻研究者の免許を受けようとする者は，都道府県知事を経由して厚生労働大臣に申請しなければならない．(95)

問 13 覚醒剤研究者は，厚生労働大臣の許可を得て覚醒剤を輸入することができる．(91)

問 14 覚醒剤を記載した処方箋により調剤された覚醒剤を譲り渡すことを業としている者は，覚醒剤小売業者の指定を受けていなければならない．(88)

問 15 薬局に勤務する薬剤師は，覚醒剤を調剤する場合，医師が交付した覚醒剤処方箋に基づかなければならない．(85)

問 16 覚醒剤研究者は，研究のために覚醒剤を製造するときは，その都度厚生労働大臣の許可を受ける必要がある．(84)

問 17 *dl*-メチルエフェドリン塩酸塩散 10 %は，覚醒剤原料に該当する．(90，95)

問 18 セレギリン塩酸塩を含有する製剤は，覚醒剤である．(87，96)

問 19 薬局開設者は，覚醒剤原料取扱者の指定は受けていなくても，すべての覚醒剤原料を所持することができる．(86 改，94 改)

問 20 覚醒剤取締法に定める場合のほか，何人も覚醒剤原料を所持してはならない．(85)

問 21 覚醒剤原料は，薬物乱用防止の観点から，その施用は制限されている．(84)

問 22 覚醒剤原料取扱者の指定を受けていない薬局においても，薬剤師は，処方箋により医薬品である覚醒剤原料を調剤できる．(86，91，94)

問 23 覚醒剤原料を記載した処方箋により調剤された覚醒剤原料を譲り渡すことを業としている者は，覚醒剤原料小売業者の指定を受けていなければならない．(88)

問 24 薬局開設者は，医薬品である覚醒剤原料であっても，処方箋によって調剤されたものでなければ患者に譲り渡してはならない．(84)

問 25 何人も，覚醒剤原料を輸入し，又は輸出することはできない．(84)

問 26 薬局開設者は，他の薬局開設者に覚醒剤原料を譲り渡すことができる．(86，94)

問 27 覚醒剤原料取扱者が，薬局開設者に医薬品である覚醒剤原料を譲渡するときは，譲渡人と譲受人が譲渡証及び譲受証を相互に交付しなければならない．(88)

問 28 覚醒剤原料製造業者は，その製造した覚醒剤原料を譲り渡すときは，厚生労働省令で定める容器に納め，かつ，政府発行の証紙で封を施さなければならない．(85)

問 29 薬局開設者は，その所有する覚醒剤原料を薬局内のかぎをかけた場所に保管しなければならない．(86，90，94，95)

問 30 病院の管理者は，覚醒剤原料を病院内のかぎをかけた場所に保管しなければならない．(88)

問 31 薬局開設者は，その所有する覚醒剤原料が喪失，盗取，所在不明となったときは，すみやかに，所在地の都道府県知事に届け出なければならない．(85，90，95)

問 32 薬局開設者は，都道府県知事に届出をすることなく，その所有する覚醒剤原料を廃棄することができる．(90，95)

問 33 薬局開設者は，所有する医薬品である覚醒剤原料を廃棄しようとするときは，その薬局の所在地の都道府県知事に届け出て，当該職員の立会の下に行わなければならない．(85，86，87，94)

問 34 フェニルメチルアミノプロパン及びその塩類は，覚醒剤として規制されている．(96)

問12　×　大麻研究者の免許を受けようとする者は，都道府県知事に免許の申請を行う．（大麻取締法第2条第3項）
問13　×　何人も，覚醒剤を輸入し，又は輸出してはならない．これに例外はない．（覚醒剤取締法13条）
問14　×　覚醒剤は，薬局で所持できない．当然，調剤できず，覚醒剤小売業者は存在しない．（覚醒剤取締法17条，20条）　麻薬は，知事の免許を受けた麻薬小売業者が存在する．
問15　×　問14解説参照．（覚醒剤取締法17条，20条）
問16　○　覚醒剤研究者の製造許可は，その都度，厚生労働大臣から受ける．（覚醒剤取締法15条2項）
問17　×　10％以下のエフェドリン，メチルエフェドリンやそれらの塩類は覚醒剤原料から除かれる．
問18　×　覚醒剤原料を指定する政令第1号に掲げる覚醒剤原料である．10％以下でも覚醒剤原料であることに注意する．（覚醒剤取締法2条1項）
問19　×　薬局開設者は，覚醒剤原料取扱者の指定を受けていなくても，医薬品である覚醒剤原料を所持し，調剤のために使用することができる．（覚醒剤取締法30条の7）
問20　○　覚醒剤取締法第30条の7では，第1項～第13項に規定する者を除き，何人も，覚醒剤原料を所持してはならないと規定している．（覚醒剤取締法30条の7）
問21　×　覚醒剤には，施用の制限があるが，覚醒剤原料に施用の制限はない．（覚醒剤取締法20条）
問22　○　覚醒剤原料の調剤は，薬局にも認められている．すなわち，医薬品，医療機器等の品質，有効性及び安全性の確保等に関する法律に基づく薬局開設許可を受けた薬局であれば，医薬品である覚醒剤原料を用いた調剤が行える．（覚醒剤取締法30条の9）
問23　×　麻薬には，麻薬小売業者等が存在する．しかし，覚醒剤原料小売業者は存在せず，薬局であれば医薬品である覚醒剤原料を調剤し，譲り渡すことができる．（覚醒剤取締法30条の9第3号）
問24　○　医師が施用のために医薬品である覚醒剤原料を交付することや，薬局開設者が医師等の処方箋により薬剤師が調剤した医薬品である覚醒剤原料を患者に譲り渡すことが認められている．（覚醒剤取締法30条の9第3号）
問25　×　例外的に，厚生労働大臣の許可を受けた覚醒剤原料輸入・輸出業者に認められている．（覚醒剤取締法30条の6第1，2項）また，本邦から出国又は本邦に入国する者が，厚生労働大臣の許可を受けて，自己の疾病の治療目的で携帯して医薬品である覚醒剤原料を輸出入することができる．
問26　×　覚醒剤原料取扱者等は，覚醒剤原料を相互に譲渡・譲受できる．しかし，薬局開設者には認められていない．問24解説参照．（覚醒剤取締法30条の9）
問27　○　覚醒剤取締法第30条の10の規定どおり．麻薬，覚醒剤と同様に譲渡証･譲受証の交換が必要である．
問28　×　麻薬や覚醒剤にはこのような規定があるが，覚醒剤原料は証紙で封をする必要はない．（覚醒剤取締法21条）
問29　○　覚醒剤原料は，かぎをかけた設備内でよい．（覚醒剤取締法30条の12第2項）
問30　○　かぎをかけた設備内で保管する．覚醒剤や麻薬は，かぎをかけた堅固な設備内．（覚醒剤取締法第30条の12第2項）
問31　○　かぎをかけた設備内で保管する．（覚醒剤取締法30条の14）
問32　×　知事に届け出て，当該職員の立会の下では廃棄する（覚醒剤取締法30条の13）．ただし，病院等で診療に従事する医師等が施用のため交付した医薬品である覚醒剤原料又は薬剤師が調剤した医薬品である覚醒剤原料を廃棄したときは，30日以内に，必要事項を都道府県知事に届け出る．
問33　○　覚醒剤取締法第30条の13の規定どおり．ただし，病院等で診療に従事する医師等が施用のため交付した医薬品である覚醒剤原料又は薬剤師が調剤した医薬品である覚醒剤原料を廃棄したときは，30日以内に，必要事項を都道府県知事に届け出る．
問34　○　覚醒剤取締法における覚醒剤は，フェニルアミノプロパン，フェニルメチルアミノプロパン及び各その塩類である．（覚醒剤取締法第2条第1項）

問 35　覚醒剤施用機関において診療に従事する医師は，覚醒剤の中毒者に対し，その中毒を緩和するために，覚醒剤を施用することができる．(96)

問 36　薬局開設者が覚醒剤原料を廃棄しようとするときは，都道府県知事の許可を受けなければならない．(96)

問 37　薬局の開設者が覚醒剤を所持しようとする場合，都道府県知事の指定を受ける必要がある．(92)

問 38　エフェドリン塩酸塩散 10 %は，覚醒剤原料から除かれている．(92)

問 39　リゼルギン酸，フェニルプロパノールアミン，サフロール，アンフェタミン，及び無水酢酸の原体のうち，覚醒剤原料として規制されているのはフェニルプロパノールアミンである．(100)

問 40　大麻，モルヒネ，亜硝酸イソブチル，フェニルアミノプロパン，及びペンタゾシンのうち覚醒剤取締法で規制されるのは，フェニルアミノプロパンである．(105)

複　合　問　題

問 1 ～問 2　総合感冒薬を求めて来局した A さんに薬剤師が応対した．その結果，A さんは翌日，国民体育大会に選手として参加することが明らかとなった．(97)

問 1（実務）

総合感冒薬に含まれる成分で，A さんに推奨できないのはどれか．1 つ選べ．

1　イブプロフェン
2　*dl*-メチルエフェドリン塩酸塩
3　クレマスチンフマル酸塩
4　アセトアミノフェン
5　リゾチーム塩酸塩

問 2（法規・制度・倫理）

前問で推奨できない成分の原末について，薬事関係法規による規制区分として，正しいのはどれか．1 つ選べ．

1　毒薬
2　劇薬
3　麻薬
4　向精神薬
5　覚醒剤原料

問 3　セレギリン塩酸塩錠の取り扱いとして正しいのはどれか．2 つ選べ．(103)

1　厚生労働大臣の指定を受けた向精神薬卸売業者から購入する必要がある．
2　かぎをかけた場所に保管しなければならない．
3　麻薬を保管している金庫に保管してもよい．
4　使用期限切れの製剤を廃棄したときは，30 日以内に都道府県知事に届け出なければならない．
5　盗難や紛失があったときには，すみやかに都道府県知事に届け出なければならない．

問35　×　覚醒剤施用機関において診療に従事する医師は，覚醒剤の中毒者に対し，その中毒を緩和し又は治療するために覚醒剤を施用し，又は施用のため交付してはならない．（覚醒剤取締法第20条第3項）

問36　×　覚醒剤原料を廃棄しようとするときは，当該覚醒剤原料の保管場所の所在地の都道府県知事に届け出て当該職員の立会いのもとに行わなければならない．（覚醒剤取締法第30条の13）ただし，病院等で診療に従事する医師等が施用のため交付した医薬品である覚醒剤原料又は薬剤師が調剤した医薬品である覚醒剤原料を廃棄したときは，30日以内に，必要事項を都道府県知事に届け出る．

問37　×　薬局開設者は，覚醒剤を所持することができない．覚醒剤を所持することができるのは，覚醒剤製造業者，覚醒剤施用機関の開設者及び管理者等，覚醒剤研究者，覚醒剤の施用を受けた患者である．（覚醒剤取締法第14条第1項）

問38　○　エフェドリン及びその塩類は，覚醒剤原料であるが，エフェドリンとして10％以下を含有するものは除かれる．（覚醒剤取締法第2条第5項）

問39　○　フェニルプロパノールアミン（50％以下を含有するものは除く）が，覚醒剤原料である．原体は含有量100％と考える

問40　○　大麻は大麻取締法で規制，モルヒネは麻薬で麻薬及び向精神薬取締法で規制，亜硝酸イソブチルは指定薬物で医薬品医療機器等法で規制，ペンタゾシンは向精神薬で麻薬及び向精神薬取締法で規制される．

解答・解説

問 1　解答　2

dl-メチルエフェドリンは，興奮作用があり，世界アンチ・ドーピング機関において禁止薬物に指定されている．このほかにも，エフェドリンや麻黄（マオウ）も指定されているため，総合感冒薬のみならず，鼻炎薬や漢方薬にも注意が必要である．

問 2　解答　5

覚醒剤取締法において10％を超える *dl*-メチルエフェドリン塩酸塩又はこれらを含有するものは覚醒剤原料に指定されている．

問 3　解答　2，5

1　セレギリン塩酸塩は覚醒剤原料である．覚醒剤原料取扱者の指定を受けたものから購入する．

2　記述の通り．

3　麻薬を保管している金庫に保管してもよいのは，覚醒剤であり，覚醒剤原料ではない．

4　使用期限切れの製剤を廃棄するときは，原則として保管場所の所在地の都道府県知事に届け出て当該職員の立ち会いのもとで行わなければならない．

5　記述の通り．

11章　毒物及び劇物取締法

a　毒物及び劇物の取扱い

1）法の目的

（目的）第1条　この法律は，毒物及び劇物について，保健衛生上の見地から必要な取締を行うことを目的とする．

本法は，保健衛生上の見地からの取締法規であり，犯罪防止については目的としない．

毒性，劇性を有する化学物質の製造，輸入，販売，表示，貯蔵，運搬，廃棄等の取扱いについて規制している．

2）規制対象物質

（定義）第2条　この法律で「毒物」とは，別表第1に掲げる物であって，医薬品及び医薬部外品以外のものをいう．
2　この法律で「劇物」とは，別表第2に掲げる物であって，医薬品及び医薬部外品以外のものをいう．
3　この法律で「特定毒物」とは，毒物であって，別表第3に掲げるものをいう．

●毒物及び劇物は，動物又はヒトに対して毒性及び劇性を有する物であって，それぞれ法律によって指定されている．ただし，医薬品及び医薬部外品に用いられているものは除外される．

① **毒物**：黄燐，四アルキル鉛，シアン化ナトリウム，水銀，砒素等（別表1），アジ化ナトリウム及びこれを含有する製剤（0.1％以下の含有物を除く），クロロアセトアルデヒド及びこれを含有する製剤等（指定令1）

② **劇物**：アンモニア，塩化水素，クロロホルム，重クロム酸，水酸化ナトリウム（5％以下含有を除く），メタノール，硫酸等（別表2），アクリルアミド及びこれを含有する製剤，キシレン等（指定令2）

③ **特定毒物**（毒物の中で毒性が極めて強いもの，毒物としての規制はすべて受ける）：四アルキル鉛，ジメチルパラニトロフェニルチオホスフェイト，モノフルオール酢酸等（別表3）

④ **政令で指定する含有物**（令38）：

a）無機シアン化合物たる毒物を含有する液体状の物（シアン含有量1 mg/L 以下のものを除く）

b）塩化水素，硝酸もしくは硫酸又は水酸化カリウムもしくは水酸化ナトリウムを含有する液体

状の物（水で 10 倍に希釈した場合の pH が 2.0 ～ 12.0 までのものを除く）

●日本薬局方塩酸は医薬品であるので劇薬であり劇物でないが，工業用塩酸は劇物である．医薬品のうち毒性・劇性の高いものは　毒薬及び劇薬として医薬品医療機器等法の規制を受ける．（医薬品医療機器等法 44 条）

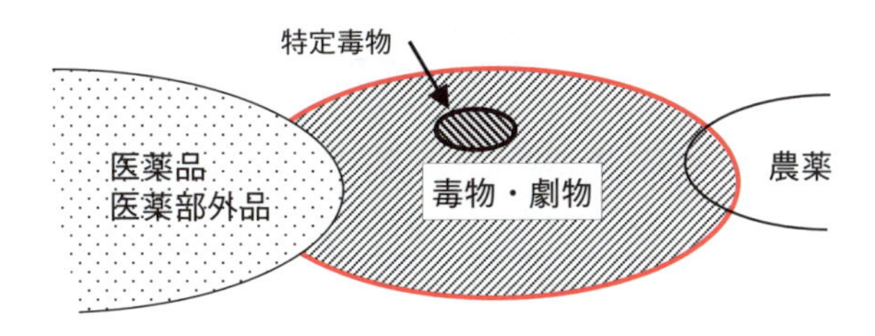

図 11.1　規制対象物質のイメージ

3）登録等

> （禁止規定）第 3 条　毒物又は劇物の製造業の登録を受けた者でなければ，毒物又は劇物を販売又は授与の目的で製造してはならない．
>
> 2　毒物又は劇物の輸入業の登録を受けた者でなければ，毒物又は劇物を販売又は授与の目的で輸入してはならない．
>
> 3　毒物又は劇物の販売業の登録を受けた者でなければ，毒物又は劇物を販売し，授与し，又は販売若しくは授与の目的で貯蔵し，運搬し，若しくは陳列してはならない．但し，毒物又は劇物の製造業者又は輸入業者が，その製造し，又は輸入した毒物又は劇物を，他の毒物又は劇物の製造業者又は輸入業者又は販売業者（以下「毒物劇物営業者」という．）に販売し，授与し，又はこれらの目的で貯蔵し，運搬し，若しくは陳列するときは，この限りではない．

毒物劇物営業者（① 毒物劇物製造業者，② 毒物劇物輸入業者，③ 毒物劇物販売業者）→ 登録が必要．
薬局開設者であっても販売業の登録を受けなければ販売できない．
自社製品の他の毒物劇物営業者への販売等は登録が不要である．

> （営業の登録）第 4 条　毒物又は劇物の製造業，輸入業又は販売業の登録は，製造所，営業所又は店舗ごとに，その製造所，営業所又は店舗の所在地の都道府県知事（販売業にあってはその店舗の所在地が，地域保健法（昭和 22 年法律第 101 号）第 5 条第 1 項の政令で定める市（以下「保健所を設置する市」という．）又は特別区の区域にある場合においては，市長又は区長．次項，第 5 条，第 7 条第 3 項，第 10 条第 1 項及び第 19 条第 1 項から第 3 項までにおいて同じ．）が行う．
>
> 2　毒物又は劇物の製造業，輸入業又は販売業の登録を受けようとする者は，製造業者にあっては製造所，輸入業者にあっては営業所，販売業者にあっては店舗ごとに，その製造所，営業所又は店舗の所在地の都道府県知事に申請書を出さなければならない．
>
> 3　**製造業又は輸入業の登録は，5 年ごとに，販売業の登録は，6 年ごと**に，更新を受けなければ，その効力を失う．

表 11.1　毒劇物営業者の登録・登録権者・有効期間

業　種	登　録	登録権者	有効期間
製造業又は輸入業	製造所ごと又は営業所ごと	知事	5年
販売業	店舗ごと	知事又は市（区）長	6年

（販売業の登録の種類）第4条の2　毒物又は劇物の販売業の登録を分けて，次のとおりとする．
一　一般販売業の登録
二　農業用品目販売業の登録
三　特定品目販売業の登録

（販売品目の制限）第4条の3　**農業用品目販売業**の登録を受けた者は，**農業上必要な毒物又は劇物**であって厚生労働省令で定めるもの以外の毒物又は劇物を販売し，授与し，又は販売若しくは授与の目的で貯蔵し，運搬し，若しくは陳列してはならない．
2　**特定品目販売業**の登録を受けた者は，厚生労働**省令で定める毒物又は劇物**以外の毒物又は劇物を販売し，授与し，又は販売若しくは授与の目的で貯蔵し，運搬し，若しくは陳列してはならない．

販売業の形態は次の3種のみで，農業用品目販売業及び特定品目販売業は販売できるものに制限がある．

① **一般販売業**：**すべての毒物・劇物が販売可能**
② **農業用品目販売業**：省令で定める農業上必要なもののみ．（例）イソフェンホス，EPN，モノフルオール酢酸，ダイアジノン等（規則別表第1）
③ **特定品目販売業**：省令で定めるもののみ．（例）アンモニア，塩素，過酸化水素，クロロホルム，トルエン，メタノール等（規則別表第2）

（登録基準）第5条　都道府県知事は，毒物又は劇物の製造業，輸入業又は販売業の登録を受けようとする者の設備が，厚生労働省令で定める基準に適合しないと認めるとき，又はその者が第19条第2項若しくは第4項の規定により登録を取り消され，取消しの日から起算して2年を経過していないものであるときは，第4条第1項の登録をしてはならない．

設備基準（規則第4条の4）及び人的要件に適合しないとき → 登録してはならない（絶対的拒否事由）

① **製造所等の設備基準**：製造作業場（飛散，漏れ，地下へのしみ込等がない構造），貯蔵場所（毒物・劇物とその他の物と区別できる等），陳列場所（かぎ），運搬用具（飛散，漏れ等のおそれがないもの）
② **輸入業の営業所，販売業の店舗の基準**：製造作業場を除いて①と同じ

（登録事項）第6条　第4条第1項の登録は，次に掲げる事項について行うものとする．
一　申請者の氏名及び住所（法人にあっては，その名称及び主たる事務所の所在地）
二　製造業又は輸入業の登録にあっては，製造し，又は輸入しようとする毒物又は劇物の品目
三　製造所，営業所又は店舗の所在地

製造業者又は輸入業者は，取り扱う品目を登録し，その品目のみを製造又は輸入できる．
販売業については品目の登録は不要である．

（登録の変更）第9条　毒物又は劇物の製造業者又は輸入業者は，登録を受けた毒物又は劇物以外の毒物又は劇物を製造し，又は輸入しようとするときは，あらかじめ，第6条第2号に掲げる事項につき登録の変更を受けなければならない．
2　第4条第2項及び第5条の規定は，登録の変更について準用する．

製造業者又は輸入業者は，登録以外の物を製造又は輸入するときは，あらかじめ，登録変更を受けなければならない．

（届出）第10条　毒物劇物営業者は，次の各号のいずれかに該当する場合には，30日以内に，製造業又は輸入業の登録を受けている者にあってはその製造所，営業所又は店舗の所在地の都道府県知事に，その旨を届け出なければならない．
一　氏名又は住所（法人にあっては，その名称又は主たる事務所の所在地）を変更したとき．
二　毒物又は劇物を製造し，貯蔵し，又は運搬する設備の重要な部分を変更したとき．
三　その他厚生労働省令で定める事項を変更したとき．
四　当該製造所，営業所又は店舗における営業を廃止したとき．

毒物劇物営業者は，上記の場合の他に，登録が失効したときは15日以内に届け出る必要がある．（法21）

4）特定毒物

第3条の2　毒物若しくは劇物の製造業者又は学術研究のため特定毒物を製造し，若しくは使用することができる者としてその主たる研究所の所在地の都道府県知事（その主たる研究所の所在地が，地方自治法（昭和22年法律第67号）第252条の19第1項の指定都市（以下「指定都市」という．）の区域にある場合においては，指定都市の長．第6条の2及び第10条第2項において同じ．）の許可を受けた者（以下「特定毒物研究者」という．）でなければ，特定毒物を製造してはならない．
2　毒物若しくは劇物の輸入業者又は特定毒物研究者でなければ，特定毒物を輸入してはならない．
3　特定毒物研究者又は特定毒物を使用することができる者として品目ごとに政令で指定する者（以下「特定毒物使用者」という．）でなければ，特定毒物を使用してはならない．ただし，毒物又は劇物の製造業者が毒物又は劇物の製造のために特定毒物を使用するときは，この限りでない．
4　特定毒物研究者は，特定毒物を学術研究以外の用途に供してはならない．
5　特定毒物使用者は，特定毒物を品目ごとに政令で定める用途以外の用途に供してはならない．

- 特定毒物は毒物の中で毒性が極めて強いものであり，製造，輸入，使用，譲り渡し，譲り受け，所持について制限がある．
- 特定毒物を製造できる者：毒物劇物の製造業者と特定毒物研究者
  特定毒物を輸入できる者：毒物劇物の輸入業者と特定毒物研究者
  特定毒物を使用できる者：特定毒物使用者（品目ごとに政令で指定する者）と特定毒物研究者

表11.2　特定毒物の品目・使用者・用途

品　目	使用者	用　途
四アルキル鉛	石油精製業者	ガソリンへの混入
モノフルオール酢酸の塩類	国，地方公共団体，農業協同組合，森林組合，森林経営者等	野ねずみの駆除
ジメチルエチルメルカプトエチルチオホスフェイト	国，地方公共団体，農業協同組合等	果物等の害虫の防除
モノフルオール酢酸アミド	国，地方公共団体，農業協同組合等	果物等の害虫の防除
りん化アルミニウムとその分解促進剤	国，地方公共団体，農業協同組合，日本たばこ産業（株）等	倉庫，コンテナ，船倉内のねずみ，昆虫等の駆除

> 第3条の2
> 6　毒物劇物営業者，特定毒物研究者又は特定毒物使用者でなければ，特定毒物を譲り渡し，又は譲り受けてはならない．
> 7　前項に規定する者は，同項に規定する者以外の者に特定毒物を譲り渡し，又は同項に規定する者以外の者から特定毒物を譲り受けてはならない．
> 8　毒物劇物営業者又は特定毒物研究者は，特定毒物使用者に対し，その者が使用することができる特定毒物以外の特定毒物を譲り渡してはならない．
> 9　毒物劇物営業者又は特定毒物研究者は，保健衛生上の危害を防止するため政令で特定毒物について品質，着色又は表示の基準が定められたときは，当該特定毒物については，その基準に適合するものでなければ，これを特定毒物使用者に譲り渡してはならない．
> 10　毒物劇物営業者，特定毒物研究者又は特定毒物使用者でなければ，特定毒物を所持してはならない．
> 11　特定毒物使用者は，その使用することができる特定毒物以外の特定毒物を譲り受け，又は所持してはならない．

●特定毒物劇物の譲り渡し・譲り受け・所持は，毒物劇物営業者，特定毒物研究者又は特定毒物使用者に限られる．

●政令で**特定毒物**の品質，**着色**，及び表示の基準が定められている．

（着色等の例）

①四アルキル鉛：赤・青・黄又は緑で着色

②モノフルオール酢酸：トウガラシ末又はトウガラシチンキを混入し，深紅色で着色

③ジメチルエチルメルカプトエチルチオホスフェイト：紅色で着色

> （特定毒物研究者の許可）第6条の2　特定毒物研究者の許可を受けようとする者は，都道府県知事に申請書を出さなければならない．
> 2　都道府県知事は，毒物に関し相当の知識を持ち，かつ，学術研究上特定毒物を製造し，又は使用することを必要とする者でなければ，特定毒物研究者の許可を与えてはならない．
> 3　都道府県知事は，次に掲げる者には，特定毒物研究者の許可を与えないことができる．
> 一　心身の障害により特定毒物研究者の業務を適正に行うことができない者として厚生労働省令で定めるもの
> 二　麻薬，大麻，あへん又は覚せい剤の中毒者
> 三　毒物若しくは劇物又は薬事に関する罪を犯し，罰金以上の刑に処せられ，その執行を終わり，又は執行を受けることがなくなった日から起算して3年を経過していない者
> 四　第19条第4項の規定により許可を取り消され，取消しの日から起算して2年を経過していない者

●**特定毒物研究者は知事の許可要件**　＝［毒物に関し相当の知識を持ち，学術研究上特定毒物を製造し，又は使用することを必要とする者］＋［相対的欠格事由に該当しない者］

●特定毒物使用者：品目ごとに政令で指定（法3の2）

特定毒物研究者：知事の許可（法6の2）

業務上取扱者：政令で定める事業を行う者は知事に届出（法22）

> （届出）第10条
> 2　特定毒物研究者は，次の各号のいずれかに該当する場合には，30日以内に，その主たる研究所の所在地の都道府県知事にその旨を届け出なければならない．
> 一　氏名又は住所を変更したとき．
> 二　その他厚生労働省令で定める事項を変更したとき．
> 三　当該研究を廃止したとき．
> 3　第1項第4号又は前項第3号の場合において，その届出があったときは，当該登録又は許可は，その効力を失う．

●特定毒物研究者が住所等を変更したとき，研究を廃止したとき → 30 日以内に知事への届出

5) 興奮，幻覚又は麻酔の作用を有する毒物・劇物

> 第 3 条の 3　興奮，幻覚又は麻酔の作用を有する毒物又は劇物（これらを含有する物を含む.）であって政令で定めるものは，**みだりに摂取し，若しくは吸入し，**又はこれらの目的で所持してはならない.

●政令で定める物：① **トルエン**　② **酢酸エチル，トルエン又はメタノールを含有するシンナー，接着剤，塗料及び閉そく用又はシーリング用の充てん料**（令 32 の 2）

●みだりに摂取し，もしくは吸入し，又はこれらの目的で所持することの情を知って販売し，又は授与した者は懲役，罰金の罰則がかかる.（法 24 の 2）

6) 引火性・発火性・爆発性の毒物・劇物

> 第 3 条の 4　**引火性，発火性又は爆発性のある毒物又は劇物**であって政令で定めるものは，業務その他正当な理由による場合を除いては，所持してはならない.

●政令で定めるもの（令 32 の 3）：① **亜塩素酸ナトリウム及びこれを含有する製剤（亜塩素酸ナトリウム 30% 以上を含有するものに限る）**　② **塩素酸塩類及びこれを含有する製剤（塩素酸塩類 35% 以上を含有するものに限る）**　③ **ナトリウム**　④ **ピクリン酸**

●毒物劇物営業者は上記物の譲渡の際に確認義務あり → 法 15－2

7) 毒物劇物取扱責任者

> （毒物劇物取扱責任者）　第 7 条　毒物劇物営業者は，**毒物又は劇物を直接に取り扱う製造所，営業所又は店舗ごとに，専任の毒物劇物取扱責任者を置き，**毒物又は劇物による保健衛生上の危害の防止に当たらせなければならない．ただし，自ら毒物劇物取扱責任者として毒物又は劇物による保健衛生上の危害の防止に当たる製造所，営業所又は店舗については，この限りでない.
>
> 2　毒物劇物営業者が毒物若しくは劇物の製造業，輸入業又は販売業のうち 2 以上を併せて営む場合において，その製造所，営業所若しくは店舗が互いに隣接しているとき，又は同一店舗において毒物若しくは劇物の販売業を 2 以上併せて営む場合には，毒物劇物取扱責任者は，前項の規定にかかわらず，これらの施設を通じて 1 人で足りる.
>
> 3　毒物劇物営業者は，毒物劇物取扱責任者を置いたときは，30 日以内に，その製造所，営業所又は店舗の所在地の都道府県知事に，その毒物劇物取扱責任者の氏名を届け出なければならない．毒物劇物取扱責任者を変更したときも，同様とする.

●毒物劇物営業者は，自ら毒物劇物取扱責任者の場合を除いて，**直接に取り扱う**，製造所（製造業者），営業所（輸入業者）又は店舗（販売業者）ごとに，**専任の毒物劇物取扱責任者**を置かなければならない．ただし，2 以上を併せ営む場合において，その製造所，営業所又は店舗が互いに隣接しているとき，又は同一店舗において毒物又は劇物の販売業を 2 以上あわせて営む場合，これらの施設を通じて 1 人で足りる.

●毒物劇物営業者は，毒物劇物取扱責任者を置いたとき，又は変更したとき → **30 日以内**に，登録した所在地の都道府県知事に届出

●届出が必要な業務上取扱者も毒物劇物取扱責任者を置かなければならない．（法 22 － 4）

（毒物劇物取扱責任者の資格）第8条　次の各号に掲げる者でなければ，前条の毒物劇物取扱責任者となることができない．
一　薬剤師
二　厚生労働省令で定める学校で，応用化学に関する学課を修了した者
三　都道府県知事が行う毒物劇物取扱者試験に合格した者
2　次に掲げる者は，前条の毒物劇物取扱責任者となることができない．
一　18歳未満の者
二　心身の障害により毒物劇物取扱責任者の業務を適正に行うことができない者として厚生労働省令で定めるもの
三　麻薬，大麻，あへん又は覚せい剤の中毒者
四　毒物若しくは劇物又は薬事に関する罪を犯し，罰金以上の刑に処せられ，その執行を終り，又は執行を受けることがなくなった日から起算して3年を経過していない者

毒物劇物取扱責任者の資格：絶対的欠格事由に該当（法 8 － 2）しない者で，以下のいずれかの者
① 薬剤師
② 省令で定める学校で，応用化学に関する学課を修了した者（則 6）
③ 都道府県知事が行う試験（一般毒物劇物取扱者試験，農業用品目毒物劇物取扱者試験，特定品目毒物劇物取扱者試験）に合格した者

8）毒物劇物の取扱い

（毒物又は劇物の取扱）第11条　毒物劇物営業者及び特定毒物研究者は，毒物又は劇物が盗難にあい，又は紛失することを防ぐのに必要な措置を講じなければならない．
2　毒物劇物営業者及び特定毒物研究者は，毒物若しくは劇物又は毒物若しくは劇物を含有する物であって政令で定めるものがその製造所，営業所若しくは店舗又は研究所の外に飛散し，漏れ，流れ出，若しくはしみ出，又はこれらの施設の地下にしみ込むことを防ぐのに必要な措置を講じなければならない．
3　毒物劇物営業者及び特定毒物研究者は，その製造所，営業所若しくは店舗又は研究所の外において毒物若しくは劇物又は前項の政令で定める物を運搬する場合には，これらの物が飛散し，漏れ，流れ出，又はしみ出ることを防ぐのに必要な措置を講じなければならない．
4　毒物劇物営業者及び特定毒物研究者は，毒物又は厚生労働省令で定める劇物については，その容器として，飲食物の容器として通常使用される物を使用してはならない．

●毒物劇物営業者及び特定毒物研究者は，毒物劇物の盗難，紛失の防止及び飛散，漏れ，流れ出，しみ出，地下へのしみ込みの防止措置を講じなければならない → 事故の際の措置（法 17 － 2）は，毒物劇物の業務上取扱者にも適用される．（法 22）
●毒物又は劇物の貯蔵設備は，他の物と区分して貯蔵し，かぎをかける．（則 4 の 4）
●誤飲防止のため，すべての毒物及び劇物の飲食用容器の使用禁止（則 11 の 4）

（毒物又は劇物の表示）第12条　毒物劇物営業者及び特定毒物研究者は，毒物又は劇物の容器及び被包に，「医薬用外」の文字及び毒物については赤地に白色をもつて「毒物」の文字，劇物については白地に赤色をもつて「劇物」の文字を表示しなければならない．
2　毒物劇物営業者は，その容器及び被包に，左に掲げる事項を表示しなければ，毒物又は劇物を販売し，又は授与してはならない．

一　毒物又は劇物の名称
二　毒物又は劇物の成分及びその含量
三　厚生労働省令で定める毒物又は劇物については，それぞれ厚生労働省令で定めるその解毒剤の名称
四　毒物又は劇物の取扱及び使用上特に必要と認めて，厚生労働省令で定める事項
3　毒物劇物営業者及び特定毒物研究者は，毒物又は劇物を貯蔵し，又は陳列する場所に，「医薬用外」の文字及び毒物については「毒物」，劇物については「劇物」の文字を表示しなければならない．

医薬用外
劇物

図 11.2　毒物又は劇物の表示

●毒物又は劇物の容器及び被包への表示において，医薬用外の文字の色の規制はない．
特定毒物も毒物であるので毒物の表示に従う．

●**貯蔵，陳列場所**には，「医薬用外」及び「毒物」又は「劇物」の文字を表示（色の指定なし）する．（法 12 － 3）

●表示の規定は，業務上取扱者にも適用される．（法 22）

●容器及び被包の表示：医薬用外毒物又は劇物の文字の他，毒物又は劇物の名称・成分及びその含量

●解毒剤の名称が義務づけられているもの（則 11 の 5）
①毒物・劇物の種類：**有機燐化合物及びこれを含有する製剤**（殺虫剤，DDVP 等）
②解毒剤：**2-ピリジルアルドキシムメチオダイド（別名 PAM）の製剤**及び**硫酸アトロピンの製剤**

（特定の用途に供される毒物又は劇物の販売等）　第 13 条　毒物劇物営業者は，政令で定める毒物又は劇物については，厚生労働省令で定める方法により着色したものでなければ，これを農業用として販売し，又は授与してはならない．

●着色すべき農業用毒劇物（令 39）及び着色方法（則 12）
①硫酸タリウムを含有する製剤たる劇物（殺そ剤）
②燐化亜鉛を含有する製剤たる劇物（殺そ剤）
} あせにくい黒色

第 13 条の 2　毒物劇物営業者は，毒物又は劇物のうち主として一般消費者の生活の用に供されると認められるものであって政令で定めるものについては，その成分の含量又は容器若しくは被包について政令で定める基準に適合するものでなければ，これを販売し，又は授与してはならない．

政令で基準を定める劇物の家庭用品（令 39 の 2）
①塩化水素又は硫酸を含有（15 %以下）する製剤たる劇物：住宅用の洗浄剤で液体状のものに限る．
②ジメチル-2,2-ジクロルビニルホスフェイト（別名 DDVP）を含有する製剤：衣料用の防虫剤に限る．

9）譲渡手続

（毒物又は劇物の譲渡手続）第14条 毒物劇物営業者は，毒物又は劇物を他の毒物劇物営業者に販売し，又は授与したときは，その都度，次に掲げる事項を書面に記載しておかなければならない．

一 毒物又は劇物の名称及び数量

二 販売又は授与の年月日

三 譲受人の氏名，職業及び住所（法人にあっては，その名称及び主たる事務所の所在地）

2 毒物劇物営業者は，譲受人から前項各号に掲げる事項を記載し，厚生労働省令で定めるところにより作成した書面の提出を受けなければ，毒物又は劇物を毒物劇物営業者以外の者に販売し，又は授与してはならない．

3 前項の毒物劇物営業者は，同項の規定による書面の提出に代えて，政令で定めるところにより，当該譲受人の承諾を得て，当該書面に記載すべき事項について電子情報処理組織を使用する方法その他の情報通信の技術を利用する方法であって厚生労働省令で定めるものにより提供を受けることができる．この場合において，当該毒物劇物営業者は，当該書面の提出を受けたものとみなす．

4 毒物劇物営業者は，販売又は授与の日から5年間，第1項及び第2項の書面並びに前項前段に規定する方法が行われる場合に当該方法において作られる電磁的記録（電子的方式，磁気的方式その他人の知覚によっては認識することができない方式で作られる記録であって電子計算機による情報処理の用に供されるものとして厚生労働省令で定めるものをいう．）を保存しなければならない．

毒物劇物営業者の譲渡手続・書面の保存期間

① **毒物劇物営業者への譲渡**：必要事項を記載した**書面** → **5年間**

② **一般人への譲渡**：必要事項を記載し，**譲受人が押印した書面** → **5年間**

（毒物又は劇物の交付の制限等）第15条 毒物劇物営業者は，毒物又は劇物を次に掲げる者に交付してはならない．

一 **18歳未満の者**

二 心身の障害により毒物又は劇物による保健衛生上の危害の防止の措置を適正に行うことができない者として厚生労働省令で定めるもの

三 麻薬，大麻，あへん又は覚せい剤の中毒者

2 毒物劇物営業者は，厚生労働省令の定めるところにより，その交付を受ける者の氏名及び住所を確認した後でなければ，第3条の4に規定する政令で定める物を交付してはならない．

3 毒物劇物営業者は，帳簿を備え，前項の確認をしたときは，厚生労働省令の定めるところにより，その確認に関する事項を記載しなければならない．

4 毒物劇物営業者は，前項の**帳簿**を，最終の記載をした日から**5年間，保存**しなければならない．

●毒物劇物営業者が毒物・劇物を交付できない者：

① **18歳未満の者** ② 心身障害により適正に取り扱えない者 ③ 麻薬等の中毒者

●**引火性，発火性又は爆発性のあるものとして政令で定める物**（令32の3）を交付する場合

→ **身分証明書等で住所，氏名を確認**

ただし，毒物劇物営業者と常時取引関係にある者等，身分が明らかである者には資料の提示を受ける必要がない．（則12の2の6）

●毒物劇物営業者は，交付に関する**帳簿**を記載した日から**5年間，保存**しなければならない．

10）情報の提供

> 令第40条の9　毒物劇物営業者は，毒物又は劇物を販売し，又は授与するときは，その販売し，又は授与する時までに，譲受人に対し，当該毒物又は劇物の性状及び取扱いに関する情報を提供しなければならない．ただし，当該毒物劇物営業者により，当該譲受人に対し，既に当該毒物又は劇物の性状及び取扱いに関する情報の提供が行われている場合その他厚生労働省令で定める場合は，この限りでない．
> 2　毒物劇物営業者は，前項の規定により提供した毒物又は劇物の性状及び取扱いに関する情報の内容に変更を行う必要が生じたときは，速やかに，当該譲受人に対し，変更後の当該毒物又は劇物の性状及び取扱いに関する情報を提供するよう努めなければならない．
> 3　前2項の規定は，特定毒物研究者が製造した特定毒物を譲り渡す場合について準用する．
> 4　前3項に定めるもののほか，毒物劇物営業者又は特定毒物研究者による毒物又は劇物の譲受人に対する情報の提供に関し必要な事項は，厚生労働省令で定める．

●毒物劇物営業者は，毒物又は劇物を販売し，又は授与するときは，その販売し，又は授与する時までに，譲受人に対し，当該毒物又は劇物の性状及び取扱いに関する情報を文書又は電磁的方法（磁気ディスク等）で提供しなければならない．

●情報提供が不要の場合：①1回につき200 mg以下の劇物を販売又は授与する場合　②住宅用洗浄剤の塩化水素又は硫酸含有の製剤，衣類の防虫剤DDVP含有の製剤を主として生活の用に供する一般消費者に販売又は授与する場合（則13の10）

11）廃　棄

> （廃棄）　第15条の2　毒物若しくは劇物又は第11条第2項に規定する政令で定める物は，廃棄の方法について**政令で定める技術上の基準**に従わなければ，廃棄してはならない．

廃棄の方法に関する**技術上の基準**（令40）：廃棄の際に，許可，届出は不要

① **中和，加水分解，酸化，還元，希釈その他の方法**により，毒物及び劇物並びに法11条第2項に規定する政令で定める物（令38）のいずれにも該当しない物とする．
　ｉ）無機シアン化合物：含有量が1 mg/L（1 ppm）以下の液体にする．
　ⅱ）塩化水素，硫酸，水酸化ナトリウム等：水10倍希釈物がpH 2～12の液体にする．

② **ガス体又は揮発性の毒物又は劇物**は，保健衛生上危害を生ずるおそれがない場所で，少量ずつ放出し，又は揮発させる．

③ **可燃性の毒物又は劇物**は，保健衛生上危害を生ずるおそれがない場所で，少量ずつ燃焼させる．

④ 前各号により難い場合には，地下1メートル以上で，かつ，地下水を汚染するおそれがない地中に確実に埋め，海面上に引き上げられ，若しくは浮き上がるおそれがない方法で海水中に沈め，又は保健衛生上危害を生ずるおそれがないその他の方法で処理する．

12）運搬等

（運搬等についての技術上の基準等） 第16条 保健衛生上の危害を防止するため必要があるときは，政令で，毒物又は劇物の運搬，貯蔵その他の取扱について，技術上の基準を定めることができる．
2 保健衛生上の危害を防止するため特に必要があるときは，政令で，次に掲げる事項を定めることができる．
一 特定毒物が附着している物又は特定毒物を含有する物の取扱に関する技術上の基準
二 特定毒物を含有する物の製造業者又は輸入業者が一定の品質又は着色の基準に適合するものでなければ，特定毒物を含有する物を販売し，又は授与してはならない旨
三 特定毒物を含有する物の製造業者，輸入業者又は販売業者が特定毒物を含有する物を販売し，又は授与する場合には，一定の表示をしなければならない旨

●四アルキル鉛，無機シアン化合物，フッ化水素等については，容器，容器又は被包の使用，積載の態様に関する基準が定められている．（令40の2～40の6）

●黄燐，過酸化水素，アンモニア，ニトロベンゼン，硫酸等の定められた毒物・劇物を車両を使用して1回につき5,000 kg以上運搬する場合には，その運搬方法は，次の各号に定める基準に適合するものでなければならない．（令40の5）

① 厚生労働省令で定める時間を超えて運搬する場合には，車両1台について運転者のほか交替して運転する者を同乗させる．
② 車両には，厚生労働省令で定めるところにより標識を掲げる．
③ 車両には，防毒マスク，ゴム手袋その他事故の際に応急の措置を講ずるために必要な保護具で厚生労働省令で定めるものを2人分以上備える．
④ 車両には，運搬する毒物又は劇物の名称，成分及びその含量ならびに**事故の際に講じなければならない応急の措置の内容を記載した書面**を備える．

13）事故の際の措置

（事故の際の措置） 第17条 毒物劇物営業者及び特定毒物研究者は，その取扱いに係る毒物若しくは劇物又は第11条第2項の政令で定める物が飛散し，漏れ，流れ出し，染み出し，又は地下に染み込んだ場合において，不特定又は多数の者について保健衛生上の危害が生ずるおそれがあるときは，直ちに，その旨を保健所，警察署又は消防機関に届け出るとともに，保健衛生上の危害を防止するために必要な応急の措置を講じなければならない．
2 毒物劇物営業者及び特定毒物研究者は，その取扱いに係る毒物又は劇物が盗難にあい，又は紛失したときは，直ちに，その旨を警察署に届け出なければならない．

① **保健衛生上の危害が生ずるおそれがあるとき**（飛散，漏れ，流れ出し，染み出し，地下に染み込み）
→ 直ちに，**保健所**，**警察署**又は**消防機関**に届出及び必要な応急措置
② **盗難，紛失** → 直ちに，**警察署**に届出

14）行政措置・命令

（回収等の命令）　第15条の3　都道府県知事（毒物又は劇物の販売業にあってはその店舗の所在地が保健所を設置する市又は特別区の区域にある場合においては市長又は区長とし，特定毒物研究者にあってはその主たる研究所の所在地が指定都市の区域にある場合においては指定都市の長とする．第18条第1項，第19条第4項及び第5項，第20条第2項並びに第23条の2において同じ．）は，毒物劇物営業者又は特定毒物研究者の行う毒物若しくは劇物又は第11条第2項の政令で定める物の廃棄の方法が前条の政令で定める基準に適合せず，これを放置しては不特定又は多数の者について保健衛生上の危害が生ずるおそれがあると認められるときは，その者に対し，当該廃棄物の回収又は毒性の除去その他保健衛生上の危害を防止するために必要な措置を講ずべきことを命ずることができる．

毒物劇物営業者又は特定毒物研究者の廃棄の方法が政令40条で定める基準に従わないとき → 知事等は，廃棄物の回収又は毒性の除去その他保健衛生上の危害を防止するために必要な措置を講ずべきことを命ずることができる．

（立入検査等）　第18条　都道府県知事は，保健衛生上必要があると認めるときは，毒物劇物営業者若しくは特定毒物研究者から必要な報告を徴し，又は薬事監視員のうちからあらかじめ指定する者に，これらの者の製造所，営業所，店舗，研究所その他業務上毒物若しくは劇物を取り扱う場所に立ち入り，帳簿その他の物件を検査させ，関係者に質問させ，若しくは試験のため必要な最小限度の分量に限り，毒物，劇物，第11条第2項の政令で定める物若しくはその疑いのある物を収去させることができる．

2　前項の規定により指定された者は，毒物劇物監視員と称する．

3　毒物劇物監視員は，その身分を示す証票を携帯し，関係者の請求があるときは，これを提示しなければならない．

4　第1項の規定は，犯罪捜査のために認められたものと解してはならない．

保健衛生上必要があると認めるときは，薬事監視員から指定された毒物劇物監視員が立ち入り検査，収去等ができる．

（登録の取消等）　第19条　都道府県知事は，毒物劇物営業者の有する設備が第五条の厚生労働省令で定める基準に適合しなくなったと認めるときは，相当の期間を定めて，その設備を当該基準に適合させるために必要な措置をとるべき旨を命ずることができる．

2　前項の命令を受けた者が，その指定された期間内に必要な措置をとらないときは，都道府県知事は，その者の登録を取り消さなければならない．

3　都道府県知事は，毒物若しくは劇物の製造業，輸入業若しくは販売業の毒物劇物取扱責任者にこの法律に違反する行為があつたとき，又はその者が毒物劇物取扱責任者として不適当であると認めるときは，その毒物劇物営業者に対して，毒物劇物取扱責任者の変更を命ずることができる．

4　都道府県知事は，毒物劇物営業者又は特定毒物研究者にこの法律又はこれに基づく処分に違反する行為があつたとき（特定毒物研究者については，第6条の2第3項第1号から第3号までに該当するに至ったときを含む．）は，その営業の登録若しくは特定毒物研究者の許可を取り消し，又は期間を定めて，業務の全部若しくは一部の停止を命ずることができる．

5　厚生労働大臣は，保健衛生上の危害の発生又は拡大を防止するため緊急時において必要があると認めるときは，都道府県知事に対し，前各項の規定による処分（指定都市の長に対しては，前項の規定による処分に限る．）を行うよう指示をすることができる．

●都道府県知事は，毒物劇物営業者に対して，期間を定めて，構造設備の改善命令，毒物劇物取扱責任者の変更命令が出せる．

期間内に必要な措置をとらないときは，登録を取り消さなければならない．

●この法律又はこれに基づく処分に違反する行為があったときは，登録もしくは特定毒物研究者の許可の取り消し，業務の全部もしくは一部の停止を命ずることができる．

●法 19－2～4（違反行為等）までの規定による処分は，あらかじめ，聴聞を行わなければならない．（法 20）

●厚生労働大臣が緊急時において必要があると認めるときは，知事の権限であっても厚生労働大臣が行うことができる．（法 23 の 2）

> （登録が失効した場合等の措置） 第 21 条 毒物劇物営業者，特定毒物研究者又は特定毒物使用者は，その営業の登録若しくは特定毒物研究者の許可が効力を失い，又は特定毒物使用者でなくなったときは，15 日以内に，毒物劇物営業者にあってはその製造所，営業所又は店舗の所在地の都道府県知事（販売業にあってはその店舗の所在地が，保健所を設置する市又は特別区の区域にある場合においては，市長又は区長）に，特定毒物研究者にあってはその主たる研究所の所在地の都道府県知事（その主たる研究所の所在地が指定都市の区域にある場合においては，指定都市の長）に，特定毒物使用者にあっては都道府県知事に，それぞれ現に所有する特定毒物の品名及び数量を届け出なければならない．
>
> 2 前項の規定により届出をしなければならない者については，これらの者がその届出をしなければならないこととなった日から起算して 50 日以内に同項の特定毒物を毒物劇物営業者，特定毒物研究者又は特定毒物使用者に譲り渡す場合に限り，その譲渡し及び譲受けについては，第 3 条の 2 第 6 項及び第 7 項の規定を適用せず，また，その者の前項の特定毒物の所持については，同期間に限り，同条第十項の規定を適用しない．
>
> 3 毒物劇物営業者又は特定毒物研究者であつた者が前項の期間内に第 1 項の特定毒物を譲り渡す場合においては，第 3 条の 2 第 8 項及び第 9 項の規定の適用については，その者は，毒物劇物営業者又は特定毒物研究者であるものとみなす．
>
> 4 前 3 項の規定は，毒物劇物営業者，特定毒物研究者若しくは特定毒物使用者が死亡し，又は法人たるこれらの者が合併によって消滅した場合に，その相続人若しくは相続人に代わって相続財産を管理する者又は合併後存続し，若しくは合併により設立された法人の代表者について準用する．

●毒物劇物営業者，特定毒物研究者又は特定毒物使用者が資格を失ったときは，**15 日以内に**，所有する**特定毒物の品名及び数量**を都道府県知事等に届け出なければならない．

●届出の義務が発生した日から **50 日以内に，特定毒物を**毒物劇物営業者，特定毒物研究者又は特定毒物使用者に**譲渡**しなければならない．

15）業務上取扱者の届出等

> （業務上取扱者の届出等） 第 22 条 政令で定める事業を行う者であってその業務上シアン化ナトリウム又は政令で定めるその他の毒物若しくは劇物を取り扱うものは，事業場ごとに，その業務上これらの毒物又は劇物を取り扱うこととなった日から 30 日以内に，厚生労働省令で定めるところにより，次に掲げる事項を，その事業場の所在地の都道府県知事（その事業場の所在地が保健所を設置する市又は特別区の区域にある場合においては，市長又は区長．第 3 項において同じ．）に届け出なければならない．
>
> 一 氏名又は住所（法人にあっては，その名称及び主たる事務所の所在地）
>
> 二 シアン化ナトリウム又は政令で定めるその他の毒物若しくは劇物のうち取り扱う毒物又は劇物の品目
>
> 三 事業場の所在地
>
> 四 その他厚生労働省令で定める事項

●届出（30日以内の知事への届出）を必要とする業務上取扱者の業種及び毒物劇物の種類（令41）

① **電気めっき業**：**無機シアン化合物**及びこれを含有する製剤

② **金属熱処理業**：**無機シアン化合物**及びこれを含有する製剤

③ 毒物劇物運送業［最大積載量が5,000 kg以上の自動車もしくは被牽引自動車（以下「大型自動車」という.）に固定された容器を用い，又は内容積が厚生労働省令で定める量以上の容器を大型自動車に積載して行う毒物又は劇物の運送の事業］：黄燐，四アルキル鉛，弗化水素，アクロレイン，塩素，ニトロベンゼン，硫酸等

④ **しろありの防除業**：**砒素化合物**及びこれを含有する製剤

●届出事項

① 氏名又は住所（法人にあっては，その名称及び主たる事務所の所在地）

② シアン化ナトリウム又は政令で定めるその他の毒物もしくは劇物のうち取り扱う毒物又は劇物の品目

③ 事業場の所在地・名称（則18－1）

●事業を廃止したとき，届け出の毒物・劇物を業務上取り扱わないこととなったとき，又は届出事項を変更したときは，その旨を当該事業場の所在地の都道府県知事に届け出なければならない.（法22－3）

> 第22条　5項　　第11条，第12条第1項及び第3項，第17条並びに第18条の規定は，毒物劇物営業者，特定毒物研究者及び第1項に規定する者以外の者であって厚生労働省令で定める毒物又は劇物を業務上取り扱うものについて準用する.

● ① 非届出業務上取扱者の例：学校・研究所で毒劇物を使用する者，毒劇物である農薬を使用する農業者，原料等に毒劇物を使用する化学工業者等

② 適用される事項：盗難・紛失の防止等，容器・被包・貯蔵場所等の表示，事故の際の措置，立入検査

●業務上取扱者（要届出・非届出）は，譲受はできるが製造・輸入はできない.

16）その他

> （薬事・食品衛生審議会への諮問）　第23条　厚生労働大臣は，第16条第1項，別表第1第28号，別表第2第94号及び別表第3第10号の政令の制定又は改廃の立案をしようとするときは，あらかじめ，薬事・食品衛生審議会の意見を聴かなければならない．ただし，薬事・食品衛生審議会が軽微な事項と認めるものについては，この限りでない.

運搬等の技術上の基準等，政令で定める毒物・劇物・特定毒物の制定・改変 → 薬事・食品衛生審議会へ諮問

第2条の別表1による毒物　（アンダーラインは特定毒物）

1．エチルパラニトロフェニルチオノベンゼンホスホネイト（別名EPN）
2．黄燐
3．オクタクロルテトラヒドロメタノフタラン
4．<u>オクタメチルピロホスホルアミド（別名シュラーダン）</u>
5．クラーレ
6．<u>四アルキル鉛</u>
7．シアン化水素
8．シアン化ナトリウム
9．<u>ジエチルパラニトロフェニルチオホスフェイト（別名パラチオン）</u>

10. ジニトロクレゾール
11. 2,4-ジニトロ-6-(1-メチルプロピル)-フェノール
12. ジメチルエチルメルカプトエチルチオホスフェイト（別名メチルジメトン）
13. ジメチル-(ジエチルアミド-1-クロルクロトニル)-ホスフェイト
14. ジメチルパラニトロフエニルチオホスフェイト（別名メチルパラチオン）
15. 水銀
16. セレン
17. チオセミカルバジド
18. テトラエチルピロホスフェイト（別名TEPP）
19. ニコチン
20. ニッケルカルボニル
21. 砒素
22. 弗化水素
23. ヘキサクロルエポキシオクタヒドロエンドエンドジメタノナフタリン（別名エンドリン）
24. ヘキサクロルヘキサヒドロメタノベンゾジオキサチエピンオキサイド
25. モノフルオール酢酸
26. モノフルオール酢酸アミド
27. 硫化燐
28. 前各号に掲げる物のほか，前各号に掲げる物を含有する製剤その他の毒性を有する物であって政令で定めるもの

第2条の別表2による劇物

1．アクリルニトリル
2．アクロレイン
3．アニリン
4．アンモニア
5．2-イソプロピル-4-メチルピリミジル-6-ジエチルチオホスフェイト（別名ダイアジノン）
6．エチル-*N*-(ジエチルジチオホスホリールアセチル)-*N*-メチルカルバメート
7．エチレンクロルヒドリン
8．塩化水素
9．塩化第一水銀
10. 過酸化水素
11. 過酸化ナトリウム
12. 過酸化尿素
13. カリウム
14. カリウムナトリウム合金
15. クレゾール
16. クロルエチル
17. クロルスルホン酸
18. クロルピクリン
19. クロルメチル
20. クロロホルム
21. 硅弗化水素酸
22. シアン酸ナトリウム
23. ジエチル-4-クロルフェニルメルカプトメチルジチオホスフェイト
24. ジエチル-(2,4-ジクロルフェニル)-チオホスフェイト
25. ジエチル-2,5-ジクロルフェニルメルカプトメチルジチオホスフェイト
26. 四塩化炭素
27. シクロヘキシミド
28. ジクロル酢酸
29. ジクロルブチン
30. 2,3-ジ-(ジエチルジチオホスホロ)-パラジオキサン
31. 2,4-ジニトロ-6-ジクロヘキシルフェノール
32. 2,4-ジニトロ-6-(1-メチルプロピル)-フェニルアセテート
33. 2,4-ジニトロ-6-メチルプロピルフェノールジメチルアクリレート
34. 2,2′-ジピリジリウム-1,1′-エチレンジブロミド
35. 1,2-ジブロムエタン（別名EDB）
36. ジブロムクロルプロパン（別名DBCP）
37. 3,5-ジブロム-4-ヒドロキシ-4′-ニトロアゾベンゼン
38. ジメチルエチルスルフィニルイソプロピルチオホスフェイト
39. ジメチルエチルメルカプトエチルジチオホスフェイト（別名チオメトン）
40. ジメチル-2,2-ジクロルビニルホスフェイト（別名DDVP）
41. ジメチルフチオホスホリルフェニル酢酸エチル
42. ジメチルジブロムジクロルエチルホスフェイト
43. ジメチルフタリルイミドメチルジチオホスフェイト
44. ジメチルメチルカルバミルエチルチオエチルオホスフェイト
45. ジメチル-(*N*-メチルカルバミルメチル)-

ジチオホスフェイト（別名ジメトエート）
46. ジメチル-4-メチルメルカプト-3-メチルフェニルチオホスフェイト
47. ジメチル硫酸
48. 重クロム酸
49. 蓚酸
50. 臭素
51. 硝酸
52. 硝酸タリウム
53. 水酸化カリウム
54. 水酸化ナトリウム
55. スルホナール
56. テトラエチルメチレンビスジチオホスフェイト
57. トリエタノールアンモニウム-2,4-ジニトロ-6-(1-メチルプロピル)-フェノラート
58. トリクロル酢酸
59. トリクロルヒドロキシエチルジメチルホスホネイト
60. トリチオシクロヘプタジエン-3,4,6,7-テトラニトリル
61. トルイジン
62. ナトリウム
63. ニトロベンゼン
64. 二硫化炭素
65. 発煙硫酸
66. パラトルイレンジアミン
67. パラフェニレンジアミン
68. ピクリン酸．ただし，爆発薬を除く．
69. ヒドロキシルアミン
70. フェノール
71. ブラストサイジンS
72. ブロムエチル
73. ブロム水素
74. ブロムメチル
75. ヘキサクロルエポキシオクタヒドロエンドエキソジメタノナフタリン（別名ディルドリン）
76. 1,2,3,4,5,6-ヘキサクロルシクロヘキサン（別名リンデン）
77. ヘキサクロルヘキサヒドロジメタノナフタリン（別名アルドリン）
78. ベタナフトール
79. 1,4,5,6,7-ペンタクロル-3a,4,7,7a-テトラヒドロ-4,7-(8,8-ジクロルメタノ)-インデン（別名ヘプタクロール）
80. ペンタクロルフェノール（別名PCP）
81. ホルムアルデヒド
82. 無水クロム酸
83. メタノール
84. メチルスルホナール
85. *N*-メチル-1-ナフチルカルバメート
86. モノクロル酢酸
87. 沃化水素
88. 沃素
89. 硫酸
90. 硫酸タリウム
91. 燐化亜鉛
92. ロダン酢酸エチル
93. ロテノン
94. 前各号に掲げる物のほか，前各号に掲げる物を含有する製剤その他の劇性を有する物であって政令で定めるもの

別表第3（特定毒物）

1．オクタメチルピロホスホルアミド
2．四アルキル鉛
3．ジエチルパラニトロフェニルチオホスフェイト
4．ジメチルエチルメルカプトエチルチオホスフェイト
5．ジメチル－（ジエチルアミド－1－クロルクロトニル）－ホスフェイト
6．ジメチルパラニトロフェニルチオフォスフェイト
ジメチル－（ジエチルアミド-1-クロルクロトニル）－ホスフェイト
7．テトラエチルピロホスフェイト
8．モノフルオール酢酸
9．モノフルオール酢酸アミド
10. 前各号に掲げる毒物のほか，前各号に掲げる物を含有する製剤その他の著しい毒性を有する毒物であって政令で定めるもの

表 11.3　毒薬・劇薬と毒物・劇物との比較

	毒薬又は劇薬		毒物又は劇物	
法　律	医薬品医療機器等法		毒物及び劇物取締法	
定　義	医薬品で，毒性・劇性が強いもの		医薬品，医薬部外品以外のものであって，毒性・劇性が強いもの	
表　示	毒　薬	黒地に白わく白字で品名，「毒」の文字	毒　物	「医薬用外」と赤地に白色で「毒物」の文字
	劇　薬	白地に赤わく赤字で品名，「劇」の文字	劇　物	「医薬用外」と白地に赤色で「劇物」の文字
製造・輸入業	許可（5 年）		登録（5 年）	
管理者	薬剤師		毒物劇物取扱責任者	
販売業	許可（6 年）：薬局，医薬品販売業		登録（6 年）：一般，農業用品目，特定品目の 3 業態	
開封販売	薬剤師がいる業態で可能		販売業者の開封販売制限なし	
譲渡手続き	一般人	署名又は記名押印の文書	一般人	押印した書面
	医薬関係者	公務所の証明書を提示，常時取引関係者は不要	毒劇物営業者	書面に記載，印は不要
文書等の保存	2 年間		5 年間	
交付制限	① 14 歳未満の者 ②安全な取扱いに不安のある者		① 18 歳未満の者　②心身障害により適正に取り扱えない者　③麻薬等の中毒者	
貯蔵・陳列	他の物と区別し，毒薬には「かぎ」		他の物と区別し，毒物劇物とも「かぎ」 貯蔵陳列場所に「医薬用外」と「毒物」又は「劇物」の文字	

参考文献

1) 日本公定書協会編集（2014）薬事衛生六法 2014 年版，p.886 ～ 945，薬事日報社

Checkpoint

法の目的	保健衛生上の見地から必要な取り締まりを行う．	
規制対象物質	毒物・劇物	医薬品・医薬部外品以外のもので指定
	特定毒物	毒性が極めて強く，取扱上の制限がある毒物
登録制	毒物劇物営業者（業務所ごと）	① 製造業・輸入業：知事登録，5 年ごと ② 製剤製造（輸入）業：知事登録，5 年ごと ③ 販売業：知事，市長，区長登録，6 年ごと 製造業者・輸入業者は，自社製品の他の毒劇物営業者への販売等はできる．
	営業者登録基準	設備と人的基準
許可制	特定毒物研究者	
指定制	特定毒物使用者	
届出制	業務上取扱者	金属めっき業者，しろありの防除業者など
販売業	一般販売業者	すべての毒劇物を販売できる
	農業用品目販売業者	農業上必要な毒劇物で，省令で定めたもののみ
	特定品目販売業者	省令で定めた毒劇物のみ

特定毒物	特定毒物研究者	毒物に関し相当の知識を持ち，学術研究上製造，使用することを必要とする者で，欠格事由に該当しない者
	特定毒物使用者	品目ごとに政令で指定する者 (例) 石油精製業者：四アルキル鉛のガソリンへの混入
	特定毒物の製造	製造業者と特定毒物研究者（知事の許可）のみ可能
	特定毒物の取扱	特定毒物の使用者・用途・譲渡・譲受の制限 政令で定められている物の着色・表示
興奮・幻覚・麻酔作用物の規制	みだりに吸引の禁止	① トルエン　② 酢酸エチル，トルエン又はメタノールを含有するシンナー，接着剤など
引火性・発火性・爆発性物の規制	原則として交付を受ける者の確認	亜塩素酸ナトリウム（30% 以上），塩素酸塩類（35% 以上），ナトリウム，ピクリン酸
毒物劇物取扱責任者	取扱責任者の要件	① 薬剤師　② 省令で定める学校で応用化学に関する学課修了者 ③ 知事が行う取扱責任者試験の合格者 絶対的欠格事由あり
	設置の基準	直接に取扱う，製造所，営業所，店舗ごとに置く. 2 以上の営業で互に隣接している場合，同一店舗で販売業を 2 以上営業する場合は，施設を通じて 1 人で足りる.
	設置・変更の届出	30 日以内の届出
保管・管理	貯　蔵	他のものと区別して貯蔵・陳列し，貯蔵設備にかぎなど
	事故の防止	飛散・漏れ・流れ出・染み出・地下への染み込み防止措置
	使用禁止容器	飲食用容器の使用禁止
表　示	容器・被包	毒物：「医薬用外」と赤地に白色で「毒物」の文字 劇物：「医薬用外」と白地に赤色で「劇物」の文字
	貯蔵場所	「医薬用外」及び「毒物」又は「劇物」の文字
	有機リン化合物	解毒剤（PAM，アトロピン硫酸塩）の名称
	農業用劇物	政令で定める劇物の着色
家庭用劇物の基準等	成分・含量・品質	液体状住宅用洗浄剤：塩化水素・硫酸含有製剤（15% 以下） 衣料用の防虫剤：DDVP 含有製剤
譲渡手続	毒物劇物営業者へ	譲渡人が書面記載義務
	一般人へ	譲受人が押印した書面を受領
	記録の保存期間	5 年間
情報提供		性状・取扱に関する情報提供，除外規定あり
交付の制限	交付してはならない者	① 18 歳未満　② 心身障害等で適正な取扱ができない者 ③ 麻薬等の中毒者
	確　認	引火性・発火性・爆発性物は，身分証明書等で氏名・住所の確認 ただし，常時取引関係者等は提示不要
廃棄の基準	政令で定める技術基準に従う	① 中和，加水分解，酸化，還元，希釈など 　無機シアン化合物→希釈により 1 ppm 未満 　酸，水酸化ナトリウム→水で 10 倍希釈時，pH 2 ～ 12 に調整 ② 少量ずつ燃焼（メタノールなど）など
事故の際の措置	直ちに届出	① 飛散・漏れ・流れ出・染み出・地下への染み込み　→　保健所，警察署，消防機関へ届け出及び応急措置 ② 盗難・紛失→警察署へ届け出
登録失効時の措置	届出義務	15 日以内に特定毒物の品名・数量の届け出 50 日以内の譲渡の特例あり
業務上取扱者の規制	要届出業務上取扱者	電気めっき業・金属熱処理業：無機シアン化合物 毒物劇物運送業：5,000 kg 以上の定められた毒物劇物 しろあり防除業：砒素化合物

問　題

問 1　医薬品の店舗販売業者であれば，毒物及び劇物を販売できる.（97）

問 2　薬局開設者は，特段の申し出がない限り，毒物劇物営業者とみなされる.（98 類似，100，102 類似）

問 3　毒物劇物営業者は，特定毒物を所持できない.（103）

問 4　特定毒物研究者になるには，都道府県知事（又は政令指定都市の市長）の許可が必要である.（103）

問 5　特定毒物使用者は，特定毒物の用途に制限を受けない.（103）

問 6　毒物劇物輸入業者は，特定毒物を輸入できる.（103）

問 7　特定毒物研究者は，特定毒物を学術研究以外の用途で使用することができる.（101）

問 8　毒物又は劇物の販売業の登録には，一般販売業の登録，農業用品目販売業の登録，家庭用品目販売業の登録及び特定品目販売業の登録の 4 種がある.（98，100 類似）

問 9　毒物劇物営業者は，毒物又は劇物を直接に取り扱う製造所，営業所又は店舗ごとに，原則として，専任の毒物劇物取扱責任者を置かなければならない.（97 類似，98，101）

問 10　薬剤師は毒物劇物取扱責任者になることができる.（99）

問 11　毒物劇物営業者は，その製造所，営業所又は店舗の名称を変更したときは，新たに登録を受けなければならない.（101）

問 12　毒物は，毒薬と区別することなく，一緒に鍵のかかる設備に貯蔵することができる.（97）

問 13　毒物の容器及び被包には，「医薬用外」の文字及び赤地に白色をもって「毒物」の文字を表示しなければならない.（97）

問 14　毒物劇物営業者は，劇物の容器及び被包に，「医薬用外」及び「劇物」の文字の表示があれば，その劇物を貯蔵する場所に，これらの文字を表示しなくてもよい.（98，100 類似，102 類似）

問 15　特定毒物研究者は，特定毒物を貯蔵する場所に「特定毒物」の文字を表示しなければならない.（103）

問 16　特定毒物は，製剤をあせにくい黒色に着色しなければ販売してはならない.（99）

問 17　毒物劇物営業者は，毒物又は劇物の譲渡に係る書面を，販売又は授与の日から 10 年間保管しなければならない.（100 類似，101）

問 18　毒物劇物営業者は，20 歳未満の者に，毒物又は劇物を交付してはならない.（98 類似，99 類似，100）

問 19　塩酸を薬局で販売する場合，漬物製造工場の購入者の氏名及び住所を確認した後でなければ交付してはならない.（102 改）

問 20　毒物劇物営業者が政令で定める技術上の基準に従って毒物又は劇物を廃棄する際には，都道府県知事への届け出が必要である.（99）

問 21　漬物製造工場で劇物である塩酸を廃棄する場合は，中和等により劇物に該当しないものにしなければならない.（102 改）

問 22　毒物劇物営業者は，その取扱いに係る毒物又は劇物が盗難にあい，又は紛失したときは，直ちに，その旨を警察署又は消防機関に届け出なければならない.（97，101 類似）

問 23　シアン化合物を業務上使用する電気めっき業の事業者は，都道府県知事に所定の事項を届け出なければならない.（99）

問 24　漬物製造工場の責任者は，薬局から購入した劇物の名称と数量を帳簿に記載しなければならない.（102）

解答・解説

問 1　×　医薬品の店舗販売業者であっても毒物及び劇物の販売業の登録を受けなければ毒物及び劇物を販売できない．(法3条)

問 2　×　薬局開設者であっても，登録を受けなければ毒物劇物営業者とはなれない．(法3条)

問 3　×　特定毒物の製造，輸入，使用について制限があるが，毒物劇物営業者であれば所持はできる．(法3条)

問 4　○　設問のとおりである．(法3条の2)

問 5　×　用途は政令で定められている．(法3条の2)

問 6　○　設問のとおりである．(法3条の2)

問 7　×　学術研究以外の用途には使用できないこととされている．(法3条の2)

問 8　×　販売業は，一般販売業，農業用品目販売業及び特定品目販売業の3種類であり，家庭用品目販売業の登録はない．(法4条)

問 9　○　設問のとおりである．ただし，直截に取り扱わない営業所などでは毒物劇物取扱責任者を置かなくてもいい．(法7条)

問10　○　毒物劇物取扱責任者となることができるのは，薬剤師の他，省令で定める学校で応用化学に関する学課を修了した者，又は知事が行う毒物劇物取扱者試験に合格した者である．(法8条)

問11　×　新たに登録を受ける必要はないが，30日以内に，都道府県知事に変更した旨を届け出なければならない．(法11条)

問12　×　毒物又は劇物は，その他の物と区別して貯蔵する．(法11条，則4条の4)

問13　○　設問のとおりである．ちなみに「医薬用外」の文字に色の指定はない．劇物については白地に赤字をもって「劇物」の文字を表示しなければならない．(法12条)

問14　×　毒物又は劇物の容器及び被包だけでなく，それらを貯蔵・陳列する場所にもこれらの文字を表示する必要がある．(法12条)

問15　×　特定毒物について特別に表示について規制はない．(法12条)

問16　×　特定毒物ではなく，政令で定める毒物又は劇物であって，農業用として販売するものである．(法13条)

問17　×　帳簿を備え，確認した事項を記載して，最終の記載から5年間，保存しなければならないとされている．(法14条)

問18　×　18歳未満の者に交付してはならないとされている．(法15条)

問19　×　引火性，発火性，爆発性を有する毒物又は劇物（ピクリン酸，ナトリウムなど）を毒物劇物営業者以外の者に対して販売・授与する場合には，氏名及び住所を運転免許証等で確認する必要があるが，塩酸を販売する場合には，氏名及び住所を運転免許証等で確認する必要はない．(法15条)

問20　×　政令で定める技術上の基準に従って毒物又は劇物を廃棄する際には，届け出の必要はない．(法15条の2)

問21　○　設問のとおりである．(法15条の2)

問22　×　盗難にあい，又は紛失したときは，警察署に届け出ることが義務付けられている．(法16条の2)

問23　○　設問のとおりである．(法22条)

問24　×　業務上取扱者である毒物劇物購入者は，購入した劇物の名称と数量を帳簿に記載する義務はない．(法22条)

Ⅳ編

医事関係法規

12章　医療法

1) 医療法の設置目的

第1条　この法律は，医療を受ける者による医療に関する適切な選択を支援するために必要な事項，医療の安全を確保するために必要な事項，病院，診療所及び助産所の開設及び管理に関し必要な事項並びにこれらの施設の整備並びに医療提供施設相互間の機能の分担及び業務の連携を推進するために必要な事項を定めること等により，医療を受ける者の利益の保護及び良質かつ適切な医療を効率的に提供する体制の確保を図り，もって国民の健康の保持に寄与することを目的とする．

●医療法は当初，食中毒・感染症等の急性疾患対策のため，医療機関の量的整備を図りかつ医療水準が確保できる施設基準の整備が目的で制定された．

2) 医療提供の理念

第1条の2　医療は，生命の尊重と個人の尊厳の保持を旨とし，医師，歯科医師，薬剤師，看護師その他の医療の担い手と医療を受ける者との信頼関係に基づき，及び医療を受ける者の心身の状況に応じて行われるとともに，その内容は，単に治療のみならず，疾病の予防のための措置及びリハビリテーションを含む良質かつ適切なものでなければならない．

2　医療は，国民自らの健康の保持増進のための努力を基礎として，医療を受ける者の意向を十分に尊重し，病院，診療所，介護老人保健施設，調剤を実施する薬局その他の医療を提供する施設（以下「医療提供施設」という），医療を受ける者の居宅等（居宅その他厚生労働省令で定める場所をいう．以下同じ）において，医療提供施設の機能に応じ効率的に，かつ，福祉サービスその他の関連するサービスとの有機的な連携を図りつつ提供されなければならない．

●医療法上，薬剤師が医療の担い手として明記されたのは1992年であり，保険薬局が調剤を実施する薬局として「医療提供施設」に追加されたのは2007年である．

●医療の提供場所を，医療提供施設のみならず患者の居宅まで抱合する概念を包括医療という．

3) 国及び地方公共団体の責務

第1条の3　国及び地方公共団体は，前条に規定する理念に基づき，国民に対し良質かつ適切な医療を効率的に提供する体制が確保されるよう努めなければならない．

●国及び地方自治体の責任を明文化している．

4）医療関係者の責務

第1条の4　医師，歯科医師，薬剤師，看護師その他の医療の担い手は，医療提供の理念に基づき，医療を受ける者に対し，良質かつ適切な医療を行うよう努めなければならない．
2　医師，歯科医師，薬剤師，看護師その他の医療の担い手は，医療を提供するに当たり，適切な説明を行い，医療を受ける者の理解を得るよう努めなければならない．

●薬剤師等の医療の担い手は，インフォームド・コンセントの努力義務を負う．

3　医療提供施設において診療に従事する医師及び歯科医師は，医療提供施設相互間の機能の分担及び業務の連携に資するため，必要に応じ，医療を受ける者を他の医療提供施設に紹介し，その診療に必要な限度において医療を受ける者の診療又は調剤に関する情報を他の医療提供施設において診療又は調剤に従事する医師若しくは歯科医師又は薬剤師に提供し，及びその他必要な措置を講ずるよう努めなければならない．

●患者本位の医療を提供する観点から，医師等には機能分担・業務連携の推進，必要に応じた他の医療機関への紹介，調剤に必要な情報提供を努力義務とした．薬剤師法においては，薬剤師には患者又は現に看護に当たっている者に対する調剤薬の適正使用のための情報提供と薬学的知見に基づく指導が義務付けられている．

4　病院又は診療所の管理者は，当該病院又は診療所を退院する患者が引き続き療養を必要とする場合には，保健医療サービス又は福祉サービスを提供する者との連携を図り，当該患者が適切な環境の下で療養を継続することができるよう配慮しなければならない．
5　医療提供施設の開設者及び管理者は，医療技術の普及及び医療の効率的な提供に資するため，当該医療提供施設の建物又は設備を，当該医療提供施設に勤務しない医師，歯科医師，薬剤師，看護師その他の医療の担い手の診療，研究又は研修のために利用させるよう配慮しなければならない．

●病院等の管理者には包括医療への参加を，また開設者及び管理者には医療の中核として，施設設備の開放，研究・研修への配慮を呼びかけている．

5）医療施設

ｉ）病院，診療所，介護老人保健施設，助産所

第1条の5　医療法において，「病院」とは，医師又は歯科医師が，公衆又は特定多数人のため医業又は歯科医業を行う場所であって，20人以上の患者を入院させるための施設を有するものをいう．病院は，傷病者が，科学的でかつ適正な診療を受けることができる便宜を与えることを主たる目的として組織され，かつ，運営されるものでなければならない．
2　医療法において，「診療所」とは，医師又は歯科医師が，公衆又は特定多数人のため医業又は歯科医業を行う場所であって，患者を入院させるための施設を有しないもの又は19人以下の患者を入院させるための施設を有するものをいう．

第1条の6　医療法において，「介護老人保健施設」とは，介護保険法の規定による老人保健施設をいう．

第2条　医療法において，「助産所」とは，助産師が公衆又は特定多数人のためその業務（病院又は診療所において行うものを除く）を行う場所をいう．

ii）地域医療支援病院

第4条　国，都道府県，市町村，（中略）に規定する社会医療法人その他厚生労働大臣の定める者の開設する病院であって，地域における医療の確保のために必要な支援に関する次に掲げる要件に該当するものは，その所在地の都道府県知事の承認を得て地域医療支援病院と称することができる．
1. 他の病院又は診療所から紹介された患者に対し医療を提供し，かつ，当該病院の建物の全部若しくは一部，設備，器械又は器具を，当該病院に勤務しない医師，歯科医師，薬剤師，看護師その他の医療従事者（以下単に「医療従事者」という）の診療，研究又は研修のために利用させるための体制が整備されていること．
2. 救急医療を提供する能力を有すること．
3. 地域の医療従事者の資質の向上を図るための研修を行わせる能力を有すること．
4. 厚生労働省令で定める数（200床）以上の患者を入院させるための施設を有すること．

（以下省略）

2　都道府県知事は，前項の承認をするに当たっては，あらかじめ，都道府県医療審議会の意見を聴かなければならない．　（以下省略）

●地域医療支援病院は，一般病床に必要とされる施設，集中治療室，科学・細菌・病理検査施設，病理解剖室，研究室，講義室，図書室，医薬品情報管理（DI）室の設置のほか，救急用・患者輸送用自動車，病院の管理運営に関する諸記録の保存が必要となる．

●地域医療支援病院は，紹介患者中心の医療を提供していることから一定の紹介率を維持し，紹介率を高めるよう求められる．①紹介率80％を上回っていること，②紹介率が65％を超え，かつ，逆紹介率が40％を超えること，③紹介率が50％を超え，かつ，逆紹介率が70％を超えること．
※逆紹介率　地域医療支援病院から（特定機能病院）他の病院又は診療所に紹介した者の割合

iii）特定機能病院

第4条の2　病院であって，次に掲げる要件に該当するものは，厚生労働大臣の承認を得て特定機能病院と称することができる．
1. 高度の医療を提供する能力を有すること．
2. 高度の医療技術の開発及び評価を行う能力を有すること．
3. 高度の医療に関する研修を行わせる能力を有すること．
4. その診療科名中に，厚生労働省令の定めるところにより，厚生労働省令で定める診療科名を有すること．
5. 厚生労働省令で定める数（400床）以上の患者を入院させるための施設を有すること．
6. その有する人員が（中略）厚生労働省令で定める要件に適合する．　（以下省略）

2　厚生労働大臣は，前項の承認をするに当たっては，あらかじめ，社会保障審議会の意見を聴かなければならない．　（以下省略）

●特定機能病院の施設としては，地域医療支援病院の施設にさらに多くの診療科及び無菌病室が求められる．

●特定機能病院は地域医療支援病院と同様に紹介率を高めることが求められる（50％を超え，逆紹介率が40％を超えること）．

iv）臨床研究中核病院

第4条の3　病院であって，臨床研究の実施の中核的な役割を担うことに関する次に掲げる要件に該当するものは，厚生労働大臣の承認を得て臨床研究中核病院と称することができる．
1. 特定臨床研究（厚生労働省令で定める基準に従つて行う臨床研究をいう）に関する計画を立案し，及び実施する能力を有すること．

2. 他の病院又は診療所と共同して特定臨床研究を実施する場合にあっては，特定臨床研究の実施の主導的な役割を果たす能力を有すること.
3. 他の病院又は診療所に対し，特定臨床研究の実施に関する相談に応じ，必要な情報の提供，助言その他の援助を行う能力を有すること.
4. 特定臨床研究に関する研修を行う能力を有すること.　（以下省略）

2　厚生労働大臣は，前項の承認をするに当たっては，あらかじめ，社会保障審議会の意見を聴かなければならない.

●先進医療を支え，難病を治療する革新的医薬品・医療機器の開発などには，質の高い臨床研究が必要となっている．このニーズに応えるため新たに設置され医療施設である．国際水準の臨床研究や医師主導治験の中心的役割を担える体制（人員・設備等）を有する.

6) 医療に関する選択の支援等

第６条の２　国及び地方公共団体は，医療を受ける者が病院，診療所又は助産所の選択に関して必要な情報を容易に得られるように，必要な措置を講ずるよう努めなければならない.

2　医療提供施設の開設者及び管理者は，医療を受ける者が保健医療サービスの選択を適切に行うことができるように，当該医療提供施設の提供する医療について，正確かつ適切な情報を提供するとともに，患者又はその家族からの相談に適切に応ずるよう努めなければならない.

3　国民は，良質かつ適切な医療の効率的な提供に資するよう，医療提供施設相互間の機能の分担及び業務の連携の重要性についての理解を深め，医療提供施設の機能に応じ，医療に関する選択を適切に行い，医療を適切に受けるよう努めなければならない.

第６条の３　病院等の管理者は，厚生労働省令で定めるところにより，医療を受ける者が病院等の選択を適切に行うために必要な情報として厚生労働省令で定める事項を当該病院等の所在地の都道府県知事に報告するとともに，当該事項を記載した書面を当該病院等において閲覧に供しなければならない.（以下省略）

3　病院等の管理者は，（中略）当該書面に記載すべき事項を電子情報処理組織を使用する方法その他の情報通信の技術を利用する方法（中略）により提供することができる.（以下省略）

●医療施設を選択する上での支援として，国・地方公共団体，病院等の開設者・管理者に義務を課したものである.

7) 医療の安全の確保

ⅰ) 医療の安全の確保のための措置

第６条の９　国並びに都道府県等は，医療の安全に関する情報の提供，研修の実施，意識の啓発その他の医療の安全の確保に関し必要な措置を講ずるよう努めなければならない.

第６条の10　病院等の管理者は，医療事故（当該病院等に勤務する医療従事者が提供した医療に起因し，又は起因すると疑われる死亡又は死産であって，当該管理者が当該死亡又は死産を予期しなかったものとして厚生労働省令で定めるものをいう）が発生した場合には，（中略）遅滞なく，当該医療事故の日時，場所及び状況その他厚生労働省令で定める事項を医療事故調査・支援センターに報告しなければならない.

2　病院等の管理者は，前項の規定による報告をするに当たっては，あらかじめ，医療事故に係る死亡した者の遺族又は医療事故に係る死産した胎児の父母その他厚生労働省令で定める者（遺族）に対し，厚生労働省令で定める事項を説明しなければならない．ただし，遺族がないとき，又は遺族の所在が不明であるときは，この限りでない.

> 第6条の11　病院等の管理者は，医療事故が発生した場合には，厚生労働省令で定めるところにより，速やかにその原因を明らかにするために必要な調査（医療事故調査）を行わなければならない．
> 2　病院等の管理者は，医学医術に関する学術団体その他の厚生労働大臣が定める医療事故調査等支援団体に対し，医療事故調査を行うために必要な支援を求めるものとする．
> 3　医療事故調査等支援団体は，前項の規定により支援を求められたときは，医療事故調査に必要な支援を行うものとする．
> 4　病院等の管理者は，医療事故調査を終了したときは，（中略）遅滞なく，その結果を（中略）医療事故調査・支援センターに報告しなければならない．　（以下省略）

●死亡に至る医療事故があった場合，病院等の管理者は，すみやかに医療事故調査・支援センターに報告しなければならない．また，遺族に対する説明責任も明文化されている．

●医療事故調査は医療事故調査等支援団体に支援を求めなければならない．

> 第6条の12　病院等の管理者は，厚生労働省令で定めるところにより，医療の安全を確保するための指針の策定，従業者に対する研修の実施その他の当該病院等における医療の安全を確保するための措置を講じなければならない．

●安全管理のための体制確保に必要な事項
　① 医療に係る安全管理のための指針を整備
　② 医療に係る安全管理のための委員会を開催
　③ 医療に係る安全管理のための職員研修を実施
　④ 医療機関内における事故報告等の医療に係る安全の確保を目的とした改善のための方策

●安全管理のための体制を確保するために講じなければならない措置
　① 院内感染対策のための体制の確保に係る措置
　② 医薬品に係る安全管理のための体制の確保に係る措置
　③ 医療機器に係る安全管理のための体制の確保に係る措置

> 第6条の13　都道府県等は第6条の9に規定する措置を講ずるため，次に掲げる事務を実施する施設（医療安全支援センター）を設けるよう努めなければならない．　（以下省略）

●医療安全支援センターの設置は都道府県等の努力義務となっている．

ii）医療事故調査・支援センター

> 第6条の15　厚生労働大臣は，医療事故調査を行うこと及び医療事故が発生した病院等の管理者が行う医療事故調査への支援を行うことにより医療の安全の確保に資することを目的とする一般社団法人又は一般財団法人であって，（中略）業務を適切かつ確実に行うことができると認められるものを，その申請により，医療事故調査・支援センターとして指定することができる．　（以下省略）
> 第6条の17　医療事故調査・支援センターは，医療事故が発生した病院等の管理者又は遺族から，当該医療事故について調査の依頼があったときは，必要な調査を行うことができる．　（以下省略）

●医療事故調査・支援センターから資料の提出を求められた場合，病院等の管理者は拒否することができない．また医療事故調査・支援センターは，調査等業務の一部を医療事故調査等支援団体に委託することができる．

8）病院等の開設（第7条・8条）

① 病院の開設は，開設地の都道府県知事等の許可を受けなければならない．
② 臨床研修等修了医師等でない者が診療所を開設しようとするときは，開設地の都道府県知事等の許可を受けなければならない．
③ 臨床研修等修了医師等が診療所を開設したときは，開設後10日以内に，開設地の都道府県知事へ届出なければならない．

9）病床の種別

第7条2　病院等の開設者が，病床数，次の各号に掲げる病床の種別（中略）を変更しようとするとき，（中略）都道府県知事等へ届出なければならない

1. 精神病床：病院の病床のうち，精神疾患を有する者を入院させるためのもの
2. 感染症病床：病院の病床のうち，感染症の予防及び感染症の患者に対する医療に関する法律に規定する，一類，二類，新感染症の所見がある者を入院させるためのもの
3. 結核病床：病院の病床のうち，結核の患者を入院させるためのもの
4. 療養病床：病院又は診療所の病床のうち，上記以外の病床で，主として長期にわたり療養を必要とする患者を入院させるためのもの
5. 一般病床：病院又は診療所の病床のうち，1～4以外のもの

10）病院等の管理

第10条　病院等の開設者は，その病院等が医業をなすものである場合は臨床研修等修了医師に，歯科医業をなすものである場合は臨床研修等修了歯科医師に，これを管理させなければならない．
第15条　病院等の管理者は，その病院等に勤務する医師，歯科医師，薬剤師その他の従業者を監督し，その業務遂行に欠けるところのないよう必要な注意をしなければならない．

第18条　病院又は医師が3名以上勤務する診療所においては，専属の薬剤師を置かなければならない．ただし，病院等所在地の都道府県知事の許可を受けた場合は，この限りでない．

第21条　病院は，（中略）次に掲げる人員及び施設を有し，かつ，記録を備えて置かなければならない．
1. 当該病院の有する病床の種別に応じ，(省略) 定める員数の医療従事者, 2. 各科専門の診察室, 3. 手術室, 4. 処置室，5. 臨床検査施設，6. エックス線装置，7. 調剤所，8. 給食施設，9. 診療に関する諸記録，10. 診療科名中に産婦人科又は産科を有する病院にあっては，分べん室及び新生児の入浴施設，11. 療養病床を有する病院にあつては，機能訓練室　(以下省)

第23条　病院等の構造設備について，換気，採光，照明，防湿，保安，避難及び清潔その他衛生上遺憾のないように必要な基準は厚生労働省令で定める．

●病院に置くべき薬剤師の員数の標準

① 精神病床及び療養病床に係る病室の入院患者数を150で割った数

②上記以外の病室の入院患者数を70で割った数
③外来患者に係る取扱い処方箋の数を75で割った数

上記①，②，③の合計数が薬剤師の法定人員である．1未満の端数は1として計算する．

●特定機能病院及び臨床研究中核病院の薬剤師の法定人員

入院患者の数が30又はその端数を増すごとに1以上とし，調剤数が80又はその端数を増すごとに1以上とする．

11）病院等の監督

第23条の2　都道府県知事は，病院等の人員の配置が，（中略）基準に照らして著しく不十分であり，かつ，適正な医療の提供に著しい支障が生ずる（中略）ときは，その開設者に対し，期限を定めて，その人員の増員を命じ，又は期間を定めて，その業務の全部若しくは一部の停止を命ずることができる．

第24条　都道府県知事は，病院等が清潔を欠くとき，又はその構造設備が（中略）違反し，若しくは衛生上有害若しくは保安上危険と認めるときは，その開設者に対し，期間を定めて，その全部若しくは一部の使用を制限し，若しくは禁止し，又は期限を定めて，修繕若しくは改築を命ずることができる．

2　厚生労働大臣は，特定機能病院又は臨床研究中核病院の構造設備が（中略）違反するときは，その開設者に対し，期限を定めて，その修繕又は改築を命ずることができる．

12）医療提供体制の確保

ｉ）基本方針

第30条の3　厚生労働大臣は，地域における医療及び介護の総合的な確保の促進に関する法律に規定する総合確保方針に即して，良質かつ適切な医療を効率的に提供する体制（医療提供体制）の確保を図るための基本的な方針（基本方針）を定めるものとする．

●基本方針は，次に掲げる事項について定めている．

1. 医療提供体制の確保のため講じようとする施策の基本事項
2. 医療提供体制の確保に関する調査及び研究に関する基本事項
3. 医療提供体制の確保に係る目標
4. 医療提供施設相互間の機能の分担及び業務の連携並びに医療を受ける者に対する医療提供施設の機能に関する情報提供の推進に関する基本事項
5. 地域医療構想に関する基本事項
6. 地域における病床の機能分化及び連携並びに医療を受ける者に対する病床の機能に関する情報提供の推進に関する基本事項
7. 医療従事者の確保に関する基本的な事項
8. 医療計画の作成及び医療計画に基づく事業の実施状況の評価に関する基本事項
9. その他医療提供体制の確保に関する重要事項

ⅱ）医療計画の作成

> 第30条の4 都道府県は，基本方針に即して，かつ，地域の実情に応じて，当該都道府県における医療提供体制の確保を図るための計画（医療計画）を定めるものとする．

●医療計画は，次に掲げる事項を定めている．

① 都道府県において達成すべき事業並びに居宅等における医療の確保の目標

② 以下の④及び⑤の事業並びに居宅等における医療の確保に係る医療連携体制（医療提供施設相互間の機能の分担及び業務の連携を確保するための体制）

③ 医療連携体制における医療提供施設の機能に関する情報提供の推進

④ 生活習慣病その他の国民の健康の保持を図るために特に広範かつ継続的な医療の提供が必要と認められる疾病の治療又は予防に係る事業

⑤ 次に掲げる医療の確保に必要な事業（救急医療等確保事業）

イ 救急医療　ロ 災害時における医療　ハ へき地の医療(その確保が必要な場合に限る)
ニ 周産期医療　ホ 小児医療（小児救急医療を含む.）　ヘ その他都道府県知事が疾病の発生の状況等に照らして特に必要と認める医療

⑥ 居宅等における医療の確保 （以下省略）

⑩ 医療従事者の確保に関する事項

⑪ 医療の安全の確保に関する事項 （以下省略）

> 第30条の4の3 医療計画においては，次に掲げる事項について定めるよう努めるものとする．

● 医療計画には，努力目標として次の事項の記載を求めている．

① 地域医療支援病院の整備目標その他医療提供施設の機能を考慮した医療提供施設の整備目標

② 医療提供体制の確保に必要な事項

●医療法では医療圏の区域を，1号区域（2次医療圏）及び2号区域（3次医療圏）に分け規定しているが，医療計画のなかではこれに1次医療圏を加え議論される．

1次医療圏：身近な医療を提供する医療圏で，初期医療を中心とした医療サービスを図るための単位．保健所や介護保険制度等との兼ね合いから，市町村を単位として設定される．

2次医療圏：特殊な医療を除く入院医療を確保し，包括的な医療サービスを提供する単位．複数の市町村を一つの単位として認定される．

3次医療圏：高度な・特殊な医療や広域的な医療サービスを提供する単位．通常，都道府県単位．

ⅲ）医療計画の評価と変更（第30条の6）

> 都道府県は，3年ごとに居宅等医療等事項について，それ以外の事項については6年ごとに調査，分析及び評価を行い，必要があると認めるときは，当該都道府県の医療計画を変更するものとする．

13）地域における病床の機能の分化及び連携の推進（第30条の12～18）

都道府県知事は，医療計画の達成の推進のため特に必要がある場合，療養病床又は一般病床を有する病院又は診療所（**病床機能報告対象病院等**）に要請することができる．またその要請を受けた病院等の開設者又は管理者が，正当な理由がなく，当該要請に係る措置を講じていないと認めるときは，開設者又は管理者に対し，都道府県医療審議会の意見を聴いて，当該措置をとるべきことを勧告し，その旨を公表することができる． **病床機能報告対象病院等の管理者**は，地域における病床の機能の分化及び連携の推進のため，厚生労働省令で定めるところにより，当該病床機能報告対象病院等の病床の機能に応じ厚生労働省令で定める区分に従い，必要事項を当該病床機能報告対象病院等の所在地の都道府県知事に報告しなければならない．

14）医療従事者の確保等に関する施策（第30条の13～19）

病院等の管理者は，当該病院又は診療所に勤務する医療従事者の勤務環境の改善その他の医療従事者の確保に資する措置を講ずるよう努めなければならない． **厚生労働大臣**は，病院又は診療所の管理者が講ずべき措置に関して，その適切かつ有効な実施を図るための指針となるべき事項を定め，これを公表するものとする． 都道府県は，医療機関等の管理者の協力を得て，**救急医療等確保事業に係る医療従事者の確保**その他当該都道府県において必要とされる医療の確保に関する事項の施策を定め，これを公表しなければならない．

●都道府県が協力を得るために協議すべき医療機関等の管理者は以下の者をいう．

1. 特定機能病院
2. 地域医療支援病院
3. 公的医療機関
4. 厚生労働大臣の指定する臨床研修指定病院
5. 診療に関する学識経験者の団体
6. 大学その他の医療従事者の養成に関係する機関
7. 当該都道府県知事の認定を受けた社会医療法人
8. その他厚生労働省令で定める者

Checkpoint

（医療提供体制）	
医療提供の理念	医療の担い手と医療を受ける者との信頼関係に基づく医療 患者本位の医療（包括医療）：保健，医療，福祉の連携 患者参加の医療
医療関係者の責務	良質かつ適切な医療の提供，インフォームド・コンセントの実践
（医療提供施設）	
病院	20人以上の患者を入院させるための施設を有するもの
診療所	患者を入院させるための施設を有しないもの又は19人以下の患者を入院させるための施設を有するもの
地域医療支援病院	地域医療に支援能力があると知事に認められた病院
特定機能病院	高度医療提供能力等があると厚生労働大臣に認められた病院

(病床種別)	
精神病床	精神疾患を有する患者を入院させるためのもの
感染症病床	感染症の予防及び感染症の患者に対する医療に関する法律に規定する一類感染症，二類感染症及び新感染症の患者を入院させるためのもの
結核病床	結核患者を入院させるためのもの
療養病床	精神・感染症・結核の各病床以外の病床で，主として長期にわたり療養を必要とする患者を入院させるためのもの
一般病床	精神病床・感染症病床・結核病床・療養病床以外のもの
(薬剤師の員数)	
専属薬剤師	病院，医師が常時3人以上勤務する診療所
感染症病床・結核病床・一般病床のみの病院	(入院患者÷70)＋(外来患者の処方箋数÷75)　(1未満は1，端数は1)

問題

問1　安楽死の概念は，医療法に基づく医療の基本理念に含まれていない．(97改)

問2　救急病床は，規定される病院の病床の種別に該当しない．(97改)

問3　大学の附属病院であれば，特定機能病院と称することができる．(97)

問4　病院の管理者は，診療に従事していなくても，臨床研修を修了した医師でなければならない．(97)

問5　外来患者の処方箋をすべて院外処方箋としている病院であれば，専属の薬剤師を置かなくてもよい．(97)

問6　病院においては，医薬品に係る安全管理の体制が確保されなければならない．(97)

問7　基本方針は，良質かつ適切な医療を効率的に提供するために定める．(98)

問8　基本方針は，都道府県知事が定める．(98)

問9　医療計画は，市町村(特別区を含む)ごとに作成される．(98)

問10　都道府県は，医療従事者の確保のための事項を定める．(98)

問11　高度な医療技術の開発を行う能力は，地域医療支援病院の要件に該当しない．(99改)

問12　薬剤師を「医療の担い手」と明記している法律である．(100改)

問13　医療を受ける者に対する医療の担い手の責務として，良質かつ適切な医療の提供が規定されている．(102改)

問14　病院の開設者は，医療の安全を確保するための措置を講ずる義務又は責務が課されている．(102改)

問15　調剤所は，病院が必ず有しなければならない施設である．(103改)

問16　一般病床に280人が入院し，外来患者に係る取扱い処方箋数が150枚である地域医療支援病院において，規定された薬剤師の員数は，6人である．(104改)

精神病床・療養病床を有する病院	（精神病床・療養病床の入院患者÷150）＋（精神病床・療養病床以外の入院患者÷70）＋（外来患者の処方箋数÷75）　（1未満は1，端数は1）
特定機能病院	入院患者30又は端数を増すごとに1以上，調剤数80又はその端数を増すごとに1
臨床研究中核病院	臨床研究の実施の中核的な役割を担う病院として厚生労働大臣が指定
（医療計画・医療圏）	
医療計画	都道府県が定める．居宅等医療等事項については3年ごと，それ以外の事項は6年ごとに調査，分析及び評価を行い，必要があれば変更する．
医療圏	1次医療圏：患者の居住する市町村，2次医療圏：広域市町村，3次医療圏：都道府県

解答・解説

問 1　○　第1条の2より，医療の基本理念には，生命の尊重，個人の尊厳の保持，相互信頼，包括医療の概念が含まれている．

問 2　○　第7条の2より，精神病床，感染症病床，療養病床，一般病床が，病床区分として規定されている．

問 3　×　第4条の2より，条件を満たした上で，厚生労働大臣の承認を得る必要がある．

問 4　○　第10条より，病院の開設者は，臨床研修等修了医師に病院を管理させなければならない．

問 5　×　第18条により，病院は，都道県知事の許可を得ない限りは専属の薬剤師を置かなければならない．

問 6　○　第6条の2により，病院の管理者は医療の安全を確保するための措置を講じなければならない．

問 7　○　第30条の3により，厚生労働大臣は，良質かつ適切な医療を効率的に提供する体制の確保を図るための基本的な方針を定めるものとするとされている．

問 8　×　第30条の3により，厚生労働大臣が定めるとされている．

問 9　×　第30条の4により，都道府県は，基本方針に即して，かつ，地域の実情に応じて，当該都道府県における医療提供体制の確保を図るための計画を定めるものとされている．

問10　○　第30条の4の2により，医療計画においては，医療従事者の確保に関する事項を定めるものとされている．

問11　○　第4条により，地域医療支援病院には，救急医療を提供する能力，200床以上の病床，他の医療機関から紹介された患者に対する医療の提供，医薬品情報管理室の設置などが求められている．

問12　○　第1条の2により，医療は，生命の尊重と個人の尊厳の保持を旨とし，医師，歯科医師，薬剤師，看護師その他の医療の担い手と医療を受ける者との信頼関係に基づき，及び医療を受ける者の心身の状況に応じて行われるとともに，その内容は，単に治療のみならず，疾病の予防のための措置及びリハビリテーションを含む良質かつ適切なものでなければならないとされている．

問13　○　第1条の4により，医師，歯科医師，薬剤師，看護師その他の医療の担い手は，医療を受ける者に対し，良質かつ適切な医療を行うよう努めなければならないとされている．

問14　×　第6条により，国及び都道府県等，病院等の管理者には，医療の安全を確保するための措置を講ずる義務又は責務が課されている．

問15　○　第21条により，病院は，各科専門の診察室，手術室，処置室，臨床検査施設，エックス線装置，調剤所，給食施設，診療科名中に産婦人科又は産科を有する病院にあっては分べん室及び新生児の入浴施設，療養病床を有する病院にあっては機能訓練室，その他都道府県の条例で定める施設を有していないといけない．

問16　○　医療法施行規則 第17条により，薬剤師の員数は，結核病床及び療養病床に係る病室の入院患者の数を150をもって除した数と，一般病床に係る病室の入院患者の数を70をもって除した数と外来患者に係る取扱処方せんの数を75をもって除した数とを加えた数と規定されている．

問 17　医療機関の管理者は，医療に係る安全管理のための指針を整備しなければならない．(105 改)

問 18　医療機関の管理者は，医薬品安全管理責任者を配置しなければならない．(105 改)

問 19　医療機関の管理者は，医療事故が発生した場合，第三者委員会による調査を実施しなければならない．(105 改)

問 20　医療機関の管理者は，医薬品の安全使用のために，患者を対象とした研修を実施しなければならない．(105 改)

問 21　医療機関の管理者は，医療事故が発生した場合，当該医療事故の日時，場所，状況等を公表しなければならない．(105 改)

問 17　○　第 6 条の 12 により，医療機関の管理者は，医療の安全を確保するための指針の策定，従業者に対する研修の実施その他の当該病院等における医療の安全を確保するための措置を講じなければならないとされている．

問 18　○　医療法施行規則 第 1 条の 11 の 2 より，医療機関の管理者は，医薬品の安全使用のための責任者（医薬品安全管理責任者）を配置することとされている．

問 19　×　第 6 条の 11 により，医療機関の管理者は，医療事故が発生した場合には，速やかにその原因を明らかにするために必要な調査（医療事故調査）を行わなければならないとされている．

問 20　×　第 6 条の 12 により，医療機関の管理者は，従業者に対する研修の実施を講じなければならないとされている．

問 21　×　医療機関の管理者にそのような義務はない．

13章 医師法・歯科医師法・保健師助産師看護師法

1) 医師法・歯科医師法

i) 医師・歯科医師の任務

(任務) 第1条 医師 (歯科医師) は, **医療 (歯科医療) 及び保健指導**を掌ることによって, 公衆衛生の向上及び増進に寄与し, もって国民の健康な生活を確保するものとする.

●二大業務として, 医療 (法17条) と保健指導 (医法23条, 歯法22条) が規定されている.

ii) 行政処分と再教育制度

(行政処分) 第7条 医師 (歯科医師) が, 第3条に該当するときは, 厚生労働大臣は, その免許を取り消す.

2 医師 (歯科医師) が第4条各号のいずれかに該当し, 又は医師 (歯科医師) としての品位を損するような行為のあったときは, 厚生労働大臣は, 次に掲げる処分をすることができる.

一 **戒告**

二 **3年以内の医業の停止**

三 **免許の取消し**

(再教育制度) 第7条の2 厚生労働大臣は, 前条第2項第一号若しくは第二号に掲げる処分を受けた医師 (歯科医師) 又は同条第3項の規定により再免許を受けようとする者に対し, 医師 (歯科医師) としての倫理の保持又は医師として具有すべき知識及び技能に関する研修として厚生労働省令で定めるものを受けるよう命ずることができる.

●薬剤師と同様に, 法3条及び4条では, 絶対的欠格事由及び相対的欠格事由が規定されている.

●**医道審議会**に諮り, 厚生労働大臣による**行政処分終了後5年経過し, 再教育研修を修了した後**に医籍 (歯科医籍) 登録される.

iii) 臨床研修

(臨床研修) 医師法第16条の2 診療に従事しようとする医師は, 2年以上, 医学を履修する課程を置く大学に附属する病院又は厚生労働大臣の指定する病院において, 臨床研修を受けなければならない.

●**診療に従事する前提**としての**臨床研修**が義務付けられ, **歯科医師**は, 歯科医業を行う病院もしくは診療所において, **1年以上**臨床研修を受けなければならない. (歯法16条の2)

●臨床研修，再教育研修の未修了者は病院等の開設者になれない．(医療法7条，8条)

iv）業務独占

(業務独占) 第17条　医師 (歯科医師) でなければ，医業 (歯科医業) をなしてはならない．

●「**医行為**」とは，医師の医学的判断及び技術をもってするのでなければ，人体に危害を及ぼす恐れのある行為，「**医業**」とは，業として (日常反復的に，不特定多数の者を対象に) 医行為を行うことである．

v）診療応需義務

(診療応需義務) 第19条　診療に従事する医師 (歯科医師) は，診察治療の求があつた場合には，正当な事由がなければ，これを拒んではならない．
2　診察若しくは検案をし，又は出産に立ち会った医師は，診断書若しくは検案書又は出生証明書若しくは死産証書の交付の求があった場合には，正当の事由がなければ，これを拒んではならない．

●実際に**診療に従事している医師 (歯科医師) の義務**を規定している．
●死胎検案書は助産師も発行することができる．(保助看法39条)

vi）無診察治療・処方の禁止

(無診察治療・処方の禁止) 医師法第20条　医師は，自ら診察しないで治療をし，若しくは診断書若しくは処方せんを交付し，自ら出産に立ち会わないで出生証明書若しくは死産証書を交付し，又は自ら検案をしないで検案書を交付してはならない．但し，診療中の患者が受診後24時間以内に死亡した場合に交付する死亡診断書については，この限りでない．

●歯法20条では，診断書若しくは処方箋の交付について規定している．

vii）処方箋交付義務

(処方箋交付義務) 医師法第22条，歯科医師法第21条　医師 (歯科医師) は，患者に対し治療上薬剤を調剤して投与する必要があると認めた場合には，**患者又は現にその看護に当っている者に対して処方せんを交付しなければならない**．ただし，患者又は現にその看護に当っている者が処方せんの交付を必要としない旨を申し出た場合及び次の各号の一に該当する場合においては，この限りでない．
一　暗示的効果を期待する場合において，処方せんを交付することがその目的の達成を妨げるおそれがある場合
二　処方せんを交付することが診療又は疾病の予後について患者に不安を与え，その疾病の治療を困難にするおそれがある場合
三　病状の短時間ごとの変化に即応して薬剤を投与する場合
四　診断又は治療方法の決定していない場合
五　治療上必要な応急の措置として薬剤を投与する場合
六　安静を要する患者以外に薬剤の交付を受けることができる者がいない場合
七　**覚せい剤を投与**する場合 (：**医法のみ**に規定)
八　薬剤師が乗り組んでいない船舶内において薬剤を投与する場合 (：歯法では七号)

●**医薬分業の原則に関する根拠条文**であるが，最優先される患者の利益を損なう医療上の理由がある場合の例外規定が示されている．

●医師（歯科医師）自らが「**自らの処方箋**」に基づき，「**自ら調剤**」を行うという制限がある．また，その場合も，**処方箋が必要**である．（薬剤師法19条）

●歯科医師は覚せい剤施用を行わない．また，**薬剤師は覚せい剤調剤を行わない**．

●**処方箋記載事項**（医則21条，歯則20条）医師（歯科医師）は，患者に交付する処方箋に，患者の氏名，年齢，薬名，分量，用法，用量，発行の年月日，使用期間及び病院もしくは診療所の名称及び所在地又は医師の住所を記載し，記名押印又は署名しなければならない．

●**交付薬剤容器の表示**（医則22条，歯則21条）医師（歯科医師）は，患者に交付する薬剤の容器又は被包にその用法，用量，交付の年月日，患者の氏名及び病院もしくは診療所の名称及び所在地又は医師（歯科医師）の住所及び氏名を明記しなければならない．

ⅷ）療養指導義務

> （療養指導義務）医師法第23条，歯科医師法第22条　医師（歯科医師）は，診療をしたときは，本人又はその保護者に対し，療養の方法その他保健の向上に必要な事項の指導をしなければならない．

●医業における**インフォームド・コンセントの義務**を示している．

●**医師が「医行為」として行う薬物治療の効能・効果などの「服薬指導」**はこれに含まれ，薬剤師が医師の服薬指導を補ったり，代わりに説明することは，医師（歯科医師）法に抵触する．一方，服用方法，保管方法や薬害防止などの「服薬指導」は薬剤師が医療の担い手としてすべき行為であり，「医行為」に該当しないと考えられる．

ⅸ）診療録の記載と保存

> （診療録の記載と保存）医師法第24条，歯科医師法第23条　医師（歯科医師）は，診療をしたときは，遅滞なく診療に関する事項を診療録に記載しなければならない．

●各々第2項において，**5年間の保存**義務が規定されている．

2）保健師助産師看護師法

ⅰ）法の目的

> （法の目的）第1条　この法律は，保健師，助産師及び看護師の資質を向上し，もって医療及び公衆衛生の普及向上を図ることを目的とする．

●保健師，助産師，看護師の**資格及び業務について規定**した法律であり，法1条は**目的条項**である．

ⅱ）定　義

> （定義）第2条　この法律において「保健師」とは，厚生労働大臣の免許を受けて，保健師の名称を用いて，保健指導に従事することを業とする者をいう．
>
> 第3条　この法律において「助産師」とは，厚生労働大臣の免許を受けて，助産又は妊婦，じょく婦若しくは新生児の保健指導を行うことを業とする女子をいう．
>
> 第5条　この法律において「看護師」とは，厚生労働大臣の免許を受けて，**傷病者若しくはじょく婦に対する療養上の世話又は診療の補助を行うことを業とする**者をいう．

●看護師業務において，「傷病者若しくは褥婦に対する療養上の世話」は独立性が示されている．

iii）業務制限

（業務制限）第31条　看護師でない者は，第5条に規定する業をしてはならない．ただし，医師法又は歯科医師法（昭和23年法律第202号）の規定に基づいて行う場合は，この限りでない．
2　保健師及び助産師は，前項の規定にかかわらず，第5条に規定する業を行うことができる．

資　格	業　務	独　占
保健師	保健師の名称を用いて保健指導を行う	保健師（法29条）
助産師	助産を行う，妊婦・褥婦・新生児の保健指導を行う	助産師（医師は可）（法30条）
看護師	傷病者・褥婦に対する療養上の世話又は診療の補助を行う	看護師，保健師，助産師（医師，歯科医師は可）（法31条）

●薬剤師が，療養上の世話又は診療の補助を「業として」行ってはならない．

iv）医療行為の禁止

（医療行為の禁止）第37条　保健師，助産師，看護師又は准看護師は，主治の**医師又は歯科医師の指示があつた場合を除くほか**，診療機械を使用し，医薬品を授与し，医薬品について指示をしその他医師又は歯科医師が行うのでなければ**衛生上危害を生ずるおそれのある行為をしてはならない**．ただし，臨時応急の手当をし，又は助産師がへその緒を切り，浣腸を施しその他助産師の業務に当然に付随する行為をする場合は，この限りでない．
（看護師の特定行為）第37条の2　特定行為を手順書により行う看護師は，指定研修機関において，当該特定行為の特定行為区分に係る特定行為研修を受けなければならない．
第2項第1号　特定行為　診療の補助であって，看護師が手順書により行う場合には，実践的な理解力，思考力及び判断力並びに高度かつ専門的な知識及び技能が特に必要とされるものとして厚生労働省令で定めるものをいう．
同項第2号　手順書　医師又は歯科医師が看護師に診療の補助を行わせるためにその指示として厚生労働省令で定めるところにより作成する文書又は電磁的記録であって，看護師に診療の補助を行わせる患者の病状の範囲及び診療の補助の内容その他の厚生労働省令で定める事項が定められているものをいう．

●医療機器の使用，医薬品の授与や指示などの行為**（医行為）**については**「補助」業務**であり（保助看法5条），**医師の指示なしに独自の判断で行ってはならない**．厚生労働省が定める基準に適合した**特定行為研修**を受けた者が医師又は歯科医師の指示の下で**手順書**によって行われる場合に限り，**38の特定行為**を行うことが認められている．

v）守秘義務

（守秘義務）第42条の2　**保健師，看護師**又は准看護師は，正当な理由がなく，その業務上知り得た人の秘密を漏らしてはならない．保健師，看護師又は准看護師でなくなった後においても，同様とする．

●**医師，薬剤師，助産師**は**刑法134条**で規定されている．（I編，3章，a．倫理的責任を参照）
●**守秘義務**は，当該業務を行わなくなった場合，あるいはその**身分を失った場合でも継続**する．

参考文献

1）日本薬学会編集（2008）スタンダード薬学シリーズ9　薬学と社会（第2版），東京化学同人
2）三輪亮寿編著（2011）薬事関連法規 改訂第3版，南江堂
3）薬事衛生研究会編集（2014）2014-15年版 薬事法規・制度及び倫理 解説，薬事日報社

Checkpoint

医師・歯科医師の業務	① 医療，② 保健指導
医業の独占	医師でなければ，医業を行ってはならないが，一定条件下の手順書に基づく特定行為が認められる
医師・歯科医師の義務	① 診療応需，② 処方箋交付（例外規定あり），③ 療養指導
保健師・助産師・看護師の業務制限	業として，保健指導，療養上の世話又は診療の補助を行う
保健師・助産師・看護師の医行為の禁止	医師の指示なしに独自の判断で医行為を行ってはならないが，一定条件下の手順書に基づく特定行為が認められる
守秘義務	医師，助産師は刑法で，保健師，看護師は保助看法で規定

問　題

問 1　医師法，歯科医師法，薬剤師法の第 1 条によって定められる医師，歯科医師，薬剤師の共通の任務は，国民の健康な生活の確保である．

問 2　慢性疾患の患者で処方内容を変更しない場合は，医師は診療を行わずに処方箋を交付することができる．

問 3　保健師とは，助産又は妊婦，じょく婦若しくは新生児の保健指導を行うことを業とする女子をいう．

問 4　医師が覚醒剤を投与する場合は，患者又は現にその看護に当たっている者に対して処方箋を交付する必要はない．

問 5　看護師は，かかりつけの患者が前回の処方内容の薬を希望した場合，症状を確認した上で処方箋を交付できる．

解答・解説

問 1　○　医師は，医療及び保健指導を掌ることによって，公衆衛生の向上及び増進に寄与し，もって国民の健康な生活を確保するものとする．（医法 1 条）

問 2　×　医師は，自ら診察しないで治療をし，若しくは診断書若しくは処方箋を交付し，自ら出産に立ち会わないで出生証明書若しくは死産証書を交付し，又は自ら検案をしないで検案書を交付してはならない．（医法 20 条）

問 3　×　「保健師」とは，厚生労働大臣の免許を受けて，保健師の名称を用いて，保健指導に従事することを業とする者をいう．（保助看法 2 条）上記条文は，助産師の定義である．

問 4　○　医師は，患者に対し治療上薬剤を調剤して投与する必要があると認めた場合には，患者又は現にその看護に当っている者に対して処方箋を交付しなければならない．ただし，覚醒剤を投与する場合は，この限りでない．（医法 22 条）

問 5　×　処方箋発行は医行為にあたり，看護師に委任することはできない．（医則 21 条，医法 22 条）

V 編

医療保険関係法規

14章　健康保険法

a　法の目的

> 第1条　この法律は，労働者又はその被扶養者の業務災害（労働者災害補償保険法（昭和22年法律第50号）第7条第1項第1号に規定する業務災害をいう．）以外の疾病，負傷若しくは死亡又は出産に関して保険給付を行い，もって国民の生活の安定と福祉の向上に寄与することを目的とする．

① 本法の対象（被保険者）：**被用者**（労働者）とその被扶養者
② 本法による保険給付
　業務外の疾病，負傷，死亡，出産
③ 被用者の**業務上**の疾病等への保険給付：労働者災害補償保険法（**労災保険法**）が適用

b　保険医療の実施

保険者：**全国健康保険協会・健康保険組合**
実施施設：保険医療機関・保険薬局

1）保険給付の実施機関

患者は療養の給付を受ける場所を次の中から自由に選択できる．
① 厚生労働大臣*の指定を受けた病院，診療所又は薬局（保険医療機関・保険薬局）
② 特定の保険者の管掌する被保険者のための診療又は調剤を行う病院，診療所又は薬局で，当該保険者が指定したもの
③ 健康保険組合である保険者が開設する病院，診療所又は薬局
*地方厚生（支）局長に委任

表 14.1　医療提供施設の開設許可権者と保険指定権者

事　項	権限を有する者
開設許可	都道府県知事
保険指定	厚生労働大臣 （地方厚生（支）局長に委任）

2）保険医療機関・保険薬局の指定

（保険医療機関又は保険薬局の指定）
第65条　（中略）指定は，政令で定めるところにより，病院若しくは診療所又は薬局の開設者の申請により行う.
2　（省略）
3　厚生労働大臣は，第1項の申請があった場合において，次の各号のいずれかに該当するときは，第63条第3項第1号の指定をしないことができる.
一　当該申請に係る病院若しくは診療所又は薬局が，（中略）指定を取り消され，その取消しの日から5年を経過しないものであるとき.
二　当該申請に係る病院若しくは診療所又は薬局が，保険給付に関し診療又は調剤の内容の適切さを欠くおそれがあるとして重ねて（中略）指導を受けたものであるとき.
三　当該申請に係る病院若しくは診療所又は薬局の開設者又は管理者が，（中略）罰金の刑に処せられ，その執行を終わり，又は執行を受けることがなくなるまでの者であるとき.
四　当該申請に係る病院若しくは診療所又は薬局の開設者又は管理者が，禁錮以上の刑に処せられ，その執行を終わり，又は執行を受けることがなくなるまでの者であるとき.
五　（省略）
六　前各号のほか，当該申請に係る病院若しくは診療所又は薬局が，保険医療機関又は保険薬局として著しく不適当と認められるものであるとき.
（以下，省略）

（地方社会保険医療協議会への諮問）
第67条　厚生労働大臣は，保険医療機関に係る第63条第3項第1号の指定をしないこととするとき，（中略），又は保険薬局に係る同号の指定をしないとするときは，地方社会保険医療協議会の議を経なければならない.

（保険医療機関又は保険薬局の指定の更新）
第68条　第63条第3項第1号の指定は，指定の日から起算して6年を経過したときは，その効力を失う.
2　保険医療機関（中略）又は保険薬局であって，（中略），前項の規定によりその指定の効力を失い日前6月から同日前3月までの間に，別段の申し出がないときは，同条第1項の申請があったものとみなす.

①開設者が厚生労働大臣に申請（地方厚生（支）局長に委任）
②指定の拒否事由*に該当しないこと
③指定の拒否には地方社会保険医療協議会の議決が必要
④指定の有効期間：6年（特例あり）
特例：個人開業，同一世帯に属する配偶者等のみが従事している場合は，期限切れの3か月前までに指定辞退の申し出がない限り，指定継続の申請があったものと見なす
⑤標示：施設の見やすい箇所に保険医療機関・保険薬局である旨を標示
（保険医療機関及び保険薬局の指定並びに保険医及び保険薬剤師の登録に関する省令2条）

*指定の拒否事由
①保険医療機関・保険薬局の指定取り消し後，5年を経過していないとき
②診療又は調剤の内容が適切性を欠くおそれがあり，重ねて指導を受けたとき

③病院，診療所，薬局の開設者又は管理者が，罰金刑の執行を終了していないとき
④病院，診療所，薬局の開設者又は管理者が，禁錮以上の刑の執行を終了していないとき
⑤保険医療機関・保険薬局として著しく不適当と認められたとき

3) 保険医療機関・保険薬局の変更の届出

指定省令（保険医療機関及び保険薬局に関する届出）
第8条　保険医療機関又は保険薬局の開設者は，次の各号の一に掲げる事由が生じたときは，速やかに，その旨及びその年月を指定する管轄地方厚生局長等に届け出なければならない．
一　管理者，管理薬剤師，保険医又は保険薬剤師に異動があったとき
二　（略）
三　前二号に掲げるもののほか，第3条第1項に規定する申請書に記載した事項（中略）に変更があったとき
2　保険医療機関又は保険薬局の開設者に異動があったときは，旧開設者は，速やかに，その旨及びその年月日を指定に関する管轄地方厚生局長等に届け出なければならない．

保険医・保険薬剤師が勤務する都道府県を変更する場合の手続き
前勤務地の開設者が地方厚生（支）局長に届出（登録消除）
↓
新勤務地の開設者が地方厚生（支）局長に届出（登録）

表 14.2　保険医療機関・保険薬局の変更届

届出先	変更内容
地方厚生（支）局長	管理者，管理薬剤師，保険医，保険薬剤師 申請書の記載事項
都道府県知事	開設者

4) 保険医・保険薬剤師の登録

（保険医又は保険薬剤師）
第64条　保険医療機関において健康保険の診療に従事する医師若しくは歯科医師又は保険薬局において健康保険の調剤に従事する薬剤師は，厚生労働大臣の登録を受けた医師若しくは歯科医師（以下「保険医」と総称する.）又は薬剤師（以下「保険薬剤師」という.）でなければならない．

（保険医又は保険薬剤師の登録）
第71条　第64条の登録は，医師若しくは歯科医師又は薬剤師の申請により行う．
2　厚生労働大臣は，前項の申請があった場合において，次の各号のいずれかに該当するときは，第64条の登録をしないことができる．
一　申請者が，この法律の規定により保険医又は保険薬剤師に係る第64条の登録を取り消され，その取消しの日から5年を経過しない者であるとき．
二　申請者が，この法律その他国民の保健医療に関する法律で政令で定めるものの規定により罰金の刑に処せられ，その執行を終わり，又は執行を受けることがなくなるまでの者であるとき．
三　申請者が，禁錮以上の刑に処せられ，その執行を終わり，又は執行を受けることがなくなるまでの者であるとき．

四　前3号のほか，申請者が，保険医又は保険薬剤師として著しく不適当と認められる者であるとき．
3　厚生労働大臣は，保険医又は保険薬剤師に係る第64条の登録をしないこととするときは，地方社会保険医療協議会の議を経なければならない．
4　（省略）

① 保険医：保険医療機関で保険診療を行う医師・歯科医師
② 保険薬剤師：保険薬局で保険調剤を行う薬剤師
③ 登録を受けようとする者は厚生労働大臣に申請（地方厚生(支)局長に委任）
④ 登録の拒否事由*に該当しないこと
⑤ 登録の拒否には地方社会保険医療協議会の議決が必要
⑥ 有効期限なし
⑦ 保険医療機関の調剤所に勤務する薬剤師：保険薬剤師の登録不要

*登録の拒否事由
① 保険医・保険薬剤師の登録取り消し後，5年を経過していないとき
③ 罰金刑の執行を終了していないとき
④ 禁錮以上の刑の執行を終了していないとき
⑤ 保険医・保険薬剤師として著しく不適当と認められたとき

5）保険医療機関・保険薬局・保険医・保険薬剤師の責務

（保険医療機関又は保険薬局の責務）
第70条　保険医療機関又は保険薬局は，当該保険医療機関において診療に従事する保険医又は当該保険薬局において調剤の従事する保険薬剤師に，第72条第1項の厚生労働省令で定めるところにより，診療又は調剤に当たらせるほか，厚生労働省令で定めるところにより，療養の給付を担当しなければならない．（以下，省略）

（保険医又は保険薬剤師の責務）
第72条　保険医療機関において診療の従事する保険医又は保険薬局において調剤に従事する保険薬剤師は，厚生労働省令で定めるところにより，健康保険に診療又は調剤に当たらなければならない．
2　保険医療機関において診療に従事する保険医又は保険薬局において調剤に従事する保険薬剤師は，（中略），この法律以外の医療保険各法又は高齢者の医療の確保に関する法律による診療又は調剤に当たるものとする．

① 該当する厚生労働省令
・保険医療機関及び保険医療養担当規則（療担）：表14.3～14.4参照
・保険薬局及び保険薬剤師療養担当規則（薬担）：表14.5～14.6参照
②国民健康保険法，高齢者の医療の確保に関する法律（高齢者医療確保法）による療養の給付も担当

表14.3　保険医療機関の療養担当

事　項	内　容
担当の範囲	1．診察 2．薬剤・治療材料の支給 3．処置，手術，その他の治療 4．居宅での療養上の管理，その療養に伴う世話，その他の看護 5．病院又は診療所への入院，その療養に伴う世話，その他の看護

表 14.3　つづき

事　項	内　容
担当方針	1．懇切丁寧に診療の給付を担当 2．療養の給付は，患者の診療上，妥当適切なものであること
適正な手続きの確保	申請，届出，費用請求等に係る手続きを適正に行うこと
健康保険事業の健全な運営の確保	健康保険事業の健全な運営を損なう行為がないように努める
特定の保険薬局への誘導禁止	以下の行為は禁止 1．処方箋交付の際，患者に対して，特定の保険薬局で調剤を受けるように指示 2．患者に対する特定の保険薬局への誘導の対償として，保険薬局から金品，その他の財産上の利益の収受
掲示	病院又は診療所内の見やすい場所に食事療養，選定療養等の内容及び費用等を掲示
受給資格の確認	被保険者証等により，患者が療養の給付を受ける資格があることを確認
領収書の交付	1．患者から費用の支払いを受ける時は，正当な理由がない限り，個別の費用ごとに区分して記載した領収書を無償で交付 2．前項に規定する領収証を交付するに当たっては，正当な理由がない限り，当該費用の計算の基礎となった項目ごとに記載した明細書を無償で交付

表 14.4　保険医の療養担当

事　項	内　容
使用医薬品・歯科材料	厚生労働大臣の定める医薬品・歯科材料 適用除外：治験薬・特定承認保険医療機関の高度先進医療
健康保険事業の健全な運営の確保	健康保険事業の健全な運営を損なう行為がないように努める
特定の保険薬局への誘導禁止	以下の行為は禁止 1．処方箋交付の際，患者に対して，特定の保険薬局で調剤を受けるように指示すること 2．患者に対する特定の保険薬局への誘導の対償として，保険薬局から金品，その他の財産上の利益を収受すること
診療の具体的方針	1．診察 診察に際して，患者の服薬状況・薬剤服用歴を確認 緊急やむを得ない場合は，この限りでない 2．投薬 ① 必要と認められる場合に投薬を行う ② 治療上 1 剤で足りる場合は 1 剤を投与・必要な際に 2 剤以上を投与 ③ 同一の投薬をみだりに反復せず，症状の経過に応じて，投薬内容を変更 ④ 後発医薬品の使用を考慮 ⑤ 栄養，安静，運動等により，治療の効果がある場合は，これらの指導を行い，みだりに投薬しない ⑥ 投薬量：予見することができる必要期間 (例外) 厚生労働大臣が定める内服薬・外用薬 該当医薬品：麻薬，向精神薬，薬価収載 1 年未満の新薬 投薬量：1 回 14 日分，30 日分又は 90 日分が限度 ⑦ 注射薬：療養上必要な注意と指導を行い，症状の経過に応じて投与 処方箋で投薬できる注射薬：在宅で自己注射するための注射薬 (インスリン製剤，ヒト成長ホルモン剤等)

表 14.4　つづき

事　項	内　容
診療の具体的方針	投薬量：予見することができる必要期間 (例外) 厚生労働大臣が定める注射薬 該当医薬品：麻薬，向精神薬，薬価収載1年未満の新薬 投薬量：1回14日分，30日分又は90日分が限度 3．処方箋の交付 ① 使用期間：原則として交付日を含めて **4日以内** ② 処方箋に必要事項を記載して交付 ③ 保険薬剤師の疑義照会に適切に対応 4．注射 ① 以下に掲げる場合に使用 ・経口投与により，胃腸障害を起こすおそれがある時 ・経口投与できない時 ・経口投与で治療効果を期待できない時 ・特に迅速な治療効果を期待する必要がある時 ・注射によらなければ，治療効果を期待することが困難な時 ② **後発医薬品の使用を考慮** ③ 内服薬との併用は，以下の場合に限る ・併用により，著しく治療効果を上げることが明らかな場合 ・内服薬の投与のみでは，治療効果を期待することが困難な時 ④ 混合注射を行う場合：合理的であると認められる場合 ⑤ 輸血・電解質・血液代用液の補液：必要と認められる場合

表 14.5　保険薬局の療養担当

事　項	内　容
担当の範囲	1．薬剤・治療材料の支給 2．居宅での薬学的管理・指導
担当方針	懇切丁寧に療養の給付を担当
適正な手続きの確保	申請，届出，費用請求等に係る手続きを適正に行う
健康保険事業の健全な運営の確保	1．以下の行為は禁止 ① 保険医療機関と一体的な構造又は保険医療機関と一体的な経営 ② 保険医療機関・保険医に対し，患者に対して特定の保険薬局への誘導の対償としての金品，その他の財産上の利益の供与 2．健康保険事業の健全な運営を損なう行為を行うことのないように努める
掲示	1．保険薬局内の見やすい所に，以下の事項を掲示する ① 薬剤服用歴指導管理料 ② 基準調剤加算 ③後発医薬品調剤体制加算 ④ 無菌製剤処理加算 ⑤ 在宅患者訪問薬剤管理指導料 ⑥明細書の発行状況 2．保険薬局の外側に見やすい場所に，以下の事項を掲示することが望ましい ① 開局時間・休業日 ② 時間外，休日，夜間における調剤応需体制 3．上記以外の事項について誤解を招くような表現の掲示，誇大な広告・宣伝の禁止

表 14.5　つづき

事　項	内　容
処方箋の確認	1．患者の提出する処方箋が保険医等の交付した処方箋であることを確認 2．処方箋又は被保険者証により，患者は療養の給付を受ける資格者であることを確認
要介護被保険者等の確認	介護保険法に規定する療養の給付を行うときは，被保険者証の提示を求める等により，要介護者等であることを確認
患者負担金の受領	1．患者から一部負担金の支払いを受ける 2．評価療養，患者申出療養又は選定療養については，当該療養の費用の範囲内で，通常の一部負担金を超える金額の支払いを受けることができる
領収書の交付	1．患者から費用の支払いを受けるときは，正当な理由がない限り，個別の費用ごとに区分して記載した領収書を無償で交付 2．前項に規定する領収証を交付するに当たっては，正当な理由がない限り，当該費用の計算の基礎となった項目ごとに記載した明細書を無償で交付
調剤録の記載・整備	調剤録に必要事項を記載し，他の調剤録と区別して整備*
処方箋等の保存	処方箋と調剤録の保存期間：**調剤完結の日から 3 年間**
通知	患者が不正行為により療養の給付を受け，又は受けようとした時は，管轄地方厚生（支）局長又は当該健康保険組合に通知
後発医薬品の調剤体制	**後発医薬品の備蓄**に関する体制，**後発医薬品の調剤**に必要な体制の確保に努める

*調剤済みの場合も調剤録への記載が必要.

表 14.6　保険薬剤師の療養担当

事　項	内　容
調剤の一般的方針	1．処方箋に基づき，妥当適切に調剤・薬学的管理・指導を実施 2．調剤に際して，患者の服薬状況・薬剤服用歴を確認 3．処方箋に記載された医薬品について，後発医薬品が存在し，保険医が後発医薬品への変更を認めている場合 ① **患者に対して，後発医薬品に関する説明を適切に行う** ② 後発医薬品を調剤するように努める
使用医薬品	厚生労働大臣が定める医薬品（薬価収載医薬品） 適用除外：① 製造販売承認から薬価基準収載までの新薬 ② その他保険外併用療養費に規定される場合
健康保険事業の健全な運営の確保	健康保険事業の健全な運営を損なう行為がないように努める
調剤録の記載	当該調剤の必要事項を記載
適正な費用の請求	療養の給付に関する費用請求を適切に実施

6) 厚生労働大臣等による指導

> 第 73 条　保険医療機関及び保険薬局は療養の給付に関し，保険医及び保険薬剤師は健康保険の診療又は調剤に関し，厚生労働大臣の指導を受けなければならない.
> 2　（省略）

本法第 73 条，国民健康保険法第 41 条，高齢者医療確保法第 66 条を根拠にして，保険医療機関等への指導のあり方を指導大綱（表 14.7）で定めている

表 14.7　指導大綱

指導する者	厚生労働大臣・地方厚生（支）局長・都道府県知事
指導される者	保険医療機関・保険薬局・保険医・保険薬剤師
指導内容	療養の給付・医療や調剤の内容・診療（調剤）報酬の請求
指導方法	集団指導（対象者を一定の場所に集めて講習会形式での指導） 集団的個別指導（対象者を一定の場所に集めて個別に簡便な面接懇談方式での指導） 個別指導（個別に面接懇談方式での指導）

7) 保険医療機関等の指定辞退・保険医等の登録抹消

> 第79条　保険医療機関又は保険薬局は，1月以上の予告期間を設けて，その指定を辞退することができる．
> 2　保険医又は保険薬剤師は，1月以上の予告期間を設けて，その登録の抹消を求めることができる．

指定辞退・登録抹消には**1か月以上の予告期間**が必要

8) 地方社会保険医療協議会への諮問

> 第82条第2項　厚生労働大臣は，保険医療機関若しくは保険薬局（中略）の指定を行おうとするとき，若しくはその指定を取り消そうとするとき，又は保険医若しくは保険薬剤師（中略）の登録を取り消そうとするときは，政令で定めるところにより，地方社会保険医療協議会に諮問するものとする．

指定・指定取消し・登録取消しには**地方社会保険医療協議会への諮問**が必要

c　保険給付のしくみ

1) 保険給付（図 14.1）

i）法定給付・付加給付

> （保険給付の種類）
> 第52条　被保険者に係るこの法律による保険給付は，次のとおりとする．
> 一　療養の給付並びに入院時食事療養費，入院時生活療養費，保険外併用療養費，療養費，訪問看護療養費及び移送費の支給
> 二　傷病手当金の支給
> 三　埋葬料の支給
> 四　出産育児一時金の支給
> 五　出産手当金の支給
> 六　家族療養費，家族訪問看護療養費及び家族移送費の支給
> 七　家族埋葬料の支給
> 八　家族出産育児一時金の支給
> 九　高額療養費及び高額介護合算療養費の支給

（健康保険組合の付加給付）
第53条　保険者が健康保険組合である場合においては，前条各号に掲げる給付に併せて，規約で定めるところにより，保険給付としてその他の給付を行うことができる．

① 保険給付は法定給付と付加給付
② **法定給付**：法令により給付を義務づけられている給付
③ **付加給付**：健康保険組合が各自の規約で定める給付
④ 給付の方法
・**現物給付**：診療，薬剤投与等の医療行為や物品を直接被保険者に給付する方法
・**償還払い**：被保険者が保険医療機関等に費用を支払った後，保険者から払い戻しを受ける方法
・**現金給付**：一定の事由について一定の金額を支給する方法（出産育児一時金，埋葬料等）

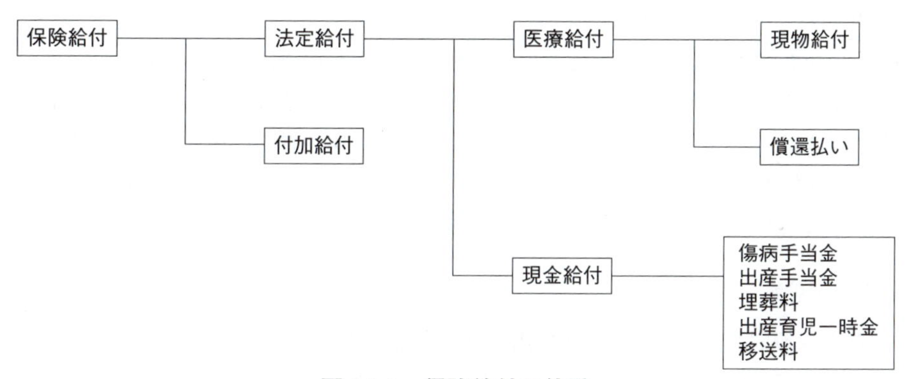

図 14.1　保険給付の体系

ii）医療給付

（療養の給付）
第63条　被保険者の疾病又は負傷に関しては，次に掲げる療養の給付を行う．
一　診察
二　薬剤又は治療材料の支給
三　処置，手術その他の治療
四　居宅における療養上の管理及びその療養に伴う世話その他の看護
五　病院又は診療所への入院及びその療養に伴う世話その他の看護

① 医療給付：法定給付のうち，疾病治療を目的に給付される医療サービス（療養の給付）
② 療養の給付に含まないもの
・**食事療養**：特定長期入院被保険者（療養病床に入院する65歳以上の被保険者）以外の入院被保険者への食事の提供→「iii）入院時食事療養費」参照
・**生活療養**：特定長期入院被保険者への食事と生活環境の提供→「iv）入院時生活療養費」参照
・**評価療養**：保険給付の可否について評価が必要とされる療養（高度な医療技術，薬価収載前の承認医薬品等を用いた療養）→「v）保険外併用療養費」参照
・**選定療養**：特別の病室等，被保険者の選定による療養→「v）保険外併用療養費」参照
・**患者申出療養**：患者の申出に基づき，臨床研究中核病院等から申請され，国が承認した医療行為（治験の対象から外れた患者の申出による当該治験の実施など）→「（5）保険外併用療養費」参照

iii）入院時食事療養費（法 85）

① 対象：保険医療機関で食事療養を受けた被保険者（特定長期入院被保険者以外）

② 支給額＝基準額－標準負担額

・基準額：食事療養に必要な平均的な費用の額を勘案して厚生労働大臣が定める額

・標準負担額：平均的な家計での食費として厚生労働大臣が定める額

③ 支給方法：**代理受領方式***

*保険者が被保険者に代わって，標準負担額を除く額を保険医療機関に支払う方法
この方式により，事実上，被保険者は保険医療機関から食事の現物給付を受ける．

iv）入院時生活療養費（法 85 の 2）

① 対象：保険医療機関で生活療養を受けた特定長期入院被保険者

② 支給額＝基準額－生活療養費標準負担額

・基準額：生活療養に要する平均的な費用を勘案して厚生労働大臣が定める額

・生活療養標準負担額：平均的な家計における食費，光熱費の状況，保険医療機関における生活療養に要する費用について，介護保険法に規定する食事と居住費の標準費用額に相当する費用を勘案して厚生労働大臣が定める額

③ 支給方法：**代理受領方式**（入院時食事療養費の支給方法と同様）

v）保険外併用療養費（法 86）

① 対象：保険医療機関で評価療養・患者申出療養・選定療養を受けた被保険者

② 支給額（保険外併用療養費）：保険給付分から一部負担金を控除した額（図 14.2）

・評価療養費・患者申出療養・選定療養費：全額自己負担で，保険給付されない．

③ 支給方法：**代理受領方式**（入院時食事療養費の支給方法と同様）

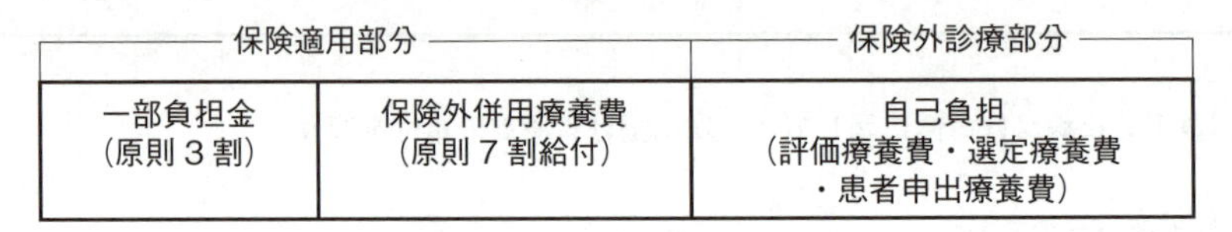

図 14.2 保険外併用療養費

vi）療養費（法 87）

① 対象となるケース

・国外で診療を受けた場合

・応急手当のため，最寄りの非保険医療機関を受診し，保険者がやむを得ないと認めた場合

② 支給方法：償還払い

vii）保険給付の制限・保険給付の対象外

健康保険法による保険給付が行われないケース

・介護保険法で相当する給付を受けている場合（法 55 － 2）

・通勤災害・業務上の疾病：労災保険法，労働基準法等で補償（法 55 － 1）

・国・地方公共団体の負担で療養の給付を受けた場合（法 55 － 3）

・故意の犯罪行為による受傷（法116～120）

2）薬剤給付のしくみ

①原則として**現物給付**
②保険医療機関：保険医療機関及び保険医療養担当規則に従って給付
③保険薬局：保険薬局及び保険薬剤師療養担当規則に従い，保険調剤によって給付（図14.3）
④薬剤給付に関する技術料*
・保険医療機関：**診療報酬点数表**に従って算定
・保険薬局：**調剤報酬点数表**に従って算定
⑤薬剤料*：**薬価基準**に従って算定
*厚生労働大臣が定める．

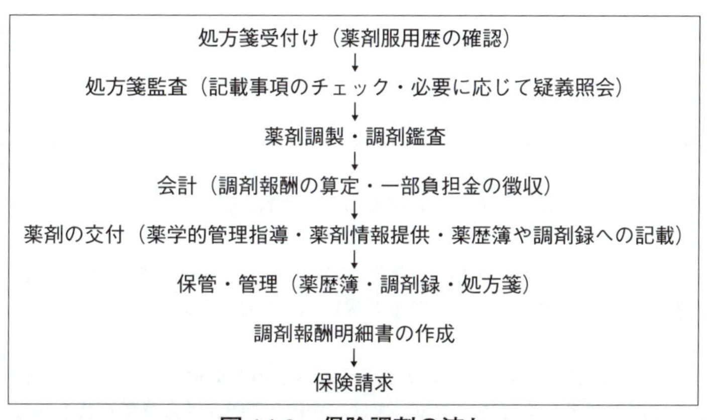

図14.3　保険調剤の流れ

3）一部負担金・高額療養費制度

ⅰ）一部負担金及びその減免

（一部負担金）
第74条　（前略）保険医療機関又は保険薬局から療養の給付を受ける者は，その給付を受ける際，（中略）算定した額に当該各号に定める割合を乗じて得た額を，一部負担金として，当該保険医療機関又は保険薬局に支払わなければならない．
一　70歳に達する日の属する月以前である場合　100分の30
二　70歳に達する日の属する月の翌月以後である場合（次号に掲げる場合を除く．）　100分の20
三　70歳に達する日の属する月の翌月以後である場合であって，政令で定めるところにより算定した報酬の額が政令で定める額以上であるとき　100分の30
（以下，省略）

（一部負担金の額の特例）
第75条の2　保険者は，災害その他の厚生労働省令で定める特別の事情がある被保険者であって，保険医療機関又は保険薬局に第74条第1項の規定による一部負担金を支払うことが困難であると認められるものに対し，次の措置を採ることができる．

一　一部負担金を減額すること．
二　一部負担金の支払いを免除すること．
三　保険医療機関又は保険薬局に対する支払いに代えて，一部負担金を直接に徴収することとし，その徴収を猶予すること．

①一部負担金：保険給付額の自己負担分（表 14.8）

②一部負担金の減免：災害（震災，風水害，火災等）により，住宅や家財等が著しい損害を受けた場合

表 14.8　一部負担金の割合

被保険者（被扶養者）		一部負担金の割合
未就学児（6 歳未満）		2 割
就学児（6 歳以上）～ 70 歳未満		3 割
70 歳以上	一般	2 割
	一定以上の所得者	3 割

ii）高額療養費制度

（高額療養費）
第 115 条　療養の給付について支払われた一部負担金の額（中略）が著しく高額であるときは，（中略）高額療養費を支給する．
2　高額療養費の支給要件，支給額その他高額療養費の支給に関して必要な事項は，療養に必要な費用の負担の家計に与える影響及び療養に要した費用の額を考慮して，政令で定める．
（高額介護合算療養費）
第 115 条の 2　一部負担金等の額（中略）並びに介護サービス利用者負担額（中略）及び介護予防サービス利用者負担額（中略）の合計額が著しく高額であるときは，（中略）高額介護合算療養費を支給する．（以下，省略）

①高額療養費制度
・一部負担金が高額療養費算定基準額以上となる場合に，超過分を償還払いで支給する制度
・高額療養費算定基準額は所得，同一世帯での該当者数，血友病等の高額長期疾病患者で異なる
・保険外療養費の差額部分，入院時食事療養費は対象外

②高額介護合算療養費
・一部負担金と介護（予防）サービス利用者負担額の合計額が基準額以上となる場合が対象

4) 医療費の請求・審査・支払いのしくみ（図 14.4）

（療養の給付に関する費用）
第 76 条　保険者は，療養の給付に関する費用を保険医療機関又は保険薬局に支払うものとし，保険医療機関又は保険薬局が療養の給付に関し保険者に請求することができる費用の額は，療養の給付の額から，当該療養の給付に関し被保険者が当該保険医療機関又は保険薬局に対して支払わなければならない一部負担金に相当する額を控除した額とする．
2　前項の療養の給付に要する費用の額は，厚生労働大臣が定めるところにより，算定するものとする．
3　（省略）
4　保険者は，保険医療機関又は保険薬局から療養の給付に関する費用の請求があったときは，（中略）審査の上，支払うものとする．

5　保険者は，前項の規定による審査及び支払いに関する事務を（中略）社会保険診療報酬支払基金（中略）又は（中略）国民健康保険団体連合会に委託することができる．
6　（省略）

① 保険診療・保険調剤に要した費用：厚生労働大臣が定める診療報酬点数表・調剤報酬点数表・薬価基準に従って算定
② 保険医療機関・保険薬局から保険者への請求額＝(療養の給付に要した費用) − (一部負担金)
③ 診療（調剤）報酬の審査・支払い機関
社会保険診療報酬支払基金（支払基金）・国民健康保険団体連合会（国保連）
④ 支払基金及び国保連による診療（調剤）報酬の審査・支払いの流れ
保険医療機関・保険薬局からの診療報酬明細書・調剤報酬明細書を審査
↓
保険者に診療（調剤）報酬を請求
↓
保険者から払い込み
↓
保険医療機関・保険薬局に支払い

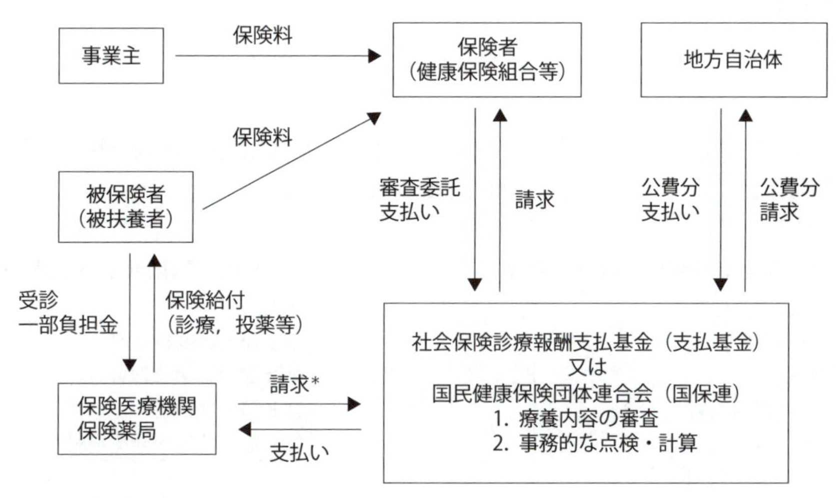

図 14.4　保険診療のしくみと診療（調剤）報酬請求・支払いの流れ

d 診療報酬・調剤報酬

1) 制度の意味

① わが国の診療報酬・調剤報酬支払い方式：主として個別出来高払い方式 ⇒ 医療費増大の一因
・**個別出来高払い方式**：各医療行為の診療報酬額を合計する方式
・**包括払い方式**：療養型病床群，診断群分類 Diagnosis Procedure Combination（DPC）別支払い方式算定病床等で適用
② 診療報酬点数表・調剤報酬点数表
・**診療報酬・調剤報酬の算定根拠**
・厚生労働大臣が中央社会保険医療協議会の意見を聴いて定める**各医療行為の全国統一価格**
・疾病構造の変化，新医療技術の導入，医療費の動向，医療経営の状況を勘案して，ほぼ2年ごとに改定

2) 点数表の構成

i）点数表

① 点数表の種類：医科診療報酬点数表（表 14.9）・歯科診療報酬点数表・調剤報酬点数表（表 14.10）
② 診療報酬額（療養に要した費用の額）= 診療報酬点数 × 10 円

表 14.9 医科診療報酬点数表の構成

医科診療報酬点数表の構成
第１章 基本診療料
初・再診料
入院料等
第２章 特掲診療料
第１部 医学管理等
第２部 在宅医療
第３部 検査
第４部 画像診断
第５部 投薬
第６部 注射
第７部 リハビリテーション
第８部 精神科専門療法
第９部 処置
第10部 手術
第11部 麻酔
第12部 放射線治療
第13部 病理診断

表 14.10 調剤報酬点数表の構成

調剤報酬点数表の構成
通則
第１節 調剤技術料
第２節 薬学管理料
第３節 薬剤料
第４節 特定保険医療材料

ⅱ）診療報酬における主な薬剤関連業務（表 14.11）

表 14.11　診療報酬点数表に収載されている主要な薬剤関連業務

1．入院料

項　目	算定要件・その他
緩和ケア診療加算	身体症状の緩和を担当する常勤医師，精神症状の緩和を担当する常勤医師，緩和ケアの経験を有する常勤看護師及び薬剤師の４名からなる緩和ケアチームの設置など
栄養サポートチーム加算	栄養管理に関わる所定の研修を修了した専任で常勤の医師，看護師，薬剤師，管理栄養士（うち１名は専従）等からなる栄養サポートチームの設置など
感染防止対策加算	感染対策に所定の経験を有する専任の常勤医師及び看護師，３年以上の病院勤務経験を有する専任の薬剤師及び臨床検査技師からなる感染対策チームが組織され，感染対策に係る日常業務が行われていることなど
抗菌薬適正使用加算	感染防止対策加算１の届出施設において厚生労働大臣が定める施設基準に適合している場合
後発医薬品使用体制加算	薬剤部門（有床診療所では薬剤師でも可）において後発医薬品の品質，安全性，安定供給体制等の情報を収集・評価し，その結果を踏まえて採用を決定する体制が整備されていることなど 包括医療費支払制度の対象病棟の入院患者は算定除外
病棟薬剤業務実施加算	1．病棟ごとに専任の薬剤師が配置され，薬剤師が病棟において実施する薬剤関連業務につき，病院勤務医等の負担軽減及び薬物療法の有効性，安全性に資するために十分な時間が確保されているなど
	2．病棟薬剤業務実施加算１の届出施設で，集中治療室に入院し，救命救急入院料等を算定している患者
医療安全対策加算	医療安全管理部門を設置され，医療安全対策に係る研修を受けた薬剤師，看護師等が医療安全管理者として配置されて，組織的に医療安全対策を実施する体制が整備されていること．

2．医学管理

項　目		算定要件・その他
薬剤管理指導料		薬剤管理指導の施設基準に適合する医療機関の入院患者のみ
		1．特に安全管理が必要な医薬品を投薬・注射されている患者
		2．その他の患者
	麻薬管理指導加算	麻薬の服用・保管の状況，副作用の有無等について確認し，必要な薬学的管理・指導を行った場合
薬剤情報提供料		外来患者に薬剤情報を文書で提供し，指導した場合
	手帳記載加算	手帳に薬剤情報を記載した場合
退院時薬剤情報管理指導料		入院時に服薬中の医薬品等を確認し，入院中に使用した主な薬剤の名称，副作用の状況を当該患者の手帳に記載し，退院時に患者又は家族等に，退院後の薬剤の服用に関する必要な指導を行った場合
特定薬剤治療管理料		対象薬の血中濃度を測定し，投与量を厳密に管理した場合
がん患者指導管理料		イ　医師と看護師が共同で診療方針等を説明
		ロ　医師又は看護師が不安軽減のために面接
		ハ　医師又は薬剤師が抗悪性腫瘍剤を説明
薬剤総合評価調整加算		入院患者において，入院前に６種類以上の内服薬又は精神病棟に入院直前若しくは退院１年前のいずれか遅い時点で抗精神病薬を４種類以上内服しており，当該処方の内容を総合的に評価した上で，当該処方の内容を変更し，かつ，療養上必要な指導を行った場合

表 14.11　つづき

薬剤総合評価調整管理料		上記の該当する場合であって，退院時に処方する内服薬が2剤以上又は抗精神病薬が2種類以上減少した場合，さらに加算
	連携管理加算	処方の内容の調整に当たって，別の保険医療機関又は保険薬局に対して，照会又は情報提供を行った場合

3．在宅医療

項　目		算定要件・その他
在宅患者訪問薬剤管理指導料		在宅で療養を行っている患者
		居住系施設入所者等である患者 保険薬局が算定している場合：請求不可
	麻薬管理指導加算	麻薬の服用・保管の状況，副作用の有無等について確認し，必要な薬学的管理・指導を行った場合

4．投薬

項　目		算定要件・その他
処方料		1．3種類以上の抗不安薬，睡眠薬，抗うつ薬，抗精神病薬などの投薬を行う場合
		2．1以外の場合で，7種類以上の内服薬の投薬を行う場合
		3．1及び2以外の場合
	外来後発医薬品使用体制加算	後発医薬品の調剤割合に応じて加算
	麻薬等加算	麻薬・向精神薬・覚醒剤原料・毒薬を処方した場合
	乳幼児加算	3歳未満の乳幼児に処方を行った場合
	特定疾病処方管理加算	診療所又は200床未満の病院において，生活習慣病等の厚生労働大臣が定める疾患を主病とする患者の処方管理を行った場合
	抗悪性腫瘍剤処方管理加算	200床以上の病院において，抗悪性腫瘍剤の処方管理を行った場合
	向精神薬調整連携加算	向精神薬が減薬となった患者の症状変化等の確認を薬剤師，看護師又は准看護師に指示した場合
処方箋料*		1．3種類以上の抗不安薬，睡眠薬，抗うつ薬，抗精神病薬などの投薬を行う場合
		2．1以外の場合で，7種類以上の内服薬の投薬を行う場合
		3．1及び2以外の場合
	乳幼児加算	3歳未満の乳幼児に処方を行った場合
	特定疾病処方管理加算	1．診療所又は200床未満の病院において，生活習慣病等の厚生労働大臣が定める疾患を主病とする患者に処方箋を交付した場合
		2．診療所又は200床未満の病院において，生活習慣病等の厚生労働大臣が定める疾患を主病とする患者に28日以上の処方を行った場合
	抗悪性腫瘍剤処方管理加算	200床以上の病院において，抗悪性腫瘍剤の処方管理を行った場合
	一般名処方加算	一般名で処方した場合
	向精神薬調整連携加算	向精神薬が減薬となった患者の症状変化等の確認を薬剤師に指示した場合
調剤料（外来投薬） （1回の処方に係る調剤につき）		内服薬・浸煎薬・頓服薬の場合
		外用薬の場合
	加算	麻薬・向精神薬・覚醒剤原料・毒薬を投薬する場合
調剤料（入院投薬） （1日につき）		
	加算	麻薬・向精神薬・覚醒剤原料・毒薬を投薬する場合

表 14.11　つづき

調剤技術基本料（入院患者）		
	院内製剤加算	
調剤技術基本料（その他の患者）		

*処方箋料：保険薬局で調剤を受けるために処方箋を交付した場合に算定
処方料：入院中の患者以外に院内で投薬した場合に算定
処方箋交付時の処方料は，処方箋料に包括されており，これらの同時算定はできない.

5．注射

項　目	算定要件・その他	
中心静脈注射		
点滴注射	6歳未満の乳児（1日量 100 mL 以上）	
	6歳以上の者（1日量 500 mL 以上）	
	その他（入院中の患者以外の患者に限る）	
無菌製剤処理料	無菌製剤処理料 1（抗悪性腫瘍剤）	閉鎖式接続器具使用
		その他
	無菌製剤処理料 2	
加算	外来化学療法加算 1	15歳以上
		15歳未満
	外来化学療法加算 2	15歳以上
		15歳未満
	連携充実加算	抗悪性腫瘍剤を注射して外来化学療法加算1を算定した患者に対して，薬剤師が副作用の発現状況等を文書で情報提供し，必要な指導を行った場合

iii）調剤報酬点数表に収載されている項目（表 14.12）

表 14.12　調剤報酬点数表に収載されている項目

1．調剤基本料

項　目		算定要件・その他
調剤基本料*		1．下記以外の場合
		2．処方箋受付回数，特定の医療機関からの処方箋割合に応じて算定
		3．処方箋受付回数，特定の医療機関からの処方箋割合に応じて算定
		特別調剤基本料：特定の医療機関からの処方箋割合が 70 %以上又は調剤基本料1～3に該当しない場合
	地域支援体制加算	調剤基本料1の薬局で，麻薬小売業者の免許，在宅患者訪問薬剤管理指導料の算定が 12 回以上等の所定の要件を満たしている場合
	後発医薬品調剤体制加算 1	後発医薬品調剤率 75 %以上
	後発医薬品調剤体制加算 2	後発医薬品調剤率 80 %以上
	後発医薬品調剤体制加算 3	後発医薬品調剤率 85 %以上
	分割調剤	長期投薬（14日を超える投薬）に係るもの
		初めて後発医薬品を服用する等の理由により分割調剤を行った場合（2回目に限る）
		医師の指示により分割調剤を行った場合

*同一の患者に同一の保険医療機関から複数の処方箋が発行された場合：1回分の算定
同一の患者に異なる保険医療機関から複数の処方箋が発行された場合：医療機関ごとの算定

表 14.12　つづき

2．調剤料

項　目	算定要件・その他
内服薬	7 日分以下（1 調剤につき・4 剤以上算定不可）
	8 日分以上 14 日分以下（1 調剤につき・4 剤以上算定不可）
	15 日分以上 21 日分以下（1 調剤につき・4 剤以上算定不可）
	22 日分以上 30 日分以下（1 調剤につき・4 剤以上算定不可）
	31 日分以上（1 調剤につき・4 剤以上算定不可）
内服用滴剤	1 調剤につき
屯服薬	剤数にかかわらず
浸煎薬	1 調剤につき・4 剤以上算定不可
湯薬	7 日分以下（1 調剤につき・4 剤以上算定不可）
	8 日分以上 28 日分以下（1 調剤につき・4 剤以上算定不可）
	29 日分以上（1 調剤につき・4 剤以上算定不可）
注射薬	調剤数にかかわらず
外用薬	1 調剤につき・4 剤以上算定不可

3．調剤料加算

項　目	算定要件・その他
嚥下困難者用製剤加算	処方箋受付 1 回につき
一包化加算	42 日分以下（処方箋受付 1 回につき）
	43 日分以上（処方箋受付 1 回につき）
無菌製剤処理加算	中心静脈栄養輸液（1 日につき）
	抗悪性腫瘍剤（1 日につき）
	麻薬（1 日につき）
麻薬加算	1 調剤につき
向精神薬・覚醒剤原料・毒薬加算	1 調剤につき
時間外加算	開局時間以外で 6 ～ 8 時，18 ～ 22 時に調剤を行った場合
休日加算	開局日以外で日，祝日，12 月 29 日～ 31 日，1 月 2 日～ 3 日に調剤を行った場合
深夜加算	開局時間以外で 22 時～翌 6 時に調剤を行った場合
夜間・休日等加算	開局時間内の 19 時（土曜日は 13 時）～翌 8 時又は休日に調剤を行った場合（処方箋受付 1 回につき）
自家製剤加算	内服薬・屯服薬（1 調剤につき）
	外用薬（1 調剤につき）
計量混合調剤加算	液剤（1 調剤につき）
	散剤・顆粒剤（1 調剤につき）
	軟・硬膏剤（1 調剤につき）
在宅患者調剤加算	処方箋受付 1 回につき

表 14.12　つづき

4．薬学管理料

項　目	算定要件・その他
薬剤服用歴管理指導料	1. 原則 3 ヶ月以内の再来患者 2. 1 以外の患者 3. 特別養護老人ホームの入所者 4. 情報通信機器を用いた服薬指導 患者に必要な薬剤情報を文書で提供し，指導した場合 処方箋の受付ごとに算定 在宅患者訪問薬剤管理指導料との重複算定は原則不可
調剤後薬剤管理指導加算	地域支援体制加算の届出薬局がインスリン製剤等が処方されている糖尿病患者に調剤後の服薬指導，処方医への情報提供を行った場合
特定薬剤管理指導加算	1. 特に安全管理が必要な医薬品が投与されている患者 2. 連携充実加算の届出医療機関で抗悪性腫瘍剤が注射された患者に対して，施設基準を満たした薬局が薬学的官・指導などを行った場合
麻薬加算	麻薬の服用・保管の状況，副作用の有無等について確認し，必要な薬学的管理・指導を行った場合
重複投与・相互作用防止加算	イ．残薬調整以外 ロ．残薬調整
乳幼児服薬指導加算	6 歳未満の患者又はその家族等に薬学的管理指導を行い，その内容等を手帳に記載した場合
吸入薬指導加算	喘息又は慢性閉塞性肺疾患で，吸入薬の投薬が行われている患者に対して所定の薬学的管理・指導等を行い，医療機関に必要な情報を文書で提供した場合
かかりつけ薬剤師指導料	患者が選択し，患者の同意を得た“かかりつけ薬剤師”が処方医と連携して患者の服薬状況を一元的・継続的に把握した上で服薬指導等を行った場合 麻薬管理指導加算，重複投与・相互作用等防止加算，特定薬剤管理指導加算，乳幼児服薬指導加算あり
かかりつけ薬剤師包括管理料	地域包括診療料等の算定患者に対して必要な指導等を行った場合
外来服薬支援料	服薬管理が困難な外来患者等の求めにより，処方医に治療上の必要性・服薬管理支援の必要性を確認し，服薬管理を支援した場合 **持参した薬剤**の服用管理を支援した場合も算定・可
服薬情報等提供料	医療機関の求めがあった場合，又は薬局が必要と認めて医療機関に文書で情報提供した場合に月 1 回
服用薬剤調整支援料	1. 6 種類以上の内服薬が処方されている患者の処方医に対して，文書で提案し，2 種類以上減少した場合 2. 複数の医療機関から 6 種類以上の内服薬が処方されている患者に重複投薬等が確認され，その旨を処方医に文書で情報提供した場合
経管投薬支援料	胃瘻又は腸瘻による経管投薬又は経鼻経管投薬を行っている患者に対して，簡易懸濁法による薬剤の服用に関して必要な支援を行った場合
在宅患者訪問薬剤管理指導料	1. 同一建物居住者以外 2. 同一建物居住者 月 4 回（がん末期患者・中心静脈栄養投与患者には週 2 回，月 8 回まで算定可）
麻薬管理指導加算	麻薬の服用・保管の状況，副作用の有無等について確認し，必要な薬学的管理・指導を行った場合
在宅患者緊急訪問薬剤管理指導料	計画的な訪問薬剤管理指導とは別に，患者の急変等による医師の求めにより，緊急に患家を訪問し，必要な薬学的管理・指導を行った場合
麻薬管理指導加算	麻薬の服用・保管の状況，副作用の有無等について確認し，必要な薬学的管理・指導を行った場合
在宅患者緊急時共同指導料	患者の急変等による医師の求めにより，医師，看護師等と共同で患家を訪問し，カンファレンスに参加し，共同で療養上必要な指導を行った場合
麻薬管理指導加算	麻薬の服用・保管の状況，副作用の有無等について確認し，必要な薬学的管理・指導を行った場合
退院時共同指導料	患者が指定する薬局の薬剤師が，患者が入院している医療機関を訪問し，医師又は看護師等と共同で，退院後の在宅での療養上必要な薬剤に関する説明・指導を行い，かつ文書で患者に情報提供を行った場合
在宅患者重複投薬・相互作用等防止加算	イ．残薬調整以外 ロ．残薬調整

様式第二号（第二十三条関係）

処　方　箋

（この処方箋は、どの保険薬局でも有効です。）

公費負担者番号

保険者番号

公費負担医療の受給者番号

被保険者証・被保険者手帳の記号・番号

患者　氏名

生年月日　明 大 昭 平 令　年　月　日　男・女

区分　被保険者　被扶養者

保険医療機関の所在地及び名称

電話番号

保険医氏名　印

都道府県番号　点数表番号　医療機関コード

交付年月日　令和　年　月　日

処方箋の使用期間　令和　年　月　日　（特に記載のある場合を除き、交付の日を含めて4日以内に保険薬局に提出すること。）

処方

変更不可　（個々の処方薬について、後発医薬品（ジェネリック医薬品）への変更に差し支えがあると判断した場合には、「変更不可」欄に「レ」又は「×」を記載し、「保険医署名」欄に署名又は記名・押印すること。）

備考

保険医署名　（「変更不可」欄に「レ」又は「×」を記載した場合は、署名又は記名・押印すること。）

保険薬局が調剤時に残薬を確認した場合の対応（特に指示がある場合は「レ」又は「×」を記載すること。）

□保険医療機関へ疑義照会した上で調剤　□保険医療機関へ情報提供

調剤済年月日　令和　年　月　日

公費負担者番号

保険薬局の所在地及び名称 保険薬剤師氏名　印

公費負担医療の受給者番号

備考 1．「処方」欄には、薬名、分量、用法及び用量を記載すること。

2．この用紙は、A列5番を標準とすること。

3．療養の給付及び公費負担医療に関する費用の請求に関する省令（昭和51年厚生省令第36号）第1条の公費負担医療については、「保険医療機関」とあるのは「公費負担医療の担当医療機関」と、「保険医氏名」とあるのは「公費負担医療の担当医氏名」と読み替えるものとすること。

図 14.5　保険処方箋の様式

保険者番号や被保険者証の記号等を記載する欄がある．

特に事情がある場合は，「処方箋の使用期間」の欄に有効期間を記載する．

傷病名を記載する欄はない．

e　薬価基準制度

1）薬価基準の機能：保険医療で使用できる医薬品の品目表・価格表

薬価収載されていない医薬品

・一般用医薬品

・要指導医薬品

・薬価を付ける意味がない医療用医薬品（手指消毒薬など）

・公費負担について，国民の理解が得られない医療用医薬品（バイアグラ・ピルなど）

2）収載方式

①**一般名収載方式**：主成分を一般名で収載
②**銘柄別収載方式**：販売名ごとの収載

3）薬価基準価格の算定方法

①新規収載医薬品の薬価算定方法
・比較対照薬を選定できる場合：**類似薬効比較方式**＋補正加算
・比較対照薬を選定できない場合：**原価**による計算方式
・後発医薬品の場合：既存収載医薬品に一定の係数を乗じて算定
②既収載医薬品の価格改定方法：**市場実勢価格加重平均値調整幅方式**
（実勢市場価格調査に基づき，一定の算定方式により算出するやり方）

参考文献
1）診療点数早見表 2020年4月版（医科），医学通信社
2）保険薬剤師必携ハンドブック 2020，福岡県薬剤師会

15章　国民健康保険法

a　法の目的

第1条　この法律は，国民健康保険事業の健全な運営を確保し，もって社会保障及び国民保健の向上に寄与することを目的とする.

b　制度の内容

1）保険者

第3条　都道府県は，当該都道府県内の市町村（特別区を含む．以下同じ.）とともに，この法律の定めるところにより，国民健康保険を行うものとする.
2　国民健康保険組合は，この法律の定めるところにより，国民健康保険を行うことができる.

保険者：**都道府県（市町村・特別区）・国民健康保険組合***

* 国民健康保険組合：同種の事業・業務に従事する者300名以上で構成し，都道府県知事の許可を得て組織する団体

2）被保険者と給付対象

第2条　国民健康保険は，被保険者の疾病，負傷，出産又は死亡に関して必要な保険給付を行うものとする.
第5条　都道府県の区域内に住所を有する者は，当該都道府県が当該都道府県内の市町村とともに行う国民健康保険の被保険者とする.
（適用除外）
第6条　前条の規定にかかわらず，次の各号のいずれかに該当する者は，市町村が行う国民健康保険の被保険者としない.
一　健康保険法の規定による被保険者（以下，省略）
第19条　組合員及び組合員の世帯に属する者は，当該組合が行う国民健康保険の被保険者とする.（以下，省略）

① 被保険者：被用者保険制度（健康保険制度等）の対象とならない者（自営業者，農業など）
② 給付対象：被保険者の疾病，負傷，死亡，出産
（本法の被保険者は労災保険の対象とならないため，業務上と業務外の区別なく，保険が給付される）

c 給付の内容

1）給付の範囲

第36条　市町村及び組合（以下「保険者」という.）は，被保険者の疾病及び負傷に関しては，次の各号に掲げる療養の給付を行う.（中略）
一　診察
二　薬剤又は治療材料の支給
三　処置，手術その他の治療
四　居宅における療養上の管理及びその療養に伴う世話その他の看護
五　病院又は診療所への入院及びその療養に伴う世話その他の看護
2　次に掲げる療養に係る給付は，前項の給付に含まれないものとする.
一　（中略）食事療養
二　（中略）生活療養
三　評価療養
四　患者申出療養
五　選定療養
3　被保険者が第1項の給付を受けようとするときは，自己の選定する保険医療機関又は保険薬局（中略）に被保険者証を提出して，そのものについて受けるものとする.（以下，省略）
4　第1項の給付（中略）は，介護保険法第48条第1項第3号に規定する指定介護療養施設サービスを行う療養病床等に入院している者については，行わない.

給付の範囲（給付内容・適用除外）と方法：健康保険法と同様

2）費用の負担

①財源＝(保険料）＋（公費・補助金）＋（一部負担金）
②一部負担金の割合：健康保険法と同様

d 費用の請求

①診療報酬・調剤報酬の算定
健康保険法第76条の規定が適用
②国民健康保険団体連合会（国保連）
各地域単位で実施される国民健康保険事業の効率的運営のために設立された法人
社会保険診療報酬支払基金と同様な業務を担当
担当業務
・保険事務の共同処理
・診療報酬等の審査と支払い（図15.1）
・保健施設に関する事業
・広報，研修

・国民健康保険運営に関する融資　　　　　　・調査，研究

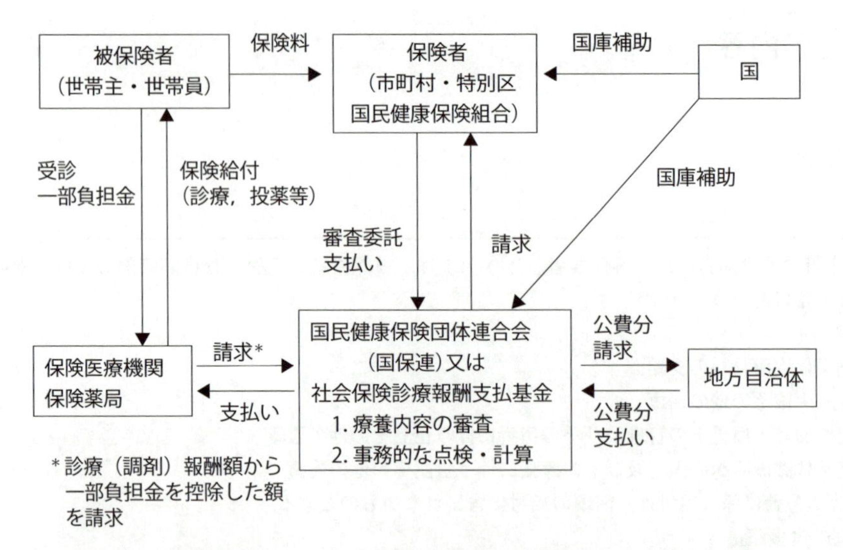

図 15.1　保険診療のしくみと診療（調剤）報酬請求・支払いの流れ

Checkpoint

法の目的	健康保険法	業務外の疾病，負傷，死亡，出産への保険給付
	国民健康保険法	被保険者（被用者保険制度の非該当者）の疾病，負傷，死亡，出産への保険給付
保険者	健康保険法	全国健康保険協会・健康保険組合
	国民健康保険法	都道府県（市町村・特別区）・国民健康保険組合
保険医療機関・保険薬局の表示		施設の見やすい箇所に保険医療機関・保険薬局である旨を表示
保険医の主な責務		① 原則として厚生労働大臣が指定した医薬品（薬価収載品）・歯科材料を用いた診療 ② 特定の保険薬局への誘導禁止 ③ 保険薬局からの財産上の利益収受禁止
保険薬局	指定	指定権者：厚生労働大臣（地方厚生（支）局長に委任） 指定有効期間：6 年（特例あり）
	指定辞退	1 か月以上の予告期間が必要
	指定拒否要件	① 指定取り消し後 5 年以内 ② 調剤内容が適切でないおそれがあるとして，重ねて指導を受けた場合 ③ 開設者が罰金刑・禁固刑以上の刑を執行中の場合 ④ 保険薬局として著しく不適当と認められた場合
		指定拒否手続きには，地方社会保険医療協議会の議決が必要

保険薬局	変更の届出先	① 管理者，管理薬剤師，保険薬剤師の異動・申請書記載内容の変更：地方厚生（支）局長 ② 開設者の異動：都道府県知事
	保険給付の範囲	① 薬剤・治療材料の支給 ② 居宅における薬学的管理・指導
	主な責務	① 療養の給付 ② 保険医療機関と一体的な構造・経営の禁止 ③ 保険医療機関・保険医への財産上の利益供与の禁止 ④ 薬局内の掲示：薬剤服用歴指導管理料・基準調剤加算・無菌製剤処理加算・在宅患者訪問薬剤管理指導料に関する事項 ⑤ 薬局外側の掲示：開局時間・休業日・時間外，休日，夜間における調剤応需体制 ⑥ 保険処方箋・被保険者の確認 ⑦ 一部負担金の受領 ⑧ 調剤録の記載・整備 ⑨ 処方箋・調剤録の保存：調剤完結から3年間 ⑩ 患者の不正行為を地方厚生（支）局長又は健康保険組合に通知 ⑪ 後発医薬品の調剤体制の確保
		高齢者医療確保法による療養の給付も担当
保険薬剤師	登録	登録権者：厚生労働大臣（地方厚生（支）局長に委任） 指定有効期間：終身 保険医療機関の調剤所に勤務する薬剤師：登録不要
	登録抹消	1か月以上の予告期間が必要
	登録拒否要件	① 登録取り消し後5年以内 ② 罰金刑・禁固刑以上の刑が執行中の場合 ③ 保険薬剤師として著しく不適当と認められた場合
		登録拒否手続きには，地方社会保険医療協議会の議決が必要
	主な責務	① 原則として薬価収載品を使用した調剤・薬学的管理指導 ② 患者の服薬状況・薬剤服用歴の確認 ③ 保険医が変更を認めている場合の後発医薬品の調剤努力 ④ 調剤録の記載
		高齢者医療確保法による調剤も担当
保険給付の種類		現物給付・償還払い・現金給付
診療報酬制度	診療報酬	算定根拠：診療報酬点数表＋薬価基準
	調剤報酬	算定根拠：調剤報酬点数表＋薬価基準
保険者への請求額		診療報酬額・調剤報酬額から一部負担金を控除した額
請求額の審査・支払い機関		社会保険診療報酬支払基金（支払基金） 国民健康保険団体連合会（国保連）
薬価基準表	機能	保険診療と保険調剤で使用できる医薬品の品目表・価格表
	収載方式	一般名・銘柄別
薬価基準価格の算定方法	新規収載医薬品	① 比較対照薬を選定できる場合：類似薬効比較方式＋補正加算 ② 比較対照薬を選定できない場合：原価による計算方式 ③ 後発医薬品の場合：既存収載医薬品に一定の係数を乗じて算定
	既収載医薬品	実勢市場価格調査に基づく加重平均値調整幅方式

問　題

1. 保険医療の実施

1) 保険薬局等の指定・保険薬剤師等の登録

問 1　保険薬局でなければ，保険調剤を行うことができない．(98)

問 2　保険薬剤師の登録の有効期間は，6年である．(98)

問 3　保険薬局で保険調剤を行う薬剤師は，全員が保険薬剤師の登録を受けなければならない．(98)

問 4　保険医療機関の指定を受けた病院で調剤を行う薬剤師は，保険薬剤師の登録を受けなければならない．(98)

問 5　保険薬局が，調剤報酬を不正に請求した場合には，地方社会保険医療協議会に諮問することなく，保険薬局の指定が取り消される．(98)

2) 保険薬局・保険薬剤師等の責務（療養担当規則関連）

問 1　保険調剤を受けた者に交付する領収書には，調剤報酬の内容がわかるような記載が必要である．(97)

問 2　保険薬局及び保険薬剤師療養担当規則において，保険薬局が担当する療養の給付は，薬剤又は治療材料の支給並びに調剤を実施する薬局における薬学的管理及び指導とされている．(99改)

問 3　保険薬局は，保険調剤に際して，患者に被保険者証の提示を求めることはできない．(100)

問 4　保険薬局は，後発医薬品の備蓄に関する体制の確保に努めなければならない．(100)

問 5　保険薬局は，保険医療機関との連携を強化するため，保険医療機関と一体的な経営を行うよう努めなければならない．(100)

問 6　保険薬局は，患者が不正行為により療養の給付を受けたときは，意見を付して，その旨を全国健康保険協会又は当該健康保険組合に通知しなければならない．(100)

問 7　保険薬局及び保険薬剤師療養担当規則の根拠は，薬剤師法である．(101改)

2. 保険給付のしくみ

問 1　医療保険制度において，食事療養は「療養の給付」に含まれる．(100改)

3. 診療報酬・調剤報酬

問 1　保険調剤された後発医薬品の割合に応じて，当該保険薬局において算定する調剤報酬が異なる仕組みがある．(97)

4. 薬価基準制度

問 1　薬価とは，国により決定される医薬品の公定価格である．(102)

問 2　薬価基準は，医療法に基づく厚生労働大臣告示として公表される．(102)

問 3　新医薬品の薬価算定は，原価計算方式を原則とする．(102)

問 4　医療用医薬品であっても，薬価基準に収載されないものがある．(102)

問 5　薬価改定は，5年ごとに行うよう定められている．(102)

問 6　薬価基準は，保険医療で使用できる医薬品の品目表と価格表の2つの性格を持つ．(105)

問 7　新医薬品は，製造販売の承認から遅くとも30日以内に薬価基準に収載される．(105)

問 8　新医薬品の薬価は，類似薬がある場合は，その薬価を参考に決められる．(105)

問 9　既収載品の薬価は，年間販売量が多いものに限り定期的に見直される．(105)

問10　後発医薬品の薬価は，製造販売業者が自由に決められる．(105)

解答・解説

1. 保険医療の実施

1) 保険薬局等の指定・保険薬剤師等の登録

問 1　○　健康保険法に規定される療養の給付を行う薬局は，保険薬局の指定を受けなければならない．このため，保険調剤を行う薬局は，保険薬局の指定を受けていなければならない．

問 2　×　保険薬剤師の登録に有効期間はない．保険薬局と保険医療機関の指定の有効期間は6年である．

問 3　○　保険薬剤師の登録を受けていなければ，保険薬局で保険調剤を行うことはできない．

問 4　×　保険医療機関で調剤を行う薬剤師は，保険薬剤師の登録を受ける必要がない．

問 5　×　保険薬局の指定取り消しは地方社会保険医療協議会の諮問事項である．

2) 保険薬局・保険薬剤師等の責務（療養担当規則関連）

問 1　○　保険薬局及び保険薬剤師療養担当規則第4条の2で規定．

問 2　×　保険薬局及び保険薬剤師療養担当規則において，保険薬局が担当する療養の給付は，「薬剤又は治療材料の支給」と「居宅における薬学的管理及び指導」とされている．

問 3　×　保険薬局は，保険処方箋又は被保険者証から療養の給付を受ける資格を確認しなければならない．

問 4　○　保険薬局は，後発医薬品の備蓄と調剤に関する体制の確保に努めなければならない．

問 5　×　薬局業務運営ガイドラインにおいて，薬局は医療機関から経済的，機能的，構造的に独立していなければならないと規定されている．

問 6　○　記述のとおり．

問 7　×　保険薬局及び保険薬剤師療養担当規則の根拠は，健康保険法である．

2. 保険給付のしくみ

問 1　×　「療養の給付」とは，「診察」，「薬剤又は治療材料の支給」，「処置，手術その他の治療」，「居宅における療養上の管理」，「入院及びその療養に伴う世話その他の看護」をいう．

3. 診療報酬・調剤報酬

問 1　○　後発医薬品調剤体制加算の算定額は後発医薬品の使用数量で異なる．

4. 薬価基準制度

問 1　○　薬価とは，保険医療に使用される医薬品の公定価格で，国が定める．

問 2　×　薬価基準は，健康保険法に基づく厚生労働大臣告示として公表される．

問 3　×　新医薬品の薬価算定は，類似薬効比較方式が原則である．

問 4　○　医療用医薬品であっても，保険外診療や保険外調剤のみに使用されるものは薬価基準に収載されない．

問 5　×　薬価改定は，2年ごとに行われてきたが，今後は毎年行われる見込みとなっている．

問 6　○　記述のとおり．

問 7　×　新医薬品は，製造販売の承認から原則として60日以内，遅くとも90日以内に薬価基準に収載される．

問 8　○　新医薬品の薬価は，類似薬がある場合は，類似薬効比較方式で決められる．

問 9　×　既収載品の薬価は，市場実勢価格を基準にして見直される．

問10　×　後発医薬品の薬価も公定価格で，国が決める．

複 合 問 題

問 1（法規）保険薬局で国民健康保険の被保険者Aの処方箋を応需した．Aの調剤報酬の請求と支払いについて正しい記述を2つ選べ．なお，Aは公費負担医療の対象ではない．（97改）

1　療養の給付に関し支払われる費用の額は，調剤報酬点数表に基づき計算される．
2　療養の給付に関し支払われる費用の請求は，社会保険診療報酬支払基金に行う．
3　保険薬局は，Aさんの経済状況を考慮して一部負担金を免除することができる．
4　療養の給付に係る審査は，保険者自身が行うことができる．
5　療養の給付に関して保険者が保険薬局に支払う費用は，すべて保険料で賄われている．

問 2（実務）保険薬局で国民健康保険の被保険者Aに内科医院と歯科医院のそれぞれから交付された処方箋を応需した．Aの調剤報酬明細書（レセプト）の作成に関する記述のうち，誤っているものを1つ選べ．（97改）

1　調剤報酬明細書は，月ごとにまとめて記載しなければならない．
2　内科と歯科の調剤報酬明細書は，分けて作成しなければならない．
3　同じ被保険者証記号番号のAさんの家族の請求は，同じ調剤報酬明細書に記載して請求しなければならない．
4　調剤報酬明細書には，処方箋を発行した医師の名前を記載しなければならない．
5　調剤報酬明細書には，調剤した薬剤師の名前を記載する必要はない．

問 3（実務）保険調剤後の調剤録に関する記述のうち，誤っているものを1つ選べ．（97改）

1　調剤済みの処方箋に必要事項を記入して調剤録とした．
2　保険薬局開設者が，調剤録を最終の記載日から5年間保存したので廃棄した．
3　1回目の分割調剤時に，調剤録に代えて処方箋に必要事項を記載した．
4　処方箋に関する医師への疑義照会の内容を調剤録に記載した．
5　患者の被保険者証記号番号を調剤録に記載した．

問 4（実務）保険調剤における先発医薬品から後発医薬品への変更に関する記述のうち，正しいものを2つ選べ．ただし，後発医薬品への変更が可能とされた処方箋とする．（97）

1　患者へ後発医薬品に関する説明を行い，同意を得た上で変更を行った．
2　後発医薬品に変更する際に，適応症を確認した．
3　錠剤の先発医薬品を散剤の後発医薬品に，薬剤師の判断で変更して調剤した．
4　医療機関には変更に伴う情報提供を行わなかった．
5　交付済みの後発医薬品を，後日先発医薬品と交換した．

問 5（法規）薬局において分割調剤を行い，調剤済みとならなかった場合の薬剤師の対応として，正しいものを2つ選べ．（98）

1　処方箋に調剤済みの旨を記載しなかった．
2　調剤録に調剤量を記入しなかった．
3　処方箋に記名押印した．
4　処方箋は薬局で保管し，コピーを患者に渡した．

解答・解説

問 1　解答　1，4

1　○　記述のとおり．

2　×　保険医療機関及び保険薬局は，療養の給付額から一部負担金を控除した額を保険者に請求する．保険者は，この時の審査・支払い業務を社会保険診療報酬支払基金又は国民健康保険団体連合会に委託することができる．

3　×　災害，その他の厚生労働省令で定める特別の事情がある場合（震災，風水害，火災等により，住宅や家財等が著しい損害を受けた場合）は一部負担金が免除されるが，患者の経済状況は免除の対象ではない．

4　○　記述のとおり．

5　×　国民健康保険の保険者が保険医療機関及び保険薬局に支払う費用の財源は，保険料と国庫補助金で賄われている．

問 2　解答　3

1　○　記述のとおり．

2　○　記述のとおり．

3　×　調剤報酬明細書は，患者ごとに作成しなければならない．

4　○　記述のとおり．

5　○　記述のとおり．

問 3　解答　3

1　○　記述のとおり．

2　○　調剤録は最終記載日から3年間保管する．このため，5年間保管後の廃棄は適法．

3　×　分割調剤等により調剤済みとならない場合は，処方箋を患者に返却するため，調剤録に必要事項を記載する．

4　○　記述のとおり．

5　○　記述のとおり．

問 4　解答　1，2

1　○　記述のとおり．

2　○　記述のとおり．

3　×　錠剤から散剤への変更は不可．

4　×　原則として情報提供が必要．ただし，保険医療機関と保険薬局の間で，情報提供に関する合意が得られている場合は，その合意事項に基づく方法で情報提供して構わない．

5　×　正当な理由なく，一旦調剤した薬剤を交換することはできない．

問 5　解答　1，3

1　○　処方箋に調剤済みの旨を記載するのは，調剤済みとなった場合である．

2　×　保険調剤の場合は，調剤録に調剤年月日や調剤量等を記載しなければならない．

3　○　調剤済みにならなかった場合は，調剤年月日と調剤量を処方箋に記載して，記名押印又は署名する．

4　×　調剤済みとならなかった処方箋は，患者に返却する．

問 6（実務） 処方箋受付時に患者から得た情報によって薬剤師が対応した事例のうち，分割調剤に係る調剤報酬を算定できる行為を2つ選べ．なお，処方箋には先発医薬品が記載されており，後発医薬品への変更を不可とする旨の記載はなかったとする．(98)

1 患者が後発医薬品への変更に不安を持っていることがわかったので，14日分処方のところ，1回目の調剤として後発医薬品を5日分交付した．
2 患者が後発医薬品への変更に不安を持っていることがわかったので，30日分処方のところ，先発医薬品と後発医薬品をそれぞれ15日分交付した．
3 新たに抗がん剤が7日分処方され，患者が副作用に強い不安を持っていることがわかったので，1回目の調剤として3日分交付した．
4 吸湿性がある薬剤が60日分処方され，1回目の調剤として安定性が保証されている30日分を交付した．
5 トリアゾラム錠0.25 mgの処方であったが，患者が半分に割って服用していることがわかったので，0.25 mg錠を半分に分割して交付した．

問 7（法規） 調剤報酬に関する記述のうち，正しいものを2つ選べ．(98)

1 調剤報酬は，調剤技術料，薬剤料及び特定保険医療材料の3つで構成される．
2 調剤報酬を決定する際，厚生労働大臣は，中央社会保険医療協議会の意見を聴く．
3 調剤報酬点数表は，報酬額が点数で示されており，1点は10円である．
4 重複投薬・相互作用防止加算は，調剤基本料に加算される．

問 8（実務） 70歳男性の患者が持参した以下の内容の処方箋を，土曜日の15時に保険薬局で受け付け，調剤を行った．お薬手帳及び患者への確認により，非ステロイド性消炎鎮痛剤が他院からも処方されていることがわかり，処方医に照会し，イブプロフェン顆粒の処方は削除となった．また，それ以外の処方内容は適切であった．なお，本薬局の土曜日の開局時刻は8時から19時である．(98改)

(処方1)	フェキソフェナジン塩酸塩錠60 mg	1回1錠（1日2錠）
	セフポドキシムプロキセチル錠100 mg	1回1錠（1日2錠）
		1日2回　朝夕食後　3日分
	嚥下困難のため粉砕し一包にして調剤	
(処方2)	イブプロフェン顆粒20%	1回1g（製剤量）
		疼痛時　5回分（全5 g）
(処方3)	ベタメタゾン吉草酸エステル軟膏0.12%	30 g
	白色ワセリン	30 g
	以上混合1日2回　背中に塗布　　全量	60 g

患者に一部負担金を請求した際に，患者より調剤報酬算定内容に関して説明を求められた．その説明内容として，誤っているものを1つ選べ．(98)

1 調剤料は，調剤を行うことによる技術料です．この場合は，内服1剤，外用1剤の算定となります．
2 夜間・休日等加算は，土曜日の13時以降に調剤を行ったので算定しました．
3 嚥下困難者用製剤加算は，処方箋の指示に従い，錠剤を粉砕したので算定しました．
4 計量混合調剤加算は，2種類の錠剤を粉砕し，混合して分包したので算定しました．
5 重複投薬・相互作用加算は，医師に疑義照会し，処方が削除となったので算定しました．

問 9（実務） 薬剤管理指導業務に関する記述のうち，不適切なものを1つ選べ．(98)

1 対象患者ごとに指導記録を作成した．
2 患者の訴えや自覚症状を傾聴し，副作用の早期発見に努めた．
3 小児に対して直接指導ができないと判断し，母親に服薬指導を行った．
4 対象患者に使用される全ての薬剤について，薬学的管理指導を行った．
5 施設に勤務している薬剤師は1名であったが，薬学的管理指導を行い，薬剤管理指導料を算定した．

問 6　解答　1，4

1　○　後発医薬品分割調剤加算の対象事例である.

2　×　初めに後発医薬品を試せるように 15 日分交付し，後日，後発医薬品の服用状況を確認した上で，後発医薬品又は先発医薬品を交付した場合は後発医薬品分割調剤加算の対象となる．初めから先発医薬品と後発医薬品を 15 日分ずつ交付したのでは，算定の対象とならない.

3　×　長期投薬分割調剤加算の対象は，14 日分を超える処方（15 日分以上の処方）の場合である.

4　○　長期投薬分割調剤加算の対象事例である.

5　×　錠剤の分割行為は，分割調剤加算の算定対象ではない.

問 7　解答　2，3

1　×　調剤報酬は調剤技術料，薬剤料，特定保険医療材料，薬学管理料の 4 つで構成される.

2　○　記述のとおり.

3　○　記述のとおり.

4　×　重複投薬・相互作用加算は薬学管理料の加算である.

問 8　解答　4

4　×　錠剤は計量混合加算の対象ではない.

問 9　解答　5

5　×　薬剤管理指導料を算定するためには，施設に常勤している薬剤師が 2 名以上いなくてはならない.

問 10（実務）　初めて来局した患者から一般名処方の保険処方箋を受け取った．初めての投薬であることを患者に確認した．調剤薬を決定する上で，最も適切な対応を 1 つ選べ．(98 改)

1　処方医に販売名を照会する．
2　薬剤師の判断に基づいて先発医薬品を選択する．
3　薬剤師の判断に基づいて後発医薬品を選択する．
4　患者に先発医薬品又は後発医薬品の使用に関する意向を確認する．
5　処方医に先発医薬品又は後発医薬品の使用に関する意向を確認する．

問 11（実務）　病院の医師から保険薬局に対して，高血圧患者 A の保険処方箋に基づいた在宅患者訪問薬剤管理指導の依頼があった．薬剤師の対応のうち，誤っているものを 1 つ選べ．(98)

1　薬学的管理指導を，医師の指示に基づいて行った．
2　病院薬剤師には，この業務が行えないことを患者家族に説明した．
3　家庭用血圧計で血圧を毎日測定し，記録するよう指導した．
4　薬の服用が困難であることを確認した上で，処方医に剤形の変更を提案した．
5　副作用が発現している可能性があったので，処方医に電話で報告した．

問 12（実務）　保険薬局の保険薬剤師が行った在宅患者訪問薬剤管理指導に関する記述のうち，正しいものを 1 つ選べ．(98)

1　介護支援専門員（ケアマネージャー）の指示により行った．
2　薬剤師ではない従業員に業務の実施を指示した．
3　中心静脈栄養法の対象患者に行った．
4　病院に入院中の患者に行った．
5　同一月内に．複数の薬局が同じ患者に対し在宅患者訪問薬剤管理指導料を算定した．

問 13（実務）　患者が持参した保険処方箋に不備があり，保険調剤ができないケースを 2 つ選べ．(99 改)

1　処方箋の使用期限の記載がない．
2　処方箋の交付から 4 日経っている．
3　処方の欄に「以下余白」の記載がない．
4　外用剤の用法が記載されていない．
5　変更不可の欄に医師の署名がない．

問 14（実務）　変更調剤を行う際の留意点に関する記述のうち，正しいものを 2 つ選べ．ただし，後発医薬品へ変更が可能な処方箋を応需した場合とする．(103)

1　一般名処方では，先発医薬品での調剤を優先する．
2　銘柄名処方の後発医薬品は，別銘柄の後発医薬品には変更できない．
3　外用薬は，クリーム剤から軟膏剤のように剤形を変更することができる．
4　変更する際は，後発医薬品の適応症を確認する．
5　変更調剤した薬剤の銘柄について，処方箋を発行した保険医療機関に情報提供する．

問 15（法規）　後発医薬品に変更する場合の患者への説明内容として，正しいものを 2 つ選べ．(103)

1　先発医薬品に比べて開発費が低く，薬の価格を安くすることができる．
2　添加物は先発医薬品と異なることがある．
3　後発医薬品の薬価は，同一成分・同一規格であれば，どの会社の製品でも同じである．
4　臨床上の有効性・安全性が先発医薬品と同一であることが確認されている．

問 16（法規）　保険薬局の保険薬剤師が医療保険で行う訪問薬剤管理指導に関する記述のうち，適切なものを

問10　解答　4

1　×　一般名処方の場合は，同一成分を含有する医薬品を調剤できるため，処方医に販売名を照会する必要はない．

2～5　○　初めての投薬であるため，患者に先発医薬品と後発医薬品の使用に関する意向を確認する必要がある．

問11　解答　2

2　×　在宅患者訪問薬剤管理指導は，病院薬剤師と保険薬局薬剤師のいずれも行える業務である．

問12　解答3

1　×　在宅患者訪問薬剤管理指導は，医師の指示により行う．

2　×　在宅患者訪問薬剤管理指導は，薬剤師でなければ行えない．

3　○　記述のとおり．

4　×　入院中の患者は薬剤管理指導の対象である．

5　×　在宅患者訪問薬剤管理指導料の算定は，在宅機関薬局が行う．

問13　解答　3，4

1　×　保険処方箋の使用期限欄に記載がない場合は，交付日を含めて4日以内が使用期限と規定されている．このため，記載がなくても調剤には差し支えない．

2　×　保険処方箋の交付日から4日以内であれば，有効であり，調剤可能．

3　○　処方欄に余白がある場合は，「以下余白」の記載が必要．

4　○　外用剤も用法（適用部位，適用回数等）が記載されていなければ，調剤できない．

5　×　変更不可欄に署名がない場合は，後発医薬品への変更調剤が可能．

問14　解答4，5

1　×　一般名処方では，後発医薬品での調剤を優先する．

2　×　銘柄名処方の後発医薬品であっても，同一剤形・同一規格であれば，別銘柄の後発医薬品に変更できる．

3　×　外用薬は，クリーム剤から軟膏剤のような剤形変更はできない．

4　○　先発医薬品と後発医薬品で適応症が異なる場合があるため，変更する際は適応症を確認する．

5　○　記述のとおり．

問15　解答1，2

1　○　記述のとおり．

2　○　記述のとおり．

3　×　後発医薬品の薬価は，同一成分・同一規格であっても，製造販売業者により異なる場合がある．

4　×　先発医薬品と後発医薬品は，有効成分と含量，投与経路は同一であるが，それ以外は異なる場合があり，有効性・安全性は必ずしも同一ではない．

問16　解答3，4

2つ選べ．(103)

1　訪問薬剤管理指導を行う場合，保険薬局は都道府県知事の許可を受ける必要がある．
2　当該患者が介護認定を受けている場合でも，原則として医療保険が優先される．
3　訪問薬剤管理指導は，医師の指示に基づいて行う．
4　薬学的管理指導計画は，訪問前に策定する．
5　訪問薬剤管理指導を行うに当たり，患者と薬局との契約書の作成が必要である．

問17（法規）　DPC制度に関する記述のうち，正しいものを2つ選べ．(104)

1　傷病名と診療行為に基づいて包括払い金額が決まる仕組みである．
2　入院中に使用する薬剤は，出来高払いで請求する．
3　手術・麻酔の費用は，出来高払いで請求する．
4　入院期間が長くなっても，包括払い金額は同じである．
5　全ての病院が，この制度を利用している．

問18（法規）　治験実施期間内における診療費の取扱いについて，正しいものを1つ選べ．(104)

1　全ての診療費の項目が保険給付の対象となる．
2　治験は選定療養に該当するため，保険給付との併用が認められる．
3　治験は評価療養に該当するため，保険給付との併用が認められる．
4　治験は患者申出療養に該当するため，保険給付との併用が認められる．
5　全ての診療費の項目が保険給付の対象から除外される．

1　×　訪問薬剤管理指導を行う薬局は，厚生労働大臣（地方厚生局長に委任）に届け出る必要がある．
2　×　当該患者が介護認定を受けている場合には，原則として介護保険が優先される．
3　○　記述のとおり．
4　○　記述のとおり．
5　×　訪問薬剤管理指導を行うに当たり，患者と薬局との契約書の作成は不要である．介護保険法に基づく居宅療養管理指導を行う場合には契約書の作成が必要である．

問17　解答1，3
1　○　DPC（Diagnosis Procedure Combination）とは，入院目的となった主な傷病名と行われた診療行為の組み合わせにより分類された診断群分類のことである．診断群分類ごとに包括評価部分の1日当たりの点数が設定されている．
2　×　入院基本料・検査・投薬は，包括評価部分に含まれている．
3　○　手術・麻酔・放射線治療は出来高評価である．
4　×　包括評価部分は3段階に設定されており，入院期間に応じて段階的に下がる．
5　×　DPC制度を利用しているのは，特定機能病院などの1,730施設（2018年4月1日現在）である．

問18　解答3
3　治験は評価療養に該当する．

16章 高齢者の医療の確保に関する法律（高齢者医療確保法）

a 法の目的

第1条 この法律は，国民の高齢期における適切な医療の確保を図るため，医療費の適正化を推進するための計画の作成及び保険者による健康診査等の実施に関する措置を講ずるとともに，高齢者の医療について，国民の共同連帯の理念等に基づき，前期高齢者に係る保険者間の費用負担の調整，後期高齢者に対する適切な医療の給付等を行うために必要な制度を設け，もって国民保健の向上及び高齢者の福祉の増進を図ることを目的とする.

① 制定の背景：今後も生活習慣病患者や高齢者の増加が医療財政に重大な影響を及ぼしていくと予想される点.

② 目的：**高齢者医療の確保・医療費の適正化**（老人保健法を改正して制定).

③ 対象者：**40歳以上の医療保険加入者・前期高齢者（65歳以上75歳未満）・後期高齢者（75歳以上）**

④ 特徴（図16.1）

・後期高齢者の医療を独立した保険制度とした点.

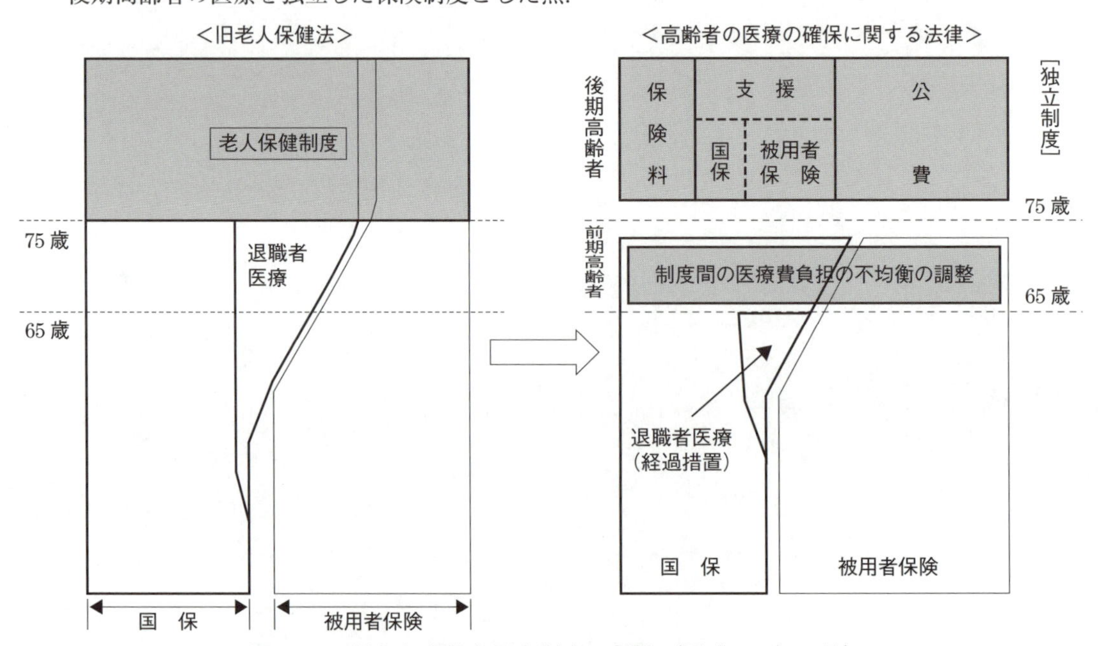

図16.1 新たな高齢者医療制度の創設（平成20年4月）

・前期高齢者の退職に伴う国民健康保険への大量加入で生じた保険者間の医療費負担の不均衡を調整する制度を創設した点.

b 生活習慣病対策

特定健康診査・特定保健指導

> （特定健康診査）
> 第20条　保険者は，特定健康診査等実施計画に基づき，厚生労働省令で定めるところにより，40歳以上の加入者に対し，特定健康診査を行うものとする.（以下，省略）
>
> （特定保健指導）
> 第24条　保険者は，特定健康診査等実施計画に基づき，厚生労働省令で定めるところにより，特定保健指導を行うものとする.

① 生活習慣病の医療費の削減を目的に，40歳以上の医療保険加入者に対して，保険者は特定健康診査と特定保健指導を行うように規定.
② **特定健康診査**：政令で定める生活習慣病に関する健康診査.
③ 政令で定める生活習慣病：**高血圧症，脂質異常症，糖尿病，内臓脂肪の蓄積に起因する生活習慣病**.
④ **特定保健指導**：特定健康診査の結果，健康の保持に努める必要がある者に対して，保健指導に関する専門的知識及び技能を有する者が行う保健指導のこと．特定保健指導の該当者及び指導者の要件は省令で定められている.

c 前期高齢者に係わる保険者間の費用負担の調整

前期高齢者交付金

> 第32条　支払基金は，各保険者に係る加入者の数に占める前期高齢者である加入者（中略）の数の割合に係る負担の不均衡を調整するため，政令で定めるところにより，保険者に対して，前期高齢者交付金を交付する.
> 2　前項の前期高齢者交付金は，第36条第1項の規定により支払基金が徴収する前期高齢者納付金をもって充てる.

① **前期高齢者交付金**は，支払基金から各保険者へ，前期高齢者の加入割合に応じて交付される.
② その財源は各保険者から徴収した前期高齢者納付金.

d 後期高齢者医療制度

後期高齢者医療制度は，後期高齢者の疾病，負傷，死亡に関して必要な給付を行う制度である．

1）運営のしくみ

第48条 市町村は，後期高齢者医療の事務（中略）を処理するため，都道府県の区域ごとに当該区域内のすべての市町村が加入する広域連合（以下「後期高齢者医療広域連合」という．）を設けるものとする．

① 運営主体：**後期高齢者医療広域連合**
② 業務内容：被保険者の認定，被保険者証の交付，保険料率の決定，医療費の給付管理（現物給付の審査・支払，一部負担金割合の減免），保健事業など．

2）被保険者

第50条 次の各号のいずれかに該当する者は，後期高齢者医療広域連合が行う後期高齢者医療の被保険者とする．
一 後期高齢者医療広域連合の区域内に住所を有する75歳以上の者
二 後期高齢者医療広域連合の区域内に住所を有する65歳以上75歳未満の者であって，厚生労働省令で定めるところにより，政令で定める程度の障害の状態にある旨の当該後期高齢者医療広域連合の認定を受けたもの

第51条 前条の規定にかかわらず，次の各号のいずれかに該当する者は，後期高齢者医療広域連合が行う後期高齢者医療の被保険者としない．
一 生活保護法による保護を受けている世帯（中略）に属する者
二 前号に掲げるもののほか，後期高齢者医療の適用除外とすべき特別の理由がある者で厚生労働省令で定めるもの

① 被保険者：**後期高齢者・政令で定める障害認定を受けた前期高齢者.**
② 除外規定：生活保護世帯に属する者と在留資格のない者は被保険者になれない．

3）医療給付

i）給付の種類

第56条 被保険者に係るこの法律による給付（以下「後期高齢者医療給付」という．）は，次のとおりとする．
一 療養の給付並びに入院時食事療養費，入院時生活療養費，保険外併用療養費，療養費，訪問看護療養費，特別療養費及び移送費の支給
二 高額療養費及び高額介護合算療養費の支給
三 前2号に掲げるもののほか，後期高齢者医療広域連合の条例で定めるところにより行う給付

新設された保険給付：高額介護合算療養費（第14章 p.394 参照）・各広域連合が定める給付

ii）給付の対象・方法等

第64条　後期高齢者医療広域連合は，被保険者の疾病又は負傷に関しては，次に掲げる療養の給付を行う．（以下，省略）
一　診察
二　薬剤又は治療材料の支給
三　処置，手術その他の治療
四　居宅における療養上の管理及びその療養に伴う世話その他の看護
五　病院又は診療所への入院及びその療養に伴う世話その他の看護
2　次に掲げる療養に係る給付は，前項の給付に含まれないものとする．
一　食事の提供である療養であって前項第五号に掲げる療養（医療法第7条第2項第4号に規定する療養病床への入院及びその療養に伴う世話その他の看護（以下「長期入院療養」という．）を除く．）と併せて行うもの（以下「食事療養」という．）
二　次に掲げる療養であって前項第五号に掲げる療養（長期入院療養に限る．）と併せて行うもの（以下「生活療養」という．）
イ　食事の提供である療養
ロ　温度，照明及び給水に関する適切な療養環境の形成である療養
三　厚生労働大臣が定める高度の医療技術を用いた療養その他の療養であって，前項の給付の対象とすべきものであるか否かについて，適正な医療の効率的な提供を図る観点から評価を行うことが必要な療養（次号の患者申出療養を除く．）として厚生労働大臣が定めるもの（以下「評価療養」という．）
四　高度の医療技術を用いた療養であって，当該療養を受けようとする者の申出に基づき，前項の給付の対象とすべきものであるか否かについて，適正な医療の効率的な提供を図る観点から評価を行うことが必要な療養として厚生労働大臣が定めるもの（以下「患者申出療養」という．）
五　被保険者の選定に係る特別の病室の提供その他の厚生労働大臣が定める療養（以下「選定療養」という．）

① 給付対象は，国民健康保険制度や被用者保険制度と同様（第1項）.
② 入院した場合の食事療養費，長期入院療養での生活療養費，評価療養費，選患者申出療養費，定療養費は給付されない（第2項）.

iii）給付に関する基準

第71条　療養の給付の取扱い及び担当に関する基準並びに療養の給付に要する費用の額の算定に関する基準については，厚生労働大臣が中央社会保険医療協議会の意見を聴いて定めるものとする．（以下，省略）

療養に関する基準や費用の額：中央社会保険医療協議会で審議（他の医療保険制度と同様）

iv）費用の負担（法67，93～104）

① 患者負担金（一部負担金）：**原則1割**・高額所得者は3割（図16.2）.
② 残りの費用の負担割合　＝　**保険料：後期高齢者支援金：公費＝1：4：5**
③ 公費の負担割合　＝　**国：都道府県：市町村＝4：1：1**

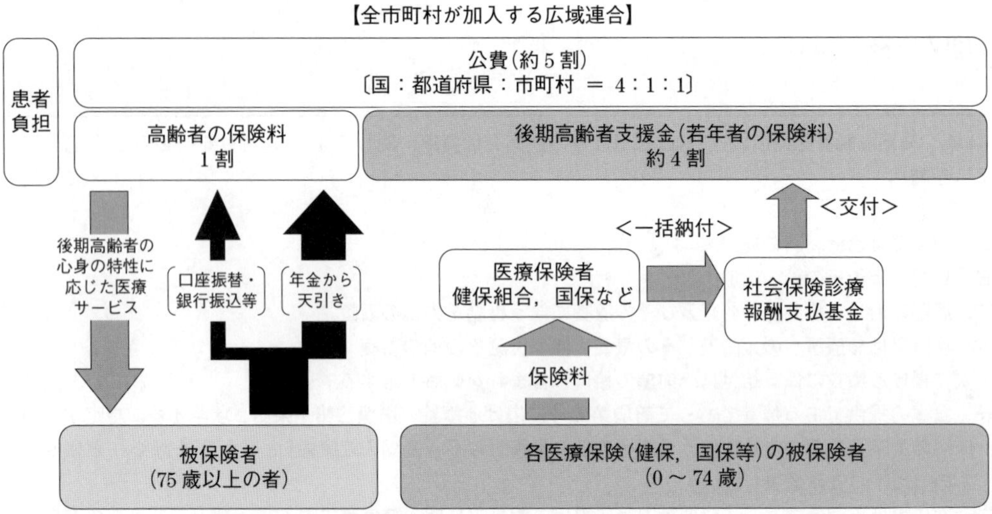

【全市町村が加入する広域連合】

患者負担

公費（約5割）
〔国：都道府県：市町村 ＝ 4：1：1〕

高齢者の保険料
1割

後期高齢者支援金（若年者の保険料）
約4割

後期高齢者の心身の特性に応じた医療サービス

口座振替・銀行振込等

年金から天引き

＜一括納付＞

＜交付＞

医療保険者
健保組合，国保など

社会保険診療報酬支払基金

保険料

被保険者
（75歳以上の者）

各医療保険（健保，国保等）の被保険者
（0～74歳）

図 16.2　後期高齢者医療制度の財政運営のしくみ

4) 保健事業

> 第125条　後期高齢者医療広域連合は，健康教育，健康相談，健康診査その他の被保険者の健康の保持増進のために必要な事業を行うように努めなければならない．（以下，省略）

① 事業内容：後期高齢者に対する健康教育，健康相談，健康診査等
② 費用の負担：国・都道府県・市町村

Checkpoint

目　的		高齢者医療の確保・医療費の適正化
対　象		特定健康診査・特定保健指導：40 歳以上の医療保険加入者 医療：前期高齢者（65 歳以上 75 歳未満）・後期高齢者（75 歳以上）
生活習慣病対策	特定健康診査	政令で定める生活習慣病について，保険者が 40 歳以上の医療保険加入者に対して行う健康診査 政令で定める生活習慣病：高血圧症，脂質異常症，糖尿病，内臓脂肪の蓄積に起因する生活習慣病
	特定保健指導	特定健康診査の結果を基に行われる保健指導
前期高齢者対策	前期高齢者交付金	支払基金から各保険者に前期高齢者の加入割合に応じて交付される調整金 前期高齢者の退職に伴う国民健康保険への大量加入で生じた保険者間の医療費負担の不均衡を調整することが目的
	前期高齢者納付金	支払基金が各保険者から徴収する前期高齢者交付金の財源
後期高齢者対策	後期高齢者医療広域連合	後期高齢者医療制度の運営主体 都道府県の区域ごとに当該区域内のすべての市町村が加入
	被保険者	後期高齢者医療広域連合の区域内に住所を有する下記に示す者 1) 75 歳以上の者 2) 65 歳以上 75 歳未満で，政令で定める程度の障害を有すると後期高齢者医療広域連合が認定した者
	一部負担金	療養の給付を受ける者の自己負担金 原則：1 割・高額所得者：3 割
	高額療養費	一部負担金等が著しく高額となる場合に支給される療養費
	高額介護合算療養費	後期高齢者医療制度による一部負担金等と介護保険制度による利用者負担額が著しく高額となる場合に支給される療養費
	食事療養費	療養病床以外の病床に入院して受ける食事に要する費用
	生活療養費	療養病床での長期入院療養で受ける食事と生活環境形成に要する費用
	評価療養費	高度な医療技術を用い，適正な医療の効率的な提供を図る観点から評価を行うことが必要と厚生労働大臣が定めた療養に要する費用
	選定療養費	特別の病室の提供等，厚生労働大臣が定めた療養に要する費用
	給付に関する基準	中央社会保険医療協議会で審議
	費用の負担	【患者負担金（一部負担金）】原則：1 割・高額所得者：3 割 【残りの費用の負担割合】保険料：後期高齢者支援金：公費 ＝ 1：4：5 【公費の負担割合】国：都道府県：市町村 ＝ 4：1：1
	保健事業	健康教育，健康相談，健康診査等

問　題

問 1　75 歳以上の者は，保険料を負担しない医療制度に加入する．(99 改)
問 2　特定健康診査は，介護保険法に基づいて実施されている．(105 改)

複 合 問 題

問 1 (法規) 特定健康診査に関する記述のうち，正しいものを2つ選べ．(98)

1　保険者が法律に基づいて加入者に実施する．
2　60 歳以上の者は対象とならない．
3　診査の結果に応じて特定保健指導が行われる．
4　原則として受診者が費用を支払う．

解答・解説

問 1　×　原則として75歳以上の者が加入する後期高齢者医療制度にも，保険料の負担がある．
問 2　×　特定健康診査は，高齢者の医療の確保に関する法律（高齢者医療確保法）に基づいて実施されている．

解答・解説

問 1　解答　1，3
1　○　特定健康診査は国民健康保険及び被用者保険の保険者が，40歳～74歳の加入者に対して行う．
2　×　60歳以上の者も特定健康審査の対象である．
3　○　特定保健指導は国民健康保険及び被用者保険の保険者が，特定健康診査の結果により，健康の保持に努める必要がある者に対して実施する．
4　×　特定健康診査に係る費用は，原則として保険者が負担する．なお，保険者負担額の上限を超えた場合は，受診者の自己負担となる．

17章　介護保険法

a　法の目的と制度の構成

1）法の目的

第1条　この法律は，加齢に伴って生ずる心身の変化に起因する疾病等により要介護状態となり，入浴，排せつ，食事等の介護，機能訓練並びに看護及び療養上の管理その他の医療を要する者等について，これらの者が尊厳を保持し，その有する能力に応じ自立した日常生活を営むことができるよう，必要な保健医療サービス及び福祉サービスに係る給付を行うため，国民の共同連帯の理念に基づき介護保険制度を設け，その行う保険給付等に関して必要な事項を定め，もって国民の保健医療の向上及び福祉の増進を図ることを目的とする．

① 目的：加齢に伴う疾病等により，要介護状態・要支援状態となった者に対して，能力に応じて自立した日常生活ができるように保健医療サービス及び福祉サービスの給付を行う．

② 特徴：国民の協同連帯の理念に基づき，**社会保険方式**で運用（年金，医療保険制度と同様）．

2）制度の構成

i）保険者

第3条　市町村及び特別区は，この法律の定めるところにより，介護保険を行うものとする．（以下，省略）

① 保険者：**市町村・特別区**（法9条以降，条文は単に「市町村」と記載）

ii）国及び都道府県の責務・医療保険者の協力

（国及び都道府県の責務）第5条　国は，介護保険事業の運営が健全かつ円滑に行われるよう保健医療サービス及び福祉サービスを提供する体制の確保に関する施策その他の必要な措置を講じなければならない． 2　都道府県は，介護保険事業の運営が健全かつ円滑に行われるように，必要な助言及び適切な援助をしなければならない． （医療保険者の協力）第6条　医療保険者は，介護保険事業が健全かつ円滑に行われるよう協力しなければならない．

① 国の責務：サービス提供体制の確保に関する施策や必要な措置
② 都道府県の責務：事業の運営についての助言・援助
③ 医療保険者：事業への協力

iii）被保険者

> 第9条　次の各号のいずれかに該当する者は，市町村又は特別区（以下単に「市町村」という.）が行う介護保険の被保険者とする.
> 一　市町村の区域内に住所を有する65歳以上の者（以下「第1号被保険者」という.）
> 二　市町村の区域内に住所を有する40歳以上65歳未満の医療保険加入者（以下「第2号被保険者」という.）

① 第1号被保険者：**65歳以上の者**
② 第2号被保険者：**40歳以上65歳未満の医療保険加入者**
③ 被保険者の区分理由：第1号被保険者と第2号被保険者では要介護の発生率，保険料の算定の考え方や徴収方法が異なるため（表17.1）.

表17.1　第1号被保険者と第2号被保険者の違い

対　象	第1号被保険者	第2号被保険者
	65歳以上の者	40歳以上65歳未満の医療保険加入者
受給権者	要介護者 要支援者	特定疾病*により，要介護・要支援状態となった者
保険料の徴収方法	市町村が徴収 （年金から天引き）	医療保険者が医療保険料として徴収 ↓ 介護給付費納付金として支払基金に納付 ↓ 介護給付費交付金として市町村に納付

*特定疾病：政令で定めた加齢に伴い生じる疾患
脳血管疾患，筋萎縮性側索硬化症，パーキンソン病，脊髄小脳変性症など（16疾患）

b　保険給付

1）要介護状態・要支援状態

> 第7条　この法律において「要介護状態」とは，身体上又は精神上の障害があるために，入浴，排せつ，食事等の日常生活における基本的な動作の全部又は一部について，厚生労働省令で定める期間にわたり継続して，常時介護を要すると見込まれる状態であって，その介護の必要の程度に応じて厚生労働省令で定める区分（以下「要介護状態区分」という.）のいずれかに該当するもの（要支援区分に該当するものを除く.）をいう.
> 2　この法律において「要支援状態」とは，身体上若しくは精神上の障害があるために入浴，排せつ，食事等の日常生活における基本的な動作の全部又は一部について厚生労働省令で定める期間にわたり継続して常時介護を要する状態の軽減若しくは悪化の防止に特に資する支援を要すると見込まれ，又は身体上若しくは精神上の障害があるために厚生労働省令で定める期間にわたり継続して日常生活を営むのに支障があると見込まれる状態であって，支援の必要の程度に応じて厚生労働省令で定める区分（以下「要支援状態区分」という.）

> のいずれかに該当するものをいう.
> 3　この法律において「要介護者」とは，次の各号のいずれかに該当する者をいう.
> 一　要介護状態にある65歳以上の者
> 二　要介護状態にある40歳以上65歳未満の者であって，その要介護状態の原因である身体上又は精神上の障害が加齢に伴って生ずる心身の変化に起因する疾病であって政令で定めるもの（以下「特定疾病」という.）によって生じたものであること.
> 4　この法律において「要支援者」とは，次の各号のいずれかに該当する者をいう.
> 一　要支援状態にある65歳以上の者
> 二　要支援状態にある40歳以上65歳未満の者であって，その要支援状態の原因である身体上又は精神上の障害が特定疾病によって生じたものであること.

① **要介護状態**：日常生活における基本的な動作の全部又は一部について，継続して，常時介護を要すると見込まれる状態.

② **要支援状態**：日常生活における基本的な動作の全部又は一部について，介護を要する状態の軽減・悪化防止のために支援を要すると見込まれる状態，又は日常生活を営むのに支障があると見込まれる状態.

③ 第1号被保険者は原因に関係なく，要介護状態等になった場合に，保険給付が行われる.

④ 第2号被保険者は特定疾患が原因で介護や支援が必要になった場合に，保険給付が行われる.

2）給付の種類

> 第18条　この法律による保険給付は，以下に掲げる保険給付とする.
> 一　被保険者の要介護状態に関する保険給付（以下「介護給付」という.）
> 二　被保険者の要支援状態に関する保険給付（以下「予防給付」という.）
> 三　前2号に掲げるもののほか，要介護状態又は要支援状態の軽減又は悪化の防止に資する保険給付として条例で定めるもの（第5節において「市町村特別給付」という.）

① **要支援は2段階，要介護は5段階に区分**され，区分ごとに給付額が異なる.

② 保険給付の内容を表17.2に示す.

表 17.2　保険給付の内容

	予防給付におけるサービス	介護給付におけるサービス
都道府県が指導・監督を行うサービス	◎介護予防サービス 介護予防訪問介護 介護予防訪問入浴介護 介護予防訪問看護 介護予防訪問リハビリテーション 介護予防居宅療養管理指導 介護予防通所介護 介護予防通所リハビリテーション 介護予防短期入所生活介護 介護予防短期入所療養介護 介護予防特定施設入居者生活介護 介護予防福祉用具貸与 特定介護予防福祉用具販売	◎居宅サービス 訪問介護 訪問入浴介護 訪問看護 訪問リハビリテーション 居宅療養管理指導 通所介護 通所リハビリテーション 短期入所生活介護 短期入所療養介護 特定施設入居者生活介護 福祉用具貸与 特定福祉用具販売 ◎居宅介護支援 ◎施設サービス 介護老人福祉施設 介護老人保健施設 介護療養型医療施設
市町村が指定・監督を行うサービス	◎介護予防支援 ◎地域密着型介護予防サービス 介護予防小規模多機能型居宅介護 介護予防認知症対応型通所介護 介護予防認知症対応型共同生活介護	◎地域密着型サービス 定期巡回・随時対応型訪問介護看護 小規模多機能型居宅介護 認知症対応型通所介護 認知症対応型共同生活介護 夜間対応型訪問介護 地域密着型特定施設入居者生活介護 地域密着型介護老人福祉施設入所者生活介護 複合型サービス
その他	◎住宅改修	◎住宅改修

（厚生労働省：介護保険制度改革の概要（パンフレット）を改変）

c　介護保険給付のしくみ（図 17.1）

被保険者（第 1 号：65 歳以上・第 2 号：40 歳以上 65 歳未満の医療保険加入者）
↓　介護認定の申請
保険者（市町村・特別区）
↓　訪問調査・主治医の意見収集
介護認定審査会（保険者）

【判定】
① 自立 ⇒ 異議ある場合：介護保険審査会（都道府県）に不服審査請求
② 要支援 1〜2*
⇒地域包括支援センター
↓委託
居宅介護支援事業者：介護予防サービス計画を作成
↓
サービス事業者による介護予防サービスを利用
③ 要介護 1〜5*
⇒居宅介護支援事業者：介護サービス計画を作成
紹介↓　↓
施設入所　サービス事業者による介護サービスを利用
（直接申し込みも可能）

*自己負担：原則 1 割（施設入所の場合は食費，居住費，日常生活費が加わる）

図 17.1　要介護認定とサービスの利用の流れ

1) 要介護認定・要支援認定

（市町村の認定）
第19条　介護給付を受けようとする被保険者は，要介護者に該当すること及びその該当する要介護状態区分について，市町村の認定（以下「要介護認定」という.）を受けなければならない.
2　予防給付を受けようとする被保険者は，要支援者に該当すること及びその該当する要支援状態区分について，市町村の認定（以下「要支援認定」という.）を受けなければならない.

（要介護認定）
第27条　要介護認定を受けようとする被保険者は，厚生労働省令の定めるところにより，申請書に被保険者証を添付して市町村に申請をしなければならない．この場合において，当該被保険者は，（中略）指定居宅介護支援事業者，地域密着型介護老人福祉施設若しくは介護保険施設（中略）地域生活支援センターに，当該申請に関する手続きを代わって行わせることができる.
2　市町村は，前項の申請があったときは，当該職員をして，当該申請に係る被保険者を面接させ，その心身の状況，その置かれている環境その他厚生労働省令で定める事項について調査させるものとする.（以下，省略）
3　市町村は，第1項の申請があったときは，当該申請に係る被保険者の主治の医師に対し，当該被保険者の身体上又は精神上の障害の原因である疾病又は負傷の状況等につき意見を求めるものとする.（以下，省略）
4　市町村は，第2項の調査（中略）の結果，前項の主治の医師の意見（中略）その他厚生労働省令で定める事項を認定審査会に通知し，第1項の申請に係る被保険者について，次の各号に掲げる被保険者の区分に応じ，当該各号に定める事項に関し審査及び判定を求めるものとする.
一　第1号被保険者　要介護状態に該当すること及びその該当する要介護状態区分
二　第2号被保険者　要介護状態に該当すること，その該当する要介護状態区分及びその要介護状態の原因である身体上又は精神上の障害が特定疾患によって生じたものであること.
5　認定審査会は，前項の規定により審査及び判定を求められたときは，（中略）審査及び判定を行い，その結果を市町村に通知するものとする.（以下，省略）
6　（省略）
7　市町村は，（中略）認定審査会の審査及び判定の結果に基づき，要介護認定をしたときは，その結果を当該要介護認定に係る被保険者に通知しなければならない．この場合において，市町村は次に掲げる事項を当該被保険者の被保険者証に記載し，これを返納するものとする.
一　該当する要介護状態区分
二　（中略）認定審査会の意見
8　要介護認定は，その申請のあった日にさかのぼってその効力を生じる.
9 ～ 12　（省略）

（要介護認定の更新）
第28条　要介護認定は，要介護状態区分に応じて厚生労働省令で定める期間（以下この条において「有効期間」という.）内に限り，その効力を有する.
2　要介護認定を受けた被保険者は，有効期間の満了後においても要介護状態に該当すると見込まれるときは，厚生労働省令で定めるところにより，市町村に対し，当該要介護認定の更新（以下「要介護認定更新」という.）の申請をすることができる.
3　（省略）
4　前条（第8項を除く）の規定は，前2項の申請及び当該申請に係る要介護認定更新について準用する.（以下，省略）
5 ～ 10　（省略）

（審査請求）
第183条　保険給付に関する処分（被保険者証の交付の請求に関する処分及び要介護認定又は要支援認定に関する処分を含む.）又は保険料その他この法律の規定による徴収金（中略）に関する処分に不服がある者は，介護保険審査会に審査請求をすることができる.

① 要介護認定の申請：**被保険者が保険者に対して行う.** 申請手続きは，指定居宅介護支援事業者等に代行させることができる.
② 審査資料の作成：保険者は当該被保険者に対して訪問調査を行うとともに，主治医の意見を収集する.
③ **介護認定審査会**：**訪問調査票・主治医意見書**等を基に審査・判定を行う.
④ 要介護認定：認定審査会の審査・判定結果を基に，保険者が自立・要支援・要介護の認定を行う.
⑤ 要介護・要支援認定の施行：申請日にさかのぼって実施.
⑥ 認定の有効期間
・新規認定の場合：原則6か月間（則38）
・更新認定の場合：原則12か月間（則41－2）
⑦ 認定の更新：有効期間の満了後も要介護状態に該当すると見込まれるときは，保険者に対し，要介護認定更新の申請を行うことができる．審査・判定の手順は新規申請の場合と同様.
⑧ 不服申し立て：審査結果に不服がある場合，被保険者は都道府県に設置された介護保険審査会に審査請求できる.

2）介護（予防）サービス計画の作成とその実施

i）介護支援専門員（ケアマネージャー）

（定義）
第7条5項　この法律において「介護支援専門員」とは，要介護者又は要支援者（以下「要介護者等」という.）からの相談に応じ，及び要介護者等がその心身の状況等に応じ適切な居宅サービス，地域密着型サービス，施設サービス，介護予防サービス又は地域密着型介護予防サービスを利用できるよう市町村，居宅サービス事業を行う者，地域密着型サービス事業を行う者，介護保険施設，介護予防サービス事業を行う者，地域密着型介護予防サービス事業を行う者等との連絡調整等を行う者であって，要介護者等が自立した日常生活を営むのに必要な援助に関する専門的知識及び技術を有するものとして第69条の7第1項の介護支援専門員証の交付を受けたものをいう.

（介護支援専門員の登録）
第69条の2　厚生労働省令で定める実務の経験を有する者であって，都道府県知事が厚生労働省令で定めるところにより行う試験（以下「介護支援専門員実務研修受講試験」という.）に合格し，かつ，都道府県知事が厚生労働省令で定めるところにより行う研修（以下「介護支援専門員実務研修」という.）の課程を修了したものは，厚生労働省令で定めるところにより，当該と送付県知事の登録を受けることができる.（以下，省略）

（介護支援専門員証の交付等）
第69条の7（前文省略）
3　介護支援専門員証（中略）の有効期間は，5年とする.
（以下，省略）

（介護支援専門員証の有効期間の更新）
第69条の8　介護支援専門員証の有効期間は，申請により更新する．

（介護支援専門員証の有効期間の更新）
第69条の8　介護支援専門員証の有効期間は，申請により更新する．
2　介護支援専門証の有効期間の更新を受けようとする者は，都道府県知事が厚生労働省令で定めるところにより行う研修（以下「更新研修」という．）を受けなければならない．（以下，省略）

① **介護支援専門員**：要介護者・要支援者からの相談に応じ，適切な居宅サービス又は施設サービスが受けられるように，保険者やサービス事業者と連絡調整を行う者．

② 介護支援専門員になれる職種
- ・医師，歯科医師，薬剤師，保健師，看護師，理学療法士，社会福祉士，介護福祉士等．
- ・これらの医療系有資格者は**5年以上の実務経験**が必要．

③ 介護支援専門員の登録要件：実務研修受講試験の合格・実務研修の受講

④ 登録の更新：5年ごとの更新制．更新のためには，更新研修を受けなければならない．

ii）介護（予防）サービス計画の作成と実施

① サービス計画（ケアプラン）の作成（法47～48，法57～58）

介護保険では，要支援者・要介護者（利用者）が自己の意思に基づいて，利用するサービスを決定することを基本としているが，利用者の希望により，介護支援事業所に所属する介護支援専門員が相談に応じ，ケアプラン（介護予防サービス計画・介護サービス計画）を作成することができると規定されている．

② 要支援者のケアマネジメント（法52～56，法61）

保険者が設置する**地域包括支援センター**が行い，**居宅介護支援事業者に委託**して**介護予防サービス計画**を作成し，サービス事業者を介して，介護予防サービスを提供する．

③ 要介護者の居宅におけるケアマネジメント（法41～46）

居宅介護支援事業者が行い，**介護サービス計画**を作成し，サービス事業者を介して，介護サービスを提供する．

④ 要介護者の介護施設におけるケアマネジメント（法49～51）

介護保険施設入所者の場合は，**施設介護サービス計画**が作成され，介護サービスが提供される．

3）地域支援事業

（地域支援事業）
第115条の45　市町村は，被保険者が要介護状態等となることを予防するとともに，要介護状態等となった場合においても，可能な限り，地域において自立した日常生活を営むことができるよう支援するため，地域支援事業として，次に掲げる事業を行うものとする．（以下，省略）

（地域包括支援センター）
第115条の46　地域包括支援センターは，第一号介護予防支援事業（居宅要支援被保険者に係るものを除く．）及び第115条の45第2項各号に掲げる事業（以下「包括的支援事業」という．）その他厚生労働省令で定める事業を実施し，地域住民の心身の健康の保持及び生活の安定のために必要な援助を行うことにより，その保健医療の向上及び福祉の増進を包括的に支援することを目的とする施設とする．
2　市町村は，地域包括支援センターを設置することができる．
（以下，省略）

① 地域包括支援センターの設置目的：保険者が被保険者の地域支援事業を行うため.
② 地域包括支援センター運営協議会
・保険者が設置
・指定居宅サービス事業者，利用者，学識経験者等で構成
③ 地域包括支援センターの運営方針：地域包括支援センター運営協議会の意見を踏まえて，適切，公正，中立な運営を行う.
④ 地域包括支援センターの概要：表 17.3 に示す.

表 17.3　地域包括支援センターの概要

目　的	要介護状態の予防・軽減・悪化防止のための地域支援事業
必須業務	介護予防事業・介護予防給付 (介護予防サービス計画の作成・事業者によるサービス提供・再アセスメントなど) 包括的支援事業（行政機関，保健所，医療機関などへの組織横断的な働きかけ） 総合相談・支援 権利擁護 包括的・継続的ケアマネジメント支援 (地域でのケアマネージャーのネットワーク構築，支援困難事例への指導・助言など)
主要構成員	社会福祉士・主任ケアマネージャー・保健師

4）費用の負担

① 自己負担（一部負担金）：第 1 号被保険者　原則 **1 割**（合計所得金額に応じて 1 割～ 3 割）
第 2 号被保険者　1 割
介護保険施設入所者は食費，居住費，日常生活費
② 残りの費用負担＝**保険料：公費＝ 50：50**
③ 公費の負担割合＝**国：都道府県：市町村＝ 25：12.5：12.5**

5）保険給付の審査・支払い

国民健康保険団体連合会が担当（法 176）

d　介護保険制度への薬剤師の関わり

① **要介護認定**：訪問調査員・認定審査委員として参画
② 居宅介護支援：**介護支援専門員**としてケアマネジメント
③ 居宅療養管理指導：訪問薬剤管理指導の実施

(指定居宅サービス事業者の特例) 第 71 条　病院等について，(中略) 保険医療機関又は保険薬局の指定があったとき (中略) は，その指定の時に，当該病院等の開設者について，当該病院等により行われる居宅サービス (病院又は診療所にあっては居宅療養管理指導その他厚生労働省令で定める種類の居宅サービスに限り，薬局にあっては居宅療養管理指導に限る.) に係る (中略) 指定があったものとみなす. (以下，省略)

保険薬局は，**居宅療養管理指導のサービス事業者**に見なし指定されている.

Checkpoint

<table>
<tr><td colspan="2">目　的</td><td>要介護・要支援状態になった者への保健医療サービス・福祉サービスの提供</td></tr>
<tr><td colspan="2">保険者</td><td>市町村・特別区</td></tr>
<tr><td rowspan="3">国等の役割分担</td><td>国</td><td>サービス提供体制の確保に関する施策や必要な措置を行う責務</td></tr>
<tr><td>都道府県</td><td>事業の運営についての助言・援助を行う責務</td></tr>
<tr><td>医療保険者</td><td>事業への協力</td></tr>
<tr><td rowspan="2">被保険者</td><td>第1号</td><td>65歳以上の者</td></tr>
<tr><td>第2号</td><td>40歳以上65歳未満の医療保険加入者</td></tr>
<tr><td colspan="2">運営形態</td><td>社会保険方式（国民の協同連帯の理念に基づき，被保険者から保険料を徴収して運営）</td></tr>
<tr><td rowspan="2">受給権者</td><td>第1号被保険者</td><td>要介護者・要支援者</td></tr>
<tr><td>第2号被保険者</td><td>特定疾病により，要介護・要支援状態となった者</td></tr>
<tr><td colspan="2">特定疾病</td><td>政令で定めた加齢に伴い生じる疾患
脳血管疾患，筋萎縮性側索硬化症，パーキンソン病，脊髄小脳変性症などの16疾患</td></tr>
<tr><td colspan="2">要介護状態</td><td>日常生活動作の全部又は一部について，継続して常時介護を要すると見込まれる状態</td></tr>
<tr><td colspan="2">要支援状態</td><td>・日常生活動作の全部又は一部について，介護を要する状態の軽減・悪化防止のために支援を要すると見込まれる状態
・日常生活を営むのに支障があると見込まれる状態</td></tr>
</table>

問　題

問 1　介護保険の被保険者が，自己の居宅で受けた介護サービスは，保険給付の対象とならない.（102）

問 2　介護給付を受けようとする被保険者は，保険者である都道府県に対して医師の診断書を添えて申請する必要がある.（102）

問 3　介護保険の第2号被保険者の保険料は，被保険者が加入する医療保険が徴収する.（102）

問 4　要介護状態とは，1年以上継続して常時介護を要すると見込まれる状態をいう.（102）

問 5　要介護状態は5段階に，要支援状態は2段階に区分されている.（102）

<table>
<tr><td rowspan="5">要介護認定</td><td>申請</td><td>被保険者が保険者に申請
指定居宅介護支援事業者等による代行・可</td></tr>
<tr><td>介護認定審査会</td><td>保険者が設置
訪問調査書・主治医意見書を基に審査・判定を行う委員会</td></tr>
<tr><td>認定</td><td>認定審査会の審査・判定結果を基に，保険者が認定</td></tr>
<tr><td>有効期間</td><td>新規認定：原則6か月間
更新認定：原則12か月間</td></tr>
<tr><td>不服申し立て</td><td>都道府県に設置された介護保険審査会に審査請求</td></tr>
<tr><td colspan="2">介護支援専門員</td><td>要介護者･要支援者からの相談に応じ，適切な居宅サービス又は施設サービスが受けられるように，保険者やサービス事業者との連絡調整を行う者</td></tr>
<tr><td rowspan="2">給付される
サービス</td><td>要支援者</td><td>予防給付（介護予防サービス・介護予防支援・地域密着型介護予防サービス・住宅改修・市町村特別給付）</td></tr>
<tr><td>要介護者</td><td>介護給付（居宅サービス・居宅介護支援・施設サービス・地域密着型サービス・住宅改修・市町村特別給付）</td></tr>
<tr><td colspan="2">地域包括支援センター</td><td>保険者が設置
要介護状態の予防及び自立した日常生活のための地域支援事業を行う</td></tr>
<tr><td colspan="2">費用負担</td><td>① 自己負担：1割・介護保険施設入所者は食費，居住費，日常生活費
② 残りの費用負担　=　保険料：公費　=　50：50
③ 公費の負担割合　=　国：都道府県：市町村　=　25：12.5：12.5</td></tr>
<tr><td colspan="2">薬剤師の関わり</td><td>① 要介護認定：訪問調査員・認定審査委員として参画
② 居宅介護支援：介護支援専門員としてケアマネジメント
③ 居宅療養管理指導：訪問薬剤管理指導の実施</td></tr>
</table>

解答・解説

問 1　×　居宅介護サービスも介護給付の対象である.

問 2　×　介護保険の保険者は市町村又は特別区である.

問 3　○　介護保険の第2号被保険者は40歳以上65歳未満の医療保険加入者であるため，その保険料は医療保険の保険者が徴収する.

問 4　×　要介護状態とは，6ヶ月以上継続して常時介護を要すると見込まれる状態をいう.

問 5　○　記述のとおり.

複 合 問 題

問 1（法規） 介護保険制度に関する記述のうち，正しいものを2つ選べ．（97）
1 保険者は都道府県知事である．
2 保健・医療・福祉にわたる介護サービスを総合的に利用できるようにした制度である．
3 被保険者には第1号被保険者と第2号被保険者がある．
4 給付には，要支援者を対象とするものはない．
5 要介護状態は10段階に区分されている．

問 2（実務） 薬局薬剤師が医師の指示により，患者の居宅での指導（居宅療養管理指導）を行う場合の記述のうち，誤っているものを1つ選べ．
1 介護保険被保険者証の確認を行う．
2 居宅療養管理指導を行うには，患者の同意が必要である．
3 訪問結果について医師に情報提供を行う．
4 薬学的管理指導計画を策定する．
5 じょく瘡の状態を確認し，状態が悪化している場合には外用剤の塗布を行う．

問 3（法規） 在宅医療・介護について，正しいものを2つ選べ．（98）
1 在宅患者訪問薬剤管理指導は，介護保険法に基づく居宅サービスの1つである．
2 介護支援専門員は，寝たきり状態の要介護者に対して必要な援助を行うことを業務としている．
3 保険薬局の開設者は，居宅療養管理指導を行う指定居宅サービス事業者とみなされる．
4 在宅患者に対する居宅療養管理指導の給付に当たって，保険薬局は，患者が介護保険の適用を受けていることを確認する．

問 4（法規） 薬剤師の行う居宅療養管理指導に関して正しいものを2つ選べ．（99）
1 通所介護を受けるために滞在している施設においても実施できる．
2 提供した居宅療養管理指導の内容について，速やかに記録を作成し，医師又は歯科医師に文書で報告する．
3 保険薬局では厚生労働大臣の許可を受けなければ実施できない．
4 薬剤師が1人の保険薬局でも実施できる．

問 5（法規） 介護保険制度に関する記述のうち，正しいものを2つ選べ．（101）
1 75歳以上の人は，自己負担金が免除されます．
2 要介護状態区分は，介護認定審査会が判定します．
3 要介護状態は，要介護1と2の2つに区分されています．
4 要介護認定を受けた場合，訪問薬剤管理指導に係る給付は，医療保険が優先されます．
5 介護支援専門員は，サービス計画書（ケアプラン）の作成などを行います．

問 6（法規） 76歳男性．大腸がんの切除術を受けたが，手術で患部を取り切れず，退院時の見込みでは，日常生活を送るうえで介護を要するであろうとのことであった．介護保険制度に照らした当該患者に関する記述のうち，正しいものを1つ選べ．（103）
1 第2号被保険者である．
2 要介護認定を受けた場合に介護サービスが受けられる．
3 要介護認定は都道府県が行う．
4 要介護認定は疾病の重症度が判定基準とされる．
5 保険料は医療保険者が徴収し，社会保険診療報酬支払基金に納付する．

解答・解説

問 1　解答　2，3

1　×　介護保険の保険者は市町村と特別区．
2　○　記述のとおり．
3　○　記述のとおり．
4　×　要支援者には，予防給付を行う．
5　×　要支援状態は 2 段階，要介護状態は 5 段階に区分されている．

問 2　解答　5

1　○　記述のとおり
2　○　記述のとおり
3　○　記述のとおり
4　○　記述のとおり．
5　×　状態が悪化している場合は，医師に報告し，その指示に基づいた居宅療養管理指導を行う．

問 3　解答　3，4

1　×　在宅患者訪問薬剤管理指導は，健康保険法に基づく居宅サービス．介護保険法に基づく居宅サービスは居宅療養管理指導．
2　×　介護支援専門員は，要介護者等が適切な介護サービスを利用できるように，市町村やサービス事業者等との連絡調整を行う者である．
3　○　記述のとおり．
4　○　記述のとおり．

問 4　解答　2，4

1　×　通所施設は居宅ではないため，居宅療養管理指導業務の対象ではない．
2　○　記述のとおり．
3　×　保険薬局の開設者は，居宅療養管理指導を行う指定居宅サービス事業者とみなされており，厚生労働大臣の許可は不要．
4　○　1 人薬剤師の保険薬局も，薬剤師が訪問時は閉局すれば，居宅療養管理指導を実施できる．

問 5　解答　2，5

1　×　介護保険サービスの自己負担は，原則 1 割である．
2　○　記述のとおり．
3　×　要介護状態は，要介護 1 ～ 5 の 5 区分である．
4　×　要介護認定を受けた者の訪問薬剤管理指導に係る給付は，介護保険が優先される．
5　○　記述のとおり．

問 6　解答　2

1　×　76 歳は第 1 号被保険者である．
2　○　記述のとおり．
3　×　要介護認定は市町村又は特別区が行う．
4　×　要介護認定は，介護に要する手間（要介護認定等基準時間と認知症加算）を基に判定される．
5　×　第 1 号被保険者の保険料は市町村又は特別区が徴収する．

問 7（法規）　介護保険法における要支援認定に関する記述のうち，正しいものを2つ選べ．（104）

1　要支援認定を受けた者に対する訪問薬剤管理指導に係る給付は，医療保険より介護保険の適用が優先される．
2　要支援状態は5段階に区分されている．
3　要支援認定には，有効期間の定めがない．
4　要支援認定を受けた者に対する保険の給付を，要支援給付という．
5　要支援認定の申請は，市町村に対して行う．

問 8（法規）　62歳男性．妻と死別し，独居である．介護保険制度による要支援2のサービスを受けている．抗認知症薬が増量になったことを機に，主治医の指示を受けて，保険薬剤師が居宅を訪問した．介護保険法に照らして適切な記述を2つ選べ．（105改）

1　この患者は第2号被保険者である．
2　当該薬局において居宅療養管理指導料を算定する．
3　当該薬局において在宅患者訪問薬剤管理指導料を算定する．
4　この患者は介護給付を受けることができる．
5　この患者の介護保険料は，医療保険料に上乗せして保険者が一括徴収する．

問 7　解答 1，5

1　○　記述のとおり．

2　×　要支援状態は 2 段階に区分されている．

3　×　要支援・要介護認定には，状態区分に応じて厚生労働省令で定める期間に限り，その効力を有する．

4　×　要支援認定を受けた者に対する保険の給付を，予防給付という．

5　○　要支援認定の申請は，市町村又は特別区に対して行う．

問 8　解答 1，5

1　○　この患者は 40 歳以上 65 歳未満なので，第 2 号被保険者である．

2　×　この患者は要支援認定なので，介護予防居宅療養管理指導料を算定することになる．

3　×　介護保険が優先なので，医療保険の在宅患者訪問薬剤管理指導料は算定できない．

4　×　この患者は要支援認定なので，介護給付を受けることはできない．

5　○　この患者は第 2 号被保険者なので，介護保険料は，医療保険料に上乗せして保険者が一括徴収する．

索　　引